KT-404-735

L'architecte du sultan

ELIF
SHAFAK

L'architecte du sultan

ROMAN

Traduit de l'anglais (Turquie)
par Dominique Goy-Blanquet

www.elifshafak.com

Titre original :
THE ARCHITECT'S APPRENTICE

Éditeur original :
Curtis Brown

Mon cœur qui était exercé à tous les arts fut dérouté quand il mesura la difficulté de l'amour.

FUZULI,
Empire ottoman, XVIe siècle

J'ai exploré le monde sans trouver rien qui soit digne d'amour, ainsi suis-je un étranger parmi les miens, et un exilé de leur compagnie.

MIRABAI,
Empire moghol, XVIe siècle

De tous les êtres que Dieu a créés et Shaitan dévoyés, seuls quelques-uns ont su découvrir le Centre de l'Univers – là où n'existe ni bien ni mal, ni passé ni futur, ni Moi ni Toi, ni guerre ni raison de guerroyer, seulement une mer infinie de calme. Ce qu'ils trouvaient là était si beau qu'ils en perdaient le don de la parole.

Les anges, prenant pitié d'eux, leur offrirent deux choix. S'ils souhaitaient retrouver leur voix, il leur faudrait oublier tout ce qu'ils avaient vu, même s'ils gardaient au plus profond de leur cœur le sentiment d'une absence. S'ils préféraient garder le souvenir de cette beauté, leur esprit connaîtrait une telle confusion qu'ils ne sauraient plus distinguer la vérité du mirage. Si bien que la poignée d'individus qui tombaient par hasard sur ce lieu secret, dont aucune mappemonde ne portait la trace, revenait avec soit la nostalgie de quelque chose qu'ils ne sauraient dire, soit une myriade de questions à poser. Ceux qui rêvaient de complétude se nommeraient « les amants », et ceux qui aspiraient au savoir « les apprenants ».

Voilà ce que nous disait notre maître Sinan à tous quatre, nous ses apprentis. Il nous scrutait attentivement, la tête inclinée sur le côté, comme s'il tentait de pénétrer notre âme. Je savais que je me montrais vaniteux et que la vanité sied mal à un garçon simple comme moi, mais chaque fois qu'il racontait cette histoire j'avais le sentiment qu'il me la destinait à moi plutôt qu'aux autres. Son regard s'attardait un moment de trop sur moi, comme s'il attendait une réaction de ma part, et je détournais les yeux, craignant de le décevoir, craignant la chose que je ne pouvais lui donner – même si je n'ai jamais pu découvrir quelle était cette chose. Je me demande ce qu'il voyait dans mes yeux. Avait-il prédit que je deviendrais inégalable en matière de savoir, mais que, par maladresse, j'échouerais lamentablement en amour ?

J'aimerais pouvoir regarder en arrière et dire que j'ai appris à aimer autant que j'ai aimé apprendre. Mais si je mens, il se pourrait que demain on fasse bouillir un chaudron en enfer à mon intention, et qui peut m'assurer que demain n'est pas déjà sur le pas de ma porte, maintenant que je suis plus vieux qu'un chêne, mais pas encore marqué pour la tombe ?

Nous étions six en tout : le maître, les apprentis et l'éléphant blanc. Nous avons tout construit ensemble. Mosquées, ponts, madrasas, caravansérails, hospices, aqueducs… C'était il y a si longtemps que mon esprit adoucit jusqu'aux traits les plus rudes, et fait fondre les souvenirs en douleur liquide. Les formes qui flottent dans mon crâne chaque fois que je me remémore ces jours ont très bien pu être dessinées plus tard pour alléger le remords d'avoir oublié leur visage. Pourtant je me rappelle les promesses que nous avions prononcées, puis omis de tenir, chacune d'elles. C'est étrange comme les visages, pourtant si charnus et visibles, s'évaporent, alors que les mots faits d'un simple souffle persistent.

Ils ont disparu. Un par un. Pourquoi ont-ils péri et pourquoi ai-je survécu jusqu'à cet âge frêle, Dieu et Dieu seul le sait. Je pense à Istanbul[1] *tous les jours. Il y a sans doute en ce moment des visiteurs qui traversent les jardins des mosquées sans rien savoir, sans rien voir. Ils préféreraient croire que ces bâtiments autour d'eux sont là depuis Noé. Mais c'est faux. C'est nous qui les avons érigés : musulmans, chrétiens, artisans et esclaves des galères, humains et animaux, jour après jour. Mais Istanbul a l'oubli facile. Là-bas tout s'écrit sur l'eau, hormis les ouvrages de mon maître, qui sont inscrits dans la pierre.*

Sous l'une de ces pierres, j'ai enfoui un secret. Le temps a passé mais il s'y trouve sûrement encore, attendant d'être découvert. Je me demande si quelqu'un le trouvera un jour, et s'ils le trouvent, comprendront-ils ? Cela, personne ne le sait, mais sous les fondations de l'un des centaines de bâtiments édifiés par mon maître se cache le centre de l'Univers.

Agra / Inde, 1632

---

1. L'auteur a choisi l'orthographe actuelle, Istanbul, imposée par la réforme d'Ataturk. Au XVIe siècle ce quartier de Constantinople s'appelait Stambul en turc, Stamboul chez les écrivains français. *(N.d.T.)*

Istanbul, 22 décembre 1574

Il était plus de minuit quand il entendit un grondement féroce dans la profondeur des ténèbres. Il sut aussitôt d'où il provenait. Du plus gros félin qu'abritait le palais du sultan, un tigre de Caspienne aux yeux jaunes et au pelage doré. Il eut un haut-le-cœur en se demandant ce qui avait dérangé l'animal. Tous auraient dû être plongés dans le sommeil à cette heure tardive – les humains, les animaux, les djinns. Dans la ville aux sept collines, en dehors des gardes qui faisaient leur ronde dans les rues, il n'y avait que deux sortes d'individus qui veillaient : les prieurs et les pécheurs.

Jahan lui aussi était éveillé et à la tâche.

« Le travail est la prière des gens comme nous, disait souvent son maître. C'est notre façon de communier avec Dieu.

— Alors comment nous répond-Il ? lui avait un jour demandé Jahan, du temps où il était plus jeune.

— En nous donnant davantage de travail, bien sûr. »

Si c'était vrai, Jahan devait être en train de se forger une relation étroite avec le Tout-Puissant, car il travaillait deux fois plus dur en exerçant deux métiers au lieu d'un. À la fois comme cornac et comme dessinateur. Il pratiquait ces deux artisanats, mais n'avait qu'un seul enseignant qu'il respectait, admirait, et espérait secrètement surpasser. Son maître Sinan, l'architecte en chef de l'Empire ottoman.

Sinan avait des centaines d'étudiants, des milliers d'ouvriers et plus encore de disciples et d'acolytes. Mais il n'avait que quatre apprentis. Jahan était fier d'en faire partie, fier mais aussi, en son for intérieur, perplexe. Le maître l'avait choisi, lui, un simple serviteur, un vil cornac alors qu'il avait tant de novices doués à l'école du palais. Cette idée, au lieu de le gonfler de vanité, l'emplissait d'appréhension. Il avait l'esprit hanté, presque malgré lui, par la crainte de décevoir la seule personne au monde qui eût confiance en lui.

Il avait pour tâche de dessiner un hammam. Les consignes du maître étaient claires : une vasque de marbre avec un système de chauffage par en dessous ; un dôme sur trompes ; des conduits logés dans les murs pour laisser sortir la fumée ; deux portes donnant sur deux rues opposées pour éviter que femmes et hommes ne s'entrevoient. Au cours de cette nuit sinistre, c'est à cela que travaillait Jahan, assis devant une table rustique dans son hangar de la ménagerie du sultan.

Penché en arrière, sourcils froncés, il examinait son dessin. Il le trouvait grossier, dépourvu de grâce et d'harmonie. Comme d'habitude, tracer le plan de masse lui avait donné moins de mal que dessiner le dôme. Il avait beau avoir plus de quarante ans – l'âge où Mahomet devint prophète – et une grande compétence dans son métier, il aurait préféré creuser des fondations à mains nues que devoir résoudre des problèmes de voûtes et de plafonds. Si seulement il pouvait trouver un moyen d'y échapper complètement ! Si seulement les humains pouvaient vivre sous la voûte des cieux, ouverts et intrépides, à observer les étoiles et en être observés, sans rien à cacher.

Contrarié, il s'apprêtait à recommencer son dessin – il avait fauché du papier aux scribes du palais – quand il entendit de nouveau le tigre. Dos raidi, menton dressé, il se figea et tendit l'oreille. Le bruit résonnait comme un avertissement, hardi, terrifiant. Une menace avertissant l'ennemi de ne pas s'approcher plus près.

Tout doucement, Jahan ouvrit la porte et fouilla l'obscurité du regard. Un autre grognement s'éleva, moins fort que le premier mais tout aussi menaçant. Tous ensemble, les animaux se déchaînèrent. Le perroquet piailla dans l'ombre, le rhinocéros barrit et l'ours lui répondit par des grognements furieux. Leur voisin le lion se mit à rugir, suscitant les feulements du léopard. Bruits rythmés, comme en fond sonore, par ce martèlement frénétique constant que font les lapins effrayés avec leurs pattes arrière. Les singes avaient beau n'être que cinq, leurs cris et hurlements faisaient autant de tapage que tout un bataillon. Les chevaux commencèrent à hennir eux aussi et s'agiter dans leurs stalles. Au milieu de la fièvre, Jahan reconnut le grognement de l'éléphant, bref et alangui, comme s'il hésitait à se joindre au tumulte. Qu'est-ce donc qui terrifiait les animaux ? Jetant un manteau sur ses épaules,

Jahan saisit la lampe à huile et se glissa dans la cour.

L'air était vif, imprégné d'un parfum entêtant de fleurs hivernales et d'herbes folles. À peine avait-il fait deux pas qu'il aperçut quelques-uns des dompteurs en train de chuchoter, serrés les uns contre les autres sous un arbre. À son approche ils lui jetèrent un regard interrogatif. Mais Jahan n'avait pas d'informations à leur donner, uniquement des questions.

« Que se passe-t-il ?

— Les bêtes sont nerveuses, dit Dara le dompteur de girafes, qui semblait plutôt nerveux lui aussi.

— C'est peut-être un loup », suggéra Jahan.

La chose s'était déjà produite. Deux ans auparavant. Par un soir d'hiver glacé, des loups étaient descendus sur la ville, rôdant sans distinction dans les quartiers juif, musulman et chrétien. Plusieurs d'entre eux avaient même réussi à franchir les grilles, Dieu sait comment, et fait un carnage chez les canards, cygnes et paons du sultan. Il fallut plusieurs jours pour nettoyer les buissons et les ronces parsemés de plumes ensanglantées. Mais en ce moment le sol n'était pas gelé ni couvert de neige. Si quelque chose inquiétait les animaux, cela venait de l'intérieur du palais.

« Vérifiez chaque recoin », dit Olev le dompteur de lions – une montagne à chevelure flamboyante et moustache de même teinte. Pas une seule décision ne se prenait par ici sans qu'il le sache. Hardi et musclé, il était tenu en haute estime par toute la gent domestique. Un mortel capable de maîtriser un lion, voilà un homme que même le sultan pouvait admirer un peu.

Ils s'égaillèrent pour aller inspecter les écuries, enclos, bassins, poulaillers, clapiers et s'assurer qu'aucun animal ne s'était évadé. Tous les résidents de la ménagerie royale semblaient être à leur place. Lions, singes, hyènes, antilopes à cornes droites, renards, hermines, lynx, bouquetins, félins, gazelles, tortues géantes, chevreuils, autruches, oies, porcs-épics, lézards, lapins, serpents, crocodiles, civettes. Et le léopard, le zèbre, la girafe, le tigre, l'éléphant.

Quand il alla prendre des nouvelles de Chota – un éléphant mâle asiatique âgé de trente-cinq ans, haut de six coudées, blanc comme rarement ceux de son espèce – Jahan le trouva fébrile, inquiet, ses vastes oreilles déployées telles des voiles au vent. Il sourit à l'animal dont il connaissait si bien les habitudes.

« Qu'est-ce qui ne va pas ? Tu sens le danger ? » Jahan tapota le flanc de la bête et lui offrit une poignée d'amandes douces, dont il avait toujours une réserve dans sa ceinture.

N'étant pas du genre à refuser une gâterie, Chota lança les amandes d'un coup de trompe entre ses mâchoires tout en gardant l'œil sur le portail. Incliné, son énorme poids reposant sur ses pattes avant, les pieds sensibles collés au sol, il se figea, à l'écoute tendue d'un bruit éloigné.

« Du calme, tout va bien », psalmodia Jahan, même s'il n'en croyait pas un mot, pas plus que l'éléphant.

Sur le chemin du retour, il vit qu'Olev parlait aux dompteurs, les invitant à se disperser. « On a cherché partout ! Y a rien !

— Mais les bêtes », protesta quelqu'un.

Olev l'interrompit en désignant Jahan. « L'Indien a raison. Sûrement un loup. Ou un chacal, je dirais. En tout cas il est parti. Retournez vous coucher. »

Cette fois personne ne protesta. Avec des hochements de tête et des murmures, ils repartirent vers leur grabat, le seul endroit chaud et sûr qu'ils connaissent, même s'il était grossier, plein d'épines et de poux. Seul Jahan resta en arrière.

« Tu viens pas, *mahout*[1] ? appela Kato le dompteur de crocodiles.

— Tout à l'heure », répliqua Jahan, avec un coup d'œil en direction de la cour intérieure, d'où venait de lui parvenir un étrange son étouffé.

Au lieu de tourner à gauche, vers son hangar de bois et de pierre, il se dirigea à droite vers les murs élevés qui séparaient les deux cours. Il avançait prudemment, comme s'il attendait une excuse pour se raviser et retourner à son dessin. Lorsqu'il atteignit le lilas le plus éloigné, il aperçut une ombre. Étrange et sombre, elle avait tellement l'allure d'une apparition qu'il aurait pris la fuite si au même instant elle n'avait pivoté sur le côté et dévoilé son visage – Taras le Sibérien. Survivant à toutes les pestes, maladies et catastrophes, cet homme était là depuis plus

1. Pour les termes étrangers, voir le glossaire en fin de volume. *(N.d.T.)*

longtemps que quiconque. Il avait vu des sultans arriver, des sultans repartir. Il avait assisté à l'humiliation des puissants, et vu des têtes habituées à porter les turbans les plus hautains rouler dans la boue. *Il n'y a que deux choses qui résistent*, raillaient les serviteurs : *Taras le Sibérien et les misères de l'amour. Tout le reste est périssable...*

« C'est toi, l'Indien ? demanda Taras. Les animaux t'ont réveillé, hein ?

— Oui, fit Jahan. Tu as entendu ce bruit ? »

Le vieil homme émit un grognement qui pouvait signifier oui ou non.

« Ça venait de là-bas », insista Jahan en se dévissant le cou. Il observait le mur qui s'étalait devant lui, masse informe couleur de l'onyx, parfaitement fondue dans l'horizon. Il eut soudain l'impression que la brume de minuit grouillait d'esprits gémissants endeuillés. Cette idée le fit frissonner.

Un craquement caverneux retentit à travers la cour, bientôt suivi par des bruits de pas en cascade comme ceux d'une foule effervescente. Du plus profond des entrailles du palais s'éleva un hurlement féminin, tellement sauvage qu'il semblait inhumain, et presque aussitôt s'abîma en sanglots. Venu d'un autre angle, un second cri déchira la nuit. Peut-être était-ce l'écho égaré du premier. Puis, aussi brusquement que tout avait commencé, tout redevint calme. Pris d'une impulsion, Jahan avança vers le mur.

« Où tu vas ? chuchota Taras, les yeux luisants de terreur. C'est interdit.

— Je veux découvrir ce qui se passe, dit Jahan.

— T'en mêle pas », dit le vieillard.

Jahan hésita – mais pas plus d'un instant. « Je vais jeter un coup d'œil et je reviens tout de suite.

— Si je te dis, fais pas ça, tu vas pas m'écouter, je le sais, dit Taras en soupirant. Mais reste dans le jardin et garde le dos au mur. Tu m'entends ?

— Ne t'inquiète pas, je serai rapide – et prudent.

— Je vais t'attendre. Pourrai pas dormir avant que tu rentres. »

Jahan lui adressa un sourire espiègle. « Si je te dis, fais pas ça, tu vas pas m'écouter. »

Récemment, Jahan avait travaillé avec son maître à remettre en état les cuisines royales. Ensemble ils avaient aussi étendu certaines parties du harem – une nécessité car sa population s'était considérablement accrue ces dernières années. Pour éviter d'utiliser le portail principal, les ouvriers avaient créé un raccourci en taillant une ouverture dans les murs. Quand une commande de faïences prit du retard, ils scellèrent cette partie-là avec des briques et de l'argile.

Lampe dans une main, bâton dans l'autre, Jahan sondait les murs tout en marchant. Longtemps il n'entendit que le même bruit sourd, encore et encore. Puis un son creux. Il s'arrêta. À genoux il poussa les briques du bas de toutes ses forces. Le mur résista au début, finit par céder. Laissant sa lampe derrière lui pour la récupérer à son retour, il se faufila par le trou, s'écorchant les coudes et les chevilles, et pénétra dans la cour suivante.

La lune jetait une lueur spectrale sur le jardin de roses, maintenant cimetière de roses. Les buissons, ornés tout au long du printemps des tons rouges, roses et jaunes les plus vifs, semblaient désormais fanés, brunis, étalés comme une nappe d'eau argentée. Un frisson le parcourut tandis qu'il se remémorait des histoires d'eunuques empoisonnés, de concubines étranglées, de vizirs décapités, et de sacs jetés dans les eaux du Bosphore, leur contenu encore frémissant de vie. Dans cette ville, certains lieux de sépulture se trouvaient sur les collines, d'autres cent brasses sous la mer.

Devant lui un sapin agitait des centaines d'écharpes, rubans, pendeloques et lacets accrochés à ses branches – l'arbre aux souhaits. Lorsqu'une concubine ou une odalisque du harem détenait un secret qu'elle ne pouvait partager avec personne hormis Dieu, elle persuadait un eunuque de venir ici avec un colifichet à elle, qu'il devait attacher à une branche, à côté du bibelot de quelqu'un d'autre. Comme les désirs de ces femmes s'opposaient entre eux, l'arbre était hérissé de requêtes conflictuelles et de prières belliqueuses. Pourtant, en ce moment où une brise légère ébouriffait ses rameaux, mêlant les souhaits, il paraissait paisible. Si paisible, en fait, que Jahan ne put se retenir d'approcher, malgré sa promesse à Taras de ne pas s'aventurer aussi loin.

Il n'y avait guère que trente pas jusqu'au bâtiment de pierre du fond de la cour. À moitié dissimulé derrière le tronc de l'arbre aux souhaits, Jahan scruta lentement les alentours, puis recula aussitôt. Il mit un moment avant de risquer un nouveau regard.

Une douzaine de serviteurs couraient en tous sens et s'activaient sans bruit, allant d'une porte à l'autre. Plusieurs d'entre eux portaient ce qui lui parut être des sacs. Leurs torches traçaient des traînées opaques dans la nuit et chaque fois que deux torches se croisaient, les ombres sur les murs devenaient plus hautes.

Ne sachant trop comment interpréter ce qu'il voyait, Jahan courut vers l'arrière du bâtiment, la riche odeur de terre dans les narines, ses foulées aussi imperceptibles que l'air qu'il respirait. Il fit un demi-cercle qui le conduisit à la porte la plus éloignée. Bizarrement, elle n'était pas gardée. Il entra sans réfléchir. S'il pensait trop à ce qu'il était en train de faire, la peur le paralyserait, il le savait.

À l'intérieur il faisait froid et humide. À tâtons dans la pénombre il continua à avancer, la nuque trempée de sueur. Il était trop tard pour les regrets. Impossible de faire marche arrière, il ne pouvait qu'aller de l'avant. Il se glissa dans une pièce faiblement éclairée, longea les murs, le souffle haletant. Autour de lui il vit des tables de nacre avec sur chacune une coupe en verre ; des sofas garnis de coussins ; des miroirs aux cadres sculptés et dorés, des tapisseries suspendues au plafond et étalées sur le sol, et ces sacs joufflus.

Après un coup d'œil par-dessus son épaule pour s'assurer que personne ne venait il fit quelques pas prudents et ce qu'il vit lui glaça le sang – une main. Pâle et inerte, elle reposait sur le marbre froid, sous une pile de tissus, tel un oiseau tombé. Comme si une force extérieure le guidait, Jahan dénoua les sacs de jute, l'un après l'autre, et les entrouvrit. Il cligna des paupières avec effroi, ses yeux refusant d'admettre ce que son cœur avait déjà saisi. La main était reliée à un bras, le bras à un petit torse. Pas des sacs, pas du tout des sacs. C'étaient des cadavres. D'enfants.

Ils étaient quatre en tout, tous des garçons, couchés côte à côte, du plus grand au plus petit. L'aîné était un adolescent, le plus jeune un nourrisson. Leurs vêtements royaux étaient soigneusement disposés pour leur donner l'air de dignité qui convient à des princes. Le regard de Jahan s'arrêta sur le corps le plus proche, un garçon à la peau claire et aux joues rouges. Il contempla les lignes de sa paume. Des lignes courbes, tombantes, qui se fondaient les unes dans les autres comme des marques sur le sable. Quel devin de cette cité, se demanda-t-il, aurait pu prédire une mort si soudaine et si triste à des princes de si noble naissance ?

Ils semblaient paisibles. Leur chair luisait comme si elle était éclairée de l'intérieur. Jahan eut le sentiment qu'ils n'étaient pas morts, pas vraiment. Ils avaient cessé de bouger, de parler, et s'étaient mués en quelque chose dépassant sa compréhension, dont eux seuls étaient conscients, d'où l'expression de leur visage qui aurait pu être un sourire.

Jambes flageolantes, mains tremblantes, Jahan restait là sans pouvoir bouger. Seul un bruit de pas qui s'approchaient l'arracha à ce brouillard de stupeur. Rassemblant péniblement ses forces, il prit quand même le temps de recouvrir les corps avant de courir se cacher derrière une des tapisseries. Peu après les serviteurs entraient dans la pièce, chargés d'un nouveau corps qu'ils déposèrent avec précaution à côté des autres.

Juste alors, l'un d'eux remarqua que le tissu recouvrant le corps le plus éloigné de lui avait glissé. Il s'approcha, regarda alentour. Se demandant si c'étaient eux qui l'avaient disposé ainsi ou si quelqu'un s'était introduit ici après leur départ, il fit un signe à ses compagnons. Des sourds-muets ! Eux aussi s'interrompirent. Ensemble ils se mirent à inspecter la pièce.

Seul dans son coin, un mince tissu le séparant des assassins, Jahan suffoquait de terreur. Alors tout était joué, se dit-il ; sa vie entière réduite à rien. Tant de mensonges, tant de duperies l'avaient conduit jusqu'ici. Bizarrement, non sans tristesse, il se souvint de la lampe qu'il avait laissée près du mur du jardin, clignotant au vent. Ses yeux s'emplirent de larmes à la pensée de l'éléphant et du maître, qui devaient tous deux dormir innocemment. Puis son esprit s'aventura vers la femme qu'il aimait. Tandis qu'elle et d'autres rêvaient en sécurité dans leur lit, voilà qu'il allait se faire tuer pour être venu en un lieu où il n'était pas censé être et avoir vu ce qu'il n'était pas censé voir. Et tout cela à cause de sa curiosité – cet esprit fouineur éhonté, sans frein, qui toute sa vie ne lui avait attiré que des ennuis. En silence, il se maudit. On devrait écrire sur sa tombe, en lettres bien tracées :

Ici gît un homme trop curieux pour son bien,
Dompteur d'animaux et apprenti architecte.
Offrez une prière pour son âme ignorante.

Dommage de n'avoir personne à qui transmettre ce dernier vœu.

Cette nuit-là, dans une villa à l'autre extrémité d'Istanbul, la *kahya* était éveillée, à la main un chapelet dont elle palpait les grains. Joues plissées comme des raisins secs, maigre charpente bossue, l'intendante de la maisonnée était devenue aveugle avec l'âge. Mais tant qu'elle se trouvait dans l'enceinte du domaine de son maître, sa vue était excellente. Chaque recoin, chaque charnière branlante, chaque marche qui grince... Personne sous ce toit ne connaissait la demeure aussi bien qu'elle, personne n'était aussi dévoué à son seigneur et maître. Cela elle en avait la certitude.

Tout était paisible alentour, hormis les ronflements qui montaient du quartier des domestiques. De temps à autre elle entendait un souffle doux, si léger qu'il était à peine perceptible, derrière la porte close de la bibliothèque. C'est là que dormait Sinan, après avoir travaillé tard, une fois de plus. D'ordinaire il passait ses soirées en famille, se retirant avant le souper dans le *haremlik* où vivaient sa femme et ses filles, et où aucun apprenti ne se serait aventuré. Mais ce soir, comme tant d'autres soirs, après avoir rompu son jeûne, il était retourné à ses dessins jusqu'à tomber endormi parmi ses livres et ses rouleaux, dans la pièce qui accueillait le soleil avant le reste de la grande maison généreuse. La *kahya* lui avait préparé un lit, une natte étendue sur le tapis.

Il travaillait trop, sans tenir compte de ses quatre-vingt-cinq ans. À son âge un homme devrait se reposer, bien se nourrir et faire ses dévotions, entouré de ses enfants et petits-enfants. S'il lui restait quelque force dans les membres, il devrait s'en servir pour se rendre en pèlerinage à La Mecque, et s'il mourait en route, ce serait tout bénéfice pour son âme. Pourquoi le maître ne faisait-il aucun préparatif pour l'au-delà ? Et s'il y pensait, pourquoi passer tout ce temps sur des chantiers, à souiller ses élégants caftans de poussière et de boue ? La *kahya* en voulait à son maître de ne pas prendre meilleur soin de lui-même, mais elle était surtout inquiète de voir le sultan et chaque vizir successif lui infliger de si durs labeurs, et furieuse contre les apprentis de Sinan qui ne savaient pas décharger les épaules de leur maître de ce poids supplémentaire. Bande de gamins paresseux ! D'ailleurs ce n'étaient plus des gamins. Pour quatre d'entre eux, elle les connaissait depuis qu'ils étaient des novices ignares. Nikola, le plus doué et le plus timide ; Davoud, ardent et sérieux mais impatient ; Youssouf le muet, empli de secrets comme une épaisse forêt impénétrable ; et cet Indien, Jahan, qui posait sans cesse des questions, *Pourquoi c'est comme ça, Comment ça marche*, et qui écoutait à peine les réponses.

Méditant et priant, la *kahya* contempla un instant l'abîme logé au fond de ses yeux. Ses pouce, index et médium qui faisaient glisser les grains d'ambre, un par un, ralentirent. Ses psalmodies aussi. « *Alhamdulillah, Alhamdu-*

lillah... » Sa tête commença à dodeliner, sa bouche s'ouvrit, un hoquet s'en échappa.

Quelques instants ou une heure plus tard, elle n'aurait su dire, elle fut réveillée par un bruit lointain, le claquement de roues et de sabots sur le pavé. Un véhicule roulait à vive allure et d'après le son, il se dirigeait vers eux. La maison de Sinan était la seule résidence d'une impasse. Si la voiture tournait l'angle, elle venait forcément ici. Un frisson la parcourut comme si une fraîcheur soudaine lui glissait le long du dos.

En murmurant une prière contre les esprits mauvais, elle se leva, avec vivacité malgré son grand âge. À courtes enjambées chaloupées elle descendit les marches, franchit les couloirs et sortit dans le patio. Le jardin, divisé en terrasses suspendues, orné d'un bassin et répandant les arômes les plus exquis, enchantait tous les visiteurs. Le maître l'avait construit lui-même, et fait venir l'eau jusqu'à la maison grâce à un permis spécial du sultan – non sans susciter la jalousie et le ressentiment de ses ennemis. Maintenant la roue à aubes tournait sereinement, son clapotis régulier rassurait la *kahya* par son rythme prévisible, qui faisait toujours défaut à la vie.

Au-dessus d'elle la lune, une faucille argentée, se dissimula derrière un nuage et le temps d'un instant fugitif, gris ardoise, ciel et terre parurent soudés l'un à l'autre. Le sentier à sa droite menait vers un bosquet encaissé, ensuite plus bas à un *bostan* où on cultivait des herbes aromatiques et des légumes. Elle prit l'autre sentier, avança en direction de la cour. D'un côté il y avait un puits, dont l'eau était glaciale hiver comme été, et groupées dans l'angle opposé, les commodités. Elle les évita, comme à son habitude. C'est là que les djinns célébraient leurs noces. Quiconque les dérangeait au cours de la nuit resterait infirme jusqu'au Jour du Jugement : la malédiction était si forte qu'il fallait sept générations pour l'effacer. Comme elle avait horreur des pots de chambre plus encore que des visites aux lieux d'aisance pendant la nuit, chaque jour après le crépuscule la vieille *kahya* cessait de manger et de boire, pour ne pas être tributaire de son corps.

Inquiète, elle atteignit le portail qui donnait sur la rue. Il y avait trois choses sur cette terre dont elle n'attendait rien de bon : un homme qui a vendu son âme à Shaitan ; une femme orgueilleuse de sa beauté ; et les nouvelles qui ne peuvent pas attendre le lendemain matin pour être livrées.

Bientôt la voiture fit halte derrière la haute palissade. Le cheval hennit ; des pas lourds retentirent. La *kahya* flaira dans l'air une odeur de transpiration, celle de l'animal ou du messager, impossible à dire. Qui que soit cet intrus, la vieille femme n'était pas pressée de l'apprendre. D'abord elle devait réciter sept fois la sourate Al-Falaq. *Je cherche refuge auprès du Seigneur de l'Aube, contre le mal des êtres qu'Il a créés, contre le mal de l'obscurité, contre le mal des sorcières qui soufflent sur les nœuds...*

Entre-temps le messager était venu frapper à la porte. Poliment, mais avec insistance. Le genre de coups qui progresseraient jusqu'au martèlement s'ils restaient un peu trop longtemps sans réponse – ce qui se produisit bientôt. Les serviteurs, à peine éveillés, accoururent dans le jardin un par un, lampe à la main, un châle drapé à la hâte sur leur tunique. Ne pouvant différer davantage le moment d'agir, la *kahya* émit un dernier *bismi Allah al-Rahman al-Rahim* et tira le verrou en arrière.

Un inconnu apparut alors que la lune sortait des nuages. Petit, trapu, et à en juger par la forme de ses yeux, un Tatar. Une outre de cuir jetée sur l'épaule, un soupçon d'arrogance dans la posture, il fronça le sourcil, visiblement mécontent d'être observé par un si grand nombre de gens.

« Je viens du palais », annonça-t-il d'une voix inutilement forte.

Le silence qui suivit n'avait rien d'accueillant.

« Il faut que je parle à votre maître », dit le messager.

Redressant le buste, l'homme se préparait à entrer quand la *kahya* l'arrêta d'un geste. « Tu entreras pied droit en premier ?

— Quoi ?

— Si tu franchis ce seuil, tu dois poser d'abord ton pied droit à l'intérieur. »

Abaissant son regard sur ses pieds, comme s'il craignait de les voir s'enfuir, le messager fit un pas prudent. Une fois entré, il déclara être envoyé par le sultan en personne pour une affaire de la plus grande urgence, même s'il n'avait pas besoin de le dire car tous l'avaient compris.

« J'ai pour ordre de lui ramener l'architecte impérial », ajouta-t-il.

La *kahya* trembla, ses joues drainées de toute couleur. Elle s'éclaircit la gorge, les mots qu'elle ne parvenait pas à émettre s'accumulèrent dans sa bouche. Elle aurait préféré informer cet homme qu'elle ne pouvait déranger son maître qui avait déjà si peu dormi. Mais bien sûr elle ne dit rien de tel. Au lieu de cela elle se contenta de marmonner : « Attends ici. »

Elle tourna la tête de côté, ses yeux balayant l'espace vide. « Viens avec moi, Hassan », dit-elle à l'un des pages dont elle distinguait la présence à son odeur particulière, suif et pastilles aux clous de girofle qu'il se glissait dans la bouche en cachette.

Ils s'éloignèrent, elle ouvrant la voie, le jeune garçon la suivant avec une lampe. Les lattes du sol craquaient sous leurs pieds. La *kahya* sourit sous cape. Le maître édifiait de splendides bâtiments ici ou ailleurs mais il oubliait de réparer le plancher de sa propre maison.

Sur le seuil de la bibliothèque ils furent entourés d'effluves – l'odeur des livres, de l'encre, du cuir, de la cire, des chapelets en bois de cèdre et des étagères de noyer.

« *Effendi*, réveille-toi », chuchota la *kahya*, d'une voix douce comme la soie.

Elle se tint immobile, l'oreille tendue pour saisir les ondes de respiration de son maître. Elle l'appela de nouveau, plus fort cette fois. Pas un mouvement.

Pendant ce temps-là le garçon qui ne l'avait jamais vu de si près examinait le maître : le long nez busqué, le front large creusé de rides, l'épaisse barbe chenue sur laquelle il tirait distraitement quand il était perdu dans ses pensées, la cicatrice de son sourcil gauche – souvenir du jour où adolescent, alors qu'il travaillait dans l'atelier de son père le charpentier, il était tombé sur un coin en bois. Les yeux du garçon se glissèrent jusqu'aux mains du maître. Avec leurs doigts puissants, osseux et rudes, leurs paumes calleuses, c'étaient des mains d'homme habitué au travail sur le terrain.

Au troisième appel de la *kahya*, Sinan ouvrit les yeux et s'assit sur sa couche. Une ombre passa sur son visage quand il vit les deux silhouettes côte à côte. Il savait que jamais ils n'auraient osé le réveiller à cette heure à moins d'une calamité, ou d'un incendie qui aurait brûlé la cité de part en part.

« Un messager est arrivé, expliqua la *kahya*. Tu es attendu au palais. »

Lentement, Sinan s'extirpa de son lit. « Espérons qu'il s'agit de bonnes nouvelles, *inch'Allah*. »

Le garçon présenta une cuvette à son maître, y versa un pichet d'eau avec un sentiment d'importance, puis l'aida à se laver le visage et s'habiller. Une chemise écrue, un caftan, pas un des plus neufs mais un vieux marron épais doublé de fourrure. Ensemble ils redescendirent tous les trois.

Le messager inclina la tête à leur arrivée. « Pardonne-moi de te déranger, *effendi*, mais j'ai pour ordre de te conduire au palais.

— Chacun doit faire son devoir », dit Sinan.

La *kahya* s'interposa. « Le petit peut accompagner le maître ? »

Le messager haussa un sourcil en fixant directement Sinan. « J'ai reçu pour instruction de te conduire toi et personne d'autre. »

La *kahya* sentit la colère, comme un flot de bile, lui monter à la bouche. Elle aurait riposté si Sinan n'avait posé une main apaisante sur son épaule en disant : « Tout ira bien. »

L'architecte et le messager s'éloignèrent dans la nuit. Il n'y avait personne en vue, pas même un de ces chiens perdus qui rôdaient dans la ville en si grand nombre. Une fois Sinan installé dans la voiture le messager referma la porte et sauta sur le siège à côté du cocher qui n'avait pas prononcé un seul mot. Les chevaux s'ébranlèrent et bientôt ils filaient à vive allure, secoués de cahots, à travers les rues mornes.

Pour dissimuler son malaise, Sinan écarta les rideaux étroitement fermés et regarda à l'extérieur. Tandis qu'ils galopaient par les rues tortueuses, sous des branches qui semblaient ployer de chagrin, il songeait à tous ces gens qui dormaient, les riches dans leur *konak*, les pauvres dans leur cabane. Ils traversèrent le quartier juif, le quartier arménien, les communautés grecque et levantine. Il observa les églises dont les cloches étaient proscrites, les synagogues avec leur cour carrée, les mosquées recouvertes de plomb, les maisons en bois et briques d'argile appuyées les unes contre les autres comme pour se réconforter. Même la bonne société habitait des maisons de briques mal cuites. Il se demanda pour la millième fois comment une ville aussi riche pouvait être remplie de maisons si mal bâties.

Enfin ils arrivèrent au palais. Au bout de la première cour, la voiture fit halte. Les plantons du palais vinrent prêter assistance, leurs gestes rapides et efficaces. Sinan et le messager franchirent le Portail du Milieu, celui que seul le sultan a le droit de franchir à cheval. Ils marchèrent jusqu'à une fontaine de marbre qui brillait dans l'obscurité, comme une créature d'un autre monde. Les pavillons qu'on apercevait au loin, près du rivage, ressemblaient à des géants maussades. Sinan qui avait récemment agrandi le harem et restauré les cuisines impériales connaissait bien les lieux. Soudain il s'arrêta, sentant une paire d'yeux qui l'observaient du fond des ténèbres. C'étaient ceux d'une gazelle. De grands yeux liquides, lumineux. Il y avait d'autres animaux alentour – paons, tortues, autruches, antilopes. Tous, pour une raison qui lui échappait, semblaient éveillés et inquiets.

L'air était froid et vif, légèrement imprégné de myrte, d'hellébore et de romarin. Il avait plu dans la soirée, et l'herbe pliait sous ses pieds. Les gardes s'écartèrent pour leur livrer passage. Ils atteignirent l'imposant édifice de pierre, couleur de nuées orageuses, et traversèrent une salle illuminée par des chandelles de cire qu'agitait un courant d'air, puis deux chambres, et s'arrêtèrent dans la troisième. À peine avaient-ils pénétré dans cette pièce que le messager s'excusa et disparut. Sinan cligna des yeux pour s'accommoder aux amples dimensions du lieu. Chaque aiguière, chaque coussin, chaque ornement projetait des ombres fantastiques qui se tordaient et ondulaient sur les murs comme si elles avaient quelque chose d'urgent à lui dire.

Dans l'angle opposé la lumière était plus douce. Sinan se crispa à la vue des sacs posés sur le sol. Par une ouverture il distinguait le visage d'un cadavre. Ses épaules s'affaissèrent, ses yeux s'emplirent de larmes à la vue de la jeunesse du garçon. Il n'avait pas voulu croire les rumeurs prédisant ce qui allait se produire. Ahuri, horrifié, il sentit son corps vaciller. Sa prière, quand il parvint à trouver les mots, sortait au ralenti, interrompue par un spasme chaque fois qu'il luttait pour retrouver son souffle.

Il n'avait pas encore dit *Amin*, pas encore essuyé son visage des deux mains quand il entendit un craquement derrière lui. Tout en achevant sa prière, il jeta un regard furieux sur la tapisserie murale. Il était sûr que le bruit venait de là. La bouche sèche comme de la craie, il alla vers le mur et tira le tissu de côté – pour découvrir une silhouette familière, tremblante et blême de peur.

« Jahan ?

— Maître !

— Qu'est-ce que tu fais ici ? »

Jahan sortit d'un bond, bénissant sa bonne étoile – l'étoile qui avait envoyé non pas les sourds-muets pour l'étrangler mais la seule personne au monde capable de venir à son secours. À genoux il baisa la main du vieil homme et la posa sur son front.

« Tu es un saint, Maître, je m'en suis toujours douté. Maintenant je le sais. Si je sors d'ici vivant, je le dirai à tout le monde.

— Chhht, cesse de dire des bêtises, et ne crie pas si fort. Comment es-tu entré ici ? »

Le temps manquait pour les explications. Des pas résonnaient dans le couloir, réfléchis par les hauts plafonds et les murs décorés. Jahan se releva et se rapprocha imperceptiblement de son maître, espérant se faire invisible. Peu après Mourad III entrait dans la pièce, suivi de son escorte. Pas très grand, assez corpulent, il avait le nez aquilin, une grande barbe presque blonde et des yeux bleus hardis sous des sourcils arqués. Il fit une pause, le temps de choisir le ton qu'il emploierait : sa voix douce, sa voix dure ou sa voix pire que dure.

Sinan se ressaisit rapidement, baisa l'ourlet du caftan du souverain. Son apprenti s'inclina très bas et se figea dans cette pose, n'osant regarder l'Ombre de Dieu sur terre. À cet instant, Jahan était troublé moins par le sultan que par le fait de se trouver devant son impériale présence. Car c'était Mourad désormais le sultan. Son père, Sélim l'Ivrogne, avait glissé sur le marbre humide du hammam et fait une chute mortelle, soûl comme une grive, disait la rumeur, même s'il s'était repenti de ses mauvaises mœurs et avait juré de ne plus jamais toucher au vin. Juste avant le crépuscule, dans un concert d'adulations et d'éloges, une cascade de feux d'artifice, de tambours et trompettes, Mourad avait été ceint de l'épée de son ancêtre Osman et acclamé comme le nouveau padichah.

Dehors, au loin, la mer murmurait et soupirait. N'osant bouger, Jahan attendait immobile comme la tombe, le front humide de sueur. Il écoutait le silence, épaules basses, approchant les lèvres si près du sol qu'il aurait pu l'embrasser comme une maîtresse marmoréenne.

« Qu'est-ce que ces corps font ici ? demanda le sultan dès qu'il eut aperçu les sacs sur le sol. Avez-vous perdu toute honte ? »

Un homme de sa suite répliqua aussitôt : « Daigne nous pardonner, Seigneur. Nous pensions que peut-être tu souhaiterais les voir une dernière fois. Nous allons les transporter dans la salle funéraire et nous assurer qu'ils seront traités avec tout le respect qui leur est dû. »

Le sultan garda le silence. Puis il se tourna vers les silhouettes agenouillées devant lui. « Architecte, ce garçon est-il un de tes apprentis ?

— Oui, Altesse, répliqua Sinan. Un des quatre.

— J'avais demandé que tu viennes seul. Le messager a-t-il désobéi à mes ordres ?

— C'est ma faute, dit Sinan. Pardonne-moi. À mon âge, j'ai besoin d'aide. »

Le sultan prit un temps de réflexion. « Comment s'appelle-t-il ?

— Jahan, mon Heureux Seigneur. Peut-être reconnais-tu le cornac du palais. C'est lui qui s'occupe de l'éléphant blanc.

— Dompteur d'animaux et architecte, ironisa le sultan. Comment en est-il arrivé là ?

— Il a servi ton illustre aïeul le sultan Soliman, que la paix d'Allah soit sur lui. Comme il avait du talent pour construire des ponts, nous l'avons pris sous notre garde et formé depuis son enfance. »

Sans prêter attention à ses propos le sultan murmura comme pour lui-même : « Mon aïeul était un grand souverain.

— Il était digne d'éloges comme le prophète dont il portait le nom, mon Seigneur. »

Soliman le Magnifique, le Législateur, Commandeur des Croyants et Protecteur des Villes Saintes – l'homme qui avait régné quarante-six hivers et passé plus de temps à cheval que sur son trône, et bien qu'enterré loin sous terre, dans son linceul décomposé, n'était encore évoqué qu'à voix basse.

« Que la miséricorde d'Allah soit sur lui. Il était dans mes pensées cette nuit. Qu'aurait-il fait dans ma position ? me suis-je demandé, dit le sultan, sa voix se brisant pour la première fois. Mon aïeul aurait agi comme moi. Aucun autre choix n'était possible. »

Jahan fut pris de panique en comprenant que le sultan parlait des morts.

« Mes frères ont rejoint le Pilier de l'Univers, dit le sultan.

— Que le ciel soit leur demeure », dit doucement Sinan.

Le silence régna jusqu'à ce que le sultan reprît la parole. « Architecte, mon vénérable père, le sultan Sélim, t'avait ordonné de lui construire un tombeau. C'est bien cela ?

— En effet, Altesse. Il voulait être enterré près d'Ayasofya[1].

— Alors construis-le. Commence le travail sans délai. Tu as ma permission pour faire le nécessaire.

1. Nom turc de Sainte-Sophie. *(N.d.É.)*

— J'ai bien compris, mon Seigneur.

— Je souhaite que mes frères soient enterrés à ses côtés. Donne au *turbeh* une telle grandeur que pendant les siècles à venir les gens viendront prier pour leurs âmes innocentes. » Il fit une pause puis ajouta comme une nouvelle pensée lui venait : « Mais... ne fais rien de trop spectaculaire. Il devra avoir juste la bonne taille. »

Du coin de l'œil Jahan vit le visage de son maître blêmir. Il décelait dans l'air une odeur, ou plutôt un mélange d'odeurs, genièvre et brindilles de bouleau, avec une note sous-jacente plus âcre, peut-être de l'orme brûlé. Émanait-elle du souverain ou de Sinan ? il n'eut pas l'occasion de le découvrir. Affolé, il s'inclina à nouveau, son front touchant le sol. Il entendit le sultan soupirer, comme s'il cherchait autre chose à dire. Mais Mourad n'en fit rien, et au lieu de quoi il s'approcha d'eux, plus près, encore plus près, sa carrure masquant la lueur des chandelles. Jahan frémit sous le regard du souverain. Son cœur cessa un instant de battre. Le sultan soupçonnait-il son intrusion de cette nuit dans la cour intérieure ? Jahan sentit les yeux royaux le parcourir encore un instant, pas plus, après quoi Mourad repartit, ses vizirs et ses gardes sur les talons.

Et voilà comment, en décembre de l'année 1574, au début du ramadan, Sinan, en qualité d'architecte impérial, et son apprenti indien Jahan, qui n'était pas convié à cette réunion mais y assista pourtant, se virent confier la mission de construire dans les jardins de Sainte-

Sophie un monument assez vaste et majestueux pour être digne de cinq princes, frères du sultan Mourad, mais pas assez vaste ou majestueux pour rappeler à chacun comment ils avaient été étranglés, sur son ordre, la nuit où il accéda au trône.

Aucun des individus présents ne pouvait prévoir la suite : quand le sultan Mourad s'éteindrait des années plus tard, par une nuit comme celle-ci, au son des plaintes du vent et des cris des animaux, ses propres fils – chacun de ses dix-neuf fils – seraient tués de la même façon avec une cordelette de soie pour éviter toute effusion de leur noble sang, et par une ironie du destin, enterrés dans l'endroit même qu'avaient édifié l'architecte et l'apprenti.

Avant le Maître

Le prophète Jacob avait douze fils, le prophète Jésus douze apôtres. Le prophète Joseph, dont l'histoire est rapportée dans la douzième sourate du Coran, était le fils favori de son père. Douze miches de pain étaient disposées sur les tables des juifs. Douze lions d'or gardaient le trône de Salomon. Six marches montaient jusqu'au trône et comme toute montée implique une redescente, cela faisait douze marches au total. Douze croyances cardinales flottaient sur la terre d'Hindoustan. Douze imams succédèrent au prophète Mahomet selon le credo shiite. Douze étoiles ornaient la couronne de Marie. Et un enfant nommé Jahan venait à peine de compléter ses douze années de vie quand il eut sa toute première vision d'Istanbul.

Maigre, dégingandé et remuant comme un gardon en plein cours d'eau, il était plutôt petit pour son âge. Comme pour compenser sa taille, une touffe de cheveux poussait en hauteur, perchée sur son crâne telle une créature dotée d'une vie propre. C'est cette houppe que les gens remarquaient en premier quand ils le regardaient. Ensuite ses oreilles, chacune grosse comme un poing de malfrat. Mais d'après sa mère, un jour il charmerait les filles avec son sourire éblouissant et sa fossette unique sur la joue gauche, l'empreinte d'un doigt de cuisinier sur une pâte molle. Voilà ce qu'elle disait ; voilà ce qu'il croyait.

Lèvres rouges comme un bouton de rose, chevelure soyeuse, taille plus mince qu'une branche de saule. Agile comme une gazelle, forte comme un bœuf, dotée d'une voix de rossignol – une voix dont elle userait pour chanter des berceuses à ses bébés, pas pour des bavardages oisifs, et jamais pour s'opposer à son mari : voilà l'épouse que lui aurait souhaitée sa mère si elle était encore en vie. Mais elle les avait quittés – les vapeurs, aux dires du médecin, pourtant son fils savait que c'étaient les coups infligés chaque jour par cette brute, le beau-père et en même temps l'oncle de Jahan. La brute avait pleuré toutes les larmes de son corps aux funérailles, comme si ce n'était pas lui la cause de sa mort prématurée. Jahan le haïssait de tout son être. Depuis qu'il était monté à bord de ce vaisseau, il regrettait d'être parti de chez lui sans avoir assouvi sa vengeance. Mais il savait que s'il était resté, soit il aurait tué son oncle soit son oncle l'aurait tué. Comme il était encore trop jeune, et pas assez fort, c'est sans doute l'oncle qui aurait eu le dessus. Quand l'heure serait mûre, Jahan reviendrait le faire payer. Et il trouverait sa bien-aimée. Ils fêteraient leur mariage par une cérémonie de quarante jours et quarante nuits, en se gavant de douceurs et d'éclats de rire. Il donnerait à leur première fille le nom de sa mère. C'était un rêve qu'il ne confiait à personne.

À mesure que la caravelle approchait du port, l'adolescent découvrait des oiseaux de plus en plus nombreux et variés. Mouettes, chevaliers, courlis, moineaux, geais et pies – l'une d'elles portait dans son bec un bibelot étincelant. Quelques-uns – les plus hardis ou les sots – se posaient sur les voiles, à trop faible distance des humains. L'air charriait une nouvelle odeur, inconnue et infecte.

Après des semaines de navigation en haute mer, la première image de la cité eut un effet insolite sur l'imagination de Jahan – surtout un jour brumeux comme celui-ci. Il scruta l'horizon, la ligne où l'eau battait contre le rivage, une bande grise, sans pouvoir distinguer s'il allait vers Istanbul ou s'il s'en éloignait. Plus il la fixait du regard, plus la terre semblait une extension de la mer, une ville de métal fondu perchée sur la pointe des vagues, vertigineuse, toujours mouvante. Ce fut là, plus ou moins, sa première impression d'Istanbul, et à son insu, elle ne changerait plus, même après une vie entière passée ici.

Lentement, le garçon traversa le pont. Les matelots étaient trop occupés pour s'inquiéter de l'avoir dans les jambes. Il s'aventura jusqu'à la pointe de la proue, plus loin qu'il n'était jamais allé auparavant. Ignorant le vent sur son visage, il plissa les yeux pour plonger dans le cœur d'Istanbul mais en vain, c'était encore trop tôt. Puis peu à peu la brume se dissipa comme si on avait tiré un rideau. La ville, clairement dessinée maintenant, s'ouvrait devant lui, incandescente. Ombres et lumières, crêtes et creux. De haut en bas, colline après colline, bosquets de cyprès ici et là, elle semblait un amas de contrastes. Se reniant à chaque pas, changeant d'humeur avec chaque quartier, tendre et cynique d'un même élan, Istanbul donnait généreusement tout et dans le même souffle exigeait qu'on lui rende son cadeau. Une cité si vaste qu'elle s'étendait à droite comme à gauche, et vers le firmament, aspirant à s'élever, désirant toujours plus, jamais satisfaite. Mais toujours ensorcelante. Bien qu'étranger à ses façons, le garçon pressentit à quel point on pouvait tomber sous son charme.

Jahan revint en hâte vers la cale. L'éléphant gisait dans sa caisse, boursouflé et apathique.

« Tu y es arrivé. Regarde, tu es ici. » Ce dernier mot fut légèrement tremblé, car il ne savait pas exactement quel genre de lieu désignait cet « ici ». Mais peu importe. Quel que soit le sort de l'animal dans ce nouveau royaume, il ne pouvait être pire que la traversée qu'il venait d'endurer.

Chota était accroupi, l'air si inerte que Jahan craignit un instant que son cœur n'eût cessé de battre. Le souffle bas, saccadé de l'animal lui parvint quand il s'approcha, ce qui le rassura un peu. Mais l'œil de la bête avait perdu tout éclat, et sa peau tout son lustre. Il n'avait pas mangé la veille, ni dormi. Un abcès inquiétant grossissait derrière ses mâchoires, sa trompe était visiblement enflée. Le garçon lui aspergea la tête d'eau, un peu inquiet de devoir utiliser de l'eau de mer, une fois de plus, qui laisserait des marques salées partout sur son corps et le démangerait en séchant.

« Quand on arrivera au palais, je te laverai à l'eau douce », promit Jahan.

Délicatement, avec soin, il appliqua du curcuma sur les tumeurs de l'éléphant. L'animal avait perdu du poids. Les dernières étapes du voyage l'avaient particulièrement éprouvé.

« Tu vas voir. La sultane va t'adorer. Tu seras le chéri des concubines », dit Jahan. Puis, comme une autre hypothèse lui venait à l'esprit, il ajouta : « Si jamais elles sont méchantes, tu pourras toujours t'enfuir. Je viendrai avec toi. »

Il aurait pu continuer longtemps sur ce thème s'il n'avait entendu des pas sur les marches. Un matelot surgit en braillant : « Hé, le capitaine veut te voir. Tout de suite. »

Un peu plus tard, le garçon se tenait devant la cabine du capitaine, qu'il entendait se racler la gorge et cracher bruyamment. Il avait peur de l'individu, même s'il s'appliquait à ne pas le montrer. Le capitaine Gareth était connu à la ronde sous le surnom de Gavur Garret, l'Infidèle ou Delibash Reis, Capitaine Foufurieux. Il pouvait rire et plaisanter avec un matelot puis l'instant d'après sortir son épée et le découper en mille morceaux. Jahan l'avait vu faire.

Né dans une ville côtière anglaise, ce loup de mer, dont le plaisir préféré était une bonne grosse tranche de poitrine de porc rôtie lentement accompagnée d'une chope de bière, trahit ses concitoyens pour une raison inconnue de tous et rallia la flotte ottomane avec de précieux secrets dissimulés sous son chapeau. Son intrépidité l'avait fait vivement apprécier au palais, et lui avait valu de conduire sa propre flotte. Cela amusait beaucoup le sultan Soliman de le voir attaquer et piller les navires chrétiens avec une férocité qu'aucun marin ottoman n'avait jamais montrée. Le sultan lui accordait sa protection mais pas sa confiance. Il savait qu'un homme capable de poignarder ses propres compagnons dans le dos ne ferait jamais un ami loyal pour quiconque. Celui qui vient à ta porte après avoir mordu la main qui le nourrissait n'hésitera pas demain à planter ses mâchoires dans ta propre chair une fois introduit chez toi.

Quand le garçon entra dans la pièce, il vit le capitaine attablé à son bureau, l'air moins ébouriffé que de coutume. Sa barbe – lavée, peignée et lustrée – avait échangé la teinte châtain foncé qu'elle arborait depuis des semaines pour un brun plus clair, presque fauve. Une cicatrice courait de l'oreille gauche au coin des lèvres, faisant de sa bouche comme une extension de sa blessure. Il avait remplacé sa chemise de toile habituelle par une ample camisole de couleur pâle et un *shalwar* poil-de-chameau ; autour du cou il portait un rang de perles de turquoise pour se protéger du mauvais œil. Sur la table près de lui, une chandelle se consumait à côté d'un registre où il consignait le butin conquis sur sa route. Le garçon remarqua qu'il dissimulait la page, mais c'était bien inutile. Jahan ne savait pas lire. Il était brouillé avec les lettres, mais se sentait à l'aise avec les formes et les images. Boue, argile, peau de chèvre, vélin, tout lui était bon pour dessiner. Durant la traversée il avait ébauché d'innombrables dessins des matelots et du navire.

« Tu vois, je suis un homme de parole. Je t'ai amené jusqu'ici d'une seule pièce, dit le capitaine Gareth en crachant avec vigueur.

— L'éléphant est malade, dit le garçon, un œil sur la coupe où avait atterri le phlegme. Tu as interdit qu'on le laisse sortir de sa caisse.

— Quand il sera sur la terre ferme il se rétablira en un rien de temps. » La voix du capitaine prit un ton condescendant. « Qu'est-ce que ça peut te faire, de toute façon ? Il ne t'appartient pas.

— Non, il appartient au sultan.

— Exact, mon garçon. Si tu fais ce que je dis nous en tirerons tous un bénéfice. »

Jahan baissa les yeux. Le capitaine avait déjà effleuré le sujet mais Jahan espérait qu'il n'y penserait plus. Apparemment si.

« Le palais est plein d'or et de pierreries, un vrai paradis pour les voleurs, dit le capitaine. Quand tu seras là-bas, tu vas voler pour mon compte. N'essaie pas de tout prendre – les Turcs te trancheraient les mains. Tu vas faire ça lentement, par petites quantités.

— Mais il y a des gardes partout, je ne peux pas. »

Rapide comme l'éclair le capitaine bondit sur le garçon. « Tu es en train de me dire que tu ne veux pas ? Tu as oublié ce qui est arrivé à ce misérable cornac, c'est ça ?

— Je n'ai pas oublié, dit Jahan, le visage couleur de cendre.

— Rappelle-toi, tu aurais pu connaître le même sort ! Sans ma protection, un gosse comme toi n'aurait pas survécu.

— Je te suis reconnaissant, dit doucement le garçon.

— Montre-moi ta gratitude avec des joyaux, pas avec des paroles creuses. » Une quinte de toux fit dégouliner un jet de salive de ses lèvres. Il serra le garçon de plus près. « Mes gars auraient découpé l'éléphant en tranches pour nourrir les requins. Et toi... Ils t'auraient grimpé, tous sans exception. Et quand ils en auraient eu assez de ton joli petit cul, ils t'auraient vendu à un bordel. Tu as une dette envers moi, petite canaille. Tu vas aller tout droit au palais. Là tu te feras passer pour le cornac de l'animal.

— Et s'ils s'aperçoivent que je ne connais rien aux éléphants ?

— Alors ça voudra dire que tu as échoué, dit le capitaine, l'haleine aigre. Mais tu vas t'en tirer. Un petit malin comme toi ! J'attendrai que tu trouves tes repères. Et puis je viendrai te chercher. Si tu essaies de me doubler, je jure devant Dieu que je t'étriperai tout vif ! Je dirai à tout le monde que tu es un imposteur. Tu sais comment ils punissent ceux qui racontent des mensonges au sultan ? Ils le halent en hauteur sur un gibet... de plus en plus haut... puis ils le lâchent... sur un crochet de fer. Il faut trois jours pour mourir. Tu imagines, gamin, trois jours. Tu supplierais qu'on vienne te tuer. »

Jahan se tortilla pour échapper à sa poigne. Il se rua hors de la cabine, franchit le pont à toute allure, et courut dans la cale se nicher près de l'éléphant qui, tout muet et malade qu'il était, était devenu son seul ami. Là, il fondit en larmes comme l'enfant qu'il était encore.

Une fois le navire à quai il fallut attendre le débarquement du fret. Jahan écoutait le remue-ménage sur le pont, et quoique mourant de faim et rêvant d'une bouffée d'air frais, il n'osa pas bouger. Il se demanda si les rats étaient partis. Est-ce que les rongeurs, comme les passagers de marque, débarquaient à la queue leu leu sitôt le navire amarré ? En esprit il se représentait des douzaines de petites queues rouge sombre courant en tous sens, disparaissant dans ce dédale de rues et ruelles qu'était Istanbul.

Incapable d'attendre plus longtemps, il monta sur le pont qu'à son grand soulagement il trouva vide. En balayant le quai du regard il aperçut le capitaine qui parlait à un homme vêtu d'une tunique élégante et d'un haut turban. Une sommité officielle, sans aucun doute. Quand ils remarquèrent sa présence le capitaine lui fit signe d'approcher. Jahan traversa la passerelle de bois chancelante, sauta à terre, et se dirigea vers eux.

« Le capitaine me dit que c'est toi le cornac », dit l'officier.

Jahan n'hésita qu'un instant – ce doute passager qu'on éprouve avant d'émettre un mensonge. « Oui, *effendi*. Je suis venu de l'Hindoustan avec l'éléphant.

— Vraiment ? » Une ombre de soupçon passa sur le visage de son interlocuteur. « Comment se fait-il que tu parles notre langue ? »

Jahan avait prévu la question. « On me l'a enseignée au palais du shah, et j'en ai appris un peu plus à bord. Le capitaine m'a aidé.

— Très bien. Tu devras sortir l'éléphant demain après-midi, ordonna l'officier. Il faut d'abord qu'on décharge le fret. »

Horrifié, Jahan se jeta au sol. « Si tu veux bien y consentir, *effendi*. L'animal est malade. Il va mourir s'il doit rester une nuit de plus dans cette cale. »

Il y eut un silence surpris avant que l'officier ne réagisse. « Tu as de l'affection pour cette bête.

— C'est un bon garçon », dit le capitaine, le regard froid en dépit de son sourire.

Cinq matelots furent chargés de débarquer l'éléphant. Avec un œil de dédain sur l'animal, des jurons plein la bouche, ils l'entourèrent de cordes et tirèrent de toutes leurs forces. Chota ne bougea pas d'une toise. Le garçon regardait les hommes s'escrimer, avec une inquiétude croissante. Après force débats, il fut décidé de ne pas tenter de faire sortir l'animal mais de hisser sa caisse avec lui à l'intérieur. Une équipe de manœuvres déverrouillèrent les écoutilles, laissant la soute grande ouverte, et attachèrent des aussières aux quatre côtés de la caisse, qu'ils enroulèrent autour des troncs de vieux chênes près de la jetée. Une fois prêts les hommes tirèrent à l'unisson, bras tendus en tandem, joues gonflées par l'effort. À la dernière traction, une planche céda et tomba bruyamment, par miracle sans blesser personne. Pouce par pouce, la caisse s'éleva, puis resta en suspens. En bas, les passants béaient de stupeur à la vue de cet éléphant qu'ils apercevaient par les trous de la caisse ; il tanguait en l'air comme une créature bizarre, mi-oiseau mi-taureau, *dabat al-ard*, la bête qui d'après les imams apparaîtra le jour du Jugement. D'autres hommes accoururent à la rescousse, la foule des spectateurs grossit, et bientôt tous ceux qui étaient présents sur le port soit regardaient soit tiraient. Jahan trottinait autour d'eux, cherchant à leur prêter main-forte sans trop savoir comment s'y prendre.

Quand la caisse finit par atterrir, elle heurta le sol avec un bruit sinistre. La tête de l'éléphant heurta les planches du haut. Les débardeurs ne voulaient pas le faire sortir de peur que la bête ne s'attaque à eux. Il fallut au garçon tous ses talents persuasifs pour les convaincre que Chota ne ferait rien de tel.

Une fois dehors, les pattes de Chota se dérobèrent. Il s'effondra comme une marionnette coupée de ses fils. Avachi d'épuisement il refusa de bouger, fermant les yeux comme s'il souhaitait voir disparaître ce lieu et ces gens. À force de le pousser, tracter, soulever, fouetter, ils finirent par le hisser à bord d'une charrette gigantesque tirée par douze chevaux. Au moment où Jahan allait sauter à bord du véhicule, une main le saisit par le coude.

C'était le capitaine Gareth, un sourire feint sur les lèvres. « Adieu fiston », dit-il, assez fort pour que tout le monde l'entende. Puis abaissant la voix jusqu'à un murmure : « File, maintenant, mon petit voleur. Rapporte-moi des rubis et des diamants. Souviens-toi, si tu me roules, je viendrai te couper les couilles.

— Fais-moi confiance », marmonna Jahan – des mots qui à peine sortis de ses lèvres furent emportés par le vent – et monta sur la charrette.

Dans chacune des rues où ils passèrent, les gens s'écartaient avec un mélange d'effroi et de plaisir. Les femmes serraient leurs bébés contre elles ; les mendiants cachaient leur sébile ; les vieillards empoignaient leur canne comme s'ils voulaient se défendre ; les chrétiens faisaient le signe de croix ; les musulmans récitaient des sourates pour tenir Shaitan à distance ; les juifs psalmodiaient des bénédictions ; les Occidentaux semblaient mi-amusés mi-inquiets. Un immense Kazakh musclé pâlit comme s'il avait vu un fantôme. Sa terreur avait quelque chose de si puéril que Jahan ne put se retenir de glousser. Seuls les enfants avaient des étoiles plein les yeux en se montrant du doigt l'animal blanc.

Jahan aperçut des visages féminins à demi dissimulés derrière des fenêtres grillagées, des volières décorées sur les murs, des dômes qui captaient les derniers rayons du soleil, et une quantité d'arbres – châtaigniers, tilleuls, cognassiers. De chaque côté où il se tournait il voyait des mouettes et des chats, les deux animaux qui avaient droit de cité. Vives et insolentes, les mouettes volaient en cercle, plongeaient pour saisir l'appât dans le seau d'un pêcheur, ou le foie grillé à l'étal d'un vendeur de rue, ou la tourte mise à refroidir sur un appui de fenêtre. Personne ne semblait leur en tenir rigueur. Même quand ils chassaient les oiseaux ils le faisaient avec réticence, transformant le geste en spectacle.

Jahan apprit que la cité de Constantinople avait vingt-quatre portes et qu'elle se composait de trois villes : Istanbul, Galata et Scutari. Il remarqua que les gens étaient vêtus de couleurs différentes, mais selon quelles règles, il n'aurait pu dire. Il y avait des porteurs d'eau équipés de coupes délicates en porcelaine, et des colporteurs qui vendaient de tout, du musc au hareng sec. De loin en loin il voyait une petite échoppe en bois où on servait des boissons dans des écuelles d'argile. « Du sorbet », dit l'officier, en claquant des lèvres, mais Jahan n'avait aucune idée du goût que cela pouvait avoir.

À mesure qu'ils avançaient, l'officier lui désignait des gens : *Ce gars est un Géorgien, celui-là est arménien. Le renfrogné là-bas, c'est un derviche, et à côté de lui un dragon. Cet homme, habillé en vert, doit être un imam parce qu'ils sont les seuls autorisés à porter la couleur favorite du Prophète. Tu vois le boulanger à l'angle, il est grec. Ce sont eux qui font le meilleur pain, ces infidèles, mais surtout ne t'avise pas d'en manger, ils font un signe de croix sur chaque miche. Une bouchée et tu deviens un des leurs. Ce boutiquier est juif. Il vend des poulets mais il n'a pas le droit de les tuer lui-même, il paie un rabbin pour faire le travail. Le type qui a une peau de mouton sur les épaules et des anneaux dans les oreilles est un Torlaqui – un saint homme, d'après certains, mais un fainéant, si tu veux mon avis. Regarde, là-bas, ce sont des janissaires. Ils n'ont pas le droit de porter la barbe comme les musulmans, rien qu'une moustache.*

Les musulmans arboraient des turbans ; les juifs avaient des chapeaux rouges et les chrétiens des chapeaux noirs. Arabes, Kurdes, nestoriens, Circassiens, Kazakhs, Tatars, Albanais, Bulgares, Grecs, Abkhazes, Pomaques... tous ces gens suivaient leur chemin séparé tandis que leurs ombres se mêlaient et se nouaient entre elles.

« Il y a soixante-douze tribus et demie, dit l'officier. Tant que chacun connaît ses limites nous vivons en paix.

— C'est qui la demie ? demanda Jahan.

— Oh, les Gitans. Personne ne leur fait confiance. Ils n'ont pas le droit de monter à cheval, seulement à dos d'âne. On leur interdit d'avoir des enfants mais ils se multiplient quand même, ces effrontés. Tiens-toi à l'écart de toute cette engeance maudite de païens puants. »

Acquiesçant de la tête, Jahan se promit de rester à distance de tout individu qui aurait une mine de Gitan. Les maisons commençaient à se faire plus rares, les arbres plus élevés, et le vacarme s'apaisait.

« Il faudrait que je toilette l'éléphant avant qu'on le présente au sultan, dit Jahan avec ardeur. Un don du shah indien doit avoir bonne mine. »

L'homme haussa le sourcil. « Tu n'es pas au courant, petit ? Ton shah est parti.

— Qu'est-ce que tu veux dire, *effendi* ?

— Al-Sultan al-Azam Humayun… Pendant que tu étais sur ce navire, il a perdu son trône. Tout ce qui lui reste c'est une épouse et une paire de serviteurs, à ce qu'on dit. Il ne règne plus. »

Jahan fit la moue. Qu'adviendrait-il de l'éléphant maintenant que le roi qui l'avait envoyé n'était plus roi ? Il était certain que si le sultan Soliman voulait le faire repartir l'animal mourrait à bord. Troublé, il dit : « Chota ne survivra pas à une nouvelle traversée.

— Ne t'inquiète pas. Ils ne vont pas le rendre, dit l'officier. Il y a toutes sortes de bêtes dans la ménagerie, mais nous n'avons jamais eu d'éléphant blanc.

— Tu crois qu'il va leur plaire ?

— Le sultan ne va pas s'en soucier. Il a des tâches importantes. Mais la sultane… »

La voix de l'officier mourut. Une expression hallucinée passa sur son visage tandis qu'il fixait longuement l'horizon. Suivant son regard, Jahan aperçut très en hauteur un promontoire, les contours d'un immense bâtiment éclairé de torches qui scintillaient dans l'ombre, ses portes closes comme des lèvres fermées sur leur secret.

« C'est le palais ? chuchota Jahan.

— Oui, le voilà, dit fièrement l'officier, comme si l'endroit appartenait à son père. Tu es maintenant dans la demeure du seigneur de l'Orient et de l'Occident. »

Le visage de Jahan s'illumina d'espoir. Chaque pièce sous ce toit devait être couverte de soieries et de brocarts, chaque salle retentir de rires joyeux. Les diamants de la sultane devaient être si gros qu'ils avaient chacun un nom plus joli que ceux d'une concubine.

Ils franchirent la porte Impériale, sous le regard sévère des gardes qui n'accordèrent pas le moindre intérêt à Chota comme s'ils voyaient tous les jours des éléphants blancs. Quand le groupe atteignit la porte du Milieu qui était flanquée de tours coniques surmontées par des torches allumées, ils descendirent de la charrette. Aussitôt, par réflexe, Jahan leva les yeux vers les ombres à l'arrière-plan. Il se figea à la vue des gibets. Trois en tout. Un petit, deux grands. Chacun arborait une tête tranchée qui pourrissait sans bruit ; enflée, empourprée, la bouche pleine de foin. Le garçon saisit un mouvement imperceptible, la voracité insatiable des vers qui rampaient dans la chair humaine.

« Des traîtres, souffla l'officier, en crachant vigoureusement.

— Mais qu'est-ce qu'ils ont fait de mal ? demanda Jahan d'une voix faible.

— Des traîtrises, probablement. Ça ou un vol, je dirais. Ça leur pendait au nez, c'est sûr. Voilà ce qui arrive aux gens qui trichent. »

Étourdi, livide, rapetissé par les colonnes devant lui et soudain à court de mots, Jahan franchit le lourd portail. Bien que brûlant de s'enfuir à toutes jambes, il ne pouvait se résoudre à abandonner l'éléphant. Comme un forçat qui marche à la potence et se soumet à un destin qu'il ne peut ni éviter ni accepter, il suivit l'officier dans le palais du sultan Soliman.

Tout ce que Jahan vit ce soir-là, comme les soirs suivants, c'étaient des murs massifs, une porte immense plantée de clous en fer, une cour si vaste qu'elle aurait pu engloutir le monde, et encore des murs. Il lui vint à l'esprit qu'on pourrait vivre dans un palais toute sa vie sans jamais en voir grand-chose.

On les conduisit jusqu'à une grange au sol en terre battue, toit de chaume et grande hauteur sous plafond – le nouveau domicile de Chota. Là ils trouvèrent un individu maigre et sans âge à la mine renfrognée. Il avait des doigts magiques capables de guérir les animaux, mais qui ne lui étaient d'aucun secours pour les maladies humaines. On l'appelait Taras le Sibérien. Il n'y avait pas de chevaux en vue mais on les entendait hennir et piaffer, perturbés par les nouveaux arrivants. *Depuis l'origine des temps, les chevaux n'ont jamais aimé les éléphants*, dit Taras. C'était sûrement une angoisse équine sans fondement car jamais Jahan n'avait vu ni entendu parler d'un éléphant qui aurait attaqué un cheval.

Taras examina la gueule, les yeux, la trompe et les excréments de Chota. Le menton pointé, il lançait des regards furieux à Jahan, qu'il rendait visiblement responsable de l'état de l'animal. Le garçon se sentait minuscule, honteux. Ils avaient vécu sur le même navire mais Chota était près de s'écrouler alors que lui était aussi sain que le croissant accroché là-haut.

Adroitement, délicatement, le soigneur appliqua un onguent à l'odeur nauséabonde sur les tumeurs de Chota, puis il lui enveloppa la trompe dans une toile emplie de feuilles écrasées et d'une résine parfumée dont Jahan apprit plus tard que c'était de la myrrhe. Ne sachant comment se rendre utile le garçon apporta un seau d'eau fraîche qu'il déposa à côté des piles d'arbustes, pommes, choux et baies – un festin après l'affreux brouet servi sur le bateau. Mais Chota n'y jeta pas même un coup d'œil.

La jalousie rongeait le cœur du garçon. Il était déchiré entre ce qu'il souhaitait de tout son être, que cet homme rétablisse l'éléphant, et la crainte qu'une fois remis sur pied l'animal s'attache plus à son guérisseur qu'à lui-même. Chota était peut-être le cadeau destiné au sultan Soliman, mais dans le fond Jahan le considérait comme sien.

Lourd de ces pensées mesquines, il se laissa mettre à la porte. Dehors, un autre homme lui adressa un ample sourire. C'était un Indien nommé Sangram. Enchanté à l'idée de rencontrer quelqu'un qui parlait sa langue maternelle, il se rapprocha en catimini du garçon, comme un chat avance à pas feutrés vers le poêle, en quête de chaleur.

« *Khush Amdeed, yeh ab aapka rahaaish gah hai*[1]. »

Jahan le dévisagea sans réagir.

« Qu'est-ce qu'il y a ? Tu comprends pas ce que je dis ? demanda Sangram, en turc cette fois-ci.

1. « Bienvenue, ceci est votre maison » en ourdou. *(N.d.A.)*

— On n'emploie pas les mêmes mots », répondit vivement Jahan. Il lui parla de son village natal, perché si haut dans les montagnes qu'on y dormait au-dessus des nuages, logé entre la terre et le firmament. Il lui parla de ses sœurs et de sa mère défunte. Sa voix tremblait légèrement.

Sangram l'observait, l'air perplexe. Il semblait sur le point de dire une chose grave. Mais balayant de côté ce qui lui avait traversé l'esprit, il soupira et sourit à nouveau. « C'est bon, je vais te conduire au hangar. Faire connaissance avec les autres. »

Sangram lui donna un aperçu des manières ottomanes tout en suivant le sentier qui se faufilait entre les pavillons du jardin jusqu'à un bassin où s'ébattaient toutes sortes de poissons. Le garçon lui posa une foule de questions sur la vie au palais mais chaque fois il n'obtenait qu'un murmure bref en guise de réponse. Il parvint quand même à grappiller quelques informations. Sans en avoir jamais vu ni entendu, il apprit qu'il y avait ici quantité de lions, panthères, léopards, singes, girafes, hyènes, antilopes, renards, hermines, lynx, civettes, chiens et félins, tous à portée de main. Sous les acacias à droite étaient rangées les cages des animaux sauvages – ces animaux qu'ils étaient chargés de nourrir, nettoyer et protéger jour et nuit. Récemment un rhinocéros arrivé de l'Habesh n'avait pas survécu. Les bêtes dont personne ne voulait étaient expédiées dans des ménageries à l'autre bout de la ville, et leur dompteur avec elles. Les animaux les plus volumineux séjournaient dans le vieux palais du Porphyrogénète. La résidence impériale qui abritait jadis la noblesse de Byzance et ceux qui étaient nés dans la pourpre servait aujourd'hui de demeure aux animaux du sultan. D'autres bêtes étaient logées dans une ancienne église près de Sainte-Sophie. Chota aurait probablement été envoyé là-bas aussi mais à cause de son très jeune âge et de sa blancheur exceptionnelle, il fut décidé de le garder dans le sérail jusqu'à nouvel ordre.

Certains des soigneurs étaient originaires des quatre coins de l'Empire, d'autres venaient d'îles qui ne figuraient pas sur les cartes. Les gardiens des oiseaux et des volailles habitaient dans un autre logement, au sud de la volière. De l'aube à la tombée de la nuit, gazelles, chevreuils, paons et autruches se promenaient entre les pavillons. La ménagerie du sultan était un monde à elle seule. Un monde peuplé de créatures dangereuses mais, à tout prendre, pas plus sauvage que la cité à l'extérieur.

La faune du palais était de deux espèces : féroce ou décorative. Les premiers étaient là pour leur sauvagerie, les autres pour leur séduction. Pas plus qu'un léopard ne fraierait avec un rossignol, leurs gardiens ne se fréquentaient jamais entre eux. Les dompteurs d'animaux sauvages formaient un groupe à part. Parmi les centaines de domestiques rassemblés derrière ces murailles, ils n'étaient ni les mieux payés ni les mieux nourris, mais ils étaient les plus respectés.

Jahan devrait loger dans un appentis en bois de charpente et briques cuites. Il y avait neuf hommes à l'intérieur. Un colosse à cheveux et moustache roux qui avait la charge des lions nommé Olev ; un dompteur de girafes égyptien atteint de strabisme surnommé Dara ; un dompteur de crocodiles africains couvert de cicatrices qui répondait au nom de Kato ; des jumeaux chinois chargés des singes petits et grands, gros consommateurs de haschich, comme l'apprendrait vite Jahan ; un dresseur d'ours nommé Mirka qui ressemblait un peu à un ours lui-même avec ses larges épaules et ses grosses jambes ; deux palefreniers circassiens qui s'occupaient des pur-sang ; et le guérisseur qu'il avait déjà croisé, Taras le Sibérien. Surpris de sa jeunesse, ils l'accueillirent par un silence hostile, et un échange de regards, comme s'ils comprenaient quelque chose à son sujet que lui-même ne pouvait saisir.

Sangram lui apporta un bol de *sutlach*. « Vas-y, mange, ça a le goût de chez nous », dit-il, et il ajouta dans un murmure de conspirateur : « Leur nourriture est moins bonne que la nôtre. Autant que tu t'y fasses. »

Jahan engloutit son plat pendant qu'ils l'observaient tous avec une curiosité muette. Sa faim n'en fut pas apaisée mais on ne lui offrit rien d'autre et il n'osa pas réclamer. Il enfila les vêtements qu'on lui tendait. Une chemise écrue aux manches larges, une veste en peau de mouton, un *shalwar* et, pour se chausser, des bottes de cuir souple. Ensuite de quoi lui et Sangram sortirent faire un tour. Le domestique se jeta dans la bouche une boulette d'aspect cireux, sans lui dire que c'était une pâte composée d'épices et d'opium. Rapidement son visage se détendit, sa langue se libéra. Il expliqua au garçon le code de silence du sultan Soliman. Même s'il ne s'appliquait pas aussi strictement dans la première et la deuxième cours que dans les troisième et quatrième, chacun, partout, devait se tenir tranquille. Parler fort, rire ou crier était interdit.

« Et chanter ? Chota aime bien écouter des berceuses avant de s'endormir.

— Chanter..., répéta Sangram comme s'il expliquait quelque chose qu'il ne comprenait pas tout à fait. Chanter c'est permis si on chante en silence. »

Arrivés en devisant près des murs du jardin, ils s'arrêtèrent. Les fourrés formaient un dais, encadrés par des bosquets de hauts conifères qui montaient la garde.

« Dépasse jamais ce mur, dit Sangram, la voix tendue.

— Pourquoi ?

— Pose pas de questions. Obéis à tes aînés. »

Jahan sentit ses entrailles chavirer. Son malaise devait être visible car Sangram l'avertit : « Ton visage, ça va pas du tout.

— Quoi ?

— Tu es content, ça se voit. Tu as peur, ça se voit aussi. » Il secoua la tête. « Les femmes peuvent pas cacher leurs sentiments parce qu'elles sont faibles. Elles ont de la chance de pouvoir se cacher derrière leur voile. Mais un homme doit apprendre à tenir ses émotions secrètes.

— Comment je vais faire ? demanda Jahan.

— Voile ton visage, scelle ton cœur, dit Sangram. Autrement ils vont te les hacher menu tous les deux. »

Environ une heure plus tard, sa première nuit à Istanbul, Jahan étendu tout raide sur un rude grabat écoutait les sons nocturnes. Une chouette ululait dans le voisinage, quelque part des chiens aboyaient. À l'intérieur du hangar c'était tout aussi bruyant, ses compagnons ronflaient, roulaient, parlaient, pétaient, grinçaient des dents en dormant. L'un d'eux, qu'il ne put identifier, émettait des sons dans une langue qu'il n'avait jamais entendue auparavant, s'il s'agissait bien d'une langue. Son propre estomac se joignit au brouhaha en grommelant. Il se mit à penser à la nourriture, surtout à des pâtés de viande, mais cela lui rappelait toujours sa mère, alors il s'interrompit. Il se glissa jusqu'à la fenêtre, contempla le lambeau de ciel. Cela ressemblait si peu au bleu lointain qu'il voyait jour après jour sur le navire ! Il se dit qu'il ne pourrait jamais se rendormir mais la fatigue eut raison de lui.

Il se réveilla en sursaut, émergeant de rêves sombres et troublants. Quelqu'un lui soufflait dans le cou, se frottait contre ses cuisses. Une main lui couvrit la bouche tandis que l'autre arrachait son *shalwar*. Jahan se tortilla pour échapper à son emprise mais l'homme était plus fort et l'écrasait lourdement. Le garçon suffoquait, incapable de respirer. Alors seulement l'homme s'avisa qu'il était en train de l'étouffer et écarta sa main. Dans ce court instant Jahan serra les dents de toutes ses forces sur le pouce de son assaillant. Un hoquet de douleur retentit. Boudeur, vexé. Le garçon se leva d'un bond, tout tremblant. Dans la lumière poudreuse de la fenêtre il reconnut le dompteur d'ours.

« Viens ici », siffla Mirka.

À sa voix basse Jahan comprit qu'il ne voulait pas être découvert. Il hurla donc à pleins poumons, au mépris du code de silence, sans se soucier de ce qui lui arriverait si les gardes l'entendaient. « Retouche-moi encore et mon éléphant te piétinera ! On va te tuer ! »

Mirka se releva, tira sur son *shalwar*. Sans un regard pour les autres dompteurs, qui étaient maintenant réveillés, il retourna à sa paillasse en marmonnant : « Ton éléphant n'est qu'un bébé.

— Il grandira », glapit Jahan.

Le garçon remarqua qu'Olev le regardait avec un mélange d'amitié et d'approbation. Le dompteur de lions intervint depuis le coin où il était. « Mirka, espèce d'abruti ! Si tu retouches à l'Indien je te cloue les couilles au mur, tu m'entends ?

— La peste sur toi », fit Mirka.

Le cœur battant follement, le garçon grimpa dans son lit, dos tourné cette fois à la fenêtre, pour garder un œil sur la pièce. Il comprit qu'à l'intérieur du palais il devrait être vigilant à tout instant, même dans son sommeil. Mieux valait ne pas traîner ici trop longtemps. Il devrait repérer au plus vite la chambre où étaient rangées les richesses du sultan, remplir ses sacs et filer. Il serait obligé d'abandonner l'éléphant blanc, se dit-il tristement. Chota était une créature royale ; pas Jahan.

Il ne se doutait guère que dans son écurie Chota était éveillé lui aussi, qu'il écoutait, et s'inquiétait. Quelque part au cœur de cette nuit d'encre, si épaisse qu'elle dominait toute autre couleur, il avait flairé l'odeur du seul animal qui l'emplissait de crainte – le tigre.

Personne n'aurait pu dire avec exactitude combien d'âmes vivaient entre les murailles du palais. D'après Taras le Sibérien qui était là depuis des lustres, il y en avait autant que d'étoiles dans le ciel, de poils sur une peau de mouton, de secrets portés par le *lodos* marin. D'autres croyaient qu'ils étaient au moins quatre mille. Parfois Jahan se surprenait à fixer les portes gigantesques qui les séparaient des cours intérieures, en se demandant quelle sorte de gens vivaient de l'autre côté.

Il n'était pas le seul dévoré de curiosité. Tous les dompteurs qu'il connaissait divaguaient à voix feutrée sur les divers habitants du palais – le chef des cuisines de halva, le maître des cérémonies, les goûteurs qui savouraient chaque plat avant qu'il n'arrive sur la table du souverain. Dans leur désir d'en savoir plus long sur leur compte, les dompteurs comméraient à qui mieux mieux, se délectant du moindre ragot, doux en bouche comme du sucre cuit. Ce qui les fascinait pardessus tout, c'étaient les concubines et les odalisques. De savoir qu'elles étaient invisibles de tous les hommes, à l'exception du sultan et des eunuques, permettait aux dompteurs de les imaginer à leur guise. En esprit ils pouvaient peindre librement le visage de ces femmes, blanc et prometteur comme un rouleau de parchemin vierge. On ne devait jamais cancaner sur les favorites du sultan, pas même en chuchotant, sauf s'il s'agissait de la sultane, que tout le monde semblait détester et estimait avoir le droit de calomnier.

Ils avaient entendu une foule de contes à propos du harem, certains vrais, d'autres fantaisistes. Ses portes étaient gardées par des eunuques noirs qu'on avait castrés si sévèrement qu'ils ne pouvaient plus se vider de leur eau qu'en s'aidant d'un tube qu'ils portaient dans leur ceinture. Comme l'islam interdit la castration sous toutes ses formes, les négociants juifs et chrétiens employaient des marchands d'esclaves pour qu'ils fassent le travail ailleurs. Voilà comment des adolescents capturés dans les fins fonds de l'Afrique perdaient leur virilité. S'ils survivaient, on les embarquait pour Istanbul. S'ils avaient de la chance et du talent, ils gravissaient les échelons. Voilà comment persistait un péché dont personne n'encourait le blâme mais auquel chacun contribuait. Sangram disait que ce n'étaient pas seulement les couilles qu'on leur avait retirées, mais aussi, bien trop souvent, le cœur. La compassion qu'on leur avait refusée dans le passé, ils la refusaient désormais à tous. Si une concubine tentait de s'évader, ces eunuques seraient les premiers à la retrouver.

Le harem vivait sa vie au sein du palais, dissimulé mais puissant. On l'appelait *darussaade* – « la maison du bonheur ». On racontait que chacune des chambres et des salles de réception communiquait avec les appartements de la sultane validé, la mère du sultan. Pendant des années, elle et elle seule avait surveillé ce que mangeaient, buvaient, portaient et faisaient chaque jour des centaines de femmes. Pas une tasse de café ne coulait, pas un chant ne résonnait, pas une concubine n'attirait l'œil du sultan sans sa bénédiction. Le chef des eunuques noirs lui servait d'yeux et d'oreilles. Si elle avait manqué un détail, il espionnait pour le lui dénicher. Mais maintenant elle était morte. Et tout son pouvoir, et bien plus encore, était passé dans les mains de la sultane.

Celle-ci se nommait Roxelane[1], mais beaucoup la traitaient de sorcière, *zhadi*. Ses admirateurs comme ses ennemis étaient légion. Ils racontaient qu'elle avait jeté un sort sur le sultan, empoisonné son sorbet aux griottes, pulvérisé des potions sous son oreiller, fait des nœuds dans ses vêtements les nuits de pleine lune. Le sultan avait rompu avec une tradition vieille de trois siècles en l'épousant au cours d'une cérémonie si somptueuse qu'on en parlait encore dans tous les bordels, tavernes et bouges à opium de la ville. Non que le garçon fût expert en bordels, tavernes et bouges, mais Sangram en savait long et il adorait répandre des potins. L'essentiel de ce qu'avait appris Jahan sur ce qui se passait dans le palais et à l'extérieur venait de lui.

Sorcière ou non, la sultane avait un faible pour les curiosités et elle était capable de tout pour augmenter sa collection. La naine la plus

1. Également connue sous le nom de Hurrem (1531-1558). *(N.d.É.)*

minuscule de l'Empire ou une boîte à musique avec un tiroir secret ; une paysanne à la peau de lézard ou une maison de poupée ornée de pierreries – elle s'appropriait tout avec une égale délectation. Comme elle raffolait des oiseaux, elle venait souvent visiter la volière. Son favori était un perroquet – un ara au ventre vert et aux ailes écarlates. Elle lui avait appris une douzaine de mots, que l'animal braillait de sa vilaine voix chaque fois que le sultan Soliman approchait, lui arrachant un sourire. Roxelane aimait nourrir les gazelles et les poulains, mais elle passait rarement du temps, si même elle y allait, dans la partie réservée aux bêtes sauvages. Tant mieux, se disait Jahan, car il avait peur d'elle. Comment ne pas craindre une femme qui savait lire dans les esprits et volait les âmes ?

Les premières semaines dans le *payitaht*, le « Siège du Trône », se déroulèrent sans incident. Chota se rétablissait lentement, retrouvant son poids et sa bonne humeur. On lui donna deux tapis de selle : un pour les jours ordinaires, des aunes de velours bleu brodé de fil d'argent ; un pour les jours de fête, une cape dorée taillée dans un lourd brocart. Jahan adorait sentir le grain des broderies sous ses doigts. Il ne regrettait plus les étoffes précieuses que le shah Humayun avait envoyées avec l'éléphant, mais que les marins du capitaine Gareth avaient pillées sans vergogne sur ce vaisseau de malheur.

La nuit dès qu'il fermait les yeux, le visage de son beau-père surgissait de la pénombre.

Une part de lui aspirait à retourner dans son village – et à le tuer. De la même façon que cet homme avait tué sa mère. Avec des coups de pied dans le ventre, alors que cette brute savait, comment aurait-il pu l'ignorer, qu'elle était enceinte. Une autre part, plus sensée, lui murmurait qu'il devrait repartir, mais pas tout de suite. Une fois qu'il aurait volé les joyaux du sultan, quel mal y aurait-il à en garder quelques-uns pour son compte ? Le capitaine Gareth ne le saurait jamais. Ensuite il pourrait rentrer chez lui, riche et puissant. Ses sœurs lui feraient bon accueil. Même si elles avaient dû se sentir abandonnées quand il était parti sur une impulsion, leur joie de le revoir serait si intense qu'elle effacerait leur chagrin. Jahan leur baiserait les mains, et déballerait ses richesses à leurs pieds : diamants, jades, émeraudes.

Puis un jour il croiserait une jeune fille, belle comme la lune à son zénith. Avec des dents de perle, des seins comme des coings mûrs, elle passerait son chemin, non sans l'avoir gratifié d'un sourire furtif. Il la sauverait d'un terrible danger (noyade, attaque par une bande de brigands ou une bête féroce, cette partie-là de ses rêves changeait constamment). Ses lèvres, quand elle l'embrasserait, auraient un goût d'ondée, son étreinte serait plus suave que des figues cuites dans le miel. Ils tomberaient amoureux, elle le couvrirait de caresses tel un flot d'eaux parfumées. Leur félicité serait si pure que des années après leur mort dans les bras l'un de l'autre à un âge très avancé, les gens se souviendraient encore d'eux comme du couple le plus heureux qu'on eût jamais vu sous le ciel divin.

Ses premiers jours à la ménagerie auraient été bien plus durs si Olev le dompteur de lions ne l'avait pris sous son aile. Un homme d'une bravoure et d'une audace sans égales, mais ridiculement épris de sa moustache, qu'il peignait, cirait et parfumait cinq fois par jour. Comme Jahan, il avait une famille qui l'attendait quelque part – une vie qu'il avait perdue quand, à l'âge de dix ans, il avait été capturé par des trafiquants d'esclaves. Sa chevelure rougeâtre, sa charpente robuste, et surtout son intrépidité avaient scellé son destin. Arraché à sa famille, il avait été transporté dans le palais ottoman, qu'il ne quitterait plus jamais.

Chaque matin dès l'aube les dompteurs se lavaient le visage à une fontaine de marbre qui coulait si froide que leurs mains viraient au rouge vif. Peu avant midi ils partageaient une soupe de céréales et de pain ; le soir ils piochaient ensemble dans un plat de riz noyé de graisse de queue de mouton. Quand la nuit tombait, ils reposaient leur tête sur des sacs de toile grossière envahis par la vermine. Les poux s'insinuaient partout. Et les puces. Elles sautaient des animaux sur les humains, des humains sur les animaux. Quand elles piquaient, ce qui était fréquent, elles laissaient des marques irritées qui dégénéraient en pustules si on avait le malheur de les gratter. Les dompteurs examinaient régulièrement les bêtes, petites et grandes, et les étrillaient avec du camphre écrasé, de la cardamome et de la citronnelle. Ils avaient beau s'escrimer, il y avait toujours une puce qui survivait. Et une puce, ça suffisait.

Deux fois par semaine, le chef des eunuques blancs, que tous sans exception appelaient Kamil Agha l'Œillet, venait les inspecter. Il ne grondait jamais. N'élevait jamais la voix. Pourtant c'était l'un des hommes les plus redoutés du palais, au froncement de sourcils plus tranchant que l'acier. Sa peau était si pâle qu'on voyait le fin réseau des veines à travers. Il avait des cernes noirs sous les yeux, selon la rumeur il passait ses nuits à arpenter les salles parce qu'il était aussi réveillé qu'un hibou en chasse. Sachant que la plus petite trace de saleté suffisait à faire monter sa bile, les dompteurs nettoyaient sans relâche. Ils essuyaient l'urine des cuvettes, ramassaient les étrons, rinçaient les mangeoires. Jahan n'était pas sûr que les animaux apprécient cette frénésie. Privés d'odeurs naturelles – la leur et celle de leurs compagnons – ils perdaient le sens de leur territoire. Aucun des dompteurs ne se sentait la hardiesse de révéler cet inconvénient à l'eunuque. N'empêche, ils prenaient grand soin de leurs bêtes. Leur vie dépendait de la santé de ces animaux. Quand ils se portaient bien, eux aussi : s'ils tombaient en défaveur, eux subiraient le même sort.

Un jour de mi-avril, une chose étrange se produisit. Jahan reconduisait Chota à son écurie quand il entendit un bruissement derrière une rangée d'arbustes – léger mais si proche qu'il le fit sursauter. Tout en faisant mine de n'avoir rien remarqué il se tint sur le qui-vive. Peu après, une pantoufle de soie brodée se pointa de sous l'arbuste comme un serpenteau, sans se douter qu'elle était visible.

C'était donc une fille qui se cachait là, et le sachant, Jahan se demanda qui elle pouvait bien être. Il n'y avait pas de femmes parmi les dompteurs. Les concubines n'avaient pas le droit de s'aventurer aussi loin, et certainement pas sans chaperon. Comme il ne voulait pas l'effrayer, il garda ses distances, supposant qu'elle avait souhaité voir l'éléphant blanc de plus près. Il continua donc son travail et se laissa épier. Elle revint souvent – il entendait les brindilles craquer sous ses pieds, sa robe bruisser, toujours en catimini. À la fin du mois, Jahan était habitué à sa mystérieuse espionne. Il la tolérait si bien et elle agissait si prudemment qu'ils ne se seraient jamais parlé si, de toutes les créatures, une guêpe ne s'en était mêlée.

Ce matin-là, Jahan nettoyait un amas de boue collé à la queue de Chota quand un cri aigu perça l'air. Une fillette bondit de la haie, cheveux éparpillés en désordre. Agitant les mains, hurlant un torrent de mots incompréhensibles, elle les dépassa comme un éclair, fonça dans l'écurie et en claqua la porte si violemment que celle-ci rebondit au lieu de se fermer.

« Ouste ! » Jahan saisit une large feuille et en fouetta la guêpe qui la poursuivait.

Avec des bourdonnements furieux, l'insecte fit quelques vrilles frustrées puis se lassa et vola vers la fleur la plus proche.

« Elle est partie, dit Jahan.

— Je vais sortir. Baisse la tête, valet. »

Elle apparut, longue, souple et grêle. Le nez froncé, elle déclara : « Qu'Allah me pardonne de dire cela, mais je ne comprends pas pourquoi Il a créé les guêpes. »

Elle se dirigea vers l'éléphant, curieuse de voir l'animal d'aussi près. Jahan lui jeta un coup d'œil furtif, remarqua sur ses joues des petites taches de rousseur, couleur d'œillet d'Inde. Sa robe d'un vert très pâle semblait presque blanche dans la lumière du soleil, et ses cheveux ondulés dépassaient de son écharpe, qu'elle portait nouée lâche.

« Est-ce que mon vénérable père, Sa Majesté, a vu l'animal ? » demanda-t-elle.

Jahan déglutit, comprenant enfin à qui il parlait. Il s'inclina le plus bas possible. « Altesse Mihrimah. »

La princesse acquiesça nonchalamment comme si son titre l'intéressait peu. Ses yeux, couleur d'ambre foncé, retournèrent à Chota.

« Sa Seigneurie aimerait-elle caresser l'éléphant ?

— Est-ce qu'il va me mordre ? »

Jahan sourit. « Je peux t'assurer, Altesse, qu'il n'y a pas plus gentil que Chota. »

L'air méfiant, elle s'approcha de l'animal et effleura sa peau fripée. Ce qui donna à Jahan une autre chance de l'examiner. Il vit un collier précieux de sept perles d'une blancheur de lait, chacune plus grosse qu'un œuf de moineau. Son regard s'aventura sur les mains. Des mains si délicates, tantôt portées à son sein, tantôt nerveusement nouées ! Ce fut ce dernier geste qui le toucha : il sentit que sous la surface des couleurs et des contrastes, elle abritait comme lui une âme fiévreuse. Autrement il n'aurait jamais osé prononcer les paroles qu'il lui dit ensuite. « Les humains ont peur des animaux mais c'est nous qui sommes cruels, pas eux. Un crocodile ou un lion… Il n'y en a pas un d'aussi sauvage que nous.

— En voilà une sottise ! Ce sont des bêtes féroces. C'est pour ça que nous les gardons en cage. Ils nous dévoreraient.

— Altesse sérénissime, depuis que je suis ici je n'ai pas entendu parler d'une seule fois où un animal aurait attaqué quelqu'un à moins de mourir de faim. Si on ne les dérange pas, ils ne nous dérangent pas. Mais les humains ne sont pas comme ça. Qu'il ait faim ou non, l'homme est enclin au mal. Où dormirais-tu le plus paisiblement ? Près d'un étranger au ventre plein ou près d'un lion bien nourri ? »

Elle l'étudia pendant un moment. « Tu es un garçon étrange. Quel âge as-tu ?

— Douze ans.

— J'ai un an de plus, dit-elle. J'en sais plus long que toi. »

Toujours incliné, Jahan ne put s'empêcher de sourire. Elle n'avait pas dit le plus évident : qu'elle était de naissance noble et lui un moins que rien. Lui rappeler qu'elle était plus âgée, c'était faire comme s'ils étaient ou pourraient un jour devenir égaux. En pivotant sur ses talons elle l'interrogea : « Comment t'appelles-tu ? »

Il rougit. Dire son nom lui semblait gauche, presque intime. « L'éléphant s'appelle Chota, Altesse. Et moi Jahan. Mais ma mère…

— Comment ça, ta mère ? »

Cela il ne l'avait encore dit à personne, et il ne savait pas pourquoi il le disait maintenant, mais il le fit : « Elle m'appelait toujours Jacinthe. »

Mihrimah rit. « Quel drôle de nom pour un garçon ! » Comprenant qu'elle l'avait offensé, elle ajouta plus doucement : « Pourquoi ?

— Quand je suis né mes yeux avaient une teinte pourpre bizarre. D'après ma mère, c'était parce qu'elle avait mangé des jacinthes quand elle était grosse de moi.

— Des yeux jacinthe, murmura-t-elle. Et où est ta mère, maintenant ?

— Elle n'est plus de ce monde, Altesse.

— Alors tu es orphelin, dit-elle. Moi aussi des fois j'ai l'impression de l'être.

— Tes nobles parents sont vivants, que Dieu leur prête longue vie. »

C'est alors qu'une voix de femme retentit derrière eux. « Je t'ai cherchée partout, Excellence. Tu n'aurais vraiment pas dû venir ici toute seule. »

Une femme trapue apparut. Elle avait le teint coloré, un regard pénétrant, et des lèvres minces pincées en signe de désapprobation. Sa mâchoire forte et anguleuse donnait l'impression qu'elle serrait les dents. Sans accorder le moindre intérêt à l'éléphant ou à son cornac elle avança comme s'ils étaient invisibles et comme s'il n'y avait rien dans cet immense jardin de fleurs et d'animaux sur quoi elle pût poser les yeux, ne serait-ce qu'un instant – en dehors de la princesse.

Mihrimah se tourna vers Jahan avec un plaisir espiègle. « Ma nourrice, dit-elle. *Dada* se fait toujours du souci pour moi.

— Comment ne pas être inquiète quand ma très aimée est toute lumière et le monde si noir ? » dit la nourrice.

Mihrimah rit. « Ma *dada* n'aime pas les animaux, malheureusement. Sauf un. Elle adore son chat, Cardamome. »

Un regard s'échangea entre elles, subtil, furtif et impénétrable. Soudain Mihrimah parut inquiète. « Est-ce que Madame Ma Mère a demandé après moi ?

— Oui, et comment ! Je lui ai dit que tu étais au hammam, en train de prendre un bain, Altesse.

— Décidément, tu es mon sauveur ! dit Mihrimah en souriant. Qu'est-ce que je ferais sans toi ? » Elle leva la main, comme pour agiter un mouchoir imaginaire : « Au revoir, Chota. Peut-être que je reviendrai te voir. »

Adressant ainsi ses bonnes intentions à l'éléphant blanc, mais pas un mot à son cornac, la princesse redescendit le sentier, sa nourrice sur les talons. Jahan se sentait comme abandonné. Il resta immobile un long moment, oubliant où il était et ce qu'il faisait. Avec des questions restées muettes plein l'esprit, un parfum dans les narines et un coup en plein torse comme il n'en avait jamais connu auparavant.

Jahan crut qu'elle ne reviendrait jamais. Mais elle revint. Outre son sourire, elle apportait des friandises pour l'éléphant – non pas des poires et des pommes mais des confiseries royales : figues fourrées de crème épaisse, sorbet à la violette, massepains à la confiture de rose, ou ces châtaignes cuites dans le miel dont Jahan savait qu'elles coûtaient au moins quatre aspres l'*okka*. Chaque fois que les mœurs du sérail lui déplaisaient ou la décourageaient, elle venait rendre visite à l'animal blanc. Émerveillée, elle observait Chota avec l'air de se demander comment une créature aussi puissante pouvait se montrer si docile. L'éléphant était le sultan de la ménagerie, pourtant il ne ressemblait en rien à son père.

Ses visites étaient irrégulières. Parfois elle restait invisible pendant des semaines et Jahan se demandait ce qu'elle pouvait bien faire dans ce coffre à secrets qu'était le harem. Puis soudain, elle surgissait pratiquement chaque après-midi. Toujours flanquée de sa *dada*, Hesna Khatun. Et toujours la nourrice semblait contrariée de voir une princesse accorder tant d'intérêt à un animal. Mais si elle désapprouvait manifestement l'affection de Mihrimah pour l'éléphant, elle prenait grand soin d'en garder le secret.

Une année entière passa. Puis un été étouffant. Jahan entassait ses maigres larcins : un chapelet d'argent (pris au chef jardinier), un mouchoir brodé d'or (à un nouvel eunuque), des bocaux d'amandes et de pistaches (dans le cellier royal), un anneau d'or (à un diplomate étranger venu visiter la ménagerie). Il savait que ce n'étaient que des babioles, pas de quoi satisfaire le capitaine Gareth. Il n'avait pas encore réussi à découvrir où étaient enfermés les joyaux du sultan et à vrai dire, à mesure que le temps passait et qu'il s'habituait à la vie de la ménagerie, il y pensait de moins en moins. Il n'avait eu aucune nouvelle du capitaine depuis leur séparation, même si dans ses rêves l'individu persistait à lui apparaître, comme une menace surgie de l'ombre. Pourquoi il ne s'était pas encore montré, Jahan n'en avait pas la moindre idée. Peut-être après tout qu'il était reparti en mer où il avait rencontré une fin malheureuse.

L'essentiel des paroles échangées entre la princesse et le cornac portait sur la santé de Chota, ses progrès en taille et en poids. Aussi Jahan fut-il pris de court le jour où Mihrimah l'interrogea à brûle-pourpoint sur sa vie d'autrefois en Hindoustan et comment il était arrivé ici. Et voici l'histoire qu'il lui conta à son retour le lendemain – elle assise sous un pied de lilas, lui agenouillé sur le sol ; elle si proche de lui qu'il sentait le parfum de ses cheveux, lui ne pouvant oublier que des mondes les séparaient.

L'histoire que le cornac raconta à la princesse

Dans la grande et riche contrée d'Hindoustan vivait un garçon pauvre nommé Jahan. Il habitait une cabane, à un jet de pierre de la route qu'empruntaient les soldats pour se rendre au palais du shah Humayun. Il dormait sous le même toit que ses cinq sœurs, sa mère, et son beau-père qui était aussi l'aîné de ses oncles. Jahan était un enfant curieux, qui adorait fabriquer des objets de ses mains. Boue, bois, pierre, fumier ou brindilles, il faisait usage de tout. Un jour il bâtit une grande chaudière dans la cour arrière, ce qui fit grand plaisir à sa mère car, à la différence de tout ce qu'elle avait possédé jusqu'ici, celle-ci n'émettait pas de fumée noire nauséabonde.

Jahan n'avait pas encore six ans quand son père – car il fut un temps où il avait un père – disparut sans laisser de trace. Chaque fois qu'il interrogeait sa mère elle lui faisait la même réponse : « Il est parti sur l'eau. » À bord d'un navire, vers une ville d'ombres et de lumières, très loin – où se trouvaient un autre shah ou un sultan, et des trésors dépassant l'imagination.

Un autre enfant aurait vu clair dans ses fables. Pas Jahan. Il lui fallut des années pour comprendre le sens des mensonges que sa mère avait tissés autour de lui comme de délicates toiles d'araignée, si fins et impalpables qu'ils étaient évanescents. Même lorsqu'on maria sa mère à son oncle – un homme qui la couvrait constamment de sarcasmes – le garçon refusa d'admettre que son père ne reviendrait pas. Plein de colère impuissante il voyait son oncle s'asseoir sur le siège de son père, dormir dans son lit et mâcher ses feuilles de bétel sans un mot de gratitude. Rien de ce que faisait sa mère ne satisfaisait cet homme. Le feu qu'elle allumait ne chauffait pas assez, le lait qu'elle avait touché caillait, les *poori* qu'elle faisait frire avaient un goût terreux, et le corps qu'elle lui offrait chaque nuit ne servait à rien puisqu'elle ne lui avait toujours pas donné de fils.

Quand il n'était pas occupé à ronchonner ou jurer, son beau-père élevait des éléphants de combat. Il apprenait à ces animaux paisibles comment charger et tuer. Les sœurs de Jahan l'aidaient à cette tâche, mais jamais Jahan. Le garçon avait une telle haine de son beau-père qu'il l'évitait autant que ses animaux. Sauf un – Pakeeza.

Bien qu'enceinte depuis mille jours, Pakeeza n'avait pas encore mis bas. Après trois automnes et trois hivers, le printemps était de retour. Le cassia doré en bas de la route formait une boule d'or ; les collines étaient couvertes de fleurs sauvages ; les serpents s'étaient réveillés de leur plus noir sommeil – mais le petit n'était toujours pas né. Pakeeza avait tellement grossi qu'elle pouvait à peine bouger. Tous les jours de l'aube au crépuscule elle se morfondait, les paupières aussi lourdes que le cœur.

Chaque matin Jahan apportait à Pakeeza de l'eau fraîche et un plein seau de nourriture. La main posée sur sa peau ridée il lui chuchotait : « Ça sera peut-être aujourd'hui le grand jour, pas vrai ? »

Pakeeza soulevait la tête d'un geste lent et réticent, tout juste assez pour lui montrer qu'elle avait entendu et qu'en dépit de sa lassitude elle partageait son espoir. Puis le soleil avançait pouce par pouce à travers le ciel, peignant l'horizon de traînées cramoisies, et un jour de plus s'achevait. C'étaient les dernières semaines avant la saison des pluies, l'air moite, l'humidité insupportable. Jahan soupçonnait en secret qu'il était arrivé quelque chose au rejeton dans le sein. Il lui vint même à l'esprit que Pakeeza souffrait d'une enflure du ventre, et que derrière la chair boursouflée il n'y avait que du vide. Pourtant chaque fois qu'il posait l'oreille sur sa panse énorme, si distendue qu'elle touchait presque le sol, il entendait un battement de cœur, timide mais régulier. Le petit était bien là et pour des raisons incompréhensibles à chacun, il attendait son heure, patientait, se cachait.

Cependant Pakeeza prenait goût aux nourritures les plus étranges. Elle léchait goulûment les mares boueuses ; claquait des babines à la vue de l'argile sèche ; engloutissait des briques de bouse de vache. Si l'occasion se présentait, elle mâchonnait les flocons tombés des murs blanchis à la chaux de la grange, ce qui lui valait d'être fouettée par l'oncle de Jahan.

La famille de Pakeeza passait voir chaque jour comment elle se portait. Quittant leur forêt, ils avançaient lentement en file indienne, les yeux fixés sur le sentier poussiéreux, leurs pas marquant un rythme qu'eux seuls pouvaient entendre. Une fois arrivés, les mâles restaient silencieux tandis que les femelles s'approchaient et l'appelaient dans leur langue antique. Dans la cour, Pakeeza dressait l'oreille. Parfois elle leur répondait. Avec le peu de force qui lui restait, elle leur disait de ne pas s'inquiéter pour elle. La plupart du temps elle se tenait immobile – engourdie par la peur ou bercée par l'amour, Jahan n'aurait su dire.

Les gens venaient de très loin pour voir le miracle. Hindous et musulmans et sikhs et chrétiens envahissaient leur cabane. Ils apportaient des guirlandes de fleurs, allumaient des bougies, faisaient brûler de l'encens et chantaient des mélodies. Le petit doit être béni, disaient-ils, son cordon ombilical est coincé dans un monde invisible. Ils accrochaient des lambeaux de tissu aux branches du banyan, avec l'espoir que leurs prières seraient entendues au ciel. Avant leur départ les visiteurs ne manquaient pas de toucher Pakeeza, promettant de ne pas se laver les mains jusqu'à ce que leur vœu soit exaucé. Les plus effrontés essayaient d'arracher un ou deux poils de sa queue ; ceux-là, Jahan les tenait à l'œil.

De temps à autre un guérisseur se présentait à leur portail, soit par désir de se rendre utile soit par pure curiosité. L'un d'eux se nommait Sri Zeeshan, un homme décharné aux sourcils hérissés qui avait coutume d'étreindre les arbres, les pierres et les rochers pour sentir battre leur vie intérieure. L'année précédente il avait perdu l'équilibre et basculé d'une falaise en tentant de prendre le soleil dans ses bras. Il était resté alité quarante jours, sans parler ni bouger, hormis un tic nerveux derrière les paupières comme si dans son sommeil sa chute continuait. Sa femme avait déjà entamé le deuil quand l'après-midi du quarante et unième jour il se mit sur pied, péniblement, mais guéri. Depuis, son esprit allait et venait comme une scie en mouvement. L'opinion était divisée quant aux séquelles. Certains croyaient que l'accident l'avait propulsé vers un royaume plus élevé qu'aucun autre sage jusqu'ici n'avait atteint. D'autres estimaient qu'il avait perdu la raison et qu'on ne devrait plus lui confier de tâche sacrée.

Quelle que soit la bonne hypothèse, il était là. Il posa l'oreille sur le ventre de Pakeeza, les yeux clos. D'une voix basse et rauque comme si elle sortait du fond du précipice où il était tombé, il déclara : « Le bébé écoute. »

Jahan retenait son souffle, admiratif et ravi. « Tu veux dire qu'il nous entend ?

— Bien sûr. Si tu pousses des cris et des jurons, il ne sortira jamais. »

Jahan frémit en se rappelant les nombreuses fois où la maison avait retenti de jurons et de gronderies. De toute évidence, sa brute d'oncle avait rendu le petit fou de terreur.

Le guérisseur agita un doigt difforme. « Écoute-moi jusqu'au bout, mon garçon. Ce n'est pas un rejeton ordinaire.

— Qu'est-ce que tu veux dire ?

— Cet éléphant est trop… sentimental. Il n'a pas envie de naître. Réconforte-le. Dis-lui que tout ira bien ; ce monde n'est pas un si mauvais endroit. Il sortira comme une flèche. Chéris-le et il ne te quittera jamais. » Sur quoi il fit un clin d'œil à Jahan comme s'ils partageaient désormais un secret important.

Cette après-midi-là tout en regardant le ciel s'assombrir, Jahan se creusa la cervelle. Comment pouvait-il persuader le bébé que ce monde valait la peine d'y naître ? En grognant, beuglant, barrissant, les éléphants conversaient sans arrêt. Même ainsi, c'était une tâche au-dessus de ses moyens. Non seulement parce qu'il ne parlait pas leur langue, mais surtout il n'avait rien à dire. Que savait-il de la vie au-delà de ces murs et de son propre cœur en coquille d'œuf ?

Un éclair au loin : Jahan attendit le coup de tonnerre qui ne vint pas. C'est dans cette lacune, comme s'il se préparait à un événement, qu'une idée lui traversa la tête. Il ne savait pas grand-chose du monde, c'est vrai, mais il savait très bien ce qu'on éprouve quand on a peur. Quand il était bambin et pris de frayeur, il se cachait sous la chevelure de Mère, qui était si longue qu'elle lui descendait jusqu'aux genoux.

Jahan se précipita dans la maison, où il trouva Mère en train de laver son époux dans une cuvette en bois et lui frotter le dos. Son oncle avait horreur de prendre des bains et n'y aurait jamais consenti sans la crainte des puces. Au sortir de l'eau la couleur de sa peau aurait changé, mais pas son caractère. Pour l'instant il était étendu dans la cuvette, les yeux clos, tandis que l'huile de camphre accomplissait scs miracles. Jahan fit un geste à l'intention de Mère, la priant de le suivre dans la cour. Ensuite il poussa dehors ses sœurs, qui avaient toutes hérité de sa chevelure, quoique sans être aussi jolies qu'elle. D'un ton dont il ne se savait pas capable, il leur ordonna de venir auprès de Pakeeza. À son grand soulagement elles obéirent, se prenant par la main, sans sourire, comme si elles ne voyaient là rien d'étrange. Elles se rapprochèrent, suivant ses instructions, leur épaisse crinière volant dans tous les sens. Dos au vent, tête inclinée en avant, pour que leurs cheveux caressent le ventre énorme de Pakeeza, ensemble elles lui firent une mante suspendue à mi-hauteur comme un tapis volant. Jahan entendait son oncle rugir depuis la maison. Sans aucun doute Mère devait l'entendre aussi. Pourtant personne ne bougea. Il y avait une sorte de beauté dans l'air et s'il avait connu le mot à l'époque il aurait pu appeler cela une bénédiction. Pendant ce bref instant, il chuchota au bébé dans le sein : « Tu vois, ce n'est pas mal ici. Tu pourrais aussi bien sortir maintenant. »

Plus tard, son oncle battit sa mère pour avoir désobéi. Quand Jahan tenta de s'interposer il reçut sa part des coups. Il dormit dans la grange cette nuit-là. Le lendemain il s'éveilla dans un silence insolite. « Mère ! » hurla-t-il. Pas un son.

Pakeeza ne lui paraissait pas différente des autres jours, quand il vit son abdomen se convulser, une fois, puis deux. Voyant qu'elle avait l'arrière-train enflé il cria une nouvelle fois à sa mère et ses sœurs de sortir, même si maintenant il avait compris que la maison était vide. Pakeeza émit un son de trompette tandis que sa panse se contractait et frissonnait, gonflée de manière horrible. Jahan avait déjà vu des animaux mettre bas, des chevaux et des chèvres, mais jamais un éléphant. Il se rappela qu'elle en était à son sixième petit, elle savait comment s'y prendre ; pourtant une voix dans son crâne, une voix plus sage, l'avertit qu'il ne devrait pas trop se fier à la nature et qu'il aurait à lui prêter main-forte, mais serait-ce tout de suite ou plus tard, la voix ne le dit pas.

Un sac émergea, humide et gluant comme une pierre dans le lit d'un cours d'eau. Il tomba sur le sol, accompagné d'un jet de liquide. À une vitesse surprenante, le rejeton sortit, couvert de sang et d'une substance vaseuse si pâle qu'elle en était translucide. Un mâle ! Étourdi et fragile, il paraissait épuisé comme s'il avait fait un long voyage. Pakeeza renifla le nouveau-né, le palpa doucement du bout de la trompe. Elle mastiqua le sac vitreux. Pendant ce temps-là l'éléphanteau s'était dressé sur ses pattes, aveugle comme une chauve-souris. Son corps était parsemé de touffes de poil couleur ivoire. Mais c'étaient sa taille et sa couleur qui laissèrent Jahan tout éberlué. Il avait devant lui le plus petit éléphant de l'Empire. Un éléphant blanc comme du riz bouilli.

Le fils de Pakeeza faisait presque la moitié de ses autres nouveau-nés. Comme eux, sa trompe étant trop courte, il devait se servir de ses babines pour boirc son premier lait ; mais à la différence d'eux, sa tête n'arrivait même pas aux genoux de sa mère. Au cours de l'heure suivante Jahan regarda la mère donner des petites tapes au bébé, d'abord modérées, puis bientôt avec une impatience croissante, plaidant pour qu'il vienne plus près, en vain.

Persuadé qu'il devait agir, le garçon courut au fond de la grange où on stockait toutes sortes d'objets dépareillés. Dans un coin il y avait un tonneau grossièrement taillé, rempli à mi-bord de la nourriture que consommeraient les animaux pendant l'hiver. Un rat détala quand il fit pivoter l'objet de côté. Les pieds maintenant enfouis sous une couche de vieille poussière, il vida le tonneau et le fit rouler jusqu'au point où se tenaient la mère et le petit. La poitrine haletante il courut vers la maison chercher une marmite. Enfin il poussa le tonneau le plus près possible de Pakeeza et grimpa dessus.

La vue de ses mamelles enflées le surprit. Prudemment, il en prit une entre le pouce et l'index et serra, espérant la traire comme une chèvre. Pas une goutte. Il essaya d'utiliser plusieurs doigts et d'y mettre plus de force. Pakeeza tressaillit et manqua le faire tomber. En s'efforçant de ne pas respirer, Jahan plaça ses lèvres autour d'un des tétons et aspira. Quand les premières gouttes lui tombèrent dans la bouche il fut pris de nausée. C'était l'odeur qui le faisait défaillir. Il n'aurait jamais cru que le lait puisse empester pareillement. Sa deuxième et sa troisième tentatives ne furent guère plus réussies que la première et avant d'avoir pu reprendre ses esprits il était dehors en train de vomir. Le lait d'éléphant ne ressemblait à rien qu'il eût jamais goûté. Sucré et acide à la fois, épais et gras. Sa nuque luisait de sueur et il avait le vertige. Couvrir son nez d'un mouchoir l'aida un peu. Après cela il parvint à progresser. Il tétait et recrachait le liquide dans la bassine, tétait et recrachait. Quand la bassine fut un tiers pleine, il redescendit et, tout fier, apporta son offrande à l'éléphanteau.

Tout au long de l'après-midi il refit la même opération. Ce lait qu'il extrayait si douloureusement, chaque fois le bébé n'en faisait qu'une lampée réjouie. Au bout d'une douzaine de tournées, il s'accorda une pause. Tandis qu'il se reposait en massant sa mâchoire endolorie, il observait le petit dont la gueule faisait une moue qui lui parut être un sourire espiègle. Jahan lui sourit à son tour, s'avisant qu'ils étaient devenus frères de lait.

« Je vais t'appeler Chota, ça veut dire petit en hindi. Mais tu vas devenir grand et fort. »

L'éléphanteau émit un son bizarre en guise d'accord. Même s'il y eut ensuite nombre de gens désireux de le rebaptiser au gré de leur cœur, à aucun stade de sa vie, ni alors ni plus tard, jamais l'animal ne répondit à un autre nom que celui donné par Jahan. Chota il était, Chota il resterait. En trois semaines il avait suffisamment grandi pour atteindre les mamelles de sa mère. Bientôt il piaffait dans la cour, chassant les poulets, effrayant les oiseaux, entièrement plongé dans la découverte du monde. Aimé et choyé par toutes les femelles du troupeau, il gambadait. Brave, avec ça, ne craignant ni le tonnerre ni le fouet. Une seule chose semblait le terroriser. Un son qui de temps à autre montait des profondeurs de la brousse, roulant à travers la vallée comme un fleuve sombre et tumultueux. Le feulement d'un tigre.

Quand Jahan eut terminé, toujours à genoux et s'adressant depuis une heure à une touffe d'herbe, il n'osa ni s'asseoir ni dévisager la princesse. S'il avait dérobé un coup d'œil, il aurait vu un sourire se dessiner sur ses lèvres, délicat comme la brume matinale.

« Raconte-moi ce qui s'est passé ensuite », dit Mihrimah.

Mais avant que Jahan n'ouvre la bouche, la nourrice intervint. « Il se fait tard, Altesse. Ta mère peut rentrer d'un moment à l'autre. »

Mihrimah soupira. « Très bien, *dada*. Nous pouvons partir maintenant. »

Lissant son long caftan, la princesse se remit debout et d'un pas dansant redescendit le sentier. Hesna Khatun la regarda sans mot dire pendant un moment. Puis dès que Mihrimah fut hors de portée, elle parla, sur un ton si doux et tendre que Jahan n'en saisit pas le sous-entendu menaçant avant de voir la nourrice disparaître à son tour.

« Des yeux jacinthe ! Frère de lait d'un éléphant ! Tu es une drôle de créature, l'Indien. Ou alors, un fieffé menteur. Si c'est le cas, si tu abuses ma bonne et gracieuse princesse, je jure que je le découvrirai et que tu le regretteras. »

Lorsqu'elles revinrent rendre visite à l'éléphant, la nourrice marchait sept pas en arrière, muette comme un cadavre. Quant à la princesse, dans la lumière déclinante de cette fin d'après-midi, Jahan la trouva plus belle que jamais. À son doigt brillait un diamant, gros comme une noix et couleur sang-de-pigeon. Jahan avait conscience que si seulement il pouvait mettre la main dessus il serait riche toute sa vie. Et pourtant, curieusement, il savait aussi que jamais il ne pourrait lui dérober quoi que ce soit à elle. Après avoir offert à Chota des pruneaux secs et des châtaignes au miel, elle s'assit sous le lilas. Un léger arôme émanait de ses cheveux, comme un parfum de fleurs et d'herbes sauvages.

« J'aimerais entendre ce qui s'est passé ensuite. »

Jahan sentit un frisson lui parcourir tout le corps mais il parvint à dire d'un ton calme : « Comme tu le souhaites, Altesse. »

L'histoire que le cornac
raconta à la princesse

Environ un an après la naissance de Chota, le shah Humayun reçut un visiteur inhabituel dans son magnifique palais – un amiral ottoman qui avait perdu la moitié de son équipage et toute sa flotte dans un terrible ouragan. Après avoir entendu le récit de ses épreuves, le shah promit de lui fournir une nouvelle caravelle pour le ramener chez lui.

« J'ai mis à la voile pour combattre les infidèles, dit l'Ottoman. Mais une tempête m'a conduit vers ton pays. Je comprends maintenant pourquoi. Allah voulait que je sois témoin de la générosité du shah et que j'en fasse le récit à mon sultan. »

Charmé d'entendre cela, Humayun offrit en récompense à l'amiral des vêtements et des joyaux. Puis il se retira dans ses appartements privés et c'est là, dans son bain semé de pétales de rose, qu'une idée lui vint. Ses ennuis étaient perpétuels ; ses ennemis innombrables, jusque dans sa propre famille. Son défunt père lui avait donné quelques rudes conseils : *Ne fais pas de mal à tes frères même s'ils le méritent bien*. Comment il pourrait les combattre sans leur faire de mal, Humayun aurait aimé le savoir. Et s'il ne parvenait pas à les vaincre, comment conserverait-il le pouvoir ? Il était donc là nu comme au premier jour, fatigué par la vapeur, méditant son dilemme, quand il eut l'œil accroché par un pétale de rose. Flottant avec grâce le pétale se dirigeait vers lui comme guidé par une main invisible pour venir se coller à sa poitrine.

Naturellement doux, mystique par disposition, Humayun en eut le souffle coupé. À n'en pas douter c'était un présage. Le pétale de rose lui montrait son point faible : le cœur. Il ne devrait pas se laisser affaiblir par les sentiments.

Plus il y réfléchissait, plus il lui semblait que ce marin naufragé avait été amené jusqu'à lui exactement comme ce pétale. Dieu lui disait de livrer bataille à ses ennemis et, si nécessaire, obtenir le soutien des Ottomans. Il sortit du bain, dégoulinant et enchanté.

Entre les deux sultanats musulmans les échanges étaient sporadiques – marchands, émissaires, prophètes, espions, artisans et pèlerins voyageaient de l'un à l'autre. Ainsi que les cadeaux. Ceux-là, il s'en échangeait de toutes tailles : soieries, bijoux, tapis, épices, coffres en nacre, instruments de musique, lions, guépards, cobras, concubines et eunuques. Entre gouvernants, les missives s'accompagnaient de marques de largesse, et la réponse, affirmative ou non, faisait preuve de splendeur réciproque.

Humayun, Donneur de Paix et Ombre de Dieu sur la Terre, s'intéressait beaucoup à Soliman, Maître des Terres et des Mers et Ombre de Dieu sur la Terre. Il avait appris par ses espions que chaque soir avant de s'endormir le sultan portait le sceau de Salomon, l'anneau magique qui avait donné à son parrain tout pouvoir sur les animaux, les humains et les djinns. Les points forts de Soliman étaient manifestes. Mais quelles étaient les faiblesses et les angoisses qui fermentaient sous ces précieux caftans, dont on racontait qu'il ne les portait qu'une seule fois ?

Humayun avait entendu parler aussi de Roxelane, la reine du harem de Soliman. Récemment elle avait commandé en Égypte mille couples de tourterelles dressées à transporter des messages, des papiers minuscules enroulés à leurs griffes. Les oiseaux avaient été expédiés sur les fleuves et par mer à Istanbul. Quand ils furent libérés, le ciel vira au noir de suie et les habitants se ruèrent dans les mosquées, craignant que ce ne fût le signe du Jugement dernier.

Humayun décida d'impressionner la sultane ottomane par un présent sans égal. Son offrande honorerait le sultan mais en même temps lui remettrait en mémoire les pays qui étaient pour lui hors d'atteinte, donc hors limites. Drapé dans une cape, le shah convoqua son échanson Jauhar, dont il appréciait la sagesse.

« Dis-moi : quel présent devrais-je offrir à un homme qui possède déjà tout ?

— Ni soieries ni pierres précieuses, répondit Jauhar. Ni or ni argent. Je dirais, un animal. Parce qu'ils ont tous une personnalité, et chacun est différent.

— Quel animal lui montrerait le mieux la grandeur de notre Empire ?

— Un éléphant, Seigneur. Le plus gros animal du pays. »

Le shah Humayun réfléchit un moment à cette suggestion. « Et si je voulais lui faire entendre que mon royaume, bien qu'assez splendide pour posséder un tel éléphant, a besoin de son aide ?

— Dans ce cas, seigneur, envoie-lui un éléphanteau. Ce sera notre façon de dire que nous ne sommes pas encore prêts à nous battre. Il nous faut une main secourable. Mais nous allons grandir et combattre, et quand nous combattrons nous vaincrons, avec l'aide de Dieu. »

Le matin où Jauhar vint avec un régiment de soldats, Jahan était occupé à nourrir Chota, qui pesait maintenant près de huit cantars et avait gardé sa teinte ivoire.

L'oncle de Jahan, ravi d'avoir dans sa cour un invité aussi honorable, s'inclina et fit mille courbettes. « Noble serviteur de notre noble shah, en quoi puis-je te servir ?

— J'ai appris que tu possédais un éléphant blanc, dit Jauhar. Tu dois nous le donner. Le shah veut l'envoyer aux Ottomans.

— Bien sûr, quel honneur !

— Tu ne vas pas leur donner Chota, quand même ? » dit une voix derrière lui. Tout le monde se tourna vers Jahan.

Son oncle se jeta sur le sol. « Pardonne-lui, vénéré Maître. Sa mère est morte le mois dernier. Terrible maladie. Elle était en parfaite santé un jour, partie le lendemain. Elle était grosse, la pauvrette. Le garçon ne sait pas ce qu'il dit. Le chagrin s'est emparé de sa tête.

— Mère est morte à cause de ta cruauté. Tu la battais tous les jours. » Giflé par son beau-père, Jahan tomba sans pouvoir finir sa phrase.

« Ne frappe pas ton fils ! dit Jauhar.

— Je ne suis pas son fils », beugla Jahan depuis l'endroit où il avait atterri.

Jauhar sourit. « Tu es un garçon courageux, n'est-ce pas ? Viens un peu ici. Que je te regarde. »

Sous le regard incendiaire de son oncle, Jahan obtempéra.

« Pourquoi ne veux-tu pas laisser partir l'animal ? demanda le vizir.

— Chota n'est pas comme les autres éléphants. Il est différent. Il ne doit pas s'en aller.

— Tu aimes cette bête, c'est bien, dit Jauhar. Mais il sera très heureux. Dans le palais ottoman il sera traité comme un prince. Et ta famille sera récompensée. » Ce disant, l'échanson fit signe à un serviteur qui sortit une bourse de sa tunique.

Les yeux de l'oncle brillèrent de plaisir à la vue des pièces. Il dit : « Ne fais pas attention au gamin, seigneur. Qu'est-ce qu'il y connaît ? L'animal est à toi. Fais-en ce qu'il te plaira. »

Une fois résolu le sort de Chota, Jahan entreprit de le préparer à sa longue traversée. Il lui fit avaler des plantes médicinales pour faciliter sa digestion ; lava, huila et parfuma sa peau ; rafraîchit les coussinets sous ses pattes ; lui coupa les ongles – tout en sachant bien que ce ne serait pas lui qui accompagnerait Chota quand viendrait le jour de le faire monter à bord. Un cornac, de cinq ans son aîné et en principe expérimenté, avait été désigné pour cette tâche. Un adolescent râblé au menton proéminent et aux yeux rapprochés. Il s'appelait Gurab – un nom que le garçon n'oublierait jamais. On n'oublie pas le nom de son ennemi.

Une lourde cage arriva du palais ; ses coins étaient renforcés par des soudures d'or et d'argent, ses barreaux ornés de fleurs et de pampilles. En la voyant les yeux de Jahan s'emplirent de larmes. Chota, toujours fringant et d'humeur sereine depuis sa naissance, serait chargé de chaînes et enfermé à clef comme un vulgaire criminel. Il avait beau tenter d'admettre qu'on ne pouvait le faire voyager autrement que sur l'eau, Jahan ne pouvait se résoudre à cette idée. Replié sur son chagrin, il parlait et mangeait à peine. Ses sœurs étaient inquiètes. Même son oncle le laissait tranquille.

Gurab passait de temps en temps surveiller les progrès des préparatifs et, comme il disait, *se familiariser avec la bête*. Jahan le surveillait comme un faucon, le cœur ragaillardi de voir que l'éléphant ne s'intéressait nullement à son nouveau cornac.

« Prends ça ! » criait Gurab en brandissant sa canne.

Chota ne bougeait pas, ne lui adressait pas même un regard.

« Allez, attrape ce bâton », hurlait Jahan de son coin et l'éléphant se tournait vers lui, on ne peut plus obéissant.

À plusieurs reprises, les deux garçons avaient failli en venir aux mains. Malgré tout, puisque Chota n'écoutait personne en dehors de Jahan, pour faciliter les choses, il fut convenu que l'enfant ferait le voyage avec eux jusqu'au port de Goa. Là, on embarquerait l'éléphant sur le navire qui le transporterait jusqu'à Istanbul, et Jahan repartirait pour Agra.

Le matin du départ, la sœur aînée de Jahan l'entraîna à l'écart. Prenant une inspiration très lente, elle retint l'air au fond de ses poumons, pas encore prête à lâcher prise – ni de son souffle ni de son frère.

« Tu t'en vas, dit-elle comme s'il fallait l'annoncer.

— Je vais aider Chota puis je reviendrai avec l'oncle, dit Jahan, tout en rangeant dans son sac le pain qu'elle avait fait cuire. Dans quelques jours, pas plus.

— La route peut être courte ou longue, qui sait ? Ce matin je me suis demandé, si Mère était ici, qu'est-ce qu'elle te conseillerait ? J'ai prié Dieu qu'il me le fasse connaître pour que je puisse te le dire, mais rien n'est venu. »

Jahan garda la tête penchée. Lui aussi, il aurait bien aimé savoir ce que Mère lui aurait dit si elle était vivante. Du coin de l'œil, il vit dehors l'éléphant, resplendissant. Les paysans lui avaient peint la trompe de couleurs chatoyantes et embelli sa mante de sequins. Tandis qu'il l'observait les mots lui sortirent de la bouche, comme de leur propre initiative. « Sois bon avec la bête, et avec le faible, voilà ce qu'elle aurait pu dire. »

Les yeux de sa sœur, si sombres et tristes, s'illuminèrent aussitôt. « C'est vrai. Quoi que tu fasses, elle t'aurait dit, ne fais de mal à personne et ne laisse personne te faire de mal. Ne sois ni brise-cœur ni cœur brisé. »

Les nuages au-dessus du port de Goa roulaient sur le ciel d'étain, traînant à leur suite le vent favorable que tous attendaient depuis des jours. Il n'y avait plus qu'à lever l'ancre, déployer les voiles, et jeter à l'eau une paire de vieilles culottes déchirées pour chasser le mauvais sort. Gurab était sanglé dans une veste brodée couleur de feuilles mortes. À côté des guenilles que portait Jahan, ses vêtements étincelaient comme ceux d'un maharajah. Foudroyant le garçon du regard Gurab lui dit : « Tu ferais mieux de déguerpir. On n'a plus besoin de toi.

— Pas question que je parte tant que le bateau sera là.

— Espèce de vaurien. »

Jahan le poussa. Pris par surprise, Gurab s'effondra, salissant sa veste. Il se releva et siffla : « Je vais te tuer. »

Jahan esquiva facilement ses coups, entraîné qu'il était dans l'art de se protéger – grâce à l'éducation de son oncle, qui regardait la bagarre avec amusement. Étant plus grand et plus âgé, Gurab aurait pu le mettre en pièces, mais il n'en fit rien. Il avait vu de la démence dans les yeux du garçon, cette sauvagerie vulnérable. Pour lui, Chota n'était qu'un éléphant parmi d'autres. Pour Jahan, il ne ressemblait à aucun – son meilleur ami, son frère de lait.

« Que la peste t'étouffe », dit Gurab, mais il avait déjà renoncé à se battre.

Encore tout tremblant, Jahan se dirigea vers Chota. Rien que d'être à côté de lui, il sentait la tristesse s'insinuer dans son cœur. « Adieu, mon frère. »

L'éléphant, qui était maintenant entravé, agita la trompe.

« Tout ira bien pour toi. Le sultan te souhaitera la bienvenue et la sultane va t'adorer, tu peux me croire. »

Sur ces mots le garçon s'éloigna, essuyant ses larmes, mais ne put aller bien loin. Un réflexe le poussa à se cacher derrière un mur pour les épier. Au bout d'un moment, Gurab revint, sa veste nettoyée. Assuré d'être délivré de son rival, il se fit moqueur : « Eh, la grosse bête. À partir de maintenant on est entre nous. Si tu ne m'obéis pas je te laisserai mourir de faim. »

Ce ne serait pas une mince tâche de faire monter l'éléphant à bord. Chota n'avait pas jeté un seul regard à sa cage. Le moment venu Gurab lui ordonna d'avancer – ordre qui fut ignoré. Il frappa l'éléphant de son rotin. Chota ne bougea pas. Gurab le frappa à nouveau. De sa cachette, Jahan sentit son esprit commencer à chauffer. S'il confiait son frère de lait à cet ogre, l'éléphant n'arriverait pas vivant en terre ottomane.

Entre-temps, les *khalasi* avaient fini le chargement du navire. Chota et sa cage étaient les derniers articles de la cargaison encore sur le quai. À l'appel de Gurab quatre hommes apparurent qui nouèrent des cordes autour du torse de Chota. Cela déplut à l'éléphant, qui se mit à barrir et gronder. Il n'avait qu'un an, mais il était costaud. Les quatre hommes devinrent dix, une moitié qui poussait, l'autre qui tirait à l'unisson. Sitôt l'éléphant entré dans sa cage, on ferma et verrouilla la porte de fer. Chota se retourna lentement, le regard douloureux, comprenant alors qu'il était pris au piège. La cage fut sanglée de chaînes et soulevée à l'aide d'un palan. Chota, suspendu en l'air, regardait autour de lui, non en direction d'une personne en particulier mais vers les forêts luxuriantes et les vallées brumeuses où les éléphants vivaient libres et insouciants.

C'est alors que Jahan avisa une caisse qui attendait sur le sol ; quelques planches s'étaient détachées, ménageant une ouverture par où il put voir ce qu'elle contenait : des colis enveloppés dans du tissu. On les embarquerait sur le navire en fin de chargement. Il jeta un coup d'œil à l'éléphant ; un coup d'œil à la caisse. S'assurant que personne ne regardait, il se glissa dans l'orifice à moitié vide. Ses lèvres esquissèrent un sourire à la pensée de son oncle qui allait le chercher partout. Il attendit, inerte comme une pierre. Au bout d'une éternité il sentit une secousse, un cahot qui lui ébranla tous les os du corps. Les porteurs le transportaient, pas aussi délicatement qu'il l'aurait espéré. Quand la caisse atterrit avec un bruit sourd, sa tête heurta le bois. Il était à bord.

Soleil Éclatant, c'était le nom de la caraque où il avait embarqué. Elle avait quatre mâts, de larges châteaux avant et arrière. Sur le grand mât, où un marin cuit par le soleil veillait dans son nid-de-pie, étaient fixées des bonnettes dont on diminuait ou augmentait le nombre selon les caprices du vent. Il y avait soixante-dix matelots. Ainsi qu'un petit nombre de missionnaires, pèlerins, émissaires, marchands et trimardeurs.

Jahan eut soin de ne pas sortir en plein jour. Dès qu'il vit faiblir les rayons insinués à travers les planches, il se faufila dehors et partit à la recherche de l'éléphant. Il ne lui fallut pas longtemps pour le trouver, à l'autre extrémité de cette cale affreusement sombre et humide. Pas de cornac à l'horizon. Quand Chota l'aperçut, il émit un gazouillis affectueux. Jahan s'assit à côté de l'animal, lui expliquant qu'il veillerait à le conduire sain et sauf jusqu'à Istanbul, et qu'ensuite, mais pas avant, il retournerait auprès de ses sœurs.

Le lendemain matin, l'estomac vide comme un puits à sec, Jahan monta sur le pont. D'un matelot qui n'avait pas la moindre idée de ce qu'il faisait là et qui s'en moquait bien, il parvint à obtenir un peu de pain et d'eau. À son retour, il alla voir Chota. Qui était seul, de nouveau. Gurab, apparemment, n'avait aucune intention de passer du temps à fond de cale. Enhardi, Jahan fit à Chota des visites plus fréquentes – jusqu'à ce qu'il se fasse prendre.

« Toi ! » rugit une voix familière.

Jahan fit demi-tour et découvrit Gurab près de l'entrée, les sourcils haussés jusqu'à mi-front. « Maudit gamin. Qu'est-ce que tu fais ici ?

— Et toi, pourquoi tu n'y es jamais, ici ? Chaque fois que je viens, Chota est seul.

— Va te faire pendre. En quoi ça te regarde ? Cette foutue bête appartient au sultan, pas à toi. »

Ils continuèrent à brailler des injures, mais ni l'un ni l'autre ne semblait très désireux d'en venir aux coups. Les matelots accourus au bruit les conduisirent chez le capitaine – un homme basané avec un penchant pour l'opium et des bottes de cuir à talons hauts qui claquaient quand il arpentait le sol.

« Un éléphant, deux dompteurs, dit le capitaine. C'est un de trop.

— C'est moi qui ai été désigné pour cette tâche, dit Gurab. Lui, ce n'est qu'un gamin.

— J'aime cet animal. Pas lui ! fulmina Jahan.

— La paix ! dit le capitaine. Je déciderai qui reste et qui part. »

Il n'en fit rien. Jour après jour, Gurab et Jahan attendaient dans l'incertitude, s'évitant l'un l'autre, se relayant pour veiller sur l'éléphant. Ils étaient bien traités, survivaient grâce à des dons de viande salée, biscuits de mer et fayots. Mais Chota qui n'appréciait pas son régime ni l'atmosphère de la cale maigrissait à vue d'œil.

Les marins sont une race superstitieuse. On ne doit jamais prononcer certains mots parce qu'ils attirent le mauvais sort. « Sombrer », par exemple, ou « récifs » ou « désastre ». Il ne faut jamais dire « tempête », même quand elle arrive sur vous. Celui qui entend chanter une sirène doit jeter une pincée de sel par-dessus son épaule gauche parce que c'est le diable qui l'appelle. L'équipage avait des incantations qu'ils répétaient volontiers ; ils sifflaient, mais jamais la nuit ; et s'ils entendaient quelque chose qui leur déplaisait, ils crachaient et frappaient du pied. Certains objets étaient considérés comme de mauvais augure – un seau posé tête en bas, des drisses emmêlées, des clous tordus ou une femme enceinte à bord.

Jahan fut surpris d'apprendre qu'ils appréciaient les rats. Comme on savait que les rongeurs abandonnent un navire qui va couler, leur présence était la garantie formelle que tout allait bien. Pourtant quand un corbeau se perchait sur l'un des mâts, il était aussitôt maudit et chassé. L'un des matelots expliqua au garçon qu'il était allé voir un sorcier avant de lever l'ancre, et qu'il lui avait acheté trois vents favorables pour la durée du voyage. Il aurait aimé en acheter plus, dit-il, mais c'était tout ce qu'il pouvait avoir en échange de sa pièce d'argent.

Cependant, une après-midi les rats disparurent. Le ciel, d'un bleu impeccable, vira au noir. Peu après se produisit ce dont il ne fallait jamais dire le nom à haute voix. La pluie tombait à pleins seaux ; les lames d'eau leur fouettaient le visage ; des vagues de plus en plus hautes commençaient à se déverser sur le pont. Impossible de hisser les voiles de tempête. Le gouvernail se brisa et fut emporté. *C'est la fin*, se dit Jahan. Il ne se doutait guère que c'était la fin, en effet, mais seulement pour lui et l'éléphant.

Au troisième jour de tempête, un groupe de matelots descendirent l'échelle menant à la soute. Un coup d'œil sur leurs visages sévères et Jahan sentit son sang se glacer.

« Ouais, faut que la bête s'en aille, dit l'un d'eux entre ses dents.

— On aurait jamais dû le laisser monter à bord, intervint son camarade. Un éléphant blanc ! Mauvais présage. Tout ça c'est sa faute.

— Vous croyez qu'on a amené la tempête ? Vous avez perdu l'esprit ? » dit Jahan mais ses paroles furent couvertes par les récriminations des matelots. Personne ne l'écoutait. Impuissant, le garçon se tourna vers Gurab. « Pourquoi tu ne fais rien ?

— Qu'est-ce que je peux faire ? répondit Gurab avec un haussement d'épaules. Adresse-toi au capitaine. »

Jahan bondit dehors. Sur le pont, c'était l'enfer. L'équipage courait en tous sens ; l'eau arrivait en torrent d'en haut et par les deux bords. La mer bouillonnait, gonflait à vue d'œil, les fouettait de toute part. Inondé et étourdi, cramponné au bastingage pour ne pas être emporté, Jahan trouva le capitaine qui hurlait des ordres. Le saisissant par le bras, il le supplia de descendre apaiser les hommes avant qu'ils ne fassent du mal à l'éléphant.

« Mes gars sont nerveux, dit le capitaine. Ils ne veulent pas d'un éléphant blanc à bord. Je ne les blâme pas.

— Alors tu vas nous jeter à l'eau ? »

Le capitaine le regarda bouche bée comme si cette possibilité ne lui était jamais venue à l'esprit. « Tu peux rester, dit-il. La bête s'en va.

— Je ne peux pas laisser Chota se noyer.

— Il sait nager.

— Par un temps pareil ? » hurla Jahan au bord des larmes. Une idée nouvelle lui vint, une lueur d'espoir. « Qu'est-ce que le sultan va dire, tu crois, quand il saura ce que tu as fait à son cadeau ?

— Mieux vaut la colère du sultan que celle de la mer.

— Tu as dit que ça portait malheur d'avoir un éléphant blanc à bord. Qu'est-ce qui se passera si on le tue ? Un encore plus gros malheur. »

Triturant sa moustache, le capitaine lui dit : « Je vais te donner un canot. Il y a une île pas très loin. Vous allez vous en tirer. »

On descendit un canot à rames. Gurab et Jahan le contemplèrent, les yeux écarquillés.

« Sautez, dit le capitaine.

— Hé, je n'ai rien à voir avec cet éléphant, dit Gurab. Il n'est pas à moi.

— Ah bon… » Le capitaine se tourna vers Jahan. « Et toi ? »

Le garçon eut le sentiment qu'au lieu de décider il acceptait une décision déjà prise pour lui. Sans un mot il monta dans le canot, mort de peur.

« C'est comme l'histoire du prophète Salomon, dit le capitaine avant qu'une autre vague ne s'écrase sur le pont. Deux femmes disent être la mère du même bébé. La fausse dit : qu'on le coupe en deux. Mais la vraie mère refuse. Tu vois, maintenant nous savons qui est le vrai cornac, et qui l'imposteur. »

Chota fut conduit sur le pont ; fou de terreur, les pattes glissant sur les planches trempées. Après plusieurs tentatives ils renoncèrent à le faire monter dans le canot et le poussèrent par-dessus bord. Il tomba avec un couinement perçant. L'eau sombre et furieuse ouvrit ses mâchoires et engloutit l'animal comme une simple coquille vide.

Quand Jahan se tut, il vit que la princesse Mihrimah le fixait avec horreur. « Comment avez-vous survécu ? demanda-t-elle.

— Les vagues nous ont poussés sur une île. Là un autre navire nous a sauvés. Le *Béhémoth*, il s'appelait. »

Elle eut un sourire de soulagement. « Ils ont été gentils avec l'éléphant ?

— Non, Altesse. Ils étaient horribles. Les matelots sont tombés malades en route. Du scorbut, le pire de tout. Quelqu'un a dit que la chair d'éléphant était le remède. Ils ont failli tuer Chota. Le capitaine Gareth nous a sauvés. C'est à lui que nous devons la vie. Le reste, tu le sais déjà. Nous sommes arrivés à Istanbul et on nous a conduits ici.

— Dommage, ton histoire est finie, dit Mihrimah en soupirant. Tu aurais pu continuer à parler encore mille jours, j'aurais écouté sans arrêt. J'aimais bien rêver à tes exploits. »

Jahan se serait battu. Quel idiot d'avoir mis fin à l'histoire ! Il aurait pu la rendre beaucoup plus longue. Si la princesse partait, et qu'elle ne revienne plus jamais ? Il fut pris de panique. Alors qu'il cherchait désespérément un autre moyen de continuer son récit, il entendit soudain un sifflement haletant. Hesna Khatun était courbée en avant, le visage empourpré, respirant par saccades. Elle avait une crise d'asthme. La princesse et le cornac la prirent chacun par un bras, la guidèrent jusqu'à l'arbre et l'aidèrent à s'asseoir. Mihrimah se saisit prestement de la bourse fixée à sa ceinture, l'ouvrit et la plaça sous le nez de la nourrice. Une odeur âcre envahit l'air. C'était donc cela, se dit Jahan. L'odeur qu'il avait sentie à maintes reprises autour de la princesse venait des herbes sauvages qu'Hesna emportait partout avec elle. Pour l'instant elle inspirait profondément. Peu à peu sa respiration se calma.

« Rentrons, *dada*, dit Mihrimah. Il ne faut pas qu'on te fatigue.

— Rentrons, Sereine Altesse », répondit la femme en rajustant son foulard, et elle se leva.

Mihrimah se tourna vers l'éléphant et lui dit d'une voix tendre : « Au revoir, Chota. Tu as subi tellement d'épreuves, pauvre animal. La prochaine fois je t'apporterai les meilleures friandises du palais. »

Elle ajouta avec un rapide regard de côté : « Je suis heureuse que tu n'aies pas abandonné l'éléphant, fleur de jacinthe. Tu t'es montré vraiment bon.

— Altesse », dit Jahan, mais il fut incapable de continuer.

C'est alors qu'elle fit un geste qu'il n'aurait jamais pu imaginer la voir faire, pas même en cent ans. Elle le toucha. Posant une main sur son visage, elle pressa légèrement sa joue, comme si elle cherchait l'unique fossette qui se dissimulait sous une rougeur de confusion. « Tu as bon cœur, *mahout*. J'aimerais tant qu'on puisse passer d'autres après-midi ensemble. »

Ébloui et terrassé par son affection, Jahan ne put ni bouger ni respirer, encore moins émettre un mot de gratitude. Il n'eut pas le temps de se réjouir ou d'inventer de nouvelles histoires. Encore une fois, il ne pouvait rien faire d'autre que la regarder le quitter et se demander si elle reviendrait jamais.

« Hé, *mahout*, où diable es-tu fourré ? »

Jahan sortit pour aller voir qui criait devant son hangar. C'était le chef des eunuques blancs, les poings sur les hanches. « Où étais-tu ?

— Je nettoyais.

— Va te préparer. Le grand mufti a besoin de la bête.

— P... pour quoi faire ? »

Kamil Agha l'Œillet fit un pas en avant et le gifla. « Tu me questionnes ? Fais ce que je dis. »

Avec l'aide des palefreniers, Jahan fixa le *howdah* sur le dos de l'éléphant. Quand Chota fut prêt, l'eunuque leur jeta un regard ourlé de mépris. « Allez file. Sangram va te montrer le chemin. Un hérétique passe en jugement.

— Oui, *effendi* », dit Jahan, bien qu'il n'eût pas la moindre idée de ce que cela signifiait.

C'était un vendredi matin bruineux et agité. Assis dans le *howdah*, Jahan et Sangram traversèrent les rues en pente. Ce que le chef des eunuques avait refusé de lui dire, Jahan parvint à l'extraire de Sangram. Ils avaient pour mission d'aller chercher le grand mufti et de le conduire jusqu'à la place publique où il interrogerait un prédicateur soufi réputé pour ses opinions impies. En assignant un éléphant royal au service du principal dignitaire religieux, le sultan affichait son soutien aux oulémas. En n'assistant pas personnellement au procès – il avait décliné l'invitation du grand mufti – le sultan montrait sa volonté de laisser les coudées franches aux débats théologiques.

Lorsqu'ils longèrent le vieux cimetière au-dessus de la Corne d'Or, l'éléphant s'arrêta brusquement. Jahan l'effleura de son crochet mais l'animal resta figé un long moment.

« J'ai entendu dire une chose étrange à propos de ces bêtes, dit Sangram. Il paraît qu'elles choisissent l'endroit où elles aimeraient mourir. On dirait qu'il a trouvé le sien.

— Qu'est-ce que tu racontes ? Chota est un bébé, objecta Jahan, troublé par ces propos.

— C'est ce qu'on dit », fit Sangram en haussant les épaules. Heureusement Chota se remit en route, et le sujet fut abandonné aussi vite qu'il avait surgi.

Ils arrivèrent avant midi à la demeure du grand mufti, une villa avec un colombier taillé dans le calcaire, une pergola à baldaquin et des baies vitrées en porte-à-faux donnant sur le Bosphore. Jahan examina l'endroit avec intérêt. Il remarqua que la plupart des fenêtres faisaient face au nord et que certaines étaient munies de vitraux, ce qui lui parut regrettable car elles ne pouvaient capter la lumière mouvante. Si seulement il pouvait chiper un morceau de papier quelque part, il dessinerait cet endroit tel qu'il l'aurait imaginé.

Le grand mufti apparut sur ces entrefaites. Jahan le salua sous les yeux de ses épouses et enfants qui, n'ayant jamais vu un éléphant de leur vie, l'observaient à la dérobée derrière les tentures et les portes. Aidé d'une échelle et de douze serviteurs, le vieillard prit place dans le *howdah*. Jahan, comme d'habitude, s'assit sur le cou de Chota. Sangram ferait le chemin à pied.

« Quelqu'un est déjà tombé de cette hauteur ? lui cria le grand mufti quand ils s'ébranlèrent.

— *Chelebi*, je t'assure que ça ne s'est jamais produit.

— *Inch'Allah* que je ne sois pas le premier. »

À la surprise de Jahan, le vieil homme s'acquitta plutôt bien de la chevauchée. Ils déambulaient lentement dans les rues les plus larges, évitant les allées trop étroites pour l'éléphant. En outre Jahan avait le sentiment que le mufti souhaitait être vu du plus grand nombre possible. On n'a pas tous les jours l'occasion de monter l'éléphant du sultan Soliman.

Ils arrivèrent sur la place, où une foule les attendait. Les gens les saluèrent de la voix et du geste, mais qui accueillaient-ils le plus chaleureusement, Chota ou le mufti, c'était difficile à dire. Il y avait de l'excitation dans l'air. La perspective d'un spectacle exceptionnel. Une fois descendu de sa chaise par des porteurs, le mufti entonna la prière du vendredi, suivi par les oulémas et des centaines de citadins. Jahan et Sangram attendaient à côté de l'éléphant en parlant à voix basse. De temps à autre ils jetaient un regard furtif vers le passage où quatre soldats immenses montaient la garde. Auprès d'eux, priant à part des autres, s'agenouillant puis se relevant tour à tour, se tenait un inconnu – haute silhouette souple, visage délicat et barbe de quelques jours.

Sangram chuchota qu'il se nommait Leyli, mais que tout le monde l'appelait le Majnoun

Shayk. C'était le plus jeune des savants soufis, le plus jeune des prédicateurs du vendredi. Ses yeux avaient la teinte gris pâle d'une pluie d'automne, entre un nez piqueté de taches de rousseur comme des gouttes de peinture et une chevelure blond mousseux. Un homme de contrastes fascinants, qui mêlait la curiosité d'un enfant pour les rouages secrets du monde et la sagesse placide de l'érudit ; brave jusqu'à la témérité mais timide ; plein de vigueur mais imprégné de mélancolie. Habile à la parole, doué de *ma'rifa*, il attirait à ses sermons des croyants et des incroyants venus de tout l'Empire. Sa voix apaisante avait un léger zézaiement quand il cédait à l'émotion. Ses enseignements étourdissaient, troublaient et contrariaient les oulémas. L'antipathie était mutuelle. Pas un jour ne passait sans que Majnoun Shaykh n'égratigne ou ridiculise la hiérarchie religieuse. *Quiconque atteint un niveau de conscience plus élevé,* disait-il, *n'a pas besoin d'accorder autant d'importance à* haram *et* halal, *ce qui est interdit ou licite, qu'au cœur intime de la foi.* Les soufis qui parvenaient à un degré de compréhension supérieur n'étaient pas liés par les décrets des oulémas. Ces règles avaient été inventées pour les masses, pour ceux qui ne voulaient pas penser et attendaient que d'autres pensent pour eux.

Majnoun Shaykh parlait d'amour – de Dieu et de nos frères humains, de l'Univers dans sa totalité jusqu'à la plus infime particule. La prière devrait être une déclaration d'amour, d'un amour dépouillé de toute anxiété ou attente, disait-il. Il ne fallait ni craindre de bouillir dans un chaudron ni rêver de vierges *houris*, puisque l'enfer et le ciel, la souffrance et la joie, se trouvaient ici-bas maintenant. Combien de temps allez-vous rester éloignés de Dieu, demandait-il, au lieu de vous mettre à l'aimer ? Ses disciples – un mélange bigarré d'artisans, de paysans et de soldats – écoutaient ses prêches comme ensorcelés. Les pauvres étaient séduits par ses idées, les riches par ses manières. Même les femmes, paraît-il, même les odalisques ignorantes, et même les eunuques rancuniers ne juraient que par lui ; même les juifs, les chrétiens et les zoroastriens, qui possédaient un livre que personne n'avait encore jamais vu.

La prière du vendredi touchait à sa fin, les savants s'étaient installés. Majnoun Shaykh se frotta les yeux, comme un enfant qui veut en chasser le sommeil, et étudia un par un ses examinateurs.

« Tu sais de quoi on t'accuse ? demanda le grand mufti.

— De ce que vous appelez hérésie, répondit-il. Mais l'accusation est infondée.

— Nous verrons cela. Est-il vrai que tu as déclaré être Dieu, et que tout individu est Dieu ?

— J'ai dit que le Créateur était présent en chaque être. Forgeron ou pacha, nous partageons le même sang vital depuis l'origine.

— Comment est-ce possible ?

— Parce que nous ne sommes pas seulement faits à Son image divine mais faits aussi de Sa divine essence.

— Est-il vrai que tu as dit ne pas craindre Dieu ?

— Pourquoi devrais-je craindre mon Bien-Aimé ? Crains-tu ceux que tu chéris ? »

Un murmure s'éleva de la foule. Quelqu'un cria : « Silence ! »

« Alors tu reconnais avoir déclaré que tu ressembles à Dieu ?

— Tu penses que Dieu vous ressemble à vous. Coléreux, intraitable, assoiffé de vengeance. Mais moi, au lieu de croire que Dieu a adopté les pires traits des humains, je crois qu'on peut trouver chez les humains les meilleurs traits de Dieu. »

Un des savants, Ebussuud Efendi, demanda la permission d'intervenir. « Tu es conscient que ce qui vient de franchir tes lèvres est pur blasphème ?

— Vraiment ? » Majnoun Shaykh fit une pause, comme s'il examinait brièvement cette possibilité.

Une ombre passa sur le visage d'Ebussuud. « Au lieu de te repentir, tu sembles railler la haute cour. Ton esprit est déformé, c'est manifeste.

— Je ne me moquais pas. D'ailleurs nous ne sommes pas si différents, toi et moi. Ce que tu hais en moi, est-ce que tu ne le reconnais pas en toi ?

— Certainement pas ! Nous ne pourrions être plus différents, dit Ebussuud. Et *ton* Dieu n'est sûrement pas le même que le mien.

— Ah, mais n'es-tu pas en train de te rendre coupable de *shirk*, en parlant de mon Dieu et de ton Dieu, comme si Dieu n'était pas unique ? »

Des vagues de chuchotements parcoururent la foule.

Le grand mufti s'interposa en toussotant. « Alors parle-nous un peu plus en détail de Dieu. »

À cela Majnoun Shaykh rétorqua que Dieu n'était pas un roi ou un rajah ou un padichah assis sur son trône céleste, observant les humains de là-haut, prenant note de chaque péché afin de savoir qui punir quand viendrait le jour du jugement. « Dieu n'est pas un marchand, pourquoi calculerait-Il ? Dieu n'est pas un clerc, pourquoi gribouillerait-Il ? »

Mécontents de ces propos, les membres du tribunal continuèrent de toutes parts à l'interroger. Chaque fois ils obtenaient des réponses similaires. Finalement ils entendirent l'accusé déclarer : « Là où vous tracez un trait en m'ordonnant de m'arrêter, ce n'est pour moi que le commencement. Ce que vous appelez *haram* est pour moi pur *halal*. Vous dites que je dois garder la bouche close mais comment puis-je rester silencieux quand Dieu parle à travers moi ? »

Le soir tombait ; le ciel couvrit les collines d'un manteau cramoisi. Au loin la lanterne d'un bateau de passage brillait faiblement. Les mouettes se disputaient un morceau de viande avariée. Les gens commençaient à s'ennuyer, l'excitation des premières heures était retombée. Ils avaient des tâches à accomplir, des ventres à remplir, des femmes à satisfaire. Progressivement, la foule s'amenuisait. Seuls les disciples de l'hérétique restèrent, leur dévotion lisible à leur mine.

« Nous te laissons une dernière chance, dit le grand mufti. Si tu admets que tu as tenu des propos sacrilèges sur Dieu, et si tu jures de ne plus jamais prononcer de pareilles obscénités, peut-être obtiendras-tu ton pardon. Maintenant dis-nous, une fois pour toutes, est-ce que tu te repens ?

— De quoi ? » dit Majnoun Shaykh, redressant les épaules tandis qu'il semblait prendre une décision. « J'aime le Bien-Aimé tout comme le Bien-Aimé m'aime. Pourquoi l'amour devrait-il inspirer du remords ? Il y a sûrement d'autres choses à déplorer. L'avarice. La cruauté. La duperie. Mais l'amour… ne devrait pas faire l'objet de regrets. »

Dans son inquiétude Jahan ne s'avisa pas qu'il serrait trop étroitement la bride de Chota. Gêné, l'éléphant émit une plainte qui attira l'attention de chacun sur lui.

« Cette créature… », dit Majnoun Shaykh en jetant sur Chota un regard proche de l'admiration. « N'est-ce pas là le témoignage de la beauté et de la variété de l'Univers ? Voyez comme elle reflète toute l'existence, même si certains diront qu'il ne s'agit que d'une bête. Quand nous mourons notre âme passe d'un corps à un autre. Il n'y a donc pas de mort. Pas de ciel à espérer, pas d'enfer à redouter. Je n'ai pas besoin de prier cinq fois par jour ni de jeûner pendant tout le ramadan. Pour ceux qui se sont élevés assez haut, les règles des gens ordinaires n'ont guère d'importance. »

Le silence tomba et se prolongea en attente embarrassée. Dans ce creux le grand mufti déclara : « Qu'on se le dise, l'accusé s'est vu accorder une chance de comprendre l'erreur de sa conduite. Il a décidé lui-même de sa fin. Il sera mis à mort après trois couchers de soleil. Tous ses partisans seront arrêtés. Ceux qui se repentiront de leurs péchés seront épargnés. Les autres subiront le même sort que lui. »

Jahan baissa les yeux, incapable de croiser d'autres regards. Il sursauta en entendant qu'on parlait à nouveau de l'éléphant.

« Si le grand mufti m'y autorise, j'ai une idée, dit Ebussuud Efendi. Comme tu le sais, les gens d'Istanbul adorent l'éléphant blanc de notre sultan. Pourquoi ne pas faire mourir ce renégat sous les pieds de l'animal ? Personne n'oublierait l'événement. »

Le grand mufti parut perplexe. « C'est une chose qu'on n'a jamais faite jusqu'ici.

— Mes seigneurs, ils pratiquent ce genre de châtiment dans les terres d'Hindoustan. Les voleurs, assassins, violeurs finissent souvent piétinés par un éléphant. Il est prouvé que c'est très efficace. Que l'éléphant le foule aux pieds et en fasse un exemple pour ceux qui partagent ses opinions ! »

Le grand mufti réfléchit un moment. « Je ne vois pas ce qui l'interdirait. »

Sur quoi toutes les têtes se tournèrent vers Jahan et Chota. Le cornac ouvrit la bouche mais la panique l'empêcha d'abord de parler. Puis, le cœur battant, il parvint à dire : « Je vous en prie, estimés savants. Chota n'a jamais fait une chose pareille. Il ne saurait pas comment s'y prendre.

— Tu ne viens pas de l'Hindoustan ? » demanda Ebussuud Efendi d'un ton soupçonneux.

Jahan blêmit. « Si, *effendi.* »

Le mufti dit le mot final. « Eh bien, apprends-lui. Tu as trois jours. »

Trois jours après le procès, tremblant comme une feuille sous la bise, du haut de l'éléphant Jahan contemplait la marée des spectateurs. Son regard courait de cette foule à l'homme étendu sur le sol, à quelques pas de là. Les mains et les pieds de Majnoun Shaykh étaient entravés, ses yeux bandés. Il priait d'une voix basse qui était engloutie par les clameurs environnantes.

« En marche, Chota ! » cria Jahan, sans la moindre vigueur dans son commandement.

L'éléphant ne bougea pas.

« Avance, espèce d'animal ! »

Jahan aiguillonna l'éléphant avec son rotin, puis un gourdin de bois. Il le couvrit de menaces et de malédictions, lui offrit des noix et des pommes. Tout cela resta sans effet. Quand Chota se sentit enfin l'envie de bouger, au lieu de piétiner le condamné il fit un pas en arrière et attendit, agitant nerveusement les oreilles.

Les juristes, voyant que le public commençait à se lasser, commuèrent la sentence au dernier moment. L'hérétique et ses partisans seraient tués selon la méthode traditionnelle.

Pour finir, Majnoun Shaykh et ses neuf disciples furent mis à mort par pendaison. On jeta leurs cadavres dans le Bosphore. Le dernier disciple, celui qui avait échappé à la sentence parce qu'il voyageait à l'époque du procès, attendait devant la baie à l'endroit où la terre se projette dans la mer. Il savait que les marées du Bosphore ramèneraient les corps. Un par un il alla les repêcher, les nettoya, les embrassa et les enterra. À la différence de toutes les tombes musulmanes à Istanbul, les leurs n'auraient pas de pierre tombale.

Depuis le jour de son arrivée à la ménagerie, Jahan attendait que le sultan Soliman vienne s'enquérir de l'éléphant. Mais des semaines puis des mois passèrent sans aucun signe du souverain. Soit il était sur un champ de bataille, soit il s'y rendait. Dans les rares occasions où il séjournait au palais, il était absorbé par les affaires de l'État, quand ce n'était pas par les intrigues du harem. Jahan continuait à attendre la venue du sultan. Mais à sa place ce fut la sultane qui surgit une après-midi.

Rapide comme le vent et silencieuse comme le chat qui guette un pigeon, elle le prit par surprise. L'instant d'avant le jardin était vide et soudain elle était là, son entourage attendant discrètement, sept pas derrière elle. Elle portait une sous-robe écarlate bordée d'hermine, une coiffure ornée de pampilles qui soulignait son menton pointu et une émeraude au majeur plus grosse que l'œuf de quelque étrange volatile.

Là, derrière la silhouette imposante de sa mère, la princesse Mihrimah restait à l'écart de tout et de tous, des foulards vaporeux flottant autour de sa coiffure. Rose et radieuse, des étincelles ensoleillées lui dansaient dans les cheveux. Ses yeux, brillants comme des galets au fond d'une crique, s'illuminèrent quand elle saisit le regard admiratif du garçon. Ses lèvres esquissèrent un sourire qui dévoila l'espace entre ses dents de devant, lui donnant un air gai et mutin.

Jahan ouvrit et referma la bouche comme si à son insu sa langue voulait s'adresser à elle. Il allait faire un pas dans sa direction quand un eunuque lui gifla la nuque. « À genoux ! Comment oses-tu ? »

Saisi, Jahan s'inclina si vite et si bas que ses genoux heurtèrent les pierres. Un gloussement courut parmi les présents, ce qui le fit rougir jusqu'aux oreilles.

Roxelane continua à avancer sans prêter attention à la scène, et au passage effleura de ses jupes le front de Jahan. « Qui s'occupe de cet animal ? demanda-t-elle.

— C'est moi, ma sultane, dit Jahan.

— Comment s'appelle-t-il ?

— Chota, Altesse.

— Qu'est-ce qu'il sait faire ? »

Jahan trouva la question si bizarre qu'il lui fallut un moment pour répondre. « Il... c'est un noble animal. »

Il aurait aimé lui dire, si seulement il avait pu, que les éléphants sont immenses non seulement par la taille mais aussi par le cœur. À la différence des autres animaux, ils comprennent ce que signifie la mort ; ils ont des rituels pour célébrer la naissance d'un petit ou pleurer la perte d'un parent. Les lions sont intrépides, les tigres royaux, les singes astucieux, les paons majestueux – mais seul un éléphant peut être tout cela à la fois.

Indifférente à ses pensées, Roxelane lui dit : « Montre-nous quelques tours !

— Des tours ? demanda Jahan. Nous ne connaissons aucun tour. »

Il ne pouvait voir l'expression de son visage puisqu'il ne devait pas lever les yeux. Au lieu de quoi il regarda les pieds de la sultane – longs, élégants, chaussés de pantoufles en soie – glisser de quelques pas ; elle fit halte devant l'éléphant et ordonna à ses dames de lui apporter une branche. Aussitôt on lui en fournit une. Jahan craignait qu'elle ne frappe Chota, mais elle agita la branche en l'air et demanda : « La bête est capable de l'attraper ? »

Sans laisser au cornac le temps de répondre elle jeta la branche en direction de l'animal. La branche dessina un croissant dans le ciel et atterrit près des pattes arrière de Chota. L'éléphant agita sa trompe comme pour chasser une mouche invisible et resta immobile, imperturbable.

La sultane émit un son moqueur. À cet instant, Jahan vit Chota par les yeux de la visiteuse – une créature énorme qui mangeait trop, buvait trop, et n'offrait rien en échange.

« Tu me dis que cette bête ne sait rien faire ? dit Roxelane – moins une question qu'un constat.

— Majesté, c'est un éléphant de guerre. Comme étaient ses ancêtres. Il est peut-être jeune, mais il a déjà prouvé sa bravoure sur le champ de bataille. »

Elle se tourna vers lui, ce garçon manifestement ignorant des manières du palais. « Un guerrier, dis-tu ?

— Oui... Altesse, Chota est un guerrier. » À peine les mots lui étaient-ils sortis de la bouche que Jahan se sentit inquiet, regrettant déjà son mensonge.

La sultane inspira calmement. « Alors la chance te bénit. La guerre est pour bientôt ! » Roxelane s'adressa au chef des eunuques blancs. « Veille à ce que cette bête aille rejoindre nos vaillants soldats. »

Elle partit d'un pas énergique, ses dames et concubines trottant docilement derrière elle. Kamil Agha l'Œillet les suivit, après un regard froid à l'éléphant et au cornac. Mais tous n'étaient pas partis. Deux silhouettes étaient restées en arrière, qui observaient maintenant le garçon – la princesse et sa nourrice.

« Tu as contrarié Madame Ma Mère, dit Mihrimah. Personne ne contrarie ma mère.

— Ce n'était pas mon intention, marmonna Jahan, au bord des larmes.

— Dis-moi, pourquoi es-tu si bouleversé ?

— L'éléphant ne sait pas combattre, Altesse.

— Alors tu as menti à Ma Mère ? interrogea-t-elle, moins horrifiée qu'amusée. Regarde-moi, cornac. »

À peine Jahan avait-il obéi qu'il baissa la tête, plein de honte. Pendant cet instant furtif il vit ses yeux – bien écartés sur son visage ovale, un héritage de sa mère – briller de malice. « Tu es encore plus idiot que je ne le croyais, fit-elle. Dis-moi, tu es déjà allé à la guerre ? »

Il secoua la tête. D'un arbre voisin lui parvint le croassement d'un corbeau. Un cri d'alarme aigu et rude.

« Eh bien, moi non plus. Mais j'ai voyagé beaucoup plus que Madame Ma Mère. Et même plus que mes frères. Mon Vénérable Père m'aimait tant qu'il m'a demandé de l'accompagner dans de nombreux pays. Rien que nous deux. » Une note de tristesse se glissa dans sa voix. « Mais il ne m'emmène plus nulle part. Tu n'es plus une enfant, me dit-il. On doit me garder à l'abri des regards étrangers. Mes frères sont aussi libres que des oiseaux migrateurs. Comme j'aurais aimé naître garçon ! »

Ahuri par ces propos, Jahan gardait dûment la tête inclinée. Pourtant sa docilité parut irriter la princesse. « Regarde-toi et regarde-moi ! Tu es un garçon, mais le champ de bataille t'effraie. Je suis une fille, mais je donnerais tout pour partir au combat avec mon Père. Si seulement nous pouvions échanger nos places, rien qu'un moment ! »

Ce soir-là, rassemblant son courage, Jahan alla trouver le chef des eunuques blancs. Il lui expliqua que Chota était encore très jeune et pas du tout prêt à combattre. Il discourut sans fin, radotant, non parce qu'il craignait que l'homme ne comprenne pas mais parce que s'il cessait de parler il risquait de fondre en larmes.

« Tu voudrais qu'il soit prêt à quoi ? C'est un éléphant de guerre, non ? demanda le chef des eunuques blancs. Ou est-ce que le shah nous a abusés ?

— Oh si, c'en est bien un. Mais il n'a pas eu d'entraînement. Il y a des choses qui lui font peur.

— Quoi, par exemple ? »

Le garçon déglutit laborieusement. « Les tigres. J'ai remarqué que chaque fois que le tigre gronde l'éléphant se recroqueville. Je ne sais pas pourquoi mais…

— Dans ce cas ne t'inquiète pas, railla Kamil Agha l'Œillet. Il n'y a pas de tigres en Moldavie.

— En Moldavie ? répéta Jahan.

— C'est là que notre armée doit se rendre. Maintenant disparais de ma vue et ne reviens plus me raconter des sornettes ! »

Ce fut Olev le dompteur de lions qui vint à son secours. Il expliqua à Jahan qu'un ordre, une fois émis, devait forcément être exécuté. Dans le peu de temps qui restait il fallait qu'ils entraînent l'éléphant.

Si l'animal avait peur des tigres, ils devaient lui apprendre à surmonter sa peur. Avec ce but en tête, Olev trouva une peau de tigre, Dieu seul sait où. Puis il demanda à Sangram de lui apporter un mouton. Un animal innocent, aux yeux bruns et vagues. Ils le laissaient paître pendant la journée et l'installaient la nuit dans l'écurie des chevaux. Pendant ce temps-là, Olev confia un tonnelet à l'un des marmitons, en lui donnant pour consigne de le remplir de sang la prochaine fois qu'on égorgerait un poulet.

Le lendemain matin, alors que Chota était dehors dans la cour, Olev demanda au marmiton de revêtir la peau de tigre. On la lui drapa sur les épaules, les extrémités nouées autour du cou. Olev lui dit ensuite de marcher à quatre pattes autour de l'éléphant en grondant et grognant.

« Renverse le seau. »

Tandis que le marmiton s'exécutait, l'éléphant regardait cette étrange créature du coin de l'œil. Ce jour-là on ne lui donna pas de nourriture. Ils aiguisèrent ses défenses, et le tinrent enchaîné. Le deuxième jour Olev bourra la peau de tigre de navets et la plaça près de la cage de Chota. De nouveau il n'eut aucune nourriture, aucune gâterie, juste un peu d'eau. Il n'eut pas le droit non plus d'aller se promener. Troublé et irrité, l'éléphant ne cessait de regarder la peau de tigre, qu'il tenait pour responsable de son malheur.

Le troisième jour Olev drapa la peau autour du mouton. Le pauvre animal tenta de s'en débarrasser mais Olev avait enduit l'intérieur de la dépouille d'une résine de pin gluante. Il traîna le mouton ainsi équipé dans l'écurie de Chota. Une heure plus tard on laissa entrer l'éléphant. À ce stade, Chota était excédé de faim et de soif, le mouton fou de peur. Olev sortit le tonnelet plein. Il répandit le sang sur le mouton – sa peau de tigre et sa laine s'imbibèrent de rouge. L'odeur de sang était forte, écœurante. Olev couvrit la tête du mouton d'un linge. Ne voyant plus rien, l'animal devint enragé. Sa tension contamina Chota qui se mit à piaffer. Dans sa panique le mouton courait de droite à gauche, et finit par se cogner à l'éléphant. Chota lui asséna un coup de trompe d'une force inouïe. L'animal tomba à la renverse, puis se redressa, en poussant des cris affreux qui hanteraient Jahan pendant des semaines.

Tout tremblant, Jahan ferma la cage derrière eux. L'oreille collée à la porte, il attendit, en serrant la poignée si fort que ses doigts le brûlaient. Il entendait le bêlement incessant du mouton – une plainte à vous cailler le sang comme si elle montait du fond de l'enfer. Peu à peu, tous les sons moururent. Doucement, ils ouvrirent la porte. La cage empestait le sang, l'urine et les excréments. Le mouton gisait inerte, le corps mutilé.

Ce soir-là à la ménagerie, Jahan s'assit avec les autres dompteurs autour d'un feu aux arômes de bois de cèdre. Ils parlaient à voix feutrée, la fumée de leurs narguilés traçait des volutes dans l'air. Les jumeaux chinois, blottis dans la stupeur du haschich, riaient sans cesse de choses invisibles.

La lune, énorme et basse, planait sur Istanbul. Le ciel ressemblait à un tamis percé de trous innombrables par lesquels la lumière des étoiles saupoudrait la ville endormie. Là où naguère il était toute ardeur, il n'y avait plus que lassitude dans l'âme de Jahan. Que faisait-il dans ce jardin au milieu d'animaux sauvages, loin de sa famille ? Ses sœurs devaient être mariées maintenant, peut-être avaient-elles chacune des bébés. La pensée des siens assis autour d'un autre feu – si éloigné qu'il ne pouvait le réchauffer – emplissait son cœur de désespoir. Il devrait rentrer chez lui. Au lieu de quoi il allait partir pour la guerre.

Après la prière du vendredi, le sultan ordonna de faire retentir le tambour de guerre, un disque géant moulé dans le bronze qu'on frappait sept fois avant chaque campagne militaire. Le bruit, un grondement qui vous chatouillait l'épine dorsale, résonnait dans les salles de marbre, les roseraies et les cages des animaux, vibrait dans tous les lieux d'habitation, chez les riches comme chez les pauvres.

Sous les yeux de Jahan la ville entière se préparait au combat. Chaque fils de sa mère se travestissait en guerrier. Les janissaires sortaient de leurs baraquements. Les pachas sellaient leurs chevaux. Les artisans et les boutiquiers s'armaient, tout comme les jardiniers, boulangers, cuisiniers, tailleurs, forgerons, fourreurs, savetiers, tisserands, potiers, gréeurs, tanneurs, chandeliers, vitriers, scieurs de long, tailleurs de pierre, chaudronniers, charpentiers, rétameurs, cordiers, chasseurs de rats, calfats, fabricants de flèches, rameurs, poissonniers, volaillers, et même les devins. Chaque guilde était un tourbillon d'activité, y compris celle des prostituées.

Chacun cependant attendait que l'astronome impérial annonce un jour propice à la déclaration de guerre. Il y avait un temps approprié pour toute chose – fêtes, mariages, circoncisions, campagnes militaires. Enfin, après des nuits passées à observer les étoiles, la date fut fixée. Après vingt couchers de soleil, les troupes prendraient le départ.

Comme guerroyer voulait dire trouver leur ennemi, à moins que l'ennemi ne les trouve avant, ils devaient franchir la distance entre la Corne d'Or et le fleuve Pruth. L'éléphant et le garçon reçurent l'ordre de marcher avec l'avant-garde. Cela tracassait beaucoup Jahan. Il n'avait aucune envie d'être aussi près des *delibashlar* – les têtes brûlées. Vêtus de fourrures, tatoués de la tête aux orteils, oreilles percées, crâne rasé, ces hussards étaient imprévisibles, brutaux et féroces. Parmi eux on comptait des criminels endurcis. Avec leurs trompettes, cornes, tambours de toutes tailles et clameurs à réveiller les morts, ils faisaient un vacarme infernal propre à glacer le sang de l'ennemi – et affoler l'éléphant.

Jahan se demandait à qui il pourrait bien confier son inquiétude, mais pour finir il n'eut pas besoin de le faire. Le matin de leur départ pour la Moldavie, le tintamarre insensé mit Chota dans un tel état de rage qu'il manqua piétiner un soldat. Le soir même, ils étaient tous deux envoyés dans les rangs arrière, près de la cavalerie. Mais cette fois ce furent les chevaux qui manifestèrent de la nervosité. Pour finir il fallut de nouveau les déplacer, à côté du corps d'infanterie.

Après quoi tout se passa sans heurt. Chota partit gaiement au trot, savourant l'air libre et la marche régulière après des mois confiné dans les jardins du palais. De sa position sur le cou de l'animal, Jahan regardait au-dessous et autour de lui, stupéfait de découvrir un océan de créatures à perte de vue. Il voyait les chameaux qui transportaient les provisions, les bœufs qui traînaient les canons et catapultes ; les hallebardiers à tresses dont les cheveux pendaient de leur couvre-chef ; les derviches psalmodiant des invocations ; l'agha des janissaires assis fièrement sur son étalon. Le sultan à cheval sur un destrier arabe, entouré de gardes des deux côtés – archers gauchers sur sa gauche, droitiers à droite. Devant lui chevauchait un enseigne portant la bannière impériale à sept queues de cheval noires.

Sous leurs étendards et hampes à queues de cheval, armés de lances, cimeterres, hachettes, arquebuses, haches d'arme, javelots, boucliers, arcs et flèches, des milliers d'êtres mortels allaient de l'avant. Jahan n'en avait jamais vu autant rassemblés. Plutôt qu'une horde d'hommes, l'armée avait la carrure d'un géant. Le martèlement apparié des pieds et des sabots vous hérissait le poil et vous abrutissait tout à la fois. Ils gravissaient les collines à contrevent, tranchant dans le paysage comme un couteau dans la chair.

De temps à autre Jahan sautait à bas de l'éléphant pour faire un peu de marche. C'est ainsi qu'il rencontra un fantassin, vif comme un criquet, son outre jetée sur le dos.

« Quand tu achèves un ennemi, ça te donne des ailes aux pieds, dit le soldat. Pour chaque tête de couard, tu gagnes une demeure au ciel. »

Étant peu instruit des coutumes du paradis et de l'usage qu'il pourrait faire de maisons là-haut, Jahan garda le silence. Le fantassin avait combattu à Mohács. Des nuées d'infidèles étaient morts là-bas – tombés à terre comme une nuée d'oiseaux blessés. Le sol jonché de cadavres encore cramponnés à leur épée.

« Ça pleuvait tout le temps... mais j'ai vu une lumière dorée, dit-il, la voix réduite à un murmure.

— Qu'est-ce que tu veux dire ? demanda Jahan.

— Je te jure. Tellement brillante. Elle illuminait le champ de bataille. Allah était dans notre camp. »

Soudain, ses paroles furent couvertes par un cri de douleur strident. Des soldats couraient de toutes parts en hurlant des ordres. Des murmures se propageaient d'une rangée à l'autre. Là où l'instant d'avant ils marchaient sur la terre ferme béait un trou immense, comme une orbite vide tournée vers le firmament. Le sol avait ouvert ses mâchoires et englouti tout un escadron de cavalerie. Ils étaient tombés dans une fosse profonde hérissée de piques – un piège bien dissimulé planté par l'ennemi. Tous étaient morts sur le coup. Seul un cheval noir respirait encore, l'encolure sanglante, lorsqu'un archer le tua pour mettre fin à ses souffrances.

Une discussion commença : fallait-il sortir les corps de la fosse pour les enterrer ou bien les laisser là où ils se trouvaient ? La lumière déclinait à l'horizon. Faute de temps, un temps précieux, ils furent abandonnés au repos ensemble, hommes et chevaux partageant la même tombe. Comme c'est injuste, se dit alors

Jahan, que seuls les humains aillent au ciel quand ils ont subi le martyre, alors que les animaux qui les accompagnaient et qui sont morts pour eux seront chassés des portes du paradis. C'était une pensée dont il ne savait trop que conclure et qu'il garda pour lui.

Les jours suivants, l'armée se traça un chemin à travers vallées nacrées et coteaux raboteux, marchant dès le lever du soleil, campant à la nuit. À ce rythme, après six aurores et six crépuscules, ils atteignirent les rives du Pruth. Un rideau de brume s'étendait sur l'eau. Il n'y avait rien pour les transporter sur l'autre rive. Ni bateaux ni pont. On leur ordonna de planter leur tente et prendre du repos pendant qu'on recherchait une solution.

Se ruant vers un coude du fleuve où le limon s'était accumulé, Chota plongea dans le bassin, s'ébattant, pataugeant, barrissant. Son plaisir était tel que des régiments entiers firent halte pour le regarder.

« Qu'est-ce qu'il fabrique ? demanda le fantassin.

— Il se couvre de boue.

— Mais pourquoi il fait ça ?

— Les éléphants ne transpirent pas comme nous, expliqua Jahan. L'eau les rafraîchit. La boue les protège du soleil. Taras me l'a appris.

— C'est qui, Taras ?

— Euh... Un vieux dompteur du palais, dit nonchalamment Jahan. Il sait tout sur tous les animaux. »

Le fantassin l'étudia avec une lueur dans l'œil. « Alors comme ça c'est ce Taras qui t'a appris les manières des éléphants. Comment ça se fait que tu connaisses pas ta propre bête ? »

Jahan esquiva son regard, avec soudain un sentiment de malaise. Il avait trop parlé. Chaque fois qu'il laissait quelqu'un, n'importe qui, ouvrir l'écorce de son âme, il le regrettait sur-le-champ.

Bientôt on put voir que Chota était le seul à profiter de la pause. Attendre indéfiniment près du fleuve convenait mal aux janissaires qui avaient soif de victoire et de pillage. Le vent qui leur avait fouetté le visage pendant la marche s'était apaisé, mais maintenant ils étaient assaillis par des essaims de moustiques qui les piquaient avec fureur, comme si l'ennemi les y avait entraînés. Les soldats étaient tendus, les chevaux nerveux. Les chargés du ravitaillement étaient las de rançonner les mêmes villages et la soupe s'affadissait de jour en jour.

Entre-temps un corps de charpentiers avait commencé à construire un pont. Ils semblaient faire du beau travail quand sans crier gare, bousculé par Shaitan, d'abord l'un des piliers s'effondra, bientôt suivi par tous les autres. La semaine n'était pas terminée que déjà les fondations d'un nouveau pont étaient en place – mais bien qu'elle soit plus épaisse et résistante que la première, sa butée s'était désagrégée encore plus vite, tuant un soldat et en blessant une demi-douzaine. Le troisième pont ne fut qu'une tentative sans conviction. Le sol était trop marécageux, la marée du fleuve sans répit. Découragés et épuisés, les travailleurs tombèrent dans une torpeur qui les aspira comme la tourbe sous leurs pieds.

Jahan n'eut pas besoin d'interroger le fantassin pour savoir ce qu'il pensait de leurs tracas : il dirait que le Tout-Puissant, après leur avoir fait faire tout ce chemin jusqu'à ce paysage lugubre, les avait soudain oubliés. Si les choses continuaient de la sorte, avant même le début de la guerre, l'armée ottomane serait vaincue par sa propre impatience.

Le Maître

Sur les rives du fleuve Pruth tous attendaient. L'eau courait sauvage et profonde entre l'armée ottomane et l'ennemi. Les janissaires brûlaient de se trouver sur l'autre rive, assoiffés de victoire.

Un matin, Jahan vit le *zemberekcibasi* accourir dans sa direction aussi vite que ses jambes le portaient. Curieux de savoir ce qui se passait, il tarda à s'écarter de son passage.

« Comment se porte ta bête, *mahout* ? interrogea l'officier en se rétablissant rapidement après leur collision.

— Il va bien, *effendi*, prêt pour le combat.

— Bientôt, *inch'Allah*. D'abord il nous faut franchir ce maudit fleuve. »

Sur ces mots, il disparut à l'intérieur d'une tente volumineuse où des soldats étaient postés en sentinelle. Jahan aurait dû s'arrêter là, mais il n'en fit rien. Sans prendre le temps de se demander qui occupait cette tente, il avança d'un air si assuré que les gardes le prirent pour l'assistant du *zemberekcibasi* et le laissèrent entrer.

Il y avait tant de monde à l'intérieur que personne ne fit attention à lui. Discret comme une souris, Jahan alla sur la pointe des pieds dans un coin face à la porte et s'insinua parmi les pages. Tentures murales, coussins de brocart, tapis aux teintes éblouissantes, plateaux couverts de mets délicats ; braseros, lanternes, encens aux fragrances suaves. Il se demanda s'il pourrait faucher quelques objets pour le capitaine Gareth mais rien que l'idée d'un tel geste était terrifiante.

Le grand vizir Ayas Pacha était là, un plumet de héron fixé à son turban ; il parlait avec ferveur. Le sultan était à l'autre extrémité, vêtu d'un caftan de couleur ambre, digne comme une sculpture. Il était assis sur un trône surélevé orné de pierres précieuses, une position qui lui permettait d'étudier tous les visages. Le cheikh al-islam, l'agha des janissaires et les autres vizirs, rangés de chaque côté de lui, offraient leurs commentaires. Il s'agissait de décider si oui ou non il fallait modifier le trajet afin de trouver un coude du fleuve où le sol serait assez ferme pour porter un pont. Cela voulait dire perdre des semaines, peut-être devoir différer la bataille d'un mois, où le climat serait moins favorable.

« Mon Gracieux Seigneur, dit Lutfi Pacha, je connais quelqu'un qui peut nous construire un pont solide. » Quand le sultan lui demanda qui était cet homme, Lutfi Pacha répondit : « Un de tes gardes d'élite, ton esclave *haseki*. Il se nomme Sinan. »

On le fit venir sans tarder. Il s'agenouilla, à quelques pas tout juste de l'endroit où se tenait Jahan. Il avait le front large, un nez buriné, des yeux sombres et sévères qui respiraient le calme. Invité à s'approcher il avança lentement, tête inclinée comme face à une rafale de vent. Après avoir entendu pourquoi on l'avait convoqué, Sinan dit : « Mon bienheureux sultan, nous aurons un pont, avec l'aide d'Allah.

— Combien de jours, d'après tes calculs, faudra-t-il pour le construire ? » demanda le sultan Soliman.

Sinan fit une pause, mais brève. « Dix jours, mon Seigneur.

— Qu'est-ce qui te fait croire que tu peux réussir là où d'autres ont échoué ?

— Mon Seigneur, les autres, sans doute mus par des intentions pures, ont commencé immédiatement la construction. Je construirai d'abord le pont dans mon esprit. Ensuite seulement je le fixerai dans la pierre. »

Si étrange que soit la réponse, elle parut plaire au sultan. Sinan se vit confier la tâche. Il ressortit comme il était entré, sans hâte. En passant près de Jahan, il examina son visage puis fit quelque chose que Jahan n'avait encore jamais vu faire jusqu'ici à un homme de son rang. Il sourit.

C'est alors que le garçon eut une idée. S'il travaillait avec cet homme, il pourrait s'approcher du sultan Soliman. On racontait qu'il avait apporté des coffres pleins de pièces d'or et de joyaux pour les distribuer à ceux qui feraient preuve d'un grand courage sur le champ de bataille.

« *Effendi*, attends, hurla Jahan après s'être glissé dehors, en courant derrière Sinan. Je suis le dompteur de l'éléphant.

— Je sais qui tu es, dit Sinan. Je t'ai vu prendre soin de l'animal.

— Chota est plus fort que quarante soldats. Il pourrait te rendre de grands services.

— Eh bien, tu t'y connais un peu en matière de construction ?

— Nous... nous avons travaillé pour un maître maçon en Hindoustan. »

Fixant ses yeux dans ceux du cornac, Sinan prit un temps de réflexion. « Que faisais-tu sous la tente du grand vizir ?

— J'étais entré en douce », répondit Jahan, disant cette fois la vérité.

Les rides s'adoucirent autour des yeux de Sinan. « Un éléphant pourrait se montrer utile. Et un garçon doué et curieux comme toi pourrait peut-être nous aider aussi. »

Jahan sentit ses joues le brûler. Depuis qu'il était au monde il n'avait pas souvenir d'une seule fois où on l'avait jugé doué. Et ainsi, sans plus d'embarras, l'éléphant et le cornac rejoignirent le régiment des tailleurs de pierre et commencèrent à travailler sous les ordres de cet inconnu nommé Sinan.

Les ouvriers avaient hâte d'attaquer le travail, pourtant le premier jour s'écoula sans que personne bouge le petit doigt. Ainsi que le suivant. Sinan semblait musarder, marchant de long en large au bord du fleuve, le regard au loin, s'arrêtant parfois pour enfoncer des bâtons dans l'eau, prendre des mesures, manier des rouleaux de papier, griffonner des chiffres, dessiner des formes aussi mystérieuses que celles des cartes d'un oracle. Les soldats donnaient des signes d'énervement, se demandant ce que diable ils attendaient. La nuit sous les tentes et autour des feux la rumeur affirmait que Sinan n'était visiblement pas l'homme qui convenait à la tâche.

Le troisième jour, Sinan annonça qu'ils allaient commencer la construction. À la surprise générale il avait choisi un emplacement situé à deux *dounam* de distance sur la rive, au point où le fleuve était le plus large. Quand on lui demanda pourquoi il les emmenait aussi loin, il dit qu'un pont pouvait être long ou court, peu importe, mais que ses fondations devaient être solides comme le granit.

Chota transporta des cadres de bois et des poutres, poussa des roches destinées à protéger la structure contre la force du courant. C'était une chance qu'il soit si à l'aise dans le fleuve. Face aux eaux rapides qui leur montaient jusqu'au menton, il était d'un grand secours.

Les hommes lestèrent de lourds tonneaux étanches d'un mortier d'argile, les scellèrent et les firent descendre chacun dans un des trous nouvellement creusés. Couvert de boue, de sueur et de crasse, Jahan peinait à côté des ouvriers. Des êtres étranges, ces hommes ! Rudes et taciturnes, mais prenant grand soin des leurs. Ils posaient la main droite sur le cœur chaque fois que quelqu'un prononçait les noms de Seth et Abraham, les saints patrons des charpentiers. Parmi eux Jahan se sentait plus à l'aise qu'il ne l'avait jamais été nulle part. Comme eux il éprouvait une joie secrète à empiler pierre sur pierre. Dix jours après qu'on eut confié la tâche à Sinan, ils achevèrent le pont.

Assis sur son cheval, le sultan fut le premier à le franchir, tenant les rênes serrées d'une main. Le grand vizir suivit, puis les autres, dont Lutfi Pacha qui se rengorgeait d'avoir trouvé l'architecte. Lorsque la suite royale eut atteint l'autre rive, chacun se réjouit. L'armée entière commença la traversée du pont, par groupes de six hommes. Çà et là on les entendait prier – des soldats qui ne craignaient pas les effusions de sang mais que l'eau terrifiait. Quand ce fut leur tour Jahan et Chota s'avancèrent mais le *subashi* les arrêta.

« L'animal devrait attendre. Il est trop lourd. »

Ce fut Sinan qui vint à leur secours. « *Effendi*, ce pont peut supporter cinquante éléphants si besoin est. »

Le *subashi* grommela son accord. « Si tu le dis… »

Sinan fit signe à Jahan : « Viens, je vais marcher avec toi. »

C'est ainsi qu'ils traversèrent le pont ensemble, l'éléphant les suivant de son pas lourd.

Une fois sur l'autre rive, Sinan fut appelé d'urgence. Il hâta le pas. N'ayant pas reçu l'ordre de rester sur place, Jahan le suivit dûment, et Chota fit de même.

Les notables débattaient du sort qu'il faudrait faire au pont après le départ de l'armée. À en juger par leur mine, Jahan vit que la discussion était tendue. Lutfi Pacha voulait construire une tour de guet et y assigner un régiment pour garder le pont ; le grand vizir et le gouverneur général de Roumélie, Sofu Mehmed Pacha, étaient contre. Incapables de parvenir à un accord, ils avaient décidé de consulter l'architecte.

« Nobles seigneurs, si nous construisons une tour, l'ennemi s'emparera de la tour et du pont, dit Sinan. Et ils pourront nous prendre en embuscade par l'arrière.

— Que suggères-tu ? demanda le grand vizir Ayas Pacha.

— Nous l'avons bâti de nos mains ; nous pouvons le détruire de nos mains, répliqua Sinan. Ensuite nous construirons un nouveau pont au retour. »

Lutfi Pacha, qui avait recommandé Sinan au *diwan* et s'attendait donc à le voir lui obéir, se mit en colère. « Espèce de couard ! Tu as peur qu'on te laisse derrière nous pour garder la tour. »

Sinan pâlit mais quand il parla sa voix était placide. « Mes seigneurs, je suis un janissaire.

Si mon sultan m'ordonne d'édifier une tour et de la garder, je ferai ce qu'il dit. Mais vous m'avez demandé mon opinion sincère et je vous l'ai donnée. »

Dans le silence qui suivit, le gouverneur général déclara : « Après tout, les Arabes ont bien brûlé leurs vaisseaux.

— Ce n'est pas un vaisseau et nous ne sommes pas des Bédouins ! » riposta Lutfi Pacha, avec un regard noir à Sinan.

La réunion se termina sans qu'ils adoptent une solution. Plus tard dans l'après-midi, le sultan qui avait été informé du débat annonça sa décision. Apparemment il avait préféré la suggestion de Sinan à celle de Lutfi Pacha. Le pont serait démoli.

Il était bien plus facile de détruire un pont que de le construire, Jahan le comprit vite. Pourtant il souffrait de voir tomber les pierres qu'ils avaient tant peiné à porter et placer en équilibre. C'est avec Sinan surtout qu'il était en désaccord. Comment cet homme avait-il pu conseiller de mettre le pont en pièces comme si la sueur de leur front ne signifiait rien pour lui ?

Quand il trouva l'occasion de lui parler, Jahan commença par bafouiller : « *Effendi*, pardonne-moi. Je ne comprends pas pourquoi nous agissons ainsi. Nous avions travaillé si dur.

— Nous travaillerons plus dur la prochaine fois.

— Oui, mais… comment as-tu pu dire si facilement : “Abattons-le” ? Est-ce que tu n’en éprouves aucune tristesse ? »

Sinan considéra le garçon comme s’ils se connaissaient déjà dans une autre vie. « Mon père a été mon premier maître, dit-il. C’était le meilleur charpentier de la région et c’est lui qui m’a formé depuis l’enfance. À chaque *Zatik* il jeûnait pendant quarante jours. Pendant ce temps-là il me demandait de lui sculpter un agneau dans un morceau de bois. Puis il me disait que mon travail n’était pas assez bon et il me l’enlevait. “Je l’ai détruit, me disait-il ensuite, va en faire un autre.” Je lui en voulais mais mes agneaux s’amélioraient. »

Jahan sentit son dos se raidir à la pensée de son beau-père. Il se rappela comment cet homme s’était moqué de la chaudière qu’il avait bâtie dans la cour pour sa mère. Aujourd’hui encore, des années plus tard, il voyait sans surprise que la colère qu’il avait éprouvée à l’époque était encore profondément fichée dans son cœur.

Inconscient de ces pensées, Sinan continua : « Quand mon père est mort, j’ai trouvé un coffre dans son hangar. À l’intérieur du coffre étaient rangés tous les agneaux que j’avais sculptés depuis l’enfance. Père les avait conservés tous sans exception.

— Je comprends qu’il a fait de toi un meilleur artisan, mais il t’a blessé.

— Parfois, pour que l’âme s’épanouisse, le cœur a besoin d’être brisé, mon fils.

— Je ne comprends pas, *effendi*. Je ne voudrais voir personne gaspiller mon travail.

— Pour acquérir la maîtrise, il faut que tu saches démanteler aussi bien qu'assembler.

— Mais alors il n'y aurait plus un seul bâtiment debout sur terre, risqua Jahan. Tout serait rasé de fond en comble.

— Nous ne détruisons pas les bâtiments, petit. Nous détruisons notre désir de les posséder. Seul Dieu est propriétaire. De la pierre et du talent.

— Je ne comprends pas », répéta Jahan, mais moins fort, cette fois.

Ainsi ne laissèrent-ils sur la rive du fleuve Pruth que leur sueur, leur foi, et leur travail, répandu en ruines sans le moindre indice du pont splendide qui s'élevait autrefois à cet emplacement.

Ce fut la nuit d'avant la bataille, non les nuits d'après, qui resterait gravée dans l'âme de Jahan – quand il était encore intact, encore solide, tel qu'il serait resté si le monde était différent. Allongé sur sa paillasse, Jahan pensait à Mihrimah. Il ne pouvait s'en empêcher. Ses yeux n'obéissaient qu'à eux-mêmes, la voyaient coiffer sa chevelure ou flâner dans les jardins de roses. Ses oreilles l'entendaient murmurer. Ne pouvant les contrôler, il contemplait l'image que ses sens faisaient surgir du vide.

Avec le crépuscule, l'humeur se mit à changer, une sorte de fébrilité s'installa. Une fois la nuit tombée, le sentiment d'attente devint si fort qu'il en était presque tangible. Tous les soldats du camp, du plus humble au plus gradé, savaient en leur for intérieur qu'ils contemplaient peut-être pour la dernière fois ce firmament étoilé. Demain, quand le soleil se lèverait et qu'ils pourraient flairer l'ennemi à faible distance, aucun d'entre eux n'hésiterait à accomplir sa tâche. Mais pour l'instant ils étaient suspendus dans les limbes entre confiance et doute, bravoure et lâcheté, loyauté et trahison.

Un lourd pressentiment leur nouait les nerfs. Ce n'était pas dans cette vallée lugubre et menaçante qu'ils voulaient mourir, le corps déchiqueté par les vautours, leurs os à l'abandon sans pierre tombale, fantômes errant pour l'éternité. Ils préféreraient être ensevelis dans un cimetière paisible, parsemé de cyprès et de rosiers en fleur, où le sol leur était familier, où les habitants connaîtraient leur nom et penseraient à dire une ou deux prières pour le salut de leur âme. Les promesses de victoire et de butin étaient douces, mais la vie l'était plus encore. Nombre d'entre eux rêvaient secrètement de seller un cheval et s'enfuir, comme si ne pouvant rentrer chez eux, ils pouvaient maintenant partir n'importe où.

Les tambours avaient donné le signal du coucher mais malgré cela les soldats peinaient à trouver le sommeil. Les murmures infiltraient les tentes, échanges d'histoires, secrets, promesses, prières. En longeant le quartier des bombardiers, Jahan entendit un lanceur de grenades chanter dans une langue inconnue. Les janissaires étaient d'origine on ne peut plus diverse, certains issus des Balkans ou d'Anatolie. Tout souvenir de leur vie antérieure était enfoui dans des coffrets dont ils avaient jeté les clefs. Pourtant à cette heure de face-à-face avec la mort, les coffrets s'ouvraient tout seuls et laissaient sortir des fragments de leur enfance, comme un rêve qu'ils auraient eu jadis mais ne pouvaient reconstituer.

Sous prétexte de chercher de quoi nourrir l'éléphant, Jahan circulait dans le camp, un seau à la main. Il croisa des derviches qui traçaient cercle sur cercle, paume de la main droite tendue vers le ciel, main gauche tournée vers le sol, pour recevoir et pour donner, morts à toute conscience et peut-être plus vivants que certains. Il observa de pieux musulmans agenouillés sur de minuscules tapis, une légère marque sur le front à force de le frotter sur le sol. Il vit un armurier enfermer un scorpion dans une boîte qu'il portait à la ceinture afin, dit-il, que l'animal le morde si jamais il tombait aux mains des idolâtres. Il entendit des janissaires s'injurier à mi-voix, une querelle entre camarades qui serait oubliée le lendemain matin. Il aperçut des prostituées qui, malgré l'interdiction de travailler la veille de la bataille, rôdaient entre les tentes. Cette nuit plus que toute autre serait lucrative car bien des hommes auraient besoin de leur réconfort.

À quelques pas de lui, trois prostituées dissimulaient leur visage sous une cape. Curieux comme toujours, Jahan les suivit. Une femme – jeune, mince, en vêtements juifs – s'arrêta et se retourna pour l'observer.

« Brave soldat, dit-elle d'un ton suave, tu n'arrivais pas à dormir ?

— Je ne suis pas un soldat, dit Jahan.

— Mais tu es brave, j'en suis sûre. »

Jahan haussa les épaules, ne sachant trop comment réagir.

Elle lui sourit de plus belle. « Laisse-moi te regarder. »

Jahan eut un mouvement de recul quand elle le toucha. Elle passa son bras sous le sien, et lui prit la main dans une étreinte si ferme qu'il ne put s'en détacher. Le contact de ses doigts était doux ; il émanait d'elle une odeur de feu de bois et d'herbe humide. Tentant de dissimuler le frisson qui s'était emparé de lui, Jahan se libéra.

« Ne t'en va pas », supplia-t-elle comme une amante au cœur brisé.

La requête était si imprévue, et si innocente, qu'elle le laissa perplexe. Quand il se remit en marche, elle trottina derrière lui dans un bruissement de jupe qui le fit penser au froufrou des plumes d'un pigeon sous les auvents. Scrutant la nuit comme si elle détenait la clef d'une énigme qu'il devait résoudre, Jahan continua à avancer. Il se faisait tard, et circuler dans le camp avec une prostituée sur les talons pouvait être dangereux. À contrecœur, il se dirigea vers sa tente.

Trois valets d'écurie étaient assis à l'intérieur. « Hé l'Indien ! Qu'est-ce que tu nous ramènes ? fit l'un d'eux. Une gazelle, hein ?

— Elle est venue toute seule », riposta sèchement Jahan.

Ils restèrent silencieux un instant, à se demander que faire. Le plus âgé des trois, qui avait une belle paire de bottes comme monnaie d'échange, entraîna la prostituée vers son lit.

Avec une feinte indifférence, Jahan se retira dans un coin où il déroula sa paillasse. Le sommeil refusait de venir. Son visage se crispa en grimace lorsqu'il les entendit grogner et haleter. Quand il estima qu'ils en avaient fini, il se redressa sur le coude et jeta un coup d'œil à la ronde. Dans la faible lueur d'une bougie il les vit, lui cambré sur elle, elle mollement étendue et alanguie, les yeux grands ouverts fixés sur l'ombre d'un objet absent. Elle se tourna de côté. Leurs regards se nouèrent. Dans ses yeux Jahan vit l'univers de la femme, et une solitude où il reconnut la sienne. Il se sentait nauséeux, pris de vertige, le sol chavirait sous lui. À cet instant-là il découvrit – contre sa raison plus raisonnable – une force sauvage qui lui dévorait le cœur. Cette part sombre de sa nature, comme un caveau secret sous la demeure de son âme, il ne l'avait encore jamais explorée mais sentait depuis toujours son existence.

Il bondit sur ses pieds et avança d'un pas résolu vers le valet qui ne prit garde à lui que trop tard. Il l'arracha à l'étreinte de la femme et lui allongea un coup de poing qui l'envoya à terre, mais à vrai dire fit plus grand mal à ses phalanges qu'au menton de l'autre. Le valet, moins furieux que surpris, dévisagea le garçon. Ses lèvres firent une grimace dédaigneuse lorsqu'il comprit ce qui s'était passé, puis lâchèrent un gloussement. Les autres valets rirent de même. Jahan regarda la prostituée et vit qu'elle aussi se moquait de lui.

Tout tremblant il quitta la tente, pris du désir de voir Chota, qui avait toujours l'humeur égale et le cœur tendre et qui, à la différence des êtres humains, était dépourvu d'arrogance et de méchanceté.

Comme d'habitude l'éléphant somnolait debout. Il ne dormait que quelques heures par jour. Jahan changea son eau et vérifia son fourrage, l'esprit submergé d'images de la prostituée – elle en train de le toucher, de le suivre, elle étendue sur sa vilaine paillasse, à moitié nue. Pourtant quand il s'étendit sur une botte de paille et ferma les yeux, ce fut Mihrimah qui lui apparut, une fois encore, penchée sur lui pour lui donner un baiser. Il rouvrit les yeux, pris de panique, honteux d'avoir osé penser à elle de la sorte – elle, une personne de noble naissance, pas comme cette putain défraîchie sortie de nulle part. Mais il avait beau s'appliquer, il ne pouvait ni chasser la putain ni cesser de rêver à la princesse.

Le lendemain à l'aube il fut réveillé par le son des prières. Les valets étaient déjà prêts. Jahan tenta de détecter chez eux une trace de culpabilité ou un signe de fatigue. Rien. Comme s'il ne s'était rien passé cette nuit-là.

Le prélude à la guerre avait traîné en longueur et en ennui ; le combat fut rapide – ou du moins c'est l'impression qu'en eut Jahan. Il entendit l'écho d'un grondement, d'abord très éloigné, puis trop proche. L'ennemi n'était plus une ombre obscure. Il avait un visage – mille visages, en fait, qui vous observaient sous leur casque. Perché sur son éléphant, Jahan ratissa le champ de bataille du regard. Au loin où les deux armées s'entrechoquaient, les couleurs se fondaient en une cascade de gris. Des jets d'étincelles luisaient et mouraient, luisaient et mouraient, à chaque croisement de lames. Partout à la ronde ce n'était que métal et chair – lances, épées, coutelas ; corps se ruant à travers la plaine, trébuchant, tombant.

Le bruit était assourdissant. Le martèlement des sabots ferrés, le heurt de l'acier, le sifflet des catapultes ; les cris, les râles, les *Allah ! Allah !* répétés sans fin. Ils combattaient pour le sultan. Ils combattaient pour le Tout-Puissant. Mais aussi pour chaque injustice qu'ils avaient subie depuis l'enfance, pour les coups de fouet et de gourdin et les insolences qu'ils enduraient. Le sang imbibait le sang répandu sur le sol en taches si sombres qu'elles viraient au noir. Babines gonflées, écume aux lèvres, les chevaux galopaient, leurs cavaliers campés en selle. Des nuages de fumée couvraient l'horizon. En pleine après-midi, la lumière commençait déjà à décliner, le ciel couvert d'un manteau de fumée.

Désorienté, nerveux, Chota piaffait de gauche à droite, gêné par l'immense armure à laquelle il n'était pas encore accoutumé. On lui avait taillé les défenses en lames aiguisées. Jahan s'efforçait de lui parler mais ses paroles se perdaient dans le vacarme. À la limite de son champ de vision, il capta un mouvement. Un Franji massif, arbalète sur l'épaule, fonçait sur un janissaire qui venait de perdre l'équilibre et son javelot, brièvement étourdi par sa chute. Le janissaire esquiva le premier coup d'épée, mais le second lui perça l'épaule. Jahan guida aussitôt Chota dans leur direction. L'éléphant se lança sur le Franji et le brandit en l'air, une de ses défenses fichées dans l'abdomen.

« Ça suffit, Chota, glapit Jahan. Lâche-le ! »

L'éléphant obéit, un court instant, et laissa tomber le soldat qui hurlait. Mais aussitôt après il l'embrocha de nouveau, lui plantant cette fois une défense en pleine poitrine. Le sang giclait de la bouche du malheureux dont le regard exprimait l'incrédulité de devoir sa fin à un animal. Jahan regardait, pris de terreur en comprenant qu'il n'avait pas commandé Chota ; c'est Chota qui avait pris le commandement.

Après cela, Jahan se sentit de plus en plus spectateur. Chota s'avança vers les lignes ennemies, saisissant, projetant en l'air puis terrassant les soldats ; il écrasa deux Franjis sous son poids. Avec un des soldats il joua longuement, tel un chat avec une souris, comme s'il voulait le faire souffrir plus longtemps. Il attaqua aussi un janissaire, incapable de distinguer entre ami et ennemi. Ce fut un pur coup de chance qui évita à l'homme d'être piétiné.

Oui, la guerre se déroulait trop vite, même si par la suite Jahan la revécut en esprit un millier de fois. Les morts dont il avait été témoin sans les voir, les cris perçus sans les entendre, lui revenaient en masse. Bien des années après, dans sa vieillesse, Jahan se rappellerait encore cette après-midi, un bouclier taché de sang dans la boue, une flèche ardente lestée de lambeaux de chair, un cheval fendu en deux et, masqué derrière le voile du temps, toujours, toujours le visage moqueur de la prostituée.

Un peu plus loin, dans un océan de flammes, il vit un soldat qui titubait, le visage taillé comme un masque, le ventre transpercé par une lance. Au premier regard, Jahan reconnut le fantassin avec qui il s'était lié d'amitié en route.

« Halte, Chota, cria-t-il. Fais-moi descendre. »

L'éléphant n'obéit ni à l'un ni à l'autre de ces ordres. Sans réfléchir, Jahan sauta à bas de l'animal, tombant lourdement sur le côté. Il rejoignit le fantassin qui entre-temps s'était écroulé à genoux. Ses doigts s'entortillaient comme s'il se cramponnait à une corde invisible. Le sang lui coulait du nez, quelques gouttes tombées sur le talisman qu'il portait autour du cou. Jahan retira sa veste de cornac et la pressa sur la blessure, à l'endroit d'où sortait la pointe de la lance. Il s'assit auprès du blessé, lui tint la main entre ses paumes, sentant le battement de son pouls s'affaiblir.

Le fantassin lui sourit : parce qu'il était soulagé de voir un visage connu, ou parce qu'il confondait Jahan avec quelqu'un d'autre, impossible de le savoir. En claquant des dents il marmonna des mots incompréhensibles. Jahan se pencha pour écouter, son souffle chaud sur la joue du soldat.

« La lumière… tu as… vu ? »

Jahan fit un petit signe de tête. « J'ai vu. C'est très beau. »

Une ombre de réconfort effleura le visage du fantassin. Son corps se fit plus lourd, sa bouche béante, ses yeux ouverts comme fixés sur un nuage déjà enfui.

Ensuite, une fois la bataille terminée et la victoire acquise aux Ottomans, Jahan n'eut pas le cœur de se joindre aux réjouissances. D'un pas las, il dériva loin du camp, vers le centre des combats. C'était bien téméraire de sa part. Il n'avait sur lui pour toute arme qu'un poignard dont il n'était pas sûr d'oser se servir. Pourtant il s'aventura dans la vallée noyée de brume, poursuivit jusqu'au champ où gisaient les corps de ceux qui naguère étaient des fils, des frères, des époux. Il avait le sentiment que ce lieu baigné d'ombres et de fumées était à l'extrémité du monde connu et que s'il continuait à marcher il basculerait par-dessus bord. Il savait que Chota devait être affamé et attendait qu'il lui apporte à boire et à manger. Mais il n'avait pas la moindre envie de voir l'éléphant.

À plusieurs reprises il marcha sur une petite bosse molle et découvrit à sa grande horreur que c'était la cuisse d'un cadavre, ou une main coupée. La puanteur était atroce. Les bruits persistants, sinistres ; grésillement de braises ; sabots de chevaux sans cavaliers ; et, projetées d'angles invisibles, les plaintes de soldats encore vivants.

La douleur, quand elle finit par le rattraper, dépassait tout ce qu'il avait pu éprouver jusque-là. Il examina son corps, ne trouva rien. Elle logeait dans sa tête, dans ses membres. Il n'aurait pu dire où il avait mal car elle se déplaçait, tantôt lui rongeant les os, tantôt lui tordant les entrailles. Plié en deux, il vomit.

Guidé par un fol instinct il chemina à travers champ, pieds tuméfiés, jambes lourdes comme du plomb, front emperlé de sueur, jusqu'à un vieil arbre noueux sous lequel il s'assit. Au loin une équipe de mineurs ottomans creusait une fosse immense. Quand elle serait prête ils feraient le tri des morts, et enterreraient les leurs. Qu'adviendrait-il des cadavres franjis, il l'ignorait. Il était si absorbé dans ses pensées qu'il n'entendit pas que quelqu'un approchait.

« Eh, jeune Indien, surgit une voix derrière lui. Qu'est-ce que tu fais ici ? »

Le souffle coupé, Jahan se retourna. « Maître Sinan !

— Tu n'as rien à faire ici, petit. »

Il ne lui vint pas à l'esprit que Sinan non plus ne devrait pas être là. Il dit d'un ton d'excuse : « Pas envie de rentrer. »

L'homme examina les yeux gonflés du garçon, son visage brouillé. Lentement, il s'assit à ses côtés. Le soleil se couchait, déposant une teinte cramoisie sur l'horizon. Un groupe de cigognes les survola, en route vers des contrées plus chaudes. Jahan fondit en larmes.

Sinan sortit une lame de sa ceinture et se mit à tailler un morceau de bois pris sur une bûche voisine. Tout en sculptant, il lui parla d'Agirnas, le village de Cappadoce où il était né – les cultures entourées de haies, les églises grecques et arméniennes privées de cloches, et les vents glacés qui murmuraient des chansons tristes ; la soupe au yoghourt cuisinée par sa mère, qu'elle servait froide en été, chaude en hiver ; la menuiserie où il avait appris de son père que le plus petit morceau de bois respire et vit. Devenu janissaire et converti à l'islam à l'âge de vingt et un ans, il avait rejoint le régiment de Haci Bektash, ainsi nommé en l'honneur du patron derviche des janissaires, et pris part à guerre sur guerre : Rhodes, Belgrade, la Perse, Corfou, Bagdad, et la plus sanglante de toutes, Mohács. Il avait vu les plus vaillants prendre la fuite, et les plus timides se découvrir un cœur de lion.

« Mon éléphant..., dit Jahan quand il eut recouvré la voix. On lui a appris à tuer, Olev et moi. Et voilà, il a tué. Des masses de gens. »

Sinan interrompit sa sculpture. « Il ne faut pas en vouloir à l'animal. Ce n'est pas ta faute. »

Le garçon frissonna, soudain gagné par le froid. « Quand nous avons construit ce pont, je me suis senti utile, *effendi*... j'aurais tant voulu qu'on reste là-bas.

— *Quand tu mets ton âme dans ce que tu fais, tu sens en toi courir une rivière, une joie.*

— Qui a dit ça ?

— Un poète, un sage. » Sinan posa la main sur le front du garçon : il était très chaud. « Dis-moi un peu, tu aimerais faire d'autres constructions ?

— Oui, j'aimerais beaucoup », répliqua Jahan.

Quand la nuit tomba ils repartirent vers le camp. À mi-chemin ils croisèrent un cheval sellé qui trottait tout seul, son cavalier disparu. Sinan fit monter Jahan sur son dos, et marcha en tenant les rênes jusqu'au camp. Là il conduisit Jahan à sa tente et dit aux valets de s'occuper de l'éléphant pendant que le garçon prenait un peu de repos.

Brûlant de fièvre, sitôt couché Jahan tomba dans un lourd sommeil. Sinan resta auprès de lui, enveloppa son visage et ses bras de linges humectés de vinaigre et reprit sa sculpture. À l'aube, voyant que sa température était tombée, il ouvrit le poing serré du garçon, y plaça un cadeau et s'en fut. Le lendemain matin quand Jahan s'éveilla, trempé de sueur mais rétabli, il découvrit dans sa main un éléphant de bois. Sur sa tête, au lieu de défenses aiguisées meurtrières, il y avait deux fleurs.

La ville attendait son armée. Depuis le lever du jour la foule s'y répandait, emplissant les rues et les places comme du *shurub* épais et gluant. Accrochés aux arbres, perchés sur les toits, agglutinés dans le moindre petit espace le long du trajet entre la porte d'Andrinople et le palais, ils étaient des milliers qui voulaient acclamer les vainqueurs. Istanbul, avec ses allées serpentines, ses passages souterrains et ses bazars clos, avait revêtu sa plus belle robe et pour une fois se montrait tout sourire.

« Les soldats vont bientôt arriver », brailla un gamin qui s'était posté en haut d'une fontaine. Ses paroles coururent telles des vaguelettes à la surface d'un étang, atteignirent les bords de la foule et de là refluèrent vers le centre – altérées en route. Lorsque l'écho lui revint son cri avait sensiblement changé : « Le sultan jette de l'or à poignées. »

Citadins au cœur empli de joie et de fierté, marchands à la bourse pleine cousue dans leur ourlet, vendeurs de foie, la hampe chargée de lambeaux de chair, chats errants suspendus à leurs basques, soufis avec les quatre-vingt-dix-neuf noms du Seigneur au bout de la langue, scribes aux doigts tachés d'encre, mendiants avec leur sébile pendue au cou, voleurs à la tire aux mains plus agiles que des écureuils, voyageurs du Frangistan à la mine ébahie, espions vénitiens aux discours de miel et sourires rusés

– tous se pressaient pour approcher, avides de voir.

Bientôt ils aperçurent la garde d'élite du sultan en tenue de parade qui passait sous une arche, conduisant la cavalcade le long du chemin bordé d'acacias, menant leurs chevaux au petit trot protocolaire. Derrière eux, monté sur un étalon pur-sang arabe, vêtu d'un caftan azur et d'un turban si haut qu'il leurra une cigogne de passage en quête de nid, chevauchait Soliman le Magnifique. Un halètement collectif s'éleva du public, mêlé de prières et de louanges. Des pétales de rose dansaient dans l'air, lancés en pluie de centaines de fenêtres et balcons.

Derrière des rangs innombrables de soldats en armure, certains à cheval, d'autres à pied, d'autres tirant leur monture par les rênes, apparurent l'éléphant et son cornac. Jahan avait d'abord reçu l'ordre de monter sur le cou de l'animal, le *howdah* étant réservé à l'agha des janissaires. Mais au bout de quelques pas, l'agha livide demanda qu'on le redescende à terre. Bien qu'accoutumé aux bourrasques de tous ordres, le noble ottoman n'avait pu supporter le rythme dandinant de l'éléphant. Jahan s'installa donc dans le *howdah* à la manière d'un prince exilé revenu chez lui après de longues années à l'étranger. La sensation lui parut d'une étrange douceur. Pour la première fois depuis tant de jours, il oublia le champ de bataille et la puanteur de mort qui flottait encore sur sa peau.

Bientôt il devint évident que l'éléphant blanc serait au centre de l'attention. Hormis le sultan, personne ne récolta autant de bravos et d'éloges. Partout les gens se montraient Chota du doigt, agitaient les bras, riaient, applaudissaient. Un drapier lui lança des flots de rubans, une jeune Gitane lui envoya des baisers rieurs ; un garnement tomba de la branche où il était assis en tendant le bras pour toucher ses défenses. Tandis que Chota défilait, balançant la queue de droite à gauche, stimulé par la chaleur des ovations, Jahan glissa dans une sorte de torpeur éblouie. Jamais il ne s'était senti aussi important, en proie à une rêverie exquise où sa présence au cœur de cette cité, et pourquoi pas de ce monde, s'insérait dans un vide que lui seul pouvait combler. Les joues enflammées de plaisir, il rendit leurs saluts aux spectateurs.

De retour à l'écurie, Chota fut accueilli en héros. Il fut décidé qu'on ne l'enverrait pas dans une ménagerie de la ville. Il resterait ici au sérail. Sa ration quotidienne doublerait et il aurait droit à un bain chaque semaine, dans le bassin fleuri de lys à l'extrémité de la cour. Un privilège jamais accordé jusqu'ici à une bête sauvage. Aucun autre animal n'était autorisé à quitter la ménagerie.

Peu à peu Jahan pardonna à l'éléphant sa conduite sur le champ de bataille. Il recouvrit ses défenses tranchantes de deux balles de soie et lui fabriqua de ses propres mains un nouveau tapis de selle. Il en garnit les bords de clochettes d'argent et y cousit des perles bleues contre le mauvais œil. Indolents et sereins, les couchers de soleil se suivaient. Des jours si heureux ! – mais comme il arrive trop souvent aux jours heureux, on ne les apprécierait qu'une fois enfuis.

Quelques jours plus tard, alors que Jahan nettoyait l'écurie, Olev le dresseur de lions surgit à ses côtés. « Quelqu'un t'a envoyé un message, dit-il.

— Qui ? demanda Jahan, une fêlure dans la voix.

— Pas vu le type en personne. Il a donné le message à un garde pour te le faire passer, à ce qu'on m'a dit. »

Ce disant, Olev lui tendit un morceau de vélin plié.

« Je ne sais pas lire », dit vivement Jahan, comme s'il espérait s'abriter ainsi du contenu de la lettre. Ce n'était pas entièrement vrai. Avec l'aide de Taras le Sibérien il s'était mis à l'étude de l'alphabet. Depuis qu'il détenait la clef du mystère des lettres il feuilletait des livres, même s'il avait encore du mal à écrire.

« Y a rien à lire. J'ai vérifié », dit Olev.

Jahan prit le vélin et l'ouvrit. Sur la surface lisse du cuir s'étalait un dessin. Un éléphant, très grossièrement dessiné, mais un éléphant tout de même, et sur son dos un garçon aux grandes oreilles. L'animal arborait un sourire sur sa gueule informe et il paraissait joyeux alors que le garçon avait le cœur percé d'une lance. Trois gouttes tombaient de la pointe de la lance. Elles fournissaient les seules notes de couleur, d'un rouge très sombre, car c'étaient des gouttes de sang.

« Je ne sais pas ce que ça veut dire, dit Jahan en repoussant la lettre.

— Parfait, dit Olev, après une légère pause. Dans ce cas on va détruire ça et on en parle à personne. Mais cet homme-là, si tu sais pas qui c'est, réfléchis déjà à ce que tu feras s'il se pointe ici. Les murs du palais sont hauts, mais pas assez pour te protéger du mal. »

Lorsque la sultane revint visiter la ménagerie, quelque chose dans son attitude envers l'éléphant avait changé, qui n'était pas apparu la première fois : un grain d'approbation, presque d'estime. À nouveau ses jupes passèrent dans un bruissement de tissu ; à nouveau Jahan se jeta à terre ; à nouveau la suite de la sultane attendit à proximité, si muette qu'elle semblait ne pas exister. Et à nouveau, Mihrimah observa toute la scène en réprimant un sourire.

« Il paraît que l'éléphant a fait preuve de bravoure, déclara Roxelane sans l'ombre d'un regard en direction du cornac.

— Oui, Altesse. Chota a bien combattu », dit Jahan. Il n'ajouta pas que l'animal avait blessé des soldats, et à quel point il se sentait encore coupable de lui avoir enseigné à le faire.

« Hmm, mais pas toi, m'a-t-on dit. C'est vrai que tu as pris la fuite terrifié, et que tu es revenu tremblant de peur ? »

Jahan se sentit blêmir. Qui avait pu susurrer des choses pareilles derrière son dos ? Lisant d'un rapide regard dans ses pensées, Roxelane dit : « Des oiseaux... Les pigeons m'apportent des nouvelles de partout. »

Malgré tous ses efforts pour rester indifférent, une part de Jahan croyait ce qu'elle disait. En esprit il voyait les oiseaux de la volière voler haut et loin, et rapporter dans leur bec des bribes de potins pour la sultane.

« J'ai appris aussi que ton éléphant était le chéri du peuple. Tout le monde l'a adoré. Ils ont applaudi la bête blanche plus fort que l'agha des janissaires. » Roxelane marqua une pause, attendant que ses paroles fassent leur effet.

Jahan savait que c'était exact. Même les chefs de l'armée n'avaient pas reçu autant de manifestations d'amour que Chota.

Cependant, Roxelane poursuivait. « J'ai réfléchi... Nos fils, les deux princes, vont être circoncis. Il y aura un défilé. Immense. »

Un malaise s'empara de Jahan qui se demandait à quoi tout cela conduisait.

« Son Éminence ton sultan et moi nous aimerions voir ton éléphant nous montrer ses talents.

— Mais... »

Elle avait déjà pivoté sur ses talons. « Mais quoi, l'Indien ? »

En guise de syllabes, Jahan n'émit que des perles de sueur.

« Prends garde, il y a des gens ici qui ne t'apprécient pas. Ils ont le sentiment que tu n'es pas vraiment digne de confiance. D'après eux, on devrait vous envoyer toi et la bête dans cette église en ruines où demeurent les autres grands animaux. Ils ont raison. Mais j'ai foi en toi, jeune homme. Ne trahis pas ma confiance. »

Jahan déglutit. « Je te le promets, Altesse. »

Roxelane avait coutume d'user tour à tour de menaces et de paroles aimables, tenant son monde à l'œil pour leur faire sentir qu'elle pourrait les écraser si elle le désirait, puis leur jetant quelques remarques flatteuses, ce qui les laissait perplexes, et redevables. Jahan n'avait aucun moyen de le savoir, et il lui faudrait du temps pour le découvrir. Elle repartit d'un pas vif, ses caméristes se précipitant à sa suite pour la rattraper. À nouveau, deux personnes restèrent sur place. La princesse Mihrimah et Hesna Khatun.

« Madame Ma Mère semble fort apprécier l'éléphant blanc », dit Mihrimah d'un ton hautain, comme une fille imitant le style maternel. « Si tu sais bien divertir la foule, Mère te chérira. Et si Mère te chérit, toi et l'animal vous serez heureux.

— Chota ne connaît aucun tour, dit Jahan à voix si basse qu'il n'était pas sûr d'avoir réellement parlé.

— Je me souviens que tu nous l'as dit. » Mihrimah fit un geste à l'intention de sa nourrice, qui sortit une douzaine d'anneaux de sous sa longue et ample jaquette. « Tiens, commence avec cela. *Dada* et moi nous viendrons vérifier si vous faites des progrès. »

Cette semaine-là, Jahan passa toutes ses après-midi à lancer des anneaux à Chota, qui ne leur prêta pas la moindre attention. Les anneaux firent place à des cerceaux, les cerceaux à des balles, et pour finir, les balles à des pommes. Seule cette dernière tentative réussit : Chota aimait bien attraper les pommes pour se les envoyer dans l'estomac.

Pourtant Mihrimah et sa nourrice vinrent les voir chaque jour. Quand Chota apprenait un nouveau tour, la princesse le félicitait et le récompensait avec des douceurs. Quand il échouait, elle l'encourageait avec des paroles encore plus douces. À nouveau, l'éléphant blanc avait réuni la princesse et le cornac. Mais ce n'étaient plus des enfants. Tous deux avaient grandi vite. Et même s'ils évitaient l'un comme l'autre les regards à la dérobée, ils ne pouvaient pas ne pas voir que leur corps avait changé. Pendant ce temps, Hesna Khatun assistait à leurs rencontres en témoin revêche et silencieux.

Jahan enseigna à la princesse des choses qu'il avait apprises depuis son arrivée à la ménagerie. Il lui montra comment calculer l'âge d'un chêne en comptant les anneaux du tronc, comment conserver un papillon, et lui fit voir comment la résine pouvait donner de l'ambre brillant. Il lui dit qu'une autruche court plus vite qu'un cheval, que les rayures du tigre varient d'un animal à l'autre, comme les empreintes digitales d'un être humain. Elle aussi commença à se confier à lui. Peu à peu elle lui parla de son enfance, de ses frères et de sa mère. Fille unique entourée de garçons, dont l'un était destiné au trône, elle s'était souvent sentie seule, lui dit-elle. « Ils m'aimaient, mais ils ne faisaient jamais assez attention à moi. J'étais différente. Comme j'étais différente, j'étais malheureuse. Tu peux comprendre cela, Jahan ? »

La seule personne dont Mihrimah ne parlait jamais, c'était son père. Le cornac et la princesse se conduisaient tous deux comme si le sultan n'était pas là, au centre de leur vie. Pourtant en leur for intérieur ils savaient tous deux que, si jamais il avait vent de leurs escapades botaniques, l'enfer se déchaînerait et Jahan ne perdrait pas seulement son poste, selon toute vraisemblance il serait expédié dans une geôle où on risquait de l'oublier jusqu'à la fin des temps.

Peu avant les fêtes de circoncision, la peste arriva. D'abord apparue sur les franges de la ville, dans les taudis proches du port de Scutari, elle se propagea plus vite qu'un incendie, sautant d'une maison à l'autre, malédiction semée par le vent. La mort plana sur Istanbul comme un brouillard qui refuserait de se lever, pénétrant chaque crevasse, chaque fente. Elle flottait dans la brise marine, moussait dans la levure du pain, mijotait dans l'épais café amer. Peu à peu les habitants cessèrent de se promener, se tinrent à l'écart des réunions, repliés dans la solitude. On n'entendait plus le clapotis des avirons ni les chuchotements des rameurs, même par les soirs les plus paisibles. Personne n'avait envie de passer d'une rive à l'autre si rien ne l'y obligeait. Jamais les Stambouliotes n'avaient tant redouté de se trouver au sein d'une foule. Jamais ils n'avaient eu aussi peur d'offenser Dieu.

Car Il était d'humeur hargneuse, ce Dieu des premiers jours de la peste. Les gens craignaient sans cesse de laisser échapper une parole de travers, de sentir la mauvaise main toucher leur peau, la mauvaise odeur monter à leurs narines. Ils verrouillaient leurs portes et occultaient leurs fenêtres pour empêcher les rayons de soleil de répandre la maladie. Chaque quartier se barricadait, chaque rue devenait une citadelle dont personne n'osait s'éloigner. Ils parlaient à voix étouffée, courbaient les épaules et s'habillaient sans apprêt, drapés dans leur modestie. Les fines toiles de lin cédaient la place à des tissus grossiers ; les coiffures élaborées n'étaient plus de mise. On serrait les pièces d'or dans des jarres, dans des coffres, avant de les enfouir profondément. Les épouses des hommes riches cachaient leurs bijoux et enfilaient les vêtements de leurs servantes dans l'espoir de gagner la faveur divine. Certains promettaient de faire le pèlerinage de La Mecque dans l'année et d'aller nourrir les pauvres en Arabie. Istanbul marchandait avec Dieu – offrait des routines, offrait des agneaux sacrificiels, offrait des prières, et perdait, perdait.

Yumrucuk, c'est ainsi qu'on les appelait – un nom bien trop joli pour les grosseurs qui apparaissaient sous les aisselles, sur les cuisses et le cou des malades. En les examinant de près, certains reconnaissaient sans doute possible les traits d'Azraël. Un éternuement était un signe de mauvais augure – les gens reculaient s'ils entendaient quelqu'un éternuer. C'était le premier symptôme. Le corps se couvrait de furoncles qui grossissaient et noircissaient à vue d'œil. Ensuite venait la fièvre, puis les vomissements.

C'était le vent, disaient-ils ; l'air de la nuit, souillé par la malpropreté, était infesté de miasmes. La chambre où une victime rendait l'âme était récurée au vinaigre, blanchie à la chaux, aspergée d'eau sainte de La Mecque, puis abandonnée. Personne n'avait envie de s'attarder dans une pièce auprès d'un fantôme vindicatif.

Que les riches et les puissants meurent aussi pouvait en consoler certains, et paraître à d'autres un signe de désespoir. Quand un homme tombait malade, ses épouses commençaient à se quereller pour savoir qui devrait le soigner. D'habitude l'aînée des femmes – ou celle qui était stérile – prenait le contrôle. Parfois on envoyait chercher une concubine. Un homme pouvait avoir quatre épouses et une douzaine de concubines et pourtant être seul au moment de rendre son dernier soupir.

Les corps étaient transportés sur des charrettes tirées par des bœufs, suivis par un grincement de roues sur les pavés, et un sillage d'odeur âcre. Les cimetières sur les pentes des collines débordaient, bouffis comme ces moutons égorgés puis écorchés qu'on suspendait aux arbres pour la fête de l'Aïd. À chaque nouvelle tombe, les fossoyeurs creusaient plus profond et plus large, enterrant parfois les corps par douzaines. Ils gardaient pour eux le fait que la plupart des morts n'avaient été ni lavés ni enveloppés d'un linceul. Certains étaient ensevelis sans même une pierre tombale. Le deuil était un luxe que seuls quelques-uns pouvaient s'offrir. Tant que la mort harcelait les vivants on ne pouvait pas pleurer convenablement les morts. Quand la peste disparaîtrait, alors seulement parents et proches pourraient se frapper la poitrine et pleurer tout leur soûl. Pour l'instant, le chagrin était mis en conserve, rangé dans les caves avec la viande salée et les poivrons séchés, pour être consommé en des jours meilleurs.

Les navires repartaient sans avoir déchargé leurs marchandises ; les caravanes devaient modifier leur itinéraire. La maladie avait surgi de l'Occident, comme tous les maux. Les voyageurs d'où qu'ils viennent étaient objet de suspicion. Fugitifs, derviches itinérants, nomades, vagabonds, Gitans – aucun déraciné n'était bienvenu.

Au milieu de l'été la maladie s'empara du grand vizir Ayas Pacha – un homme qui passait pour tout-puissant. Sa mort sema l'effroi dans le sérail. Soudain, même les murs du palais n'étaient plus assez solides pour tenir la contagion en respect. Cette semaine-là quatre concubines furent contaminées, une peur plus sombre que le khol s'engouffra dans les corridors du harem. On racontait que Roxelane s'était enfermée dans ses appartements avec ses enfants et qu'elle refusait de voir quiconque en dehors du sultan. Elle cuisinait sa propre nourriture, faisait bouillir son eau, lavait même ses vêtements, ne se fiant à aucun domestique.

À la ménagerie, trois dompteurs moururent, tous au printemps de leur vie. Et Taras le Sibérien resta tapi dans son hangar pendant des jours car tous le haïssaient d'être encore en vie, lui si vieux et frêle. Le temps était loin où les gens ne voulaient pas se montrer dans les rues, la discrétion avait volé en éclats. Ils se ruaient dans les mosquées, les synagogues et les églises pour prier et se repentir, se repentir et prier. Leurs péchés avaient attiré sur eux cette calamité, ceux qu'ils avaient commis, ceux qu'ils allaient sûrement commettre. C'était la colère de Dieu. La chair était faible. Rien d'étonnant si cette même chair faisait fleurir des roses noires. Jahan écoutait leurs paroles, le cœur battant au fond de sa gorge, il les croyait et ne les croyait pas. Dieu avait-il créé les humains, avec toutes leurs faiblesses, rien que pour mieux les punir ensuite ?

« Nous avons transgressé, disaient les imams. Le péché a envahi le monde, disaient les prêtres. Il faut nous repentir », disaient les rabbins. Et les gens leur obéissaient, par milliers. Nombre d'entre eux se convertirent à la piété – à commencer par le sultan. Le vin fut interdit, les fabricants de vin châtiés ; les instruments de musique jetés au feu, les tavernes closes, les bordels mis sous scellés, les bouges à opium vides comme des coquilles de noix sèches. Les prédicateurs ne parlaient plus que de la pestilence et l'obscénité qui étaient étroitement liées, expliquaient-ils, comme la tresse d'une odalisque.

Puis soudain, comme d'une seule voix, les gens cessèrent de se déclarer fautifs. C'étaient les *autres* qui avaient attiré cela sur la ville, d'*autres*, par leur impiété et leurs débauches. La peur se changea en ressentiment ; le ressentiment en rage. Et la rage était une boule de feu qu'on ne pouvait tenir longtemps entre ses mains ; il fallait la jeter sur quelqu'un d'autre.

Fin juillet une foule en colère envahit le quartier juif proche de la tour de Galata. Il y eut des portes marquées au goudron, des hommes battus, un rabbin qui résistait frappé à mort. Un savetier juif fut accusé d'avoir empoisonné tous les puits et les citernes et les criques d'Istanbul et répandu ainsi la maladie. Des douzaines furent arrêtées, après avoir confessé leur crime. Des confessions obtenues sous la torture, mais ce détail-là n'intéressait personne. Les juifs n'avaient-ils pas été expulsés de villes saxonnes quelques années auparavant, et quantité d'autres envoyés au bûcher chez les Frangis ? Il devait bien y avoir une raison s'ils apportaient la calamité partout où ils allaient, une mauvaise aura qui les suivait comme une ombre. Ils s'emparaient d'enfants chrétiens dont ils utilisaient le sang dans leurs rites mystérieux. Les accusations montaient comme une rivière gonflée de pluie. À la longue, le sultan Soliman émit un *firman*, interdisant aux cadis locaux de rendre un verdict sur des accusations de crime de sang. Les rares juristes qui devaient prendre désormais ces cas en main n'avaient aucune envie de le faire. Les accusations s'évanouirent.

Ce n'étaient pas les juifs. C'étaient les chrétiens. Ils n'allaient jamais au hammam, sales de part en part qu'ils étaient. Ils ne se lavaient pas après s'être accouplés avec leur épouse. Ils buvaient du vin, et comme si ce péché ne suffisait pas ils appelaient cela le sang du Christ, dont ils osaient prétendre qu'il était Dieu. Pire que tout, ils mangeaient du porc ; la chair d'un animal qui se roulait dans sa propre fange et se nourrissait de viande morte envahie par les vers. La peste avait sûrement été transmise par les mangeurs de porc. On vit ceux-là mêmes qui avaient terrorisé les rues juives s'en prendre ensuite aux quartiers chrétiens.

Un bourrelier d'Eyoub prit la tête de la troupe. Il prêcha que les juifs et les chrétiens étaient des peuples du Livre et que même s'ils étaient dans l'erreur ils n'étaient pas mauvais. Ce n'étaient pas eux les coupables. C'étaient les soufis, avec leurs chants et leurs danses. Quoi de plus dangereux qu'un individu qui se dit musulman mais qui n'a rien à voir avec l'islam ? Ne disait-on pas d'eux qu'ils n'avaient ni crainte de l'enfer ni désir du paradis ? Ne s'adressaient-ils pas à Dieu comme s'Il était leur égal, allant même jusqu'à dire que Dieu se trouvait sous leur manteau ? Le blasphème avait entraîné le châtiment. Des meutes patrouillaient les rues, brandissant des gourdins, pourchassant les hérétiques. Ils ne rencontrèrent aucune opposition de la part du *subashi* et ses gardes, pas plus qu'ils ne furent arrêtés ensuite.

Le vendredi, après la prière du soir, ils investirent les rues sinueuses de Pera. Des hommes et des garçons à peine âgés de sept ans, armés de torches, rejoints en route par d'autres, fouillèrent les lieux mal famés, jetèrent dehors les prostituées et les souteneurs, et mirent le feu aux maisons. Une femme tellement grosse qu'elle pouvait à peine bouger fut liée à un poteau et fouettée, ses rouleaux de chair rayés de fentes cramoisies. Un *hunsa* fut dévêtu, son corps ambisexué couvert de crachats, rasé de la tête aux pieds et plongé dans le purin. Mais c'est une naine, paraît-il, dont ils firent leur cible principale, sans qu'on sache trop pourquoi. Elle passait pour être très proche du chef des eunuques blancs, et capable d'ourdir toutes sortes de machinations. Le lendemain matin, peu après l'aube, des chiens errants la trouvèrent enduite de sang et d'étrons, le nez brisé, les côtes enfoncées, mais toujours en vie.

Il fallut que la foule, prête désormais à punir les grands, manifeste l'intention de marcher sur le palais pour que le *subashi* intervienne et fasse arrêter onze hommes. Ils furent pendus le jour même, leurs corps balancés par la brise exposés à la vue de tous. Quand la peste disparut enfin, Istanbul avait perdu sept cent quarante-deux âmes et les cimetières étaient pleins à craquer.

Cette semaine-là Jahan reçut une autre lettre menaçante, signée clairement cette fois du capitaine Gareth. Avec l'aide d'un marmiton il envoya au marin quelques pièces qu'il avait mises de côté, espérant qu'elles le tiendraient tranquille un moment. Lourd de ces soucis, il n'entendit qu'avec retard les nouvelles rumeurs qui circulaient en ville.

Lutfi Pacha, l'homme qui avait recommandé l'architecte chargé de construire un pont sur le Pruth puis s'était opposé à lui, avait remplacé le défunt grand vizir Ayas Pacha. Et l'architecte impérial qui était mort de vieillesse avait pour successeur le charpentier Sinan. On racontait partout en ville que, par un coup du sort, ces deux hommes qui ne s'entendaient pas avaient été promus exactement ensemble, à croire que Dieu souhaitait voir s'ils entreraient en conflit et dans ce cas, lequel des deux survivrait.

Fier et auguste, plus que millénaire, l'hippodrome avait accueilli des festivités innombrables – toujours plein à ras bord, toujours tonitruant. Le public se composait d'hommes de tous âges. S'ils appréciaient le spectacle, ils braillaient et riaient et se dressaient sur leur siège comme s'ils avaient contribué à l'organiser. Si ce qu'ils voyaient ne leur faisait aucun plaisir, ils frappaient du pied, criaient des injures, lançaient tout ce qu'ils avaient sous la main. Facile à divertir, difficile à séduire, ce public avait peu changé depuis le temps de Constantin.

Là-bas, au milieu des gradins de bois, s'élevait une loge ornée de glands d'or. À l'intérieur, le sultan Soliman était assis sur un siège haut d'où il pouvait voir et être vu, grand et souple, le cou long, la barbe courte. En faction autour de lui se tenaient le grand vizir Lutfi Pacha – marié à la sœur du sultan – et d'autres membres du *diwan*. Séparée du sultan par des tentures de brocart, la sultane était entourée de ses suivantes. Des rideaux de soie et des moucharabiehs les abritaient des yeux de la foule. Hormis ces quelques dames du harem impérial, il n'y avait pas une femme alentour.

Les émissaires étrangers avaient été conduits dans une tribune à part. L'ambassadeur de Venise, assis bien droit, le regard distant, arborait sur sa simarre une broche de saphir qui n'avait pas échappé à l'attention de Jahan. Auprès du Vénitien étaient installés l'envoyé de Raguse, les délégués des Médicis de Florence, le podestat génois, le légat du roi de Pologne et d'éminents voyageurs du Frangistan. Ils étaient faciles à reconnaître – pas seulement à cause de leurs vêtements mais de leur expression, un mélange de dédain et d'incrédulité.

Les festivités duraient depuis plusieurs jours. La nuit, inondée de lumières, Istanbul brillait plus fort que les yeux d'une jeune épousée. Lampes, torches et feux d'artifice perçaient les ténèbres. Des caïques glissaient sur les eaux de la Corne d'Or telles des étoiles filantes. Les confiseurs exposaient des sculptures en sucre représentant des monstres marins anthropophages et des oiseaux aux plumes multicolores. Au long des rues d'immenses arches florales étaient disposées. On avait abattu tellement de bêtes que la crique derrière les abattoirs était cramoisie. Des pages se hâtaient, chargés de plateaux de riz dégoulinant de graisse de queue de mouton. Ceux qui avaient empli leur panse et arrosé leur soif de sorbets se voyaient offrir du *zerde* au safran. Pour une fois, riches et pauvres puisaient dans les mêmes plats.

Les deux princes avaient été circoncis avec cent autres garçons. Des fils de chandeliers, brûleurs de chaux et colporteurs avaient gémi à l'unisson avec les Altesses royales. Étendus maintenant sur des lits, revêtus de tuniques, les cent deux enfants sanglotaient tous chaque fois qu'ils se rappelaient la souffrance endurée, et gloussaient au spectacle d'ombres qu'on leur jouait pour chasser les mauvais souvenirs.

Jahan, les yeux écarquillés, côtoyait cette effervescence avec angoisse. Il avait reçu l'ordre de se produire avec Chota le dernier jour. De bonne heure ce matin-là il avait conduit l'éléphant aux écuries proches de l'hippodrome. Bien que mécontent des entraves fixées à ses pattes, Chota était paisiblement occupé à mâchonner des pommes et des feuilles. Jahan lui enviait son aplomb et aurait aimé en voir déteindre une partie sur lui. La nuit précédente le cornac n'avait dormi que par saccades, les lèvres sanglantes à force d'être mordillées.

D'autres animaux devaient se produire avant eux : lions, tigres, singes, autruches, gazelles, et une girafe fraîchement débarquée d'Égypte. Les fauconniers paradaient avec leurs oiseaux encapuchonnés, les jongleurs lançaient des anneaux, les mangeurs de feu avalaient des flammes, et un danseur de corde marchait sur une aussière tendue en hauteur. Ensuite venaient les guildes – les tailleurs de pierre, avec marteaux et burins ; les jardiniers qui poussaient des charrettes pleines de roses ; les architectes, portant les maquettes des mosquées qu'ils avaient construites. À la tête de leur guilde marchait Sinan, vêtu d'un caftan bordé d'hermine. Lorsqu'il aperçut Jahan il lui adressa un sourire chaleureux. Jahan lui aurait répondu de même s'il avait été moins angoissé.

Enfin ce fut leur tour. En priant tout bas, Jahan ouvrit les portes pour faire sortir Chota. Ils passèrent devant un obélisque solitaire, rapporté il y a longtemps d'Alexandrie par l'empereur Théodose, puis prirent la piste creusée par des centaines de pieds et de sabots. La lumière se réfléchissait dans les petits miroirs cousus sur la mante de Chota – du velours brodé de motifs pourpres, cadeau de la sultane.

À leur vue la foule rugit de joie. Jahan marchait devant Chota, tenant ses rênes, bien qu'en réalité ce fût l'éléphant qui dictait son propre rythme. Quand ils arrivèrent devant la tribune royale ils firent halte. Jahan leva les yeux vers le sultan, qui lui parut massif, imperturbable. À sa gauche, la cloison derrière laquelle la sultane et ses femmes avaient pris place. Même si Jahan ne pouvait distinguer Roxelane il sentait ses yeux méfiants le transpercer. La pensée que la belle Mihrimah se trouvait là aussi, à l'affût de son moindre geste, redoublait ses inquiétudes. Sa bouche se dessécha ; son estomac chavira ; ses jambes fléchirent tandis qu'il s'inclinait.

Encore tremblant il sortit de sa poche un écheveau de laine, qu'il lança en direction de Chota. L'éléphant le saisit avec sa trompe, le lui renvoya, tour qu'ils répétèrent une ou deux fois. Jahan sortit les anneaux étincelants que lui avait donnés Mihrimah. Il les lança un par un à Chota qui les attrapa tour à tour, secouant chaque fois sa prise et la jetant de côté comme si elle lui importait peu. Il ébranla ensuite son énorme corps dans une sorte de danse. Le public hurlait de rire. Levant son rotin, Jahan le gronda. Chota s'immobilisa, la mine confuse. Cela faisait partie du spectacle, comme tout le reste. En signe de paix, le garçon tendit une pomme à Chota. En retour, Chota cueillit la jonquille fixée à la tunique du cornac et la lui offrit. Nouveaux éclats de rire dans le public.

Puis Jahan mit un cône en équilibre sur sa tête. Il en ajouta un autre, puis un autre, et en empila ainsi sept au total. Il cria : « Lève ! »

De sa trompe, l'éléphant le saisit par la taille et le plaça sur son cou si délicatement que la pile de cônes resta intacte.

« Couché ! » ordonna Jahan.

Lentement, laborieusement, Chota s'accroupit. Toujours sur son dos, Jahan se tint en équilibre, sentant le vent sécher la sueur qui lui coulait sur le visage. Comme un éléphant n'a pas de genoux, c'était dur pour lui de s'incliner. Jahan espérait que le Sultan de la Terre et de la Mer comprendrait et apprécierait. Dès que Chota parvint à se baisser, Jahan ouvrit grand les bras et poussa un cri de triomphe. Au même instant il vit un objet se diriger vers eux à toute vitesse. L'objet tomba sur le sol avec un bruit sourd. Jahan sauta à terre et le ramassa. C'était une bourse remplie de pièces. Un don généreux du sultan Soliman. Le cornac s'inclina ; l'éléphant barrit ; la foule entra en délire.

Puis vint le dernier acte. Chota, représentant l'islam, devait affronter un sanglier sauvage qui représentait la chrétienté. C'était un spectacle donné d'habitude par un ours et un porc, mais comme l'éléphant était plus majestueux et qu'il avait à l'évidence la faveur du public, à la dernière minute on attribua le rôle de l'ours à Chota.

Dès que Jahan aperçut le sanglier qui faisait feu des défenses et des sabots, ses tripes se nouèrent. L'animal était plus petit que Chota, c'est sûr, mais il dégageait une sorte de folie, une rage dont Jahan ne pouvait situer l'origine. Aussitôt ses chaînes retirées, la bête fonça sur eux comme une flèche. Jahan aurait eu la cuisse ouverte s'il n'avait pu l'esquiver à temps. Le public ricana, prêt à prendre parti pour le sanglier si jamais le cornac et l'éléphant les décevaient.

Jahan n'était pas le seul paralysé. À son grand désarroi, il vit Chota fixé au sol, les yeux mi-clos. Avec force cris, Jahan le houspilla de son rotin. Il lui lança de douces paroles, promesses de friandises sucrées et bains de boue. Rien n'y fit. L'éléphant qui avait férocement attaqué les soldats ennemis et en avait tué plusieurs sur le champ de bataille était engourdi.

Le sanglier perdit tout intérêt pour l'éléphant, fit demi-tour et se lança sur Jahan, qu'il renversa.

« Hé, par ici ! »

Surgi de nulle part, Mirka le dresseur d'ours criait pour attirer l'attention du sanglier. Il avait une lance à la main, son animal prêt à l'assaut derrière lui. Tous deux étaient habitués à ce jeu. L'ours lança un grondement. Avec un rugissement furieux, le sanglier attaqua, mâchoire grande ouverte. Jahan regardait la scène comme à travers un voile. Les bruits, si terribles soient-ils, étaient estompés par le vacarme de la foule. L'ours, ses griffes courbes aiguisées, tailla et déchira, éventrant son adversaire. Les boyaux de l'animal giclèrent, répandant une odeur nauséabonde. Ses pattes arrière tressautaient, lançaient des ruades. Il émit un glapissement quand la vie le quitta, si farouche et si étrange qu'il glaça les spectateurs jusqu'à la moelle. Posant sa botte sur le sanglier agonisant, Mirka salua le public. Aussitôt, il fut récompensé d'une bourse. En la saisissant, il observa Jahan avec un sourire suffisant qu'il ne prit pas la peine de dissimuler. Derrière lui, petit comme une souris, Jahan détourna le regard, appelant de ses vœux un tremblement de terre qui l'engloutirait tout entier.

Tandis que le cornac rêvait de disparaître, l'éléphant commençait à se fâcher. Certains dans le public lui avaient lancé des cailloux. Chota battit des oreilles et grogna. Voyant qu'ils avaient réussi à émouvoir une créature de cette taille, les spectateurs se mirent à lancer d'autres objets : cuillers en bois, pommes pourries, châtaignes cueillies sur un arbre voisin... Jahan supplia Chota de rester calme, sa voix à peine un vrombissement de moustique au milieu du tumulte.

Soudain, l'éléphant fonça résolument vers les tribunes. Pris de court, Jahan se rua derrière lui en criant et en agitant les bras. Il vit la foule virer de la stupeur à l'effroi. Les gens couraient en tous sens, hurlaient, piétinaient ceux qui étaient tombés. Jahan rattrapa Chota et le tira par la queue. L'éléphant aurait pu l'écraser, mais le cornac n'y réfléchit pas. Des gardes armés d'épées et de lances les encerclèrent, mais aucun d'eux ne semblait savoir quoi faire. Dans la tourmente

Chota arracha les bannières, écrasa les décorations et pénétra dans la tribune des émissaires étrangers. En voulant s'écarter de son passage, l'envoyé vénitien bascula tête la première ; sa riche simarre se déchira, piétinée par un voisin. Jahan vit tomber le saphir. Vivement il posa le pied dessus puis, certain que personne ne regardait, il le saisit et le cacha dans sa ceinture.

Quand il se retourna vers l'éléphant, il vit avec horreur que Chota était planté devant la loge royale. Le sultan Soliman n'avait pas bougé. Il se tenait droit, la mâchoire en avant, le visage indéchiffrable. Le grand vizir faisait tout le contraire. L'écume aux lèvres il aboyait des ordres à droite et à gauche. Comme s'il devinait la haine de cet homme, l'animal marcha droit sur le vizir. Il lui arracha son turban, le jeta en l'air comme s'il s'agissait d'un autre tour qu'il aurait répété.

« Gardes ! » beugla Lutfi Pacha.

Du coin de l'œil, Jahan vit un archer viser la tête de Chota. Avec un grand cri il se précipita vers l'homme à la seconde où celui-ci décochait sa flèche.

Une douleur aiguë lui brûla l'épaule droite. Il poussa un hurlement, tituba sur ses jambes et s'effondra. À sa voix, l'éléphant ralentit. Ainsi que la foule des premiers rangs. Muets de stupeur, ils regardaient maintenant le cornac saigner à terre. C'est alors que le sultan, lentement et calmement, se leva et fit ce à quoi personne ne s'attendait. Il gloussa de rire.

Si Chota avait attaqué le Seigneur de la Terre et de la Mer au lieu de s'en prendre au vizir,

Jahan n'osait imaginer ce qui aurait pu se produire. Mais en l'occurrence, la gaieté du sultan lui sauva la vie. Quelqu'un alla ramasser le turban de Lutfi Pacha, sali et aplati, et le lui tendit avec révérence. Le vizir le lui prit des mains mais refusa de s'en recoiffer. Un par un les spectateurs regagnèrent leur place. Indifférent au saccage qu'il avait causé, Chota s'achemina vers la sortie.

« Qu'est-ce que tu as fait, imbécile ! vociférait Jahan depuis le brancard qui le transportait. Ils vont te couper les couilles... t'envoyer à l'abattoir, te faire cuire avec du chou et des oignons. Et moi on me jettera en prison ! »

Il aurait aimé taper dans un seau, boxer un tonneau, briser un vase. Pourtant son corps lui semblait lourd tandis que son esprit tournait en rond. La seule chose qui l'emportait sur cette douleur atroce c'était sa colère – contre lui-même, surtout.

On le conduisit sur une charrette à la ménagerie, où Olev jeta un regard sur lui puis un sur la flèche fichée dans sa chair, et fit un signe aux jumeaux chinois. Tous deux sortirent et reparurent bientôt avec un sac d'opium.

« Qu'est-ce qu'il y a là-dedans ? C'est pour quoi faire, ces lames ? » interrogea Jahan.

Il avait le cou humide, la peau blême, les lèvres glacées.

« Petit curieux, dit Olev, tout en plaçant des métaux de taille variée sur un plateau. Je vais te retirer cet engin.

— Mais comment ? »

Personne ne répondit. Au lieu de quoi ils lui firent ingurgiter du *maslak*, un thé verdâtre à l'odeur infecte fait de feuilles séchées de cannabis. La première gorgée suffit à lui faire tourner la tête encore plus vite. Quand il eut fini son bol le monde avait acquis une étrange luminosité, des couleurs fondues. L'opium fut écrasé en pâte et étalé sur sa blessure. Ils le portèrent dans le jardin pour qu'il puisse profiter de la lumière du jour.

« Mords-moi ça ! » lui enjoignit Olev.

Hébété, Jahan referma les dents sur le lambeau de tissu qu'on lui enfonçait dans la bouche. Non que cela fît une grande différence. Quand on arracha la flèche son hurlement fut si fort qu'il envoya les oiseaux de la volière tout effarouchés vers leur perchoir.

Ce soir-là tandis qu'il gisait sur son lit, le corps tout meurtri, l'architecte impérial Sinan apparut à la porte, ses joues émaciées à peine visibles dans l'ombre. Il s'assit auprès du garçon, comme il l'avait fait lors de la nuit sans étoiles après le combat.

« Ça va aller ? »

Jahan fit la grimace en guise de réponse, les yeux remplis de larmes.

« Tu n'es pas très doué pour les tours en public, n'est-ce pas ? Divertir les gens, ce n'est pas trop ton rayon, dit Sinan. Mais quand même, on ne peut qu'admirer ton courage et ton amour pour l'éléphant.

— Est-ce que je serai puni ?

— Je pense que tu l'as été suffisamment. Notre sultan le sait bien.

— Mais… Lutfi Pacha me déteste.

— Ma foi, il ne m'apprécie pas non plus, dit Sinan en baissant la voix d'un cran.

— À cause du pont ?

— À cause du *défi*. Il n'a pas oublié. Il a l'habitude de voir tout le monde vénérer chacune de ses paroles. Ceux qui s'entourent de sycophantes prêts à louer leur moindre geste ne pardonnent pas à l'honnête homme qui dit la vérité. »

Autour d'eux l'obscurité épaississait tandis que Sinan interrogeait le garçon sur sa vie antérieure. D'abord en hésitant, puis comme mû par un rythme autonome, Jahan lui raconta ses sœurs, son beau-père et la mort de sa mère. Pour la première fois depuis son arrivée dans la ville, il raconta sa véritable histoire, sans mensonges ni inventions. Il ne parla pas de l'Hindoustan.

« Tu comptes retourner chez toi ? demanda Sinan.

— Oui, quand je serai riche et fort. Il faut que je me dépêche, je veux régler mes comptes avec mon beau-père avant qu'il ne soit trop vieux.

— Alors tu veux retourner là-bas pour venger ta mère ?

— Oui, et Dieu m'en est témoin, je jure que je le ferai. »

Sinan s'absorba dans ses pensées. « Ce croquis que tu m'as envoyé – à qui appartient cette villa ?

— Oh, c'est celle du grand mufti. J'étais là le jour où il a jugé l'hérétique. Mais j'ai fait quelques changements à la maison.

— Pourquoi ?

— J'ai remarqué qu'il y a beaucoup de vent là-bas, *effendi*. C'est pour cette raison qu'ils ont fait les fenêtres petites, mais elles ne laissent pas assez entrer le jour. Je me suis dit que si on ajoutait une galerie en haut, recouverte de treillis, il y aurait plus de lumière et les femmes pourraient regarder la mer sans être vues. »

Sinan haussa un sourcil. « Je vois... J'ai trouvé que le dessin était bon.

— Vraiment ? demanda Jahan, incrédule.

— Mais il faut que tu apprennes l'algèbre et l'arpentage. Tu as besoin d'acquérir une meilleure maîtrise des nombres. Je t'ai observé pendant que nous construisions le pont. Tu es intelligent, curieux, et tu apprends vite. Tu peux devenir constructeur. Tu en as la capacité. »

Heureux d'entendre cela, Jahan lui dit : « Ça m'a plu d'aider à construire le pont... Chota était content aussi. Il n'aime pas être enfermé tout le temps dans l'écurie.

— Tu es un garçon dégourdi, cornac. Je vais t'aider. Mais des garçons dégourdis, il y en a beaucoup. » Sinan fit une pause, comme s'il attendait que ses paroles pénètrent. « Si tu veux exceller dans ton métier, tu dois faire comprendre à l'univers pourquoi il faut te choisir toi plutôt qu'un autre. »

Comme c'est bizarre de dire ça ! Jahan plissa les yeux, espérant une explication qui ne vint pas. Le silence se déversa dans l'espace entre eux jusqu'à ce que Sinan reprenne la parole. « Regarde autour de toi. Chaque homme que tu vois ici est le fils d'un Adam. Ni noble ni riche de naissance. Peu importe qui était ton père ou d'où tu viens. Tout ce que tu dois faire pour t'élever c'est travailler dur. C'est cela la règle du palais ottoman. »

Jahan inclina la tête.

« Tu as du talent mais tu as besoin d'être formé. Il faut que tu apprennes les langues. Si tu promets que tu vas y mettre tout ton cœur, je ferai en sorte que tu puisses étudier à l'école du palais. C'est là qu'ont été éduqués des hommes qui occupent les plus hautes positions. Il va falloir que tu peines autant qu'ils l'ont fait. Pendant des années.

— Je ne crains pas le travail, *effendi*, dit Jahan.

— Je sais, mais pour cela il faut que tu renonces au passé, dit Sinan en se levant. Le ressentiment est une cage, le talent un oiseau captif. Brise la cage, laisse l'oiseau prendre son essor et voler haut. Si tu n'entretiens pas ces qualités dans ton cœur, tu ne pourras pas construire. »

Les joues brûlantes, Jahan demanda : « Je ne comprends pas… Pourquoi veux-tu m'aider, *effendi* ?

— Quand j'avais à peu près ton âge, la chance m'a donné un bon maître. Il est mort depuis longtemps, que Dieu ait pitié de son âme. La seule façon de payer ma dette, c'est d'aider les autres, dit Sinan. Et puis, quelque chose me dit que tu n'es pas ce que tu parais être. Toi et l'éléphant vous êtes comme deux frères. Mais tu n'es pas un cornac, mon garçon. Tu as d'autres ressources, je crois. Tu ne m'as pas dit toute la vérité.

— L'éléphant est ma seule famille maintenant », dit Jahan, sans tout à fait affronter le regard de l'architecte.

Sinan souffla lentement. « Repose-toi ; nous reparlerons de tout cela. »

Tandis que le maître quittait l'écurie, une larme roula sur le visage de Jahan et tomba sur sa main. Il la regarda surpris. Il avait une épaule blessée et les membres douloureux, pourtant il n'aurait su dire d'où venait sa peine.

Logée dans la troisième cour, l'école du palais comptait trois cent quarante-deux élèves. Les plus brillantes recrues du *devchirmé*, « l'impôt sur le sang », y suivaient des cours. Ils connaissaient la loi islamique, les hadiths, la philosophie, l'histoire des prophètes et le Coran. Ils étudiaient les mathématiques, la géométrie, la géographie, l'astronomie, la logique, l'éloquence, et suffisamment de langues étrangères pour se frayer un chemin dans les étages de la tour de Babel. Selon leurs capacités, ils excellaient en poésie, musique, calligraphie, céramique, poterie, marqueterie, sculpture sur ivoire, ferronnerie, et armements. Une fois diplômés certains occupaient des grades élevés dans l'administration ou l'armée. D'autres devenaient architectes ou savants.

Les précepteurs étaient tous des hommes, certains des eunuques. Ils étaient munis d'une longue baguette, qu'ils n'hésitaient pas à employer pour punir la moindre désobéissance. Les salles étaient silencieuses, les règles strictes. Il y avait des enfants d'Albanais, Grecs, Bulgares, Serbes, Bosniaques, Géorgiens et Arméniens parmi les contingents recrutés, mais pas d'enfants de Turcs, Kurdes, Perses ou Gitans.

Jahan trouva les enseignements difficiles à suivre. Il s'attendait à être renvoyé d'un moment à l'autre. Pourtant les semaines passaient. Le ramadan tombait au milieu de l'été. Soudain les jours se firent plus pesants, les nuits débordantes de sons et d'odeurs. Les magasins restaient ouverts plus tard, des fêtes foraines pleines de monde se poursuivaient jusqu'à des heures avancées. Janissaires, érudits, artisans, mendiants, et même les drogués – dont beaucoup avalaient en cachette une pâte rouge-brun qui se dissolvait lentement, très lentement dans leur ventre, pour arriver à supporter l'abstinence – tous jeûnaient. On aurait dit qu'ils avaient tous oublié la présence d'un éléphant dans la ménagerie. L'Aïd arriva et passa sans que personne s'inquiète d'eux. Jahan sombra dans la mélancolie. Il soupçonnait le grand vizir d'être la cause de ses maux. De toute évidence, l'homme n'avait pas pardonné à Chota ce qui s'était passé à l'hippodrome et il attendait son heure pour les écorcher vifs. Il était loin de se douter que, au moment même où il le redoutait, Lutfi Pacha, le second personnage le plus puissant du royaume, le marié royal qui avait épousé la sœur du sultan, encourait de graves ennuis.

Tout commença dans une maison mal famée proche de la tour de Galata, lorsqu'une prostituée nommée Kaymak, crème, à cause de sa peau claire, refusa de coucher avec un client – une brute pleine d'argent mais sans charité. Il la frappa. Non content de cela il sortit le fléau qu'il transportait avec lui et la flagella. Or selon les lois non écrites et non dites des bordels de Constantinople, c'était franchir les bornes.

Brutaliser une prostituée, cela pouvait se comprendre ; la fouetter, rien ne l'autorisait. Tous les occupants du bordel volèrent au secours de la femme et couvrirent le client de fumier. Mais il n'était pas homme à s'avouer battu. L'écume aux lèvres, il se plaignit au cadi qui, par peur de représailles des proxénètes, chercha un compromis. Entre-temps, l'incident était parvenu aux oreilles de Lutfi Pacha.

Cela faisait longtemps que le grand vizir voulait purger les rues de toute débauche. Résolu à fermer les lieux de paillardise, il comptait bannir leurs résidentes pécheresses assez loin pour les empêcher de jamais revenir. L'affaire de la prostituée fouettée lui offrait l'occasion qu'il attendait. En punissant l'une d'elles il donnerait une leçon à toutes les femmes dissolues qui peuplaient les rues d'Istanbul en bien trop grand nombre. Balayant le verdict du cadi, Lutfi Pacha proclama que c'était la prostituée la coupable et qu'on lui trancherait les parties génitales. Ensuite on la ferait chevaucher à l'envers sur un âne dans les rues afin de montrer à tous ce qui attendait les femmes de son espèce.

Personne jusqu'ici n'avait jamais connu pareil châtiment. Quand Shah Sultan, la sœur du sultan Soliman, apprit la sentence que son mari jugeait adéquate pour une infortunée, elle fut horrifiée. Habituée qu'elle était à voir son moindre caprice satisfait, elle affronta le grand vizir, espérant le convaincre de revenir sur sa décision. Elle attendit après lui avoir fait servir un souper succulent – potage de tripes, ragoût de faisan aux épices et aux oignons, pilaf ouzbek aux raisins secs et baklava, les plats préférés de Lutfi Pacha – pensant que si elle attendrissait son estomac elle pourrait attendrir aussi son tempérament.

À peine les domestiques avaient-ils retiré la table basse, lavé les mains du couple à l'eau de rose, servi leur café et disparu dans les couloirs de la maison, Shah Sultan murmura, comme si elle se parlait à elle-même : « Tout le monde fait des gorges chaudes de cette prostituée. »

Le grand vizir ne dit rien. Un rayon orange de lumière filtrait par la fenêtre, donnant à toute la pièce une lueur glauque.

« Est-ce vrai qu'on va lui infliger ce châtiment atroce ? demanda doucement Shah Sultan.

— Chacun récolte ce qu'il a semé, dit Lutfi Pacha.

— Mais n'est-ce pas trop cruel ?

— Cruel ? Non, ce n'est que convenable.

— N'as-tu aucune compassion, cher époux ? demanda-t-elle d'une voix teintée de mépris.

— La compassion est réservée à ceux qui la méritent. »

Tremblante, Shah Sultan se leva et prononça les mots qu'elle seule pouvait oser. « N'approche pas de mon lit ce soir. Ni demain soir ni jamais. »

Lutfi Pacha blêmit. Son épouse royale était le tourment de sa vie. Les gens qui lui enviaient cet honneur étaient des crétins ! Épouser la sœur ou la fille du sultan, c'était une malédiction qu'on ne pourrait souhaiter qu'à son pire ennemi. Pour l'épouser, il lui avait fallu divorcer de sa compagne de tant d'années, mère de quatre enfants, car une sœur de sultan ne saurait être une deuxième épouse. En retour, lui avait-elle témoigné la moindre gratitude ? Au contraire. Elle n'avait pas une goutte de docilité dans tout le corps. Désapprouvant tout ce qu'il faisait, elle déversait son dédain sur lui jour et nuit, même quand il y avait des domestiques à proximité. Aussi quand le grand vizir ouvrit la bouche, ce fut sa frustration qui s'exprima : « Jamais tellement apprécié ton lit, de toute façon.

— Comment oses-tu ? dit Shah Sultan. Toi, un serviteur de mon frère ! »

Lutfi Pacha tira sur sa barbe, en arracha quelques poils.

« Si jamais j'entends dire que tu as exécuté ton horrible châtiment et fait souffrir cette pauvre femme, sache bien que tu n'es plus mon époux ! » Elle quitta la pièce, le laissant bouillir de colère.

La vérité c'est que Shah Sultan, comme tant d'autres, s'attendait à voir le grand vizir épargner la prisonnière à la onzième heure. Cela reviendrait à faire d'une pierre deux coups. Il distillerait la crainte dans le cœur de tous ceux qui avaient péché et recueillerait du respect en faisant preuve de clémence. Aussi Shah Sultan fut-elle atterrée quand par un matin frais, après lecture des crieurs de la ville, la sentence fut exécutée. Ce jour-là quand Lutfi Pacha rentra chez lui, il trouva son épouse qui l'attendait, furieuse.

« Honte à toi ! dit-elle, bien que sachant les domestiques à l'écoute. Tu es un être au cœur de pierre.

— Surveille ta langue, ma femme. Ce n'est pas une façon de parler à ton époux.

— Tu oses te dire mon époux ? Toi qui es tout juste bon à battre des femmes sans défense. »

Fou de rage, Lutfi Pacha poussa sa femme contre le mur carrelé et la gifla.

« Je ne resterai pas mariée à un démon comme toi », dit-elle en pleurant, et en le couvrant de noms si abjects que même les colporteurs de ragots ne voulurent pas les répéter le lendemain.

Lutfi Pacha tendit la main vers sa masse d'armes. C'est alors qu'un eunuque noir se précipita dans la pièce, suivi par les servantes, les hommes de peine, les souillons, le cuisinier et les marmitons. Ensemble ils lui lièrent les mains, le bâillonnèrent, et avec la bénédiction de leur maîtresse, lui administrèrent une raclée.

Le lendemain matin le sultan Soliman apprit que le grand vizir avait tenté d'assommer sa sœur. Ce fut la fin de Lutfi Pacha. Déchu de son rang, privé de sa fortune, il fut exilé à Didymotique si vite qu'il n'eut pas le temps d'emballer ses affaires ni dire adieu à quiconque.

De retour à la ménagerie, Jahan entendit tout cela, sidéré. À quelle allure les choses changeaient, jusqu'où les gens pouvaient tomber, et de quelle hauteur ! Y compris ceux qu'il aurait crus hors d'atteinte. Ou peut-être, justement ceux-là. Comme s'il existait deux arcs invisibles : avec nos paroles et nos actes nous montons ; avec nos paroles et nos actes nous descendons.

Une après-midi, plongé dans ses pensées, Jahan se rendait de l'école du palais à la ménagerie. En approchant de son hangar, il entendit une toux qui lui glaça le sang. Une fois entré il trouva le capitaine Gareth qui l'attendait.

« Tiens, qui va là ! Surprise ! Me voilà revenu des profondeurs. Je me suis dit, il faut que j'aille voir comment se porte mon petit voleur. Je lui ai beaucoup manqué, c'est sûr. »

Jahan ne dit mot, de peur que sa voix ne trahît sa panique. L'homme s'était remis à boire. Son haleine sentait l'odeur rance de la bière. Ses dents s'alignaient dans sa bouche comme les cerclages noirs de goudron d'un tonneau.

Le capitaine ne lâchait pas le cornac des yeux. « Eh bien ? On jurerait que tu as vu un fantôme.

— Je te croyais mort. Ça fait si longtemps, confessa Jahan.

— Mon navire est tombé par un trou au fin fond de la mer. Perdu dix-huit hommes dans une tempête de tous les diables. Coup de chance, j'ai survécu mais on m'a capturé. J'ai pris les fièvres ; on m'a cru mort. Je suis allé en enfer et ce foutu endroit ne m'a pas plu alors je suis revenu. Eh bien, tu n'es pas heureux de me voir ?

— Si, bien sûr. »

L'homme lui jeta un regard méfiant. « Ça fait assez longtemps que tu es ici. Qu'est-ce que tu as volé ? Montre-moi ça. Tu dois avoir accumulé un petit trésor, depuis le temps, toi qui es le chéri de la princesse. »

Jahan tressaillit à ce nom. Comment était-il au courant pour Mihrimah ? Il y avait des espions partout. Avec tout le calme dont il était capable, il répondit : « *Effendi*, ce n'est pas facile. Les portes sont gardées.

— J'ai dit, qu'est-ce que tu m'as trouvé ? » Le capitaine Gareth durcit sa voix, prêt à s'en servir comme d'une arme. Sa peau prit une teinte plus sombre, y compris la cicatrice de son visage.

Jahan avait dissimulé ses prises sous le lilas. Le capitaine confisqua immédiatement la broche de saphir, puis émit un bruit sinistre comme si sa langue l'étouffait. Jahan le regarda avec terreur jusqu'à ce qu'il comprenne que l'homme riait. Après avoir ri tout son soûl, il se renfrogna. « C'est tout ? Tu me prends pour quoi, pour un imbécile ?

— Je dis la vér... »

D'un mouvement preste l'homme sortit un poignard de sa veste et le tint contre la gorge de Jahan. « Je n'aime pas les menteurs. Jamais pu les supporter. Donne-moi une seule bonne raison qui me retienne de t'écorcher vif. »

Sous la pointe de la lame qui lui perçait la chair, Jahan déglutit péniblement. « J'ai des nouvelles pour toi. Je... travaille avec le maître architecte.

— Et alors ?

— Nous allons construire des mosquées... pour le sultan. Il va rentrer beaucoup d'argent. »

La pression du métal froid diminua. Le capitaine Foufurieux recula d'un pas et examina le garçon comme s'il le voyait pour la première fois. « Parle !

— Le sultan apprécie beaucoup les bâtiments que Sinan construit pour lui et sa famille. Imagine-toi, il dépense plus d'argent pour de la pierre que pour des joyaux.

— Très bien, dans ce cas, chuchota le capitaine d'une voix rauque. Tu n'as pas su voler au palais. Vole sur le chantier. Gagne la confiance de ton maître. Sois un brave garçon. Mets la main sur cet argent. J'ai sauvé ta peau sur ce maudit navire, tu te rappelles ? Ne m'oblige pas à reprendre mon cadeau.

— Je ne le ferai pas, *effendi*. Tu ne regretteras pas d'avoir attendu si longtemps. Je t'apporterai des richesses. Bientôt, *inch'Allah* », dit Jahan, et à ce moment-là il croyait ce qu'il disait.

Au cours de l'été, une nouvelle maladie posa ses griffes sur la terre ottomane. Cloques, vomissement, fièvre, mort. *La bave de Shaitan*, comme on appelait ces taches rougeâtres. Nombre de gens périrent en quelques jours. Parmi eux Shehzade Mehmed, à peine âgé de vingt et un ans, fils de Soliman et Roxelane, la prunelle de leurs yeux.

Le sultan était au désespoir. Vêtu de tuniques grossières, refusant de voir quiconque, il se vouait entièrement à la prière. Istanbul partageait son deuil. Les lampes étaient assourdies, les voix chuchotaient. Les magasins fermaient de bonne heure ; mariages, bar-mitsvahs et circoncisions étaient différés. Les bateaux de pêche contournant la pointe du Saraï passaient sans bruit, comme si le chagrin était un bébé endormi qu'il fallait se garder de réveiller. Conteurs de bazars, baladins errants, camelots dans les rues, jusqu'aux ménétriers qui se levaient et se couchaient en chansons, tous se firent muets. Seule la pluie troublait le calme. Elle tombait avec une telle abondance qu'on croyait voir le ciel répandre des pleurs pour tous et chacun. C'est par un jour comme celui-là que Chota et Jahan eurent pour la première fois l'honneur d'une visite du sultan.

Joues creusées, peau cireuse, épaules tombantes, le sultan ressemblait si peu à l'homme que Jahan avait salué à l'hippodrome qu'il ne l'aurait pas reconnu sans la présence des gardes sur ses talons. En hâte, il s'inclina.

« Je me souviens de toi et de ton éléphant », dit le sultan.

Rougissant, Jahan tressaillit en se rappelant cette malheureuse après-midi.

« Comment va ton épaule ?

— Elle va bien, mon Seigneur.

— Ton animal, qu'est-ce qu'il mange ? Raconte-moi. »

Jahan ne se fit pas prier. Il expliqua avec enthousiasme combien Chota adorait la boue, l'eau et la nourriture, tout en devinant que le sultan avait besoin moins d'être informé que distrait de son chagrin. Il dit que si on voulait faire mal à un éléphant, il fallait s'en prendre à sa trompe. Comme elle n'a pas d'os, rien que des muscles, la trompe joue plusieurs rôles à la fois, le nez, la babine supérieure, un bras, une main. Respirer, humer, manger, boire, aspirer de l'eau pour se doucher, se gratter l'oreille, se frotter les yeux pour en chasser le sommeil, la liste de tout ce que pouvait faire un éléphant avec sa trompe était sans fin. Tout comme les êtres humains sont droitiers ou gauchers, les éléphants se servent de leur défense droite ou leur défense gauche. Jahan conclut que Chota était gaucher.

« Étrange qu'un animal aussi majestueux ait une queue si fragile, dit le sultan. Crois-tu qu'Allah veuille nous rappeler que même les plus forts ont leurs faiblesses ? »

Ne sachant comment répondre, Jahan bafouilla en cherchant ses mots. Heureusement, le sultan poursuivit : « L'architecte impérial m'a dit que toi et l'éléphant vous alliez l'aider.

— C'est exact, Altesse.

— Alors tiens-toi prêt. Tu vas remettre la bête au travail. »

Plus tard, Jahan découvrirait le sens des paroles du Seigneur de la Terre et de la Mer : il avait chargé Sinan de construire une mosquée pour son fils défunt. Dans un monde fuyant où tout ce qui apparaît aujourd'hui disparaît demain, la fondation en mémoire du prince bien-aimé aurait la résistance du marbre, de la pierre.

Et c'est ainsi que le septième jour de septembre, un jour de bon augure établi par Taqi al-Din, l'astronome officiel de l'Empire, Jahan se retrouva sur un chantier à regarder la première pelle attaquer le sol. Quarante brebis et quarante béliers furent sacrifiés, leur sang répandu aux quatre angles, leur chair cuite dans des chaudrons et distribuée aux pauvres et aux lépreux. Au sein de la foule, Jahan remarqua le haut turban et les tuniques flottantes d'Ebussuud Efendi. Élevé au rang de cheikh al-islam – le chef des autorités religieuses – il avait une attitude impérieuse. À le voir d'aussi près, Jahan sentit un frisson lui parcourir l'épine dorsale. Il se remémorait avec une douleur tenace l'hérétique Majnoun Shaykh – sa voix veloutée, son beau visage et son regard clair. Il n'avait rien oublié.

Bientôt tous repartirent – le sultan, les membres du *diwan*, les spectateurs. Seuls restaient sur place les ouvriers. Des centaines. Jahan s'avisa qu'il y avait deux sortes d'hommes sur un chantier – ceux qui ne vous regardent jamais de face et ceux qui le font parfois. Les premiers, c'étaient les esclaves des galères. Entravés par les chevilles, fouettés jusqu'à l'obéissance. Marins, paysans, pèlerins ou voyageurs dont la vie avait été retournée si brutalement qu'ils n'auraient pu dire si cela n'était qu'une illusion ou si c'était le passé qu'ils avaient rêvé. Nourris de biscuit sec et de soupe claire, ces esclaves chrétiens érigeaient des sanctuaires musulmans de l'aube au crépuscule.

Ensuite il y avait ceux qui comme Jahan s'étaient portés volontaires. Ils étaient payés deux aspres par jour, nourris de mets plus goûteux et, dans l'ensemble, bien traités. Maçons, terrassiers, charpentiers, menuisiers, forgerons, vitriers et dessinateurs – chacun sous le signe de sa guilde. Chaque dépense était notée par un scribe et vérifiée par un contremaître.

Où qu'il se tourne, Jahan voyait un tourbillon d'activité. Poulies d'acier, palans, treuils et aussières. Auparavant Sinan avait fait assembler un énorme manège par les charpentiers. Des équipes se relayaient à l'intérieur, parfois marchant, parfois courant, pour faire tourner la roue qui soulevait les pierres les plus lourdes. Jahan se dit qu'il y avait quelque ressemblance entre un chantier de construction et le pont d'un navire. Sur l'un comme sur l'autre, les hommes partageaient le sentiment inné que tout échec individuel serait l'échec de tous. Et que le succès serait distribué, disséqué jusqu'à la moindre miette, comme la viande sèche salée de leur soupe. Qu'il s'agisse de construire un bâtiment ou naviguer en haute mer, on apprenait à veiller l'un sur l'autre ; il en émergeait une solidarité obligatoire, une forme de fraternité. Un accord tacite traversait les rangs. Il fallait admettre que la tâche à accomplir était plus forte que soi, que la seule façon de progresser était de travailler ensemble comme un seul homme. Alors on enterrait les aversions, on enterrait les querelles, à moins que n'éclate une mutinerie, auquel cas le monde basculerait de haut en bas.

Les ouvriers n'étaient pas moins superstitieux que les marins. Interdiction de siffler, chuchoter ou jurer en plantant un clou. C'étaient trois invitations adressées à Shaitan qui, dès qu'on sollicitait sa compagnie, ne manquait jamais de se manifester. Si le clou perçait le mur au moment où Shaitan arrivait, l'empreinte de son pied serait encastrée dans l'édifice jusqu'à la fin des temps. Les musulmans n'étaient pas les seuls à observer ces règles. Les juifs et les chrétiens faisaient comme eux. Pour écarter le mauvais œil ils laissaient une miche de pain et une pincée de sel sur la plus haute pierre du chantier. À aucun moment des travaux ils ne voulaient voir passer une femme enceinte – ou toute personne ayant les cheveux roux ou les yeux bleu vif ou un bec-de-lièvre. Même Sinan ne put convaincre les ouvriers de travailler auprès d'un maçon à la chevelure couleur de flamme.

Certaines créatures étaient jugées défavorables : grenouilles et cochons et chèvres à trois pattes, s'il s'en trouvait. D'autres ne gênaient personne : serpents, scorpions, lézards, mille-pattes et vers de terre. Des meutes de chiens errants allaient et venaient. À part la secte des chaféites, les ouvriers aimaient avoir des chiens autour d'eux car c'étaient des animaux fidèles et reconnaissants. Les araignées étaient précieuses car elles avaient sauvé le prophète Mahomet. Tuer une araignée ou pire encore l'écraser du pied constituait un péché grave. Un autre animal passait pour être annonciateur de bonne fortune, à la grande joie de Jahan : l'éléphant.

Voyant des présages partout dans le ciel et sur terre, ils observaient la nature, chaque oiseau de passage, chaque racine d'arbre heurtée. Si la brise apportait une odeur âcre et piquante, ils soupçonnaient que quelqu'un concoctait une potion. Des volontaires passaient le voisinage au peigne fin, d'est en ouest, et revenaient parfois avec un pêcheur, un mendiant ou un vieillard qu'ils accusaient de sorcellerie et auraient volontiers persécuté davantage si Sinan n'était intervenu chaque fois, en leur ordonnant de laisser repartir le malheureux.

Toute fanfaronnade sur un chantier était une faute. Il ne fallait jamais se vanter de ses exploits, et toujours penser à dire *inch'Allah* car tout était dans la main de Dieu, rien dans les leurs. Lors des pendaisons publiques, certains ouvriers arrachaient un éclat de bois du gibet et le portaient en amulette, ce que Jahan n'avait jamais pu comprendre – comment le malheur d'un homme pouvait-il apporter du bien à un autre ?

Sinan ne semblait pas s'inquiéter de ces croyances, même si visiblement il ne les partageait pas. Pourtant Jahan découvrirait qu'il était superstitieux à sa manière. Il possédait un talisman qu'il portait sur lui en permanence. Deux anneaux de cuir entrelacés, l'un clair, l'autre foncé. Il jeûnait pendant trois jours avant de commencer un projet. Une fois achevé, quelle que soit la dimension de l'édifice, il y laissait une faille – un carreau placé à l'envers, une pierre la tête en bas ou une éraflure sur l'arête d'un marbre. Il s'assurait que le défaut était bien là, visible à l'œil du connaisseur, invisible pour le public. Car seul Dieu est parfait.

Un des contremaîtres fidèles de Sinan était un chrétien arabe des montagnes du Liban qu'on appelait Gabriel Boule de Neige. Il avait les cheveux, la peau, les cils et les sourcils blancs comme de l'albâtre ; ses yeux, comme ceux d'un lapin, rosissaient au soleil. Parfois un nouveau venu refusait de travailler sous ses ordres, l'accusant de porter la poisse. Sinan se portait garant de lui, disant qu'il était né comme ça et que c'était le meilleur contremaître des sept climats.

Chota rendait divers services, tirer des câbles, manœuvrer des cordes de traction, porter des poutres, dresser des billes de bois. Une fois, alors qu'il soulevait une colonne de marbre, la corde cassa et la charge se fracassa sur le sol.

Gabriel Boule de Neige aurait été écrasé s'il ne s'était jeté de côté au dernier moment. Mais pour l'essentiel les jours étaient monotones, le travail ennuyeux. Chaque matin le cornac et l'éléphant quittaient le palais pour se rendre sur le site près de la caserne des janissaires, et refaisaient le même chemin en sens inverse au coucher du soleil. À la longue les citadins s'étaient habitués à les voir passer. Parfois ils attendaient sur le trajet, des enfants surtout. Certains, persuadés que le sol foulé par un éléphant avait des pouvoirs guérisseurs, ramassaient des mottes de terre après leur passage.

Jahan observait étroitement tous ceux qui travaillaient sur le chantier, et il apprenait vite. Mais c'était sur les apprentis de Sinan qu'il aurait aimé en savoir plus long. Ils étaient plus proches du maître que quiconque. Tous les trois. Le premier, un Anatolien svelte à la peau olivâtre, qui boitait à la suite d'une maladie infantile, s'appelait Nikola. Il pouvait observer un bâtiment, fermer les yeux, puis le dessiner dans le moindre détail. Le deuxième, grand et corpulent, était né dans un village perdu près de la frontière perse et avait été élevé par son grand-père à la mort de ses parents, tués par des maraudeurs. Il se nommait Davoud et avait l'esprit affûté comme une lame. Le troisième, un jeune muet nommé Youssouf, avait un tel don pour les nombres que Sinan lui faisait revérifier toutes ses propres mesures. Il avait de grands yeux verts dans un visage imberbe. Lors d'un accident dans son enfance il avait eu les deux mains brûlées et portait des gants en peau de daim. Parmi les ouvriers, n'était leur crainte de Sinan, certains lui auraient fait la vie dure. Bien conscient de cela, comme les esclaves des galères l'apprenti muet gardait les yeux fixés au sol.

À la moindre occasion, Jahan s'approchait à pas de loup de ces trois jeunes gens et regardait leurs dessins par-dessus leur épaule. Quand il retournait à la ménagerie il reproduisait ce qu'il avait vu, dans la glaise humide ou le sable. Une part de lui était résolue à travailler dur et devenir comme eux. Une autre part ne pensait qu'à voler, puis prendre la fuite. Et le ravin entre les deux était si large et si profond qu'il trouvait de plus en plus difficile de le traverser. Tôt ou tard il lui faudrait choisir l'un des bords.

À l'approche de janvier, le temps vira au grand froid. Des festons de glace, d'une beauté périlleuse, s'accrochaient aux auvents. Istanbul dormait sous une épaisse couverture blanche. Le chantier continuait néanmoins. Les esclaves des galères s'enveloppaient les pieds dans des chiffons. Leurs orteils enflammés, gonflés, passaient à travers les lambeaux de tissu.

Par un de ces matins, l'éléphant et le cornac quittèrent le palais à l'heure habituelle. À mi-chemin de leur parcours un chien accourut vers eux en aboyant frénétiquement, comme s'il voulait leur montrer quelque chose.

« Allons voir ce qu'il veut ! » cria Jahan, à cheval sur le cou de Chota.

Ils pivotèrent pour suivre le chien. Celui-ci, ravi d'obtenir l'attention qu'il recherchait, tourna à gauche et se dirigea vers le bord de l'eau, là où le flot avait creusé une encoche et gelé tout le rivage. L'éléphant accéléra.

« Eh, doucement ! »

Avant même que Jahan finisse, Chota était entré dans la crique, brisant la glace, s'enfonçant jusqu'au ventre. Ils firent halte, l'éléphant, le cornac, le chien. Il y avait un cadavre dans l'eau, si proche qu'ils pouvaient presque le toucher. Une concubine selon toute vraisemblance. Sa peau avait pris une teinte bleu violacé, ses cheveux dansaient dans les vagues. À en juger par ses vêtements et le bijou à son cou, elle venait d'une maison fortunée, peut-être du palais.

Jahan ordonna à Chota d'avancer, résolu à s'emparer du bijou. Il était proche de son but quand Chota fit halte et refusa de bouger. Perché sur un éléphant dans ces eaux glacées, s'efforçant de ne pas céder à la panique mais affolé malgré tout, se sentant ridicule, Jahan hurla à l'aide. Heureusement, voilà qu'arriva un chariot tiré par un âne. Sur le chariot, cinq Gitans observaient calmement la scène.

« On leur donne un coup de main, Balaban ? demanda un des hommes à la haute silhouette devant lui.

— Ouais, aidez cette pauvre femme.

— Vous êtes dérangés ? beugla Jahan. Elle est déjà morte. Commencez par nous sauver. »

L'individu nommé Balaban, qui tenait encore les rênes d'une main, grimpa sur le toit du chariot. Il avait le visage buriné, le nez dévié par plusieurs fractures, la longue chevelure d'un ermite, et derrière ses lèvres entrouvertes on apercevait une dent en or. Avec une plume d'aigrette fixée sur son couvre-chef il paraissait dément et majestueux, à égalité. « Parle-moi encore sur ce ton, je te coupe la langue et je la fais bouffer au chat. »

Jahan garda le silence. Il observa les Gitans qui faisaient rapidement deux nœuds coulants. Ils en utilisèrent un pour attraper l'éléphant par la trompe, l'autre le cadavre par le bras, et les tirèrent simultanément sur la rive. Chota avança en hésitant. À deux reprises il trébucha, et manqua envoyer Jahan dans l'eau. Quand ils atteignirent la terre ferme, Jahan sauta sur le sol avec un soupir. Il se rappelait maintenant ce que lui avait dit l'officier le jour où il était arrivé au palais avec son éléphant. Les voilà donc, ces infâmes Gitans, la demi-tribu. Prudemment, il s'approcha d'eux.

« Vous nous avez sauvé la vie. Nous vous sommes reconnaissants.

— On a fait ça pour la bête, dit Balaban. On en a une aussi. Des fameux animaux.

— Vous avez un éléphant ? demanda Jahan incrédule.

— Elle s'appelle Gulbahar. Le tien a une drôle de couleur, quand même », dit Balaban en laissant promener son regard. Ses hommes avaient arraché le collier de la morte et se préparaient à la rejeter à l'eau.

Jahan s'insurgea. « Vous ne pouvez pas faire ça. Il faut l'enterrer correctement.

— Une bande de Gitans s'amène avec un cadavre, tu crois qu'ils vont nous remercier ? Ils nous accuseront de l'avoir tuée, on nous jettera en prison. Si on la laisse ici les chiens vont la mettre en pièces. Elle est plus en sécurité dans l'eau. » Il grimaça un sourire. « Si c'est le collier qui t'inquiète, dis-toi que c'est une récompense pour nos peines. De toutes façons elle en a plus besoin. »

Jahan se garda de dire qu'il avait eu la même pensée. À la place il lui demanda en baissant la voix : « Tu crois qu'elle a été *assassinée* ?

— J'aurais dû te la couper, cette langue, ça te ferait peut-être du bien. Je vais te donner deux conseils. Quand tu sais pas quoi faire de la réponse, pose pas la question, dit Balaban.

— Et le second ? demanda Jahan.

— Va t'occuper de ton animal. Il a des engelures.

— Quoi ? » Jahan courut vers Chota : sa peau, couverte d'une fine pellicule de glace, n'était plus blanche mais d'un rose effrayant. L'éléphant frissonnait.

Les Gitans étaient déjà remontés dans leur chariot. Jahan se lança à leur poursuite. « Ne partez pas, je vous en supplie. Je ne sais pas quoi faire.

— Il y a un seul remède, dit Balaban. Il a besoin d'alcool fort. Du raki.

— Du raki ? Tu sais où en trouver ?

— Pas facile. C'est une grosse bête. Il t'en faut un tonneau. » Les Gitans échangèrent un sourire averti. « Si on t'en apporte un, qui va nous payer ?

— L'architecte impérial Sinan vous paiera », dit Jahan, tout en priant pour que ce soit vrai.

On apporta un demi-tonneau de raki et plusieurs tasses. Encore des larcins ? Jahan n'osa pas le demander. Ils diluèrent l'alcool avec de l'eau et y plongèrent la trompe de Chota. Peut-être pour lui donner l'exemple, les Gitans en avalèrent chacun un bol. Puis un autre. Entre-temps l'éléphant prit une goulée et la revomit, les inondant tous. Mais le goût dut lui plaire car il se remit à boire, et cette fois sans recracher.

Une heure plus tard, ils arrivaient au chantier, Jahan tirant Chota par ses rênes, les Gitans dans leur chariot chantant gaiement.

« Où étais-tu passé ? demanda Sinan, dont le regard allait de l'éléphant aux Gitans.

— Nous avons eu un accident en route. Ces hommes nous ont sauvés, dit Jahan.

— Est-ce que cet animal est ivre ? » dit Sinan en voyant l'éléphant tituber. Il se tourna vers les Gitans. « Eux aussi ? »

L'histoire du tonneau le fit glousser de rire. « Je ne peux pas laisser une bête soûle bâtir une sainte mosquée. Va-t'en et reviens quand il sera dégrisé.

— Oui, maître, dit Jahan, la gorge sèche. Tu es mécontent de moi ? »

Sinan soupira. « Tu as le don de t'accrocher à la vie. C'est une bonne chose. Mais la curiosité pourrait devenir un désavantage si elle n'est pas contrôlée. Nous allons devoir augmenter ton instruction.

— Augmenter ?

— Tu continueras tes leçons à l'école du palais. Pendant ses heures de liberté, Nikola peut t'apprendre à dessiner. Davoud t'enseignera la géométrie ; Youssouf le calcul. Tu deviendras l'apprenti de mes apprentis. »

Ne sachant trop ce que cela signifiait mais comprenant qu'il s'agissait d'un privilège, Jahan s'inclina pour baiser la main de Sinan. « Merci, maître, je suis… »

Juste alors un grondement étourdissant déchira l'air. Tous, Gitans compris, partirent en courant dans toutes les directions. Plusieurs planches s'étaient libérées de leurs cordages et la moitié du chafaud s'était effondrée, par miracle sans blesser personne. Comme le bois coûtait cher, pour l'économiser ils fixaient les chafauds à l'aide d'aussières qu'ils laissaient pendre des culées.

« Sûr que c'est le mauvais œil, dit Jahan en frissonnant. Tous ces accidents le même jour !

— Juge pas trop vite », dit une voix derrière lui. C'était Balaban le Gitan, qui avait en main un cordage. Quand il eut capté l'attention de tous, il dit avec un hochement de tête désinvolte : « C'était pas un accident. Quelqu'un a coupé les cordes.

— Qui voudrait faire une chose pareille ? » demanda Sinan.

Balaban eut un sourire triste. « Qui peut savoir ? Shaitan est jamais à court d'excuses.

— Il n'y a pas de démon ici, dit Sinan. Mes ouvriers sont des gens laborieux.

— Si tu le dis..., répliqua Balaban. Mais crois-moi, *effendi*. Y a pas de mal à être prudent. Peut-être qu'il y a un traître parmi vous. À ta place, je garderais l'œil ouvert. »

On ne trouva jamais le coupable. Entre l'école du palais, la ménagerie et le chantier, Jahan avait à peine le temps de s'asseoir pour réfléchir. Ou pour se nourrir : il mangeait en marchant. Il comprit qu'être apprenti du maître Sinan signifiait travailler sans trêve. Le cheikh al-islam avait récemment donné l'ordre de construire de nouvelles mosquées dans tout le pays. On avait émis décret sur décret pour informer le public que ceux qui n'assistaient pas à la prière du vendredi seraient châtiés à titre d'exemple. Tout musulman, dans toutes les villes et les villages était invité à prier cinq fois par jour et à rejoindre la congrégation la plus proche. Ce qui avait fait doubler le nombre de mosquées et de fidèles, et donné plus de besogne que jamais à Sinan et ses apprentis.

À peine avaient-ils achevé la mosquée Shehzade Mehmet qu'ils attaquèrent l'édifice suivant. Jahan n'était pas encore parvenu à chaparder un seul aspre dans les coffres. Tout était minutieusement vérifié, chaque dépense enregistrée par écrit. Mais tandis qu'il cherchait le moyen de détourner des marchandises au profit du capitaine Gareth et rêvait de rosser son beau-père, sans en avoir bien conscience il s'absorbait dans l'univers du dessin.

Il ne pouvait obtenir de nouvelles de Mihrimah, encore moins la voir. Étrangement, avec l'absence elle avait pris de l'importance pour lui. Repliant son cœur comme un mouchoir, il y conservait le souvenir des après-midi passées ensemble. Il ne confiait ses désirs qu'à Chota, qui grossissait à vue d'œil, l'appétit plus grand que son ventre.

Au cours de l'été, Sinan et les quatre apprentis commencèrent ce qui était à ce jour leur plus grande entreprise : la mosquée Suleymaniye. Cet édifice que le sultan avait commandé pour lui-même glorifierait son nom à tout jamais. Longtemps avant de décider où poser la première pierre, Sinan fit apporter des carcasses de vaches et de moutons par les bouchers. On les suspendit à des crochets en divers emplacements pour les mettre à pourrir. Une ou deux fois par semaine, Sinan venait inspecter la viande. Là où la pourriture était plus rapide, le degré d'hygrométrie était plus élevé. Comme l'humidité rongeait les bâtiments à la manière de mites grignotant une toile, il évitait ces endroits-là. Il recherchait un point où l'air était sec et la terre suffisamment ferme pour résister en cas de tremblement de terre. Installée au sommet d'une colline, la mosquée, comme le souverain dont elle tiendrait son nom, aurait un œil sur toute la cité.

Chacun des matériaux fut choisi avec soin. Le plomb et le fer venaient de Serbie et de Bosnie, le bois de Vama. Le marbre arrivait des pays arabes et du lieu où se dressait jadis le palais du roi Salomon – leurs surfaces polies reflétaient encore la beauté de la reine de Saba. Une colonne géante avait été transportée depuis Baalbek, la ville du Soleil. Dix-sept colonnes furent soustraites à l'hippodrome, dérangeant le fantôme irrité de l'impératrice Théodora.

Ils étaient des centaines sur le chantier : des esclaves des galères et des travailleurs salariés. Environ la moitié étaient chrétiens, un petit nombre juifs, et le reste musulmans. Sinan avait désigné un contremaître pour chaque division, chargé de s'assurer que les opérations se déroulaient sans accroc. Ce qui ne l'empêchait pas d'arpenter constamment le site d'une extrémité à l'autre pour vérifier que tout était en ordre.

« Maître, pourquoi ne montes-tu pas Chota ? demanda Jahan. Il peut te porter partout où tu veux.

— Tu voudrais que je m'assoie sur cette bête ? » dit Sinan, amusé.

En dépit de son hésitation, une fois que Jahan eut fixé le *howdah* en place et invité Sinan à s'y installer, celui-ci ne refusa pas.

Avant de le faire avancer, Jahan dit tout bas à l'éléphant : « Sois gentil avec le maître. Ne le secoue pas trop. »

À pas mesurés, ils parcoururent le site, et descendirent le sentier de gravillons jusqu'à la mer, où le bruit de centaines d'hommes travaillant côte à côte n'était plus qu'un bourdonnement lointain. Enfin ils firent halte, et regardèrent les voiles de brouillard monter du rivage. Une joie enfantine dans la voix, Sinan s'exclama : « Je sais monter, on dirait. »

Ensuite de quoi, jour après jour, l'architecte et l'éléphant firent ensemble l'inspection du site, les ouvriers souriant du spectacle. Tous travaillaient dur. L'air au-dessus de leur tête était saturé de sueur et de poussière. Malgré tout, Istanbul avait mille bouches qui calomniaient et médisaient, jamais satisfaites. Quelles horreurs elles crachaient ! Que Sinan n'avait pas les qualités requises pour mener à bien une tâche aussi noble. Qu'il détournait bois et marbres pour agrandir sa propre villa. Qu'ayant été élevé dans la religion chrétienne, il était incapable d'assembler une sainte mosquée aux dimensions gigantesques – et même s'il y parvenait, le dôme lui tomberait sur la tête.

Leurs mensonges torturaient l'âme de Jahan. À maintes reprises il eut envie de hurler à pleine voix aux rangées de maisons en bas de tenir leur langue. À chaque aurore il s'éveillait avec l'espoir que le vent aurait dispersé les rumeurs de la veille, chaque nuit il s'endormait écrasé sous le poids de nouvelles accusations.

Une après-midi, ils reçurent la visite du sultan. Dès que Jahan entendit un bruit de sabots, il sut que les ragots étaient parvenus aux oreilles du souverain et lui avaient infecté le cœur. Le vacarme des maillets, scies, haches et hachettes s'apaisa. Au cœur de ce silence, le sultan chevauchait comme le vent. Tirant sur les rênes, il les observait d'un œil sombre du haut de son étalon. Il était vêtu d'une modeste tunique de laine brune – disparus les caftans d'atlas aux couleurs éclatantes. L'âge et la goutte l'avaient conduit à la piété. Renonçant au vin, abandonnant les plaisirs, il avait fait brûler les derniers instruments de musique du palais. Une décision du *diwan* avait ordonné la fermeture des tavernes, des lieux mal famés et des maisons de café inaugurées de fraîche date ; toutes les boissons fermentées, y compris le *boza*, toujours en vogue, étaient interdites. Il effrayait Jahan, ce nouveau Soliman.

Sinan l'accueillit en s'inclinant. « Altesse, tu nous fais grand honneur.

— Est-ce vrai ce que j'ai entendu à ton propos ? Réponds !

— Ta Seigneurie peut-elle me dire ce qu'elle a entendu sur cette humble fourmi ? dit Sinan.

— On dit que tu gaspilles un temps précieux à des ornements et des fioritures, est-ce vrai ?

— Je peux assurer à mon sultan que je n'épargne aucun effort pour l'extérieur et l'intérieur de sa mosquée. J'ai l'intention de mettre en œuvre l'artisanat le plus soigné et...

— Ça suffit ! coupa le sultan. Je n'ai aucun respect pour les décorations. Tu ne devrais pas en avoir non plus, si tu es sage. Je t'ordonne de terminer sur-le-champ. Pas un jour de délai ! Je veux voir le dôme, pas les garnitures. »

Réprimandé devant ses ouvriers et ses apprentis, Sinan pâlit. Pourtant quand il parla ce fut d'une voix calme. « Ils sont inséparables, le dôme et les garnitures.

— Architecte ! Tu ne sais pas ce qui est arrivé au dessinateur de mon aïeul Mehmet Khan ? Il portait le même nom que toi. Un présage de ce qui t'attend, dirais-tu ? »

Sinan répondit avec patience, comme s'il s'adressait à un gamin boudeur. « Je suis au courant de son triste destin, Altesse.

— Alors tu sais quel est le sort réservé à ceux qui ne tiennent pas leurs promesses. Arrange-toi pour ne pas en faire partie. »

Après le départ du sultan, ils se remirent au travail. Mais ce n'était plus pareil. Il y avait du nouveau dans l'air, l'odeur du désespoir. Même s'ils ne renâclaient pas à la tâche ni ne ralentissaient leur effort, ils se sentaient abattus. S'il n'était pas en leur pouvoir de satisfaire le sultan, à quoi bon s'acharner sur le métier ? À quoi bon travailler dur si leur ouvrage n'était pas apprécié ?

Les jours suivants, Jahan attendit l'occasion de parler à Sinan. Ce n'est qu'en fin de semaine qu'il put approcher le maître. Entouré de rouleaux, le dos courbé, Sinan dessinait. À la vue du garçon, il eut un sourire las. « Alors ? Tu progresses dans tes leçons ?

— J'espère te faire honneur, maître.

— Tu y arriveras, j'en suis sûr.

— Maître, l'autre jour, le sultan a parlé d'un architecte. Celui qui portait le même nom que toi. Que lui est-il arrivé ?

— Ah oui, Atik Sinan… » Il s'arrêta comme si tout était dit.

Puis il raconta l'histoire. Atik Sinan était l'architecte impérial du sultan Fatih, Mehmet II, le conquérant de Constantinople. Diligent et dévoué, il excellait à sa tâche. Tout allait bien jusqu'à ce qu'il entreprît de construire une mosquée pour le sultan. Fatih voulait que ce bâtiment soit le plus majestueux jamais élevé. Cela incluait Sainte-Sophie. Dans ce but il avait fait venir les colonnes les plus hautes qu'on pût trouver dans les sept climats. Quand il apprit que son maître-architecte avait fait raccourcir les colonnes sans le consulter, il fut pris de fureur. Il accusa l'architecte d'avoir délibérément entravé ses désirs. Le pauvre Atik Sinan tenta de s'expliquer : Istanbul étant sujette aux tremblements de terre, il devait prendre des mesures de sécurité, et avait fait raccourcir les colonnes pour consolider l'édifice. Cette réponse déplut à Fatih. Il fit emprisonner l'architecte dans la plus horrible geôle, où on lui trancha les mains avant de le battre à mort. Cet artisan talentueux du pays ottoman mourut seul de souffrance dans une sombre geôle près de la mer. Quiconque douterait de ce récit pouvait aller le lire sur sa pierre tombale.

La lèvre inférieure de Jahan trembla. Jusqu'alors il avait toujours cru que seuls les voleurs et les mécréants vivaient sur la frange du péril. Maintenant il voyait que même d'honnêtes artisans étaient suspendus à un fil de coton des plus minces. Si le souverain était mécontent il les enverrait au gibet. Comment était-ce possible de travailler soumis à une telle tension ?

Sinan qui l'observait lui posa une main sur l'épaule. « Le talent est un cadeau du divin. Pour le perfectionner il faut travailler dur. C'est cela que nous devons faire.

— Mais ne crains-tu pas…

— Mon fils, je crains la colère du sultan autant que toi. Mais ce n'est pas pour cela que je m'applique à ma tâche. S'il n'y avait aucun espoir de récompense ni aucune menace de châtiment, est-ce que je m'appliquerais moins ? Je ne le crois pas. Je travaille pour honorer ce don divin. Chaque artisan et artiste scelle un contrat avec le divin. As-tu préparé le tien ? »

Jahan fit la grimace. « Je ne comprends pas.

— Laisse-moi te confier un secret. À chaque bâtiment que nous édifions – peu importe qu'il soit petit ou grand – imagine-toi simplement que sous les fondations se situe le centre de l'Univers. Alors tu travailleras avec plus de soin et d'amour. »

Jahan pinça les lèvres. « Je ne comprends pas ce que ça veut dire.

— Tu comprendras. L'architecture est une conversation avec Dieu. Et Il ne nous parle jamais aussi fort que là au centre. »

Jahan était intrigué. « Où se trouve cet endroit, Maître ? »

Mais avant que Sinan puisse répondre, Gabriel Boule de Neige arriva au pas de course, le visage cendreux. « Seigneur, nous sommes maudits, la livraison... »

Depuis des semaines ils attendaient une cargaison de marbre d'Alexandrie. Le navire avait fini par arriver – sans son précieux chargement. Le capitaine interrogé expliqua qu'ils avaient été pris dans une tempête si violente qu'ils avaient dû jeter par-dessus bord la moitié du fret. Personne ne le crut mais personne ne pouvait non plus prouver le contraire. Sinan allait devoir modifier son plan, réduire le nombre de colonnes.

Dans son palais le sultan Soliman se faisait plus impatient de jour en jour, tandis que la mosquée qui porterait son nom prenait plus de retard. Pendant ce temps, les splendides colonnes destinées à la mosquée Suleymaniye gisaient au fond de la mer Rouge, des châteaux pour les poissons.

« Cornac ! Où es-tu ? » Jahan sortit à la hâte de l'écurie et retint son souffle quand il la vit. Vêtue comme à son habitude de soieries, d'une riche teinte de bleu, et seule, pour une fois, elle lui adressa un regard si tendre qu'il trembla légèrement. « Tu nous honores de ta visite, murmura-t-il en s'agenouillant.

— J'apporte des nouvelles à l'éléphant », dit Mihrimah, et elle marqua une pause. Elle prenait plaisir à le voir se tortiller de curiosité. « L'ambassadeur d'Autriche a amené un peintre à la cour. Un homme ambitieux, à ce qu'on dit. Ils ont demandé à mon père la permission de peindre l'animal.

— Et qu'a dit notre noble sultan ?

— Eh bien, il allait refuser, mais après que je lui ai parlé, il a changé d'avis. Un tableau serait du meilleur effet, l'ai-je persuadé. À la cour des rois et des reines du Frangistan, c'est chose courante de faire faire son portrait. Même les marchands ordinaires le font, ajouta doucement Mihrimah. Les dames aussi, j'imagine. »

Détectant une trace de regret dans sa voix, Jahan demanda d'un ton prudent : « Aimerais-tu qu'on peigne un jour ton portrait, Altesse ?

— Quelle question stupide ! fit-elle. Tu devrais savoir que c'est impossible. »

Jahan présenta des excuses affolées, ne sachant trop s'il avait franchi les bornes ou découvert une information qu'il n'était pas censé connaître. Il aurait tellement voulu pouvoir lui dire qu'en fait il avait gravé chaque détail du visage de la princesse dans l'espace infini de son propre esprit, de sorte que chaque fois qu'il fermait les yeux il la voyait parler, froncer le sourcil, rire, dans chacune de ses humeurs son visage lunaire.

« Je ne suis pas peintre mais je peux te dessiner, Altesse, dit Jahan dans un élan de courage. Personne n'en saura rien.

— Tu oses me dire que tu aurais le front de dessiner mon visage et tu voudrais que je m'en réjouisse ? » dit-elle.

Au ton de sa voix, Jahan était incapable d'apprécier si elle était furieuse ou si elle se moquait de lui. Pourtant l'idée qu'ils puissent partager un secret était si exquise qu'il ne pouvait s'empêcher de la croire vraie.

Elle se rapprocha d'un pas. « Pourquoi devrais-je permettre pareille insolence ?

— Parce que personne ne te voit comme moi je te vois, Altesse », dit Jahan dont la voix tremblait maintenant.

Il ferma les yeux, attendant la punition qui ne manquerait pas de venir. Mais Mihrimah restait étrangement silencieuse.

Augier Ghislain de Busbecq, l'ambassadeur d'Autriche, était un insatiable curieux. Chaque fois qu'il était invité au palais pour y discuter des affaires d'État, il demandait qu'on le conduise ensuite à la ménagerie rendre visite aux animaux.

Il avait tant de goût et d'intérêt pour les bêtes qu'il remplissait le domaine de l'ambassade de tous ceux qu'il pouvait obtenir. Les gens du coin surnommaient son jardin l'arche de Noé. Il y logeait des antilopes à cornes droites, belettes, zibelines, lynx, aigles, singes, reptiles aux noms bizarres, daims, mules, ainsi qu'un ours, un loup, et à la grande horreur de ses serviteurs musulmans, un porc. Ses animaux favoris étaient les tigres – et Chota.

C'est Busbecq qui introduisit Melchior Lorck à la cour. Depuis son arrivée en terre ottomane, le peintre avait dessiné des janissaires avec leur mousquet, des chameaux portant des tambours de guerre, des porteurs courbés sous leur fardeau, ou des ruines antiques au bord de la route. Il lui restait deux souhaits : peindre des Ottomanes portant la mante et le *yashmak* ; et dessiner l'éléphant du sultan Soliman. Maintenant qu'il avait obtenu du sultan la permission d'accomplir son second vœu, la vie allait changer pour Jahan et Chota. Deux fois par semaine le cornac conduirait l'éléphant à la résidence de l'ambassadeur.

Pour Busbecq, il y avait deux bénédictions dans la vie : les livres et les amis. Qu'il fallait posséder en proportions inverses : des livres en grand nombre, mais seulement une poignée d'amis. Quand il s'avisa que Jahan n'était pas un dompteur ignorant comme il l'avait cru, il se mit à converser avec lui, comme un étranger à un autre.

« Les Turcs ont un grand respect pour le papier, dit Busbecq. S'ils voient le moindre petit fragment sur le sol, ils le ramassent et le placent quelque part en hauteur afin que personne ne marche dessus. Mais n'est-ce pas étrange de révérer autant le papier si on ne s'intéresse pas aux livres ?

— Mon maître s'y intéresse, dit Jahan.

— Oui, et nous prierons pour qu'il reste en bonne santé, dit Busbecq. Voilà encore autre chose que je trouve bizarre : les Turcs n'ont aucun sens de la chronologie. C'est la première chose qu'un étranger doit apprendre dans ce pays. Ils mélangent les faits historiques. Aujourd'hui fait suite à demain, et demain peut précéder hier. »

De lui, Jahan apprit une nouvelle surprenante. Il y avait un éléphant à la cour de son roi. Et il se nommait Soliman.

« Ce n'est pas une insulte, affirma Busbecq. Un signe de respect, dirais-je. »

Tandis que Jahan écoutait Busbecq jacasser sur les animaux et leurs façons, Melchior, vêtu d'une robe couleur vert-de-gris, le regard dur, conduisit Chota dans le jardin. Malgré les réserves de Jahan, il voulut à tout prix faire poser l'éléphant sous un acacia. Il semblait d'un bon naturel, et doué de talent, quoiqu'un peu trop imbu de lui-même, comme souvent les artistes. Il avait choisi sa vocation malgré les objections de ses parents, et fronçait les sourcils dans une perpétuelle grimace comme si dans un coin de son esprit il se querellait encore avec eux. À peine avait-il placé Chota et installé son chevalet devant lui que l'éléphant tendit la trompe pour saisir une branche.

« Hé, arrête », glapit Melchior. Voyant le peu d'effet que son ordre avait sur l'éléphant, il se tourna vers le cornac. « Pourquoi affames-tu cette bête ?

— Il n'est pas affamé. Il a eu un petit déjeuner copieux, dit Jahan.

— Alors pourquoi mange-t-il les feuilles ?

— C'est un animal, *effendi.* »

Melchior examina Jahan d'un œil froid, tentant de vérifier s'il se moquait de lui. « La prochaine fois que tu viens ici, nourris-le mieux que ça. »

Ce que fit Jahan. Chota avalait le double de sa ration matinale ; puis une fois arrivé chez l'ambassadeur, il dévorait les feuilles d'acacia. Après plusieurs vaines tentatives, l'artiste accepta de changer de cadre. Cette fois Chota posait devant une rue sinueuse endormie bordée de maisons branlantes. Busbecq les observait depuis la fenêtre de sa chambre à l'étage. Les relations entre les deux empires s'étant rapidement détériorées, il était désormais assigné à résidence. Pendant que Melchior travaillait avec Chota, Jahan tenait compagnie à l'ambassadeur, et bénéficiait de ses amples connaissances en botanique.

Deux mois plus tard, Melchior acheva le portrait de Chota. Pour célébrer l'événement, Busbecq lança quelques invitations. À des pachas, des vizirs, des émissaires. Jahan fut surpris de voir que même si l'ambassadeur avait encore l'interdiction de sortir, les gens ne voyaient aucun mal à lui rendre visite. Le chevalet recouvert d'un épais tissu blanc était disposé dans un coin, attendant son heure. Melchior, vêtu d'une tunique bleue, rayonnait de plaisir. Jahan se demanda, et ce n'était pas la première fois, si tous les artistes étaient pareils. Rassasiés par une once de louange. Chota se tenait à l'extrémité du jardin. L'artiste avait insisté pour que l'animal participe à la fête. Jahan l'attacha à un vieux chêne afin d'éviter qu'il ne piétine quelqu'un.

Bientôt l'ambassadeur annonça qu'il était temps de dévoiler le tableau. Un murmure s'éleva tandis que les invités s'approchaient. Du moment que ce n'était pas le portrait d'un être humain, même les musulmans les plus pieux étaient curieux de le voir. On enleva la toile et dessous, Jahan découvrit une image des plus insolites.

Chota ne ressemblait pas à Chota. Ses défenses étaient plus grandes et plus acérées ; il arborait une expression féroce, comme s'il était prêt à bondir hors du cadre et passer à l'attaque. Pourtant, la rue, les maisons, le ciel étaient si vrais qu'on aurait presque pu les toucher. La peinture rayonnait de chaleur. Impressionnés, tous les spectateurs applaudirent. Busbecq récompensa l'artiste d'une bourse. Il donna aussi une gratification à Jahan en le remerciant d'avoir aidé à l'accomplissement d'une œuvre d'art. À son tour Melchior, qui empestait le vin, étreignit le garçon.

Une heure plus tard, prêt à partir, Jahan fit une pause devant le chevalet. C'est alors qu'il vit avec horreur que le haut du tableau avait disparu. Là où tout à l'heure flottait un nuage cotonneux, il ne restait plus qu'un grand trou. Jahan se tourna vers Chota, le cœur battant. L'animal avait rompu sa longe. S'il avait des doutes sur la culpabilité de Chota, ils disparurent quand il découvrit une petite trace de peinture bleue sur l'une de ses défenses. Sans un mot, tirant sur les rênes de l'éléphant, Jahan quitta la résidence de l'ambassadeur. Ils refermèrent le portail derrière eux et plongèrent dans la brise du soir. Jahan ne reverrait jamais Melchior. Il apprit par la suite qu'il était retourné dans son pays où il était devenu célèbre grâce à sa collection d'œuvres orientales, même si le portrait de l'éléphant du sultan Soliman ne figurait pas parmi ses travaux.

Sinan et ses apprentis étaient près de finir la mosquée Suleymaniye quand le sultan eut une attaque de goutte si grave qu'il fallut entourer de gaze ses jambes enflées, dont les plaies ouvertes suintaient. Il avait sur les mains le sang de ceux qui avaient été jadis ses êtres les plus chers – son premier vizir Ibrahim, son fils aîné Moustapha. Deux hommes qu'il aimait comme la prunelle de ses yeux et qui pourtant furent exécutés, l'un après l'autre, par ordre du sultan. Istanbul grouillait d'intrigues et de conjurations.

Jahan croyait qu'ils ne reverraient pas le sultan de sitôt. Quelle erreur ! Malgré son chagrin et sa maladie, il les harcelait de messages, le ton abrupt et fébrile. Puis un jour il reparut sur le chantier, perclus de douleur mais la mine sévère. Il jeta un coup d'œil à la mosquée inachevée comme si elle était invisible. Il galopa droit vers Sinan.

« Architecte, trop de temps a passé. Je perds patience. »

Sinan dit : « Je garantis à Son Altesse que je terminerai sa mosquée, si Dieu le veut.

— Combien de temps te faut-il encore ?

— Deux mois, mon Seigneur. »

Le sultan contempla le site, le regard dur. « Deux mois, c'est entendu. Pas un jour de plus. Si la clef n'est pas livrée avant cela, nous en reparlerons. »

Après son départ, les ouvriers échangèrent des regards nerveux. Personne ne savait comment ils pourraient accomplir ses ordres à si brève échéance. L'agitation monta, mijotant comme un ragoût dans une marmite. Inquiets à l'idée qu'au bout de deux mois le sultan les punirait, les ouvriers commencèrent à parler de déserter.

Un jour, la situation étant devenue incontrôlable, Sinan demanda à Jahan de l'aider à monter dans le *howdah*. Il allait faire un discours – du haut de l'éléphant.

« Frères ! Une abeille bourdonnait autour de nous ce matin. Vous l'avez remarquée ? »

Personne ne répondit.

« Je me suis dit alors, si j'étais le plus minuscule des insectes et si je pouvais me poser sur l'épaule de chaque homme pour écouter les bruits à l'intérieur de son crâne, qu'est-ce que j'entendrais ? »

Il y eut un léger mouvement dans la foule.

« Je crois que j'entendrais des pensées anxieuses. Certains d'entre vous sont inquiets. Si nous ne finissons pas la mosquée à temps nous serons dans de mauvais draps, voilà ce que vous vous dites. Soyez assurés que cela n'arrivera pas. Si notre sultan n'est pas satisfait, personne parmi vous n'aura à en souffrir. Personne d'autre que moi.

— Qu'est-ce qui nous dit que nos têtes ne rouleront pas après la tienne ? » demanda un ouvrier sans montrer son visage.

Aussitôt il y eut un murmure d'assentiment.

« Écoutez-moi jusqu'au bout. Cet endroit était un champ désert. Grâce à nous la mosquée s'est élevée, pierre sur pierre. Été comme hiver, nous avons besogné ensemble. Vous vous êtes tous côtoyés plus que vous n'avez vu vos femmes et vos enfants. »

Des chuchotements parcoururent le site.

« Des visiteurs viendront ici quand nous serons morts. Ils ne connaîtront pas nos noms. Mais ils verront ce que nous avons accompli. Ils se souviendront de nous.

— C'est ce que tu dis ! » cria quelqu'un.

Sinan répondit d'une voix saccadée : « Si j'échoue, j'échouerai seul. Si je réussis, nous réussirons tous.

— Il nous prend pour des idiots ! » risqua un autre.

Ils ne le croyaient pas. Cet homme qu'ils avaient suivi et respecté si longtemps leur paraissait soudain celui qui mettait leur vie en danger.

« Frères ! dit Sinan dans une ultime tentative. Je vois que je ne peux vous convaincre. Je vais mettre par écrit tout ce que j'ai dit et je le scellerai. S'il arrivait quoi que ce soit, donnez ma lettre à notre honorable sultan. En retour pour votre confiance, nous allons distribuer quelques largesses. »

Leur silence marquait une approbation suffisante. Ainsi Sinan écrivit, de son écriture élégante, qu'il était seul responsable de tout échec concernant la mosquée Suleymaniye. Le succès appartenait à Dieu – et ensuite aux ouvriers. La lettre fut signée, scellée et enterrée à l'extérieur des murs. Si les choses allaient mal ils savaient tous où la trouver.

Le lendemain matin pas un homme ne manquait. On distribua des bakchichs. Jahan put tirer profit de la crise, en fauchant cinquante aspres dans les coffres. Il fit taire sa voix intérieure accusatrice en se rappelant qu'il ne volait pas l'argent de son maître, mais celui du sultan, qui en possédait une si grande quantité.

Ils reprirent là où ils s'étaient arrêtés, travaillant jusqu'à des heures avancées. On fit venir des douzaines d'ouvriers supplémentaires. Tout tailleur de pierre oisif de la ville était prié de les rejoindre, tout sculpteur, graveur, dessinateur. Juste au moment où chacun le croyait figé de peur, Sinan remuait ciel et terre. Sa frénésie était contagieuse. À le voir mû par une telle passion, ses apprentis accrurent leurs efforts. Les dépenses montaient en flèche. Une fois terminée, la mosquée Suleymaniye coûterait au trésor 54 697 560 aspres.

Même au cœur de ce tourbillon il n'y avait pas un détail que l'architecte impérial n'eût longuement étudié. Les céramiques, fabriquées dans les ateliers d'Iznik, étaient de couleurs vives – turquoise, rouge, blanc. Les magnifiques inscriptions en *thuluth* portant les noms d'Allah, de Mahomet, d'Ali, furent complétées par Molla Hassan le calligraphe de la cour. Si les gens admiraient les décorations intérieures, rares étaient ceux qui comprenaient quel tour d'adresse avait permis d'intégrer les contreforts aux murs. Plus rares encore ceux qui voyaient que les parois latérales, libérées de la charge de soutenir la coupole, étaient garnies de nombreuses fenêtres, par où la lumière coulait aussi chaleureusement que le lait d'une mère pour son enfant. Et encore plus rares ceux qui avaient conscience que chaque pierre saillante à l'intérieur de la mosquée était placée délibérément de manière à réfléchir les sons, afin que chaque membre de l'assemblée puisse entendre le sermon, qu'il soit assis près ou loin de l'imam.

Des lampes à huile en verre de Murano et des globes miroitants pendaient des plafonds. Entre eux, des œufs d'autruche, élégants et délicats, peints avec goût, décorés de glands de soie, étaient suspendus à des anneaux de fer. Des mosquées d'ivoire miniature insérées dans des globes de verre se balançaient doucement. Au centre était disposée une énorme boule dorée. À la nuit tombée quand les lampes brûlaient et que les miroirs reflétaient leur éclat, la mosquée tout entière paraissait avoir englouti le soleil. Et les tapis... par centaines ! Dans d'innombrables maisons du Caire et de Küre des femmes et des filles de tous âges avaient tissé les tapis de la Suleymaniye.

La mosquée était colossale, son dôme majestueux ; sa galerie à deux étages était inhabituelle et ses quadruples minarets fendaient le ciel. Les colonnes de granit rouge soutenant le baldaquin central étaient au nombre de quatre, associées aux amis du Prophète – les califes Abou Bakr, Omar, Osman et Ali. Chaque verset du Coran exposé avait été choisi par le cheikh al-islam Ebussuud. La calligraphie rappelait aux musulmans de prier cinq fois par jour et ne jamais dévier des croyances de la congrégation. À une époque de conflit avec la Perse shiite, les souverains ottomans adhéraient scrupuleusement à l'islam sunnite, et devenaient, au moins en apparence, de plus en plus pieux.

Construit sur des jardins en terrasses, entouré par un collège, une bibliothèque, un hôpital et des boutiques, vu d'en bas le site de la mosquée était impressionnant. En plus d'une madrasa il y avait un couvent pour les derviches, des chambres d'invités, une cuisine, une boulangerie, un réfectoire, un hospice, une école de médecine et un caravansérail. Le temps que Sinan et ses apprentis déposent la dernière pierre, plus rien n'était pareil – ni la ville, ni le trône. Entre sa conception et son achèvement le monde était devenu un lieu plus sombre et le sultan un homme plus affligé. C'était le propre de ces bâtiments colossaux. Alors qu'eux ne variaient pas, ceux qui les avaient commandés, dessinés, construits, et qui finalement les utilisaient ne cessaient de changer.

Tout le monde voulait voir la Suleymaniye, la mosquée qui surpassait toutes les mosquées. Le *bailo*, les ambassadeurs, et même l'envoyé du shah Tahmasp, bien qu'il n'y eût pas vraiment de paix signée entre les deux royaumes, seulement un répit dans les hostilités.

Le sultan, les yeux embués, déclara : « Mon architecte m'a construit une mosquée qui restera en place jusqu'au jour du Jugement.

— Quand Hallaj Mansour se lèvera d'entre les morts pour ébranler le mont Damavand, peut-être ébranlera-t-il la montagne mais pas ton dôme, Altesse », répondit Sinan.

Le sultan brandit la clef d'or qu'il avait en main et s'adressa à la foule. « Qui parmi vous est le plus digne ? Je veux qu'il prenne cette clef et ouvre la porte. »

Jahan regarda autour de lui. Tous ces gens qui avaient médit de son maître étaient maintenant silencieux et souriants.

« Personne parmi vous ne le mérite mieux que l'architecte impérial », dit le sultan. Il se tourna vers Sinan. « Tu ne m'as pas déçu. Je suis satisfait de toi. »

Tout rougissant, Sinan baissa les yeux. Il prit la clef, ouvrit le portail et invita le sultan à entrer. Un par un les autres suivirent. Jahan se fraya un passage à travers la foule, résolu à profiter au mieux de la journée. De tous côtés autour de lui se pressaient les hommes les plus riches de l'Empire, des joyaux aux doigts, des sacs d'or pointant sous leurs robes élégantes. À sa gauche il aperçut une silhouette aux amples proportions, un cadi de Roumélie, qui poursuivait une conversation animée avec un autre officiel. Un chapelet d'un rouge cramoisi intense pendait de sa main, ses prières taillées dans le rubis.

Tandis qu'ils affluaient vers l'entrée, Jahan se heurta à l'individu, la mine contrite comme s'il était poussé malgré lui dans cette cohue.

« Pardonne-moi, *effendi*. »

Le cadi lança un coup d'œil furieux derrière l'épaule de Jahan. Emporté par le flot avec les autres, il franchit la porte sans s'apercevoir que le jeune homme lui avait pris son chapelet. Pour éviter de le croiser à nouveau, Jahan prit la direction opposée, laissant passer la foule. Il attendit un moment à l'écart. De sorte qu'un certain temps s'écoula avant qu'il n'entre à l'intérieur. La plupart des invités étaient déjà ressortis et visitaient les annexes.

Les joyaux entre ses doigts, Jahan pénétra dans la mosquée. Son humeur allègre se changea en désarroi à la pensée du capitaine Gareth. L'homme était parti pour une nouvelle expédition qui durerait au moins deux mois. Jahan devait mettre son butin à l'abri et le lui donner à son retour. Malgré tout, il se demanda s'il pourrait vendre le chapelet et acheter un cadeau pour Mihrimah. Peut-être un peigne en nacre et en écaille de tortue. Il travaillait en secret à la dessiner, esquisse après esquisse, toujours mécontent du résultat. Jamais il n'aurait imaginé que ce serait aussi difficile de mettre sur le papier une image dont l'empreinte indélébile était déjà gravée dans son esprit.

Avec ces pensées en tête il franchit le seuil et s'arrêta. À l'intérieur un arc-en-ciel insolite tombait des fenêtres. Cramoisi, bleu cobalt, vermillon. Il se revit soudain enfant, allongé sous les bouleaux, les yeux fixés sur le ciel comme s'il y cherchait le paradis. Si jamais le ciel tombait, les arbres le porteraient, se rassurait-il. Il avait fait cela maintes fois, mais avait vécu une fois une expérience surprenante. Ce jour-là le ciel semblait illuminé, les nuages si proches qu'il aurait pu tendre la main et en chatouiller un. Quand il leva les yeux, le vert des feuilles s'était fondu dans le bleu de l'au-delà. La sensation le surprit tant qu'il faillit s'étouffer. Cela ne dura que le temps d'un clin d'œil, mais il se rappelait encore, après toutes ces années, la saveur de cette euphorie.

Maintenant, debout en train d'admirer le dôme qu'ils avaient érigé sur quatre piliers géants, le regardant pour la millième fois toujours comme si c'était la première, il éprouva la même sensation. Le dôme se fondait dans le firmament. Il tomba à genoux sans s'inquiéter de savoir si on le regardait. Il s'allongea sur le tapis, yeux clos, bras et jambes largement écartés, redevenu l'enfant sous les bouleaux. Seul dans la mosquée, un petit point dans cette étendue immense, Jahan ne pouvait imaginer le monde autrement que comme un gigantesque chantier de construction. Pendant que le maître et ses apprentis élevaient cette mosquée, l'univers fabriquait leur destin. Jamais auparavant il ne s'était représenté Dieu en architecte. Chrétiens, juifs, musulmans, zoroastriens, et une myriade de peuples d'autres croyances vivaient sous le même dôme invisible. Pour l'œil averti, l'architecture était partout.

Ainsi, un chapelet volé à la main et une gratitude indicible au cœur, pétri de conflits et de confusions, Jahan se trouvait là sous le dôme majestueux de la Suleymaniye, le plus intelligent des dompteurs d'animaux qui soit et le plus désorienté des apprentis. Le temps, lui aussi, était immobile. Il lui parut que pendant cet instant, sans le savoir, il s'était rapproché d'un pas du centre de l'Univers.

De temps à autre, le maître Sinan confiait à ses apprentis et novices des missions bizarres – acheter un pot d'encre au bazar, fouiller les vestiges d'une ancienne église et au retour lui rapporter pourquoi certaines parties étaient tombées en ruine alors que d'autres avaient résisté ; sonder diverses collines, voir quels types de sols grouillaient de vers, ou passer la journée avec les fabricants de *ney* pour découvrir comment une simple flûte pouvait capturer des sons d'une telle ampleur. Ils avaient consigne d'exécuter les ordres au mieux de leur capacité, si insignifiantes que puissent leur paraître ces missions. Pourtant, à dire vrai, chacun comparait la sienne à celle des autres, pesait, maugréait. N'ayant encore jamais eu à remplir de telles tâches, Jahan échappait à cette rivalité.

Situation qui changea un jeudi après-midi. Comme s'il fallait compenser le temps perdu, Sinan lui donna non pas une mais deux tâches. En premier lieu, Jahan devait rendre visite à un couple de vendeurs d'œufs d'autruche pour les informer que Sinan aurait bientôt besoin de leur marchandise. Ensuite il devait passer chez un libraire pour acheter un livre. Sinan n'avait pas précisé quel livre, seulement dit que, une fois là-bas, il le saurait. Ce dernier détail parut étrange à Jahan, mais ça ne le gênait pas. Un jeu d'enfant, pensait-il en se préparant à partir.

Il était résolu à accomplir sa tâche si vite et si impeccablement que le maître devrait lui confier des missions plus sérieuses la fois suivante.

« Alors, qu'est-ce que c'est ? » interrogea une voix derrière lui.

Quand il se retourna il vit les trois autres apprentis qui l'observaient.

« Oh, rien. Des œufs d'autruche et un livre.

— Un livre ? demanda Nikola. De chez le libraire de Pera ? »

Quand Jahan fit signe que oui, leurs visages se renfrognèrent. Davoud dit : « Félicitations, le novice ! Le maître n'envoie que ses favoris chez ce vieux bouc. »

Si heureux qu'il fût de l'apprendre, Jahan sentit une pointe d'appréhension.

« Ne joue pas les humbles devant lui, dit Nikola. Montre-lui que tu en sais long. Ça lui plaira. »

Youssouf approuva d'un sourire.

« N'oublie pas de crier fort. Siméon est sourd comme un pot », ajouta Davoud.

Jahan les remercia de leurs conseils. Il avait horreur de confier Chota aux soins des autres, mais il prit des dispositions pour l'animal. Avant midi il se mit en route à dos de cheval – une bête flemmarde, indolente – muni d'une bourse qu'on lui avait fournie. Longeant les champs couverts de végétation luxuriante et les cimetières bordés de cyprès, il prit la route du quartier d'Unkapani. Une fois arrivé, bien que cela allonge le trajet, Jahan se dirigea vers le quai. Il adorait venir ici chaque fois qu'il le pouvait, comme pour se rassurer à l'idée que, si la vie devenait trop pénible, il pourrait sauter à bord d'un de ces vaisseaux et retourner vers le foyer qui l'attendait toujours, croyait-il intimement.

Le port regorgeait de sons et d'arômes. Le murmure des vagues, les cris des mouettes et les ordres braillés se mêlaient aux grincements de chaînes et claquements de fouet. Une odeur âpre d'algue imprégnait l'air, luttant avec les miasmes de sueur et d'excréments répandus par des centaines de corps en marche deux par deux – les captifs d'une récente victoire navale. Des enfants, des vieillards, hommes et femmes, qui tous, quelques semaines auparavant, possédaient un nom et une famille à eux. Les chevilles entravées, regardant alentour sans rien voir, ils étaient là sans y être. Jahan descendit de cheval et se joignit à la foule qui observait cette sinistre procession.

Ils étaient tous crasseux de la tête aux pieds. Certains portaient des tenues naguère élégantes, qu'ils avaient arrangées au mieux pour conserver un semblant de dignité. Ceux-là, supposa Jahan, appartenaient à la noblesse. D'autres étaient vêtus de guenilles dont n'auraient pas voulu les mendiants d'Eyoub. Peu importe leur position dans une vie antérieure, ils étaient maintenant soumis au fouet, qui tombait au hasard, moins pour leur faire accélérer le pas que pour les arracher à une rêverie où ils auraient momentanément trouvé refuge.

Jahan sauta sur son cheval et se dirigea vers le bazar. Il s'entretint avec plusieurs marchands qui vendaient entre autres denrées des œufs d'autruche. Il leur dit que Sinan aurait bientôt besoin de leurs réserves. L'architecte impérial utilisait ces œufs pour éloigner les araignées et les empêcher de tisser leurs toiles à l'intérieur des mosquées. Quand on perçait un trou à chaque extrémité de l'œuf et qu'on l'accrochait au plafond, il répandait une odeur qui ne gênerait pas les humains mais qui à coup sûr tiendrait tous les insectes en respect.

Les vendeurs écoutèrent. Mais quand Jahan leur demanda si leurs marchandises seraient prêtes dans un mois, tous répondirent : « *Inch'Allah.* » Sans être bien certain qu'il avait rempli sa première mission, Jahan s'attaqua à la seconde.

Lorsque Jahan arriva chez le libraire, une maison en bois à deux étages qui avait connu des jours meilleurs, le cheval parut aussi content d'être délivré de lui que lui du cheval. Se rappelant les conseils des apprentis, il cogna bruyamment. La porte s'ouvrit et un homme chancelant apparut sur le seuil, l'air furieux.

« Tu veux briser ma porte, ou quoi ?

— *Salaam aleikum*, je viens de la part de…

— Qu'est-ce qui te prend de crier ? Tu crois que je suis sourd, crétin ? »

Perplexe, Jahan bafouilla : « Non, *effendi*.

— Qui t'envoie ? » demanda le libraire avec raideur, mais au nom de Sinan son visage s'adoucit. « Bon, alors entre. »

À l'intérieur, l'arôme d'un pain tout juste sorti du four les enveloppa comme un édredon. Dans un angle une femme était assise, maigre et vieille, courbée sur son ouvrage de couture. Siméon dit : « C'est mon épouse, Esther. Ne la dérangeons pas. »

Ils traversèrent des couloirs sombres, parcourus de courants d'air. La maison était un labyrinthe. À l'intérieur les étagères étaient chargées de volumes innombrables reliés de cuir, la plupart de teinte brune ou noire. Certains avaient été saisis par des corsaires dans des îles lointaines, des villes portuaires, ou sur des navires ennemis. Sachant à quel point Siméon appréciait ce type de denrée, les loups de mer les lui rapportaient contre une somme raisonnable. D'autres avaient été collectés dans les royaumes francs, parmi lesquels des ouvrages de médecins espagnols ou de dignitaires français. D'autres encore avaient été imprimés à Istanbul ou à Salonique. Les juifs sépharades, avec la permission du sultan, publiaient leurs propres livres. Dans un coin Jahan aperçut un recueil de manuscrits mathématiques qui appartenaient jadis, apprit-il, à un érudit nommé Molla Lutfi ; des croquis de vents et de courants aériens, étoiles, corps célestes étaient insérés dans les bordures de chaque page. Il vit aussi *El Libro del Caballero Zifar* qui venait d'arriver d'Espagne ; une pile de gravures d'Antonio da Sangallo ; un traité intitulé *Regole generali di architettura* par un certain Sebastiano Serlio, un architecte bolognais ; et un manuscrit en latin doré sur tranche, *De architectura* de Vitruve. Ce dernier ouvrage, découvert lors de la conquête de Buda, avait abouti à Istanbul. Un autre traité par un certain Leon Battista Alberti avait pour titre *De re aedificatoria*, que Siméon traduisit par *L'Art de bien bâtir*. Il y avait aussi un volume dont l'auteur portait un nom bizarre, Moïse Maïmonide. Jahan se dit que son titre, *Le Guide des égarés*, lui irait comme un gant.

Ils arrivèrent dans une grande pièce sombre située à l'arrière. Une armoire aux portes minutieusement sculptées et chantournées, équipée de douzaines de tiroirs, trônait au centre de la pièce. Siméon fit signe au garçon de s'asseoir sur l'unique chaise.

« Comment va ton maître ? Ça fait un moment que je ne l'ai pas vu.

— Il vous envoie ses respects. Il voulait que je choisisse un livre. Mais il ne m'a pas dit lequel.

— Ça c'est facile. Mais dis-moi d'abord, honnêtement, es-tu un apprenant ? »

Jahan lui lança un regard surpris. « Je suis les cours de l'école du palais et…

— Je ne t'ai pas demandé si tu étais étudiant, j'ai dit, est-ce que tu apprends ? Tous les élèves n'apprennent pas. »

Se rappelant le conseil de Nikola, Jahan décida que c'était le moment de s'affirmer devant ce vieux bougon. « Quand on travaille sur un chantier à longueur de journée, on apprend, qu'on le veuille ou non. »

L'expression sur le visage de Siméon se fit dépréciative. « Notre sultan, que la miséricorde divine soit sur lui, devrait prélever un impôt sur la stupidité. S'il récoltait une pièce pour chaque ânerie prononcée son trésor serait vite rempli. »

Jahan s'avisa soudain que ses camarades apprentis l'avaient induit en erreur. Tout ce qu'il avait dit ou fait jusqu'ici n'avait réussi qu'à irriter le vieil homme. Il prit un ton plus docile. « Les autres sont déjà venus ici, n'est-ce pas ?

— Oh oui, plusieurs fois, dit Siméon. Tu as de la chance d'être novice auprès d'un homme comme Sinan. Es-tu conscient de ta bonne fortune ? »

Jahan détourna les yeux, avec le sentiment d'être un imposteur. Que penserait Siméon s'il savait que Jahan essayait de piller les chantiers ? Lentement il dit : « Je fais de mon mieux, *effendi*.

— Les maîtres sont grands mais les livres sont encore meilleurs. Celui qui possède une bibliothèque a des milliers d'enseignants. Ton prophète a dit : "Cherche la tradition, même si elle se trouve en Chine." Le mien a dit : "Dieu nous a créés parce qu'il voulait se faire connaître." Les ignorants croient que nous sommes sur terre pour nous battre et faire la guerre, nous accoupler, avoir des enfants. Non, notre rôle est d'augmenter le savoir. C'est pour cela que nous sommes ici-bas. » Siméon fit une pause. « Dis-moi, converses-tu avec Dieu ?

— Je prie.

— Je ne t'ai pas demandé si tu *priais*, abruti. Si tu veux devenir architecte, il faut que tu parles à plus grand que toi ! »

Jahan baissa les yeux. « Je ne voudrais pas déranger Dieu avec mes soucis. Mais je parle avec mon éléphant. Chota est plus grand que moi et plus sage. Il est jeune mais je pense qu'il avait déjà cent ans quand il est né. »

Quand Jahan redressa la tête il y avait quelque chose dans le regard du vieil homme qui ne s'y trouvait pas l'instant d'avant. Une lueur d'approbation. « Tu m'as l'air d'une bonne âme mais ton esprit est confus. Tu ressembles à une barque avec deux rameurs qui rament en direction opposée. Tu n'as pas encore trouvé le centre de ton cœur. »

Se rappelant les paroles de son maître il y a quelques jours de cela, Jahan sentit un léger frisson. Siméon poursuivit : « Allons, dis-moi, qu'est-ce que tu préfères construire ?

— J'aime les ponts. »

Dehors il s'était mis à pleuvoir. Des profondeurs du couloir leur arriva le bruissement d'une page tournée. Était-ce la femme de Siméon qui lisait ? Y avait-il quelqu'un d'autre dans la maison ? À cet instant Jahan soupçonna que l'un des apprentis était là, dissimulé, en train d'écouter. Il jeta un coup d'œil au libraire, comme pour en avoir confirmation. Mais l'homme était occupé à fouiller dans un coffre. Pour finir, il lui montra un dessin. « Regarde. Un pont sur la Corne d'Or. C'est l'œuvre de Léonard de Vinci. »

Ayant entendu prononcer ce nom par son maître, Jahan se tint coi.

« Le sultan Bajazet avait sollicité son aide. Leonardo lui envoya ses croquis. Pas une humble lettre, à mon avis. Il dit qu'il était capable de construire le pont. Non seulement cela, il pouvait faire beaucoup plus dans notre cité. Un pont mobile au-dessus du Bosphore. »

Siméon ouvrit un autre coffre. Celui-ci contenait des esquisses dont il lui dit qu'elles étaient l'œuvre de Michel-Ange, la plupart d'entre elles de dômes – le Panthéon, la cathédrale de Florence et Sainte-Sophie. « Michel-Ange était prêt à venir ici. C'est ce qu'il disait dans ses lettres.

— Tu as correspondu avec lui ?

— Il y a longtemps. C'était encore un jeune homme. Moi aussi. Il voulait travailler au Levant. Je l'ai encouragé. Le sultan était favorable. J'étais leur truchement. Moi et les moines franciscains. Mais pas sûr qu'ils aient aidé ; ils n'aiment pas les Turcs. » Siméon se plongea dans ses pensées. « Il allait construire un pont au-dessus de la Corne d'Or. Avec à l'intérieur un observatoire. Et une bibliothèque. C'est moi qui en aurais eu la charge. »

Jahan entendit la déception dans sa voix. « Que s'est-il passé ?

— Ils l'ont convaincu de renoncer. Ils lui ont dit qu'il vaudrait mieux pour lui mourir par la main du pape qu'être récompensé par le sultan. Ce qui a mis fin au projet. Rome est Rome. Istanbul est Istanbul. Personne ne parle plus de rapprocher ces deux cités. » Siméon soupira d'un air las. « Mais ils surveillent toujours.

— Qui, *effendi* ?

— Les yeux de Rome. Ils surveillent ton maître. »

Jahan se sentit mal à l'aise. Il pensa à la chute du chafaud et aux cordes coupées ; il pensa au marbre qui n'avait jamais été livré… Derrière tous ces accidents et ces malheurs, y aurait-il une force dissimulée ? *Les yeux de Rome.* Il se ressaisit. Son esprit était reparti dans une course folle.

Pendant ce temps le libraire s'était dirigé vers une étagère où il prit un volume illustré de gravures sur bois.

« Il est à toi. Dis au maître que c'est le livre que je t'ai choisi. »

Sans même un regard sur la couverture Jahan ouvrit sa bourse mais le libraire refusa. « Garde tes pièces, jeune homme. Apprends l'italien. Si tu es un homme à ponts tu devrais parler plusieurs autres langues. »

Le livre calé sous le bras, ne sachant que dire, Jahan ressortit. Le cheval attendait. C'est seulement en arrivant devant la demeure de Sinan qu'il pensa à examiner son cadeau. C'était *La Divine Comédie* d'un gentilhomme nommé Dante.

Quand Jahan lui montra le livre, Sinan eut un large sourire. « Siméon semble t'avoir apprécié. Il t'a donné son livre préféré.

— Il a dit que je devrais apprendre l'italien.

— Eh bien… il a raison.

— Mais qui va me l'enseigner ?

— Siméon, bien sûr ! Il a déjà eu comme élèves Davoud, Nikola et Youssouf. »

Jahan eut un pincement de jalousie. Il avait cru jusqu'ici que le vieux libraire l'avait préféré aux autres. Sinan lui dit : « Quand tu maîtrises une langue tu reçois la clef d'un château. Ce que tu trouveras à l'intérieur dépend de toi. »

Séduit par l'idée de pénétrer dans un château pour en saisir les richesses, Jahan rayonna. « Oui, maître. »

C'est ainsi que le novice vint à passer tant d'heures de sa jeunesse dans la boutique du libraire qui finirait par devenir son havre, son foyer. Il n'était pas un étranger entre ces murs. Perdu parmi les livres, c'est lui-même qu'il trouva. Après avoir fait des progrès en italien, il assimila un peu de latin et de français, apprit à mieux dessiner, grimpant pouce par pouce du rang de novice à celui d'apprenti, et se trouva enfin bienvenu dans la bibliothèque de Sinan. Il y avait une autre réserve de livres au quartier général des architectes à Vefa. Au fil des ans Jahan s'y rendrait à maintes reprises mais rien ne lui donnerait le même plaisir que d'être dans la demeure de Siméon, entouré des parfums d'encre, de cuir, et de pain chaud.

Barrissant, grondant, Chota marchait fiévreusement de long en large. À deux reprises déjà il s'était mis en pareil état dans le passé, mais chaque fois la crise était venue et repartie. Sauf que cette fois-ci elle ne partait pas. Turbulent et hargneux, il avait fait si peur aux domestiques l'autre jour qu'on avait dû l'enchaîner. Le lendemain matin, il avait brisé ses chaînes et foncé dans un arbre. De ses glandes temporales suintait une substance huileuse malodorante qui, Jahan le savait, ne pouvait avoir qu'une signification : l'éléphant était en chaleur.

Faire le tour d'Istanbul en quête d'une petite amie pour Chota c'était comme demander de la neige en août. Jahan fit des recherches dans toute la ville. Tout cela en vain. Partout où le cornac s'adressait, on lui claquait la porte au nez, après une bonne pinte de rire à ses dépens. Même Olev le dompteur de lions, pour une fois, ne savait que faire.

Quand Mihrimah arriva dans le jardin avec sa nourrice et qu'elle demanda à voir l'éléphant, Jahan sentit la sueur l'inonder. La honte de devoir lui expliquer pourquoi elle ne pouvait voir Chota dans cet état était si forte qu'elle le suffoquait.

Elle rit de sa panique, mais quand elle parla il y avait une note de tristesse dans sa voix. « Eh bien, l'éléphant a grandi. Ce n'est plus le charmant bébé d'autrefois. L'innocence des enfants finit par tous nous quitter. »

Jahan se sentit muet d'inquiétude. Il parvint tout juste à émettre une faible protestation. « Altesse, cette saison va passer. Chota reste toujours le même. Continue à lui rendre visite, je t'en prie. »

Elle détourna la tête, ne voulant pas le regarder, face au soleil. « Tu peux capturer le vent, *mahout* ? Décrocher la lune ? Il y a des choses que nous ne pouvons pas changer. J'ai accepté cette vérité et toi aussi, un jour, tu l'accepteras. »

Comme s'il avait entendu ce dialogue et souhaitait intervenir, Chota se mit à barrir. Il faisait tellement de bruit, en agitant ses chaînes, que Jahan n'eut pas le temps d'absorber les paroles de Mihrimah.

Une fois la princesse et sa nourrice reparties, il lui vint une idée. Il se rappela les Gitans qui les avaient sauvés des eaux glacées. N'avaient-ils pas dit qu'ils possédaient une éléphante ? Quand il fit part aux autres dompteurs de son espérance, ils secouèrent la tête. « Les Gitans se baladent toute l'année. Comment tu comptes les retrouver ? »

Pour finir ce fut maître Sinan qui lui vint en aide. Non seulement l'architecte accorda un congé à son apprenti mais il lui fournit aussi une voiture et une pièce d'argent, et dit en souriant : « Ramène-nous une jolie épouse pour l'animal qui le rende heureux. Seul Dieu est solitaire. »

Ils franchirent en silence la porte de la Source, Jahan et le cocher, observant les nuages là-haut qui viraient au rose pâle. Ils mirent des heures à trouver les Romanis. Enfin ils aperçurent au loin les chariots, literie et vêtements étalés sur les haies, piquetant le paysage terne de leurs couleurs criardes. Le cocher refusa de s'approcher. Il avait entendu trop d'histoires sur ces vagabonds, et n'avait aucune envie de faire connaissance avec eux.

« Sois prudent, dit-il à Jahan. S'ils t'offrent à boire, refuse. Pas une seule gorgée de leurs mains. Rappelle-toi, Shaitan, les djinns, les Gitans, tous ils veulent te voler ton âme. »

En le saluant de la main, Jahan descendit de voiture et s'éloigna d'un pas rapide, craignant de perdre courage s'il hésitait. Ses bottes crissaient sur le sentier tandis qu'il s'approchait d'une nuée d'enfants pieds nus, la morve au nez. Une femme nourrissait ses jumeaux, un bébé cramponné à chaque téton. Quand elle le prit à contempler sa poitrine, elle lui jeta un regard noir. Honteux, Jahan détourna les yeux.

Il aborda l'un des garçons. « Ton chef est ici ? » L'enfant resta si immobile que Jahan se demanda s'il l'avait entendu.

« Qu'est-ce que tu veux ? » demanda une voix rauque derrière lui, si brusquement que Jahan fit un bond de stupeur. En se retournant, il vit deux hommes à la mine menaçante.

« Il faut que je voie votre chef... Balaban, dit Jahan.

— Comment tu le connais ?

— Il… il m'a sauvé autrefois » – ce fut tout ce que Jahan trouva à répondre.

On le conduisit à une tente d'une nuance d'indigo si hardie que même le geai bleu de la volière l'aurait enviée. Les parois étaient tendues de tapis représentant des animaux et des fleurs, dont un où Abraham empoignait le bélier qu'il devait sacrifier à la place de son fils. Dans un coin, un groupe d'hommes étaient assis près du poêle, avec au milieu Balaban en personne.

« Regardez-moi qui va là ! dit Balaban. Qu'est-ce que tu viens faire ici, tu peux me dire ?

— J'ai besoin d'aide. Mon éléphant a perdu l'esprit. Il est en rut. Si je me souviens bien, tu m'as dit que vous aviez une… »

Sans lui laisser finir sa phrase, Balaban l'empoigna par le col de sa tunique, sortit un poignard et le lui plaqua sous la mâchoire. « Espèce de vaurien ! Fripouille ! Tu oses venir me demander de te servir de maquereau ! Tu veux que je te saigne ici ou tu préfères sortir ?

— Non, *effendi*, mes intentions sont bonnes. C'est pour le bien des animaux », dit Jahan sur un ton des plus humbles.

Balaban le repoussa. « Et moi, qu'est-ce que j'y gagne ?

— Si ton éléphante devient grosse, tu auras deux animaux, dit Jahan. Tu pourrais les utiliser tous les deux. »

Balaban évalua cette suggestion, peu impressionné. « Quoi d'autre ? »

Jahan lui montra la pièce d'argent que lui avait donnée Sinan, mais Balaban répéta : « Quoi d'autre ? »

Optant pour une autre méthode, Jahan lui dit : « Cet éléphant appartient au palais. Si tu ne m'aides pas, le sultan sera furieux. »

Jahan hocha énergiquement la tête, certain que maintenant il le tenait.

« Ignoble crapaud ! » D'un coup de pied, Balaban envoya un coussin voler contre la paroi, où il rebondit sur le bélier d'Abraham. « C'est ça la largesse du sultan ? Une pièce ébréchée ?

— Je t'en prie. L'architecte Sinan a besoin de l'éléphant pour travailler. »

Le silence était insupportable. Après un moment, et un échange de regards que Jahan ne put déchiffrer, Balaban haussa les épaules. « Gulbahar est jolie comme une fleur de lotus. Il va falloir que tu gagnes sa main. »

« Qu'est-ce que tu veux que mon éléphant fasse ? demanda Jahan d'un ton soupçonneux.

— Pas ton éléphant. Toi ! »

Jahan eut beau s'efforcer de garder l'air vaillant, sa voix se fêla. « Moi ? »

À cet instant, la femme qui venait de nourrir les jumeaux apparut, portant un plateau de boissons et des boulettes de pâte frite nappées de sirop.

« D'abord, il faut que tu manges. Celui qui partage mon pain et mon sel n'est pas mon ennemi », dit Balaban.

Jahan hésita un instant. Il se jeta dans la bouche une boulette, dont il savoura le goût sucré.

« Maintenant bois un coup. Pas moyen de marcher droit quand la route est tordue.

— Que nos femmes trépassent si on vide pas ça cul sec ! »

Comme eux, Jahan engloutit d'un trait le liquide couleur de boue ; comme eux il reposa bruyamment sa chope sur la table en bois ; comme eux il s'essuya la bouche du revers de la main. Le goût, sous l'âpreté qui lui brûla la gorge et tout le long du trajet jusqu'à son estomac, était d'une douceur surprenante. Ils lui dirent avec force détails badins et avec une joie enfantine ce qu'ils le mettaient au défi de faire.

« À toi de voir ! dit Balaban. C'est à prendre ou à laisser. »

Était-ce son amour pour Chota, son entêtement, ou la boisson, après une pause, Jahan déclara : « Très bien, je vais le faire. »

Les hommes sortirent, le laissant seul avec les femmes. Effrontées, mutines, elles le costumèrent en danseuse. Un *shalwar* violet, une courte veste brodée qui montrait son ventre. Elles lui fardèrent le visage d'une poudre blanche qui sentait le riz, lui mirent du khol autour des yeux, lui rougirent les joues et les lèvres avec, lui dirent-elles, de la poudre de scarabée broyé. Elles tintèrent ses doigts de henné et lui humectèrent la nuque d'eau de rose. Et sur son crâne elles placèrent une queue-de-cheval qui lui fit la plus étrange des chevelures.

Balaban et ses hommes revinrent, accompagnés de musiciens qui, à l'évidence, ne pouvaient pas jouer un seul air sans ricaner. Ils grattaient les cordes ou soufflaient dans leurs cornets un moment, puis l'un d'entre eux éclatait de rire, bientôt suivi gaiement par les autres. Mais Jahan n'en dansa pas moins, si l'on peut nommer ainsi ses mouvements pataudss. Les Romanis le regardaient faire en buvant et en caquetant de joie. Quand l'un des hommes, très éméché, voulut enlacer Jahan dans un but peu décent, Balaban lui donna un coup de cuiller en bois sur la tête en braillant : « Tiens-toi bien ! »

Après quoi Jahan dansa de meilleur gré, pensant que s'il remplissait sa part du contrat eux tiendraient la leur. Des heures plus tard, quand il sortit de la tente dans ses vieux vêtements mais avec toujours du henné sur les mains et du khol autour des yeux, le cocher avait disparu. Jahan s'en moquait. Il ne serait pas obligé de faire le chemin du retour à pied. Il avait une éléphante pour le transporter.

Quatre jours plus tard, Jahan rendit Gulbahar à ses maîtres. Il lui fallut une après-midi entière pour repérer les Gitans qui s'étaient de nouveau déplacés. Les vieilles femmes groupées dans un coin l'accueillirent avec un sourire narquois, que Jahan fit semblant de ne pas remarquer.

« La danseuse est revenue », brailla un petit garçon. Derrière lui un ricanement monta. C'était Balaban.

« Félicitations, fit le chef, ton éléphant n'est plus vierge.

— Gulbahar a fait de Chota l'éléphant le plus heureux du monde », répondit-il avec un sourire pudique. Puis prenant soudain conscience de la chose il ajouta : « C'est la deuxième fois, Balaban. Ça fait deux fois que tu me sauves la vie. »

Chaque mercredi, maître Sinan rassemblait ses apprentis dans sa demeure et leur donnait ordre de dessiner un bâtiment – aqueduc, madrasa, thermes ou *bedestan*. Les jeunes gens traitaient ces commandes avec le plus grand sérieux, y voyant l'occasion de déployer leurs talents mais aussi de surpasser leurs rivaux. Parfois il s'agissait simplement de dessiner une cabane d'une seule pièce. D'autres fois l'exercice prescrit était plus exigeant : comment réduire le nombre de colonnes d'une villa sans diminuer sa robustesse et sa résistance ; comment se servir de mortier, qui était un très bon liant, mais qui causait de vilaines fentes en séchant ; comment assembler un carrefour de canaux au-dessus et au-dessous du sol. Toutes questions qu'ils étaient censés résoudre tout seuls. Il était permis de discuter ensemble des détails de technique ; mais en aucun cas ils ne devaient voir les croquis les uns des autres.

« L'architecture est un travail d'équipe, disait Sinan. Pas l'apprentissage.

— Pourquoi refuses-tu qu'on se montre nos dessins ? demanda un jour Jahan.

— Parce que vous allez comparer. Si tu penses être meilleur que les autres, tu seras empoisonné par l'orgueil. Si tu penses qu'un autre est meilleur, empoisonné par la jalousie. De toute façon, c'est du poison. »

Au cours d'une de ces après-midi, ils venaient chacun de dessiner un couvent de derviches quand un serviteur vint leur dire que le maître les attendait dans la bibliothèque. Déposant leur plume, ils sortirent sans un mot, bien que brûlant de curiosité. En haut ils trouvèrent le maître entouré de rouleaux étalés. Au milieu de la pièce, sur une table de chêne, était posée une maquette en bois.

« Approchez », dit Sinan.

Timides et gauches, ils entrèrent tous quatre.

« Vous reconnaissez ce bâtiment ? » demanda Sinan.

Davoud examina la maquette en fronçant le sourcil et dit : « C'est un temple infidèle.

— Le dôme est admirable, dit Nikola.

— Où se trouve cet endroit ? demanda Jahan.

— À Rome », répliqua Sinan, agitant la main comme si Rome se trouvait derrière la fenêtre. Il dit que le bâtiment s'appelait San Pietro[1] et qu'une fois achevé il arborerait le dôme le plus vaste de la chrétienté. Plusieurs architectes y avaient travaillé, certains voulaient détruire l'ancienne basilique pour en bâtir une neuve, d'autres la restaurer. Le dernier dessinateur, Sangallo, venait de mourir. À la requête du pape, on avait confié la construction à Michel-Ange. Reconnaissant les noms cités par le libraire, Jahan dressa l'oreille.

Sinan dit que Michel-Ange, qui n'était plus très jeune, avait deux choix possibles. Il pouvait soit ignorer les plans existants, soit se fonder

1. Nom italien de la basilique Saint-Pierre. *(N.d.É.)*

sur eux. La décision montrerait non seulement ses talents dans le métier mais aussi sa nature. Sinan parlait avec une telle ferveur qu'elle se communiqua à ses apprentis. Cependant une question les taraudait : pourquoi le maître leur racontait-il tout cela ?

Déchiffrant leur humeur au premier coup d'œil Sinan dit : « J'aimerais que vous alliez voir San Pietro. Étudier son dessin. Comparer ce qu'ils ont fait là-bas avec ce que nous faisons ici. Si vous avez pour but d'exceller dans votre art vous devrez étudier les travaux des autres. »

Il leur fallut un moment pour mesurer l'étendue de son propos. « Tu... veux qu'on fasse le voyage jusqu'au pays des Franjis ? bafouilla Davoud. Et qu'on visite les églises ?

— Nous suivons le conseil de notre prophète, nous cherchons la tradition du plus près au plus loin. » Sinan leur dit qu'il avait beaucoup appris de ses voyages chez les Franjis, dans les Balkans, l'Anatolie, la Syrie, l'Égypte, la Mésopotamie, et à l'est jusqu'au Caucase. « Les pierres sont immobiles. L'apprenant, jamais.

— Mais ne serait-ce pas à nous de leur apprendre à *eux* ? » Davoud, encore. « Ce sont des chrétiens. Pourquoi faudrait-il que nous apprenions leurs manières ?

— Tout bon artisan est ton professeur, peu importe d'où il vient. Artistes et artisans partagent la même foi. »

Sur ces mots, Sinan sortit deux étuis de velours, un mince et long, l'autre replet et arrondi. Le premier contenait une grande épingle d'argent, l'autre une lentille concave de la taille d'une pomme mûre.

« Qu'est-ce que c'est ? » demanda Nikola, le timbre réduit à un murmure, comme s'il assistait à quelque noire sorcellerie.

— C'est un prisme, expliqua Sinan. On s'en sert pour observer le trajet des rayons du soleil à l'intérieur des bâtiments. Dans une cathédrale, il serait efficace.

— Et ça ? demanda Jahan, tenant l'épingle dans sa paume comme un oiselet.

— C'est pour le son. Entre dans un bâtiment quand il y a peu de gens à l'intérieur. Tiens l'épingle à la hauteur de ta tête et laisse-la tomber sur le sol. Est-ce que le son s'éteint sur-le-champ ? Ou est-ce qu'il se propage jusqu'aux coins les plus éloignés ? Si c'est le cas, demande-toi comment l'architecte a obtenu cet effet. Est-ce possible de faire couler le son comme de l'eau, le faire aller et venir en vague tranquille ? Dans les cathédrales, on obtient cet effet en construisant une galerie des murmures. Allez écouter : vous entendrez comment se propage le son le plus infime. »

Sinan les bombardait de mots comme un orage de grêlons. Ils ne l'avaient jamais vu dans un tel état, les yeux étincelants, le visage illuminé. Il dit qu'il y avait trois fontaines de sagesse auxquelles tout artisan devrait boire d'abondance : les livres, le travail et les routes. Lecture, pratique, voyages. Il poursuivit : « Malheureusement je ne peux pas vous envoyer tous là-bas. Nous avons du travail à accomplir. Ce sera à vous de décider qui partira. Un voyage d'environ cinq semaines. »

Nikola, Davoud, Youssouf et Jahan se jetèrent des regards furtifs, les épaules raides. Le désir d'impressionner le maître par leur audace luttait dans leur cœur avec celui de rester dans un lieu où tout était familier. Ce fut Youssouf qui s'avança le premier, en secouant la tête. Il ne voulait pas partir. Jahan n'en fut pas surpris. Comme une petite planète en orbite autour de la grande, Youssouf voulait toujours être proche de son maître.

« Et vous autres ? demanda Sinan.

— Je ne peux pas non plus, dit Jahan. Qui s'occuperait de l'éléphant ? »

Il ne disait pas tout à fait la vérité. Un autre dompteur pourrait aisément le remplacer si le maître arrangeait cela avec les responsables du palais, il le savait. Mais Chota n'était que l'un de ses soucis. Il voulait rester près de Mihrimah. Depuis quelque temps elle venait plus fréquemment à la ménagerie, une expression troublée dans ses beaux yeux, comme si elle avait quelque chose à lui dire mais n'y parvenait pas.

« Mes parents sont vieux, dit Nikola. Ce serait dur de les quitter pour si longtemps. »

Toutes les têtes se tournèrent vers Davoud. Il soupira. « Je peux partir, maître. »

Sinan fit un signe d'approbation et dit, sans s'adresser à aucun d'eux en particulier : « Si l'un de vous change d'avis, qu'il me prévienne d'ici quelques jours. »

Le lendemain après-midi, Mihrimah ne vint pas voir l'éléphant. Ni le jour suivant. C'est Hesna Khatun qui vint à sa place apporter les dernières nouvelles du sérail.

« Ne l'attends pas, dit-elle à Jahan. Ta princesse se marie.

— Qu'est-ce que tu racontes, *dada* ? »

Le corps entier soudain convulsé par une crise d'asthme, la nourrice sortit un sachet dont elle respira le contenu. Une odeur âcre de plantes flotta dans l'air. « Ne m'appelle pas comme ça. Seule ma princesse en a le droit.

— Dis-moi », demanda Jahan, ignorant tout semblant d'étiquette.

Ce qu'elle fit. Mihrimah venait d'être fiancée à Rustem Pacha, un homme chargé de quarante hivers et de grandes ambitions. Personne ne l'aimait, mais la sultane si, et c'était suffisant.

Après le départ de la nourrice, Jahan travailla à un nouveau dessin, balaya le sol de l'écurie, lava les auges, astiqua le caparaçon de l'éléphant, frotta sa peau d'huile, déchira le dessin auquel il travaillait et en commença un autre, graissa les gonds de toutes les portes, fit un autre dessin qu'il détruisit aussitôt, et oublia de nourrir Chota.

La ménagerie passa toute la soirée à jaser des rumeurs du mariage. À minuit n'y tenant plus, Jahan se glissa dehors. Ses bras et ses jambes vibraient de fatigue, une douleur comme il n'en avait jamais connu lui étreignait la poitrine. Il marcha jusqu'aux murailles qui séparaient la ménagerie de la cour intérieure et arrivé là, ne sachant que faire de plus, il reprit le même chemin en sens inverse. Il atteignit le lilas sous lequel elle s'était assise tandis qu'il lui racontait la naissance de Chota et leur voyage depuis l'Hindoustan.

L'arbre luisait dans les ténèbres comme le portail vers un monde meilleur. Il posa son oreille sur le tronc, essayant de saisir ce que la terre lui disait. Rien que le silence. Têtu, mesquin. Le vent se leva, l'air fraîchit. Une brume de tristesse tomba sur le palais. Il resta assis, attendant que le froid de la nuit l'enveloppe et engourdisse ses sens. En vain. Il continuait à sentir. Et à souffrir.

Le lendemain matin il envoya une lettre à son maître. Un court message.

Mon estimé maître,

Si tu le souhaites encore, je serai heureux d'accompagner Davoud à Rome.

Ton humble apprenti,

Jahan

Rome, la cité où les souvenirs sont taillés dans le marbre. Le jour de leur arrivée il pleuvait – une ondée aussi légère qu'une caresse. Ramenant leurs chevaux au trot ils cheminèrent un moment sans but. Chaque visage leur était inconnu, chaque rue plus déroutante que la précédente. Il leur arrivait de franchir un pont, passer sous une arcade – arrondie ou en ogive – ou traverser une *piazza* bondée de camelots et d'acheteurs. Jahan n'aurait pu dire à quoi il s'attendait mais la taille et l'animation de la ville le dépassaient. Raides, mal à l'aise, Davoud et lui se frayaient un chemin à travers la foule. Lorsqu'ils arrivèrent aux ruines d'un ancien forum ils firent halte et contemplèrent les lieux avec admiration. Ils virent des moines vêtus de robes noires, des mercenaires avançant par deux, des mendiants qui ressemblaient fort aux mendiants d'Istanbul. Les femmes portaient des pendentifs parfumés autour du cou et ne se souciaient pas de couvrir leur chevelure ni leurs seins. Davoud, rougissant jusqu'aux oreilles, détournait les yeux chaque fois qu'il croisait une dame aux manches bouffantes suivie de ses chambrières. Mais Jahan regardait, à la dérobée. Au cours de l'après-midi ils cherchèrent l'adresse que leur avait notée Siméon le libraire. Ils la trouvèrent facilement après avoir interrogé un couple de passants qui les guidèrent, non sans les dévisager, vers le quartier juif.

L'échoppe de Léon Buendia à Rome ressemblait étrangement à celle de Siméon Buendia à Istanbul. Ici aussi la maison se situait dans une rue pavée très encombrée ; une porte en bois, ternie par les ans ; et derrière, une enfilade de pièces pleines de livres et de manuscrits. Ici aussi vivait un vieil homme aux oreilles démesurées et aux sourcils en bataille, peut-être un peu moins acariâtre que son frère.

« Siméon t'envoie ses respects, dit Jahan en italien une fois qu'ils furent entrés, assis autour d'une table, et régalés d'une pâte d'amande douce.

— Comment va mon petit frère ?

— Il travaille, il lit, il grogne », dit Jahan.

Léon eut un sourire. « Il a toujours été revêche.

— Il veut que tu viennes t'installer à Istanbul, ajouta Jahan.

— Il pense que c'est mieux là-bas. Moi j'aimerais qu'il s'installe ici. Nous ne sommes que des mortels. Les décisions sont des moutons ; les habitudes, le berger. »

Jahan réfléchissait à ces propos quand Davoud dit : « Nous aimerions rendre visite à Michel-Ange. »

À cela le libraire secoua la tête. « J'ai un immense respect pour votre maître. Mais vous devez comprendre que ça n'est pas facile. Il Divino n'accepte personne. Deux ans après, il reste inconsolable.

— Oh, qui est mort ? demanda Jahan.

— D'abord son frère. Puis son apprenti préféré. Ça l'a détruit. »

Jahan ne put s'empêcher de se demander combien de temps leur maître les pleurerait s'il arrivait malheur à l'un d'entre eux. Pendant ce temps le libraire expliqua que l'apprenti, un nommé Urbino, travaillait auprès de Michel-Ange depuis l'âge de quatorze ans. Pendant vingt-six années ils avaient été inséparables. Le maître était si attaché à son talentueux apprenti que pendant les derniers mois de la maladie d'Urbino il n'avait permis à personne de s'en occuper, le soignant lui-même nuit et jour. Après sa mort, Michel-Ange qui avait toujours été grincheux était devenu rancunier, prêt à éclater à la moindre contrariété.

« Il Divino n'aime pas les gens. Et les rares qu'il apprécie, il les aime trop. »

Jahan haussa le sourcil. Leur maître n'était pas comme ça. Sinan ne haïssait ni ne repoussait personne. Équilibré et courtois, il était aimable avec chacun. Pourtant, peut-être y avait-il peu de distance entre accepter tout le monde et n'avoir guère d'affection pour aucun. Dans ce cas, ne vaudrait-il pas mieux un maître désagréable avec tout le monde sauf *toi*, qu'un maître aimable avec tout le monde, y compris *toi* ?

Léon poursuivit. « Ce dégoût d'Il Divino pour le genre humain, on le lui rend bien, c'est sûr.

— Il a des ennemis ? interrogea Davoud.

— Oh, certainement. Il y a ceux qui le vénèrent et ceux qui le détestent. Même Dieu ne sait pas quel est le camp le plus nombreux. »

Léon dit qu'Il Divino avait déjà quantité de rivaux quand il prit en charge, sans trop d'enthousiasme, la construction de San Pietro. Même s'il utilisait en grande partie le plan de Bramante, il critiquait ouvertement son prédécesseur, ce qui ne risquait pas de le rendre plus cher à ses ennemis. « Sangallo était un disciple de Bramante. Michel-Ange trouve que son dessin a été mal conçu, qu'il manque de lumière. Il dit que ça ferait une bonne prairie.

— Une prairie ? demanda Jahan.

— Une pâture. À l'entendre le dessin de Sangallo est bon pour des bœufs et des moutons bornés qui ne connaissent rien à l'art. Ça n'a guère plu aux amis de Sangallo. »

Jahan soupira. Sur ce point aussi, son maître était différent. Malgré tous ses efforts il ne pouvait imaginer Sinan couvrir de mépris un autre architecte, mort ou vif. Il dit, prudemment : « Nous avons appris que le pape soutient Michel-Ange.

— Eh bien, c'est vrai. S'il n'y avait pas Sa Sainteté, l'artiste aurait été mis en pièces », remarqua Léon en se déplaçant sur sa chaise, ce qui masqua provisoirement la lueur de la bougie. Juste au moment où son visage glissait dans l'ombre, il dit : « Votre maître doit avoir des ennemis, lui aussi. »

Davoud et Jahan échangèrent un regard. C'était bizarre de dire cela, et pourtant si vrai !

« En effet », concéda Davoud, avec un minuscule hochement de tête.

Léon leur dit qu'à la tête des ennemis de Michel-Ange il y avait un nommé Nanni di Baccio Bigio, architecte et sculpteur. « Étrange, non ? Plus un homme semble s'apparenter à toi, plus il risque de te prendre en haine. » À peine Léon avait-il prononcé ces mots que son visage se crispa, comme s'il prenait conscience d'en avoir trop dit. Il se tortilla sur son siège.

Jahan qui l'observait lui dit : « Nous t'avons fatigué. Nous ferions mieux de partir.

— J'aurais aimé vous héberger mais... », dit Léon en reprenant son souffle.

Le quartier juif était soumis au couvre-feu, expliqua-t-il. Une fois les portes verrouillées, personne ne pouvait entrer. Si on recevait des visiteurs, il fallait en informer les autorités. N'ayant aucune intention d'encombrer le vieil homme de leur présence, ils le prièrent de leur recommander un endroit où ils pourraient loger. Léon appela son domestique, qui paraissait avoir environ huit ans et lui dit de conduire les Ottomans à une maison d'hôtes où, leur dit-il, ils se retrouveraient entre artistes.

Les voilà donc de nouveau dans les rues, à tirer leur cheval par les rênes en marchant derrière le jeune garçon. Ils passèrent devant de riches demeures aux fenêtres vitrées, traversèrent des marchés où l'on faisait rôtir des cochons à la broche. Jahan soupçonnait que le petit ne prenait pas de raccourcis. Non parce qu'il voulait leur montrer la ville mais parce qu'il voulait que la ville les voie. Ils étaient si pittoresques dans leur vêture ! Soudain, alors que Jahan se tournait pour parler à Davoud, quelque chose, une intuition plus qu'une certitude, le figea sur place. Il avait le sentiment qu'on les suivait. Il regarda à droite et à gauche, pas tout à fait sûr. Enfin ils arrivèrent devant une maison à deux étages qui empestait les saucisses et la sueur. Ils auraient à partager leur chambre et leur pot de chambre avec trois autres pensionnaires – un peintre, un étudiant en anatomie, et un joueur de dés.

Le lendemain, premier objectif de la matinée, ils se rendirent à la demeure d'Il Divino. Rien de plus facile que de découvrir où elle se situait. Même les enfants savaient où demeurait le grand homme. Quant à franchir la porte, cela dépassait les limites du possible. Ils se présentèrent à son assistant, expliquèrent qu'ils étaient envoyés par l'architecte impérial ottoman. En retour on leur répondit, poliment mais fermement, que Michel-Ange ne souhaitait voir personne.

« Pour qui se prend-il ? brailla Davoud dès qu'ils furent hors de portée. Il nous rabaisse.

— Tu as entendu ce qu'ils disent tous ; cet homme-là ne veut même pas voir son propre pape. »

Davoud claqua la langue. « Moi je te le dis, ces infidèles ont besoin d'une leçon. Ils ne peuvent pas nous traiter comme ça. »

Les jours suivants, ils visitèrent des églises, comme Sinan le leur avait demandé. La chaux à Rome était d'une teinte plus chaude, mais de qualité inférieure. Les artisans du cru la mélangeaient à une substance brunâtre qu'ils appelaient *pozzolana* pour en faire du mortier. Une fois sèche, elle devenait fine et poudreuse ; on l'utilisait en abondance dans le bâtiment ; mais avec le temps elle se couvrait d'une vilaine moisissure. Jahan et Davoud prirent des notes, firent des croquis des monuments. À maintes reprises ils se perdirent dans un dédale de ruelles, pour se retrouver émerveillés devant une basilique. Mais c'est le chantier de Saint-Pierre qui les impressionna plus que tout. Un sanctuaire sphérique, dans la froide lumière matinale, insaisissable et fascinant comme les lambeaux d'un rêve qui s'enfuit. Il était loin d'être achevé mais après avoir étudié toutes les maquettes qu'ils avaient pu trouver ils étaient capables d'estimer l'ampleur et la majesté qu'il atteindrait – assise, tambour, dôme et coupole. Son odeur de pierre, de sable et de sciure de bois fraîche s'attachait à leur tunique et ne les quitterait plus.

Jahan se dit que les êtres humains construisaient deux types de temples – ceux qui aspiraient à monter jusqu'au ciel et ceux qui voulaient rapprocher les cieux de la terre. Et parfois, rarement, un troisième : ceux qui faisaient les deux. C'était le cas de Saint-Pierre. Tandis qu'il l'observait, complétant de tête la structure, il eut le sentiment étrange qu'ici aussi se trouvait le centre de l'Univers.

Les ouvriers attendaient une livraison, retardée par le mauvais temps dans le Sud. Une chance pour les apprentis de Sinan, qui pouvaient ainsi aller et venir sans être vus d'un trop grand nombre. Ils prirent position sur une colline, d'où ils firent des quantités de dessins. Les murs inférieurs du chœur, les pilastres colossaux, les piliers en regard, chacun une ode à la perfection.

Tous les jours sans faute, ils se rendaient chez Michel-Ange, et se faisaient chaque fois arrêter avant de franchir le seuil. Le même apprenti – peintre, issu d'une famille de petite noblesse – se tenait en sentinelle à l'entrée, refusant de laisser passer quiconque. Jahan n'avait encore jamais vu un apprenti se montrer aussi protecteur envers son maître.

« Il Divino n'appartient pas à ce monde », leur dit Ascanio en les scrutant attentivement. Il expliqua comment son maître dédaignait ses repas, ne vivant que de morceaux de pain. « Même si vous lui versiez sur la tête tous les *scudi* de Rome, il continuerait à vivre dans le dénuement.

— Pourquoi vivre pauvrement au milieu des richesses ? demanda Davoud.

— Très simple. Il ne s'intéresse pas aux bagatelles terrestres. »

Davoud semblait résolu à prendre Ascanio à rebrousse-poil. « Est-ce vrai qu'il dort avec ses bottes, et qu'il ne prend jamais de bain ? »

Les joues d'Ascanio virèrent au cramoisi. « Ne va pas croire tout ce que tu entends. Cette cité est cruelle. » Il dit que les amis florentins de Michel-Ange l'invitaient à revenir mais par amour de son art et parce qu'il était homme de parole, il n'avait pas abandonné Rome. « Est-ce qu'ils l'apprécient ? Pas même une once de gratitude. Plus on leur donne plus ils réclament. Tu sais ce que dit mon maître ?

— Quoi ? demanda Jahan comme il le devait.

— La cupidité endort la gratitude. »

Ce qu'Ascanio ne leur dit pas, c'est combien les Romains redoutaient que Michel-Ange ne mourût avant d'avoir achevé San Pietro. Avec l'âge son humeur était on ne peut plus mélancolique, son corps fragile, même s'il gardait l'esprit tranchant comme une lame. Il souffrait de toutes sortes de maux – ballonnements, douleur à l'abdomen, et calculs rénaux si sérieux que parfois il pouvait à peine uriner. Jahan se demanda si son maître, lui aussi, redoutait la mort. Un artisan aussi diligent et passionné que Sinan avait peut-être du mal à accepter sa mortalité. Il élevait des bâtisses destinées à résister au temps alors que sa propre nature éphémère l'accablait chaque jour plus lourdement. Cette pensée lui venait par intermittence. Il s'en souviendrait à nouveau, des années plus tard.

Une après-midi, après une nouvelle tentative vaine pour rencontrer Il Divino, ils pénétrèrent dans une taverne qui envoyait vers le ciel de puissants effluves de fumée et de graisse. Ils commandèrent un pâté d'anguille, des cailles rôties et un dessert appelé *torrone*. C'est alors que Jahan remarqua un inconnu qui les observait : son couvre-chef descendant jusqu'au nez, son visage en partie caché.

« Ne regarde pas. Quelqu'un nous suit.

— Qui ? » demanda Davoud en se retournant aussitôt.

L'homme bondit sur ses pieds, repoussa la table et se rua dehors comme un possédé. Les apprentis de Sinan échangèrent un regard perplexe. Davoud dit en haussant les épaules : « C'était sûrement un voleur à la tire. Il sait que nous sommes des étrangers, il voulait sans doute nous faucher notre argent. »

Le dixième jour, ils rendirent leur dernière visite à Michel-Ange. Ascanio, sorti faire une course, n'était pas encore revenu. Un autre apprenti avait pris sa place, plus jeune et d'abord plus gracieux. Ils se présentèrent comme s'ils venaient pour la première fois et prièrent le novice d'informer son maître de leur présence. À leur grande surprise il acquiesça aimablement et retourna à l'intérieur. Peu après il revint leur dire que Michel-Ange consentait à les recevoir. S'efforçant de dissimuler leur stupeur, ils le suivirent. Il vint soudain à l'esprit de Jahan qu'Ascanio n'avait peut-être jamais demandé à l'artiste s'il aimerait les rencontrer, certain qu'Il Divino ne voulait pas être dérangé.

On les fit entrer dans une grande pièce jonchée de seaux de peinture, boîtes, burins, marteaux, rouleaux, livres et vêtements. La plupart des fenêtres étaient masquées par de lourdes tentures bleu vif destinées à étouffer le bruit de la rue, qui donnaient à toute la pièce une aura immatérielle. Au milieu de ce fatras, un homme âgé, raide et maigre, travaillait à une sculpture – une tête et un torse masculins – sous la lumière de chandelles de suif. Il avait une autre chandelle allumée fixée à un bandeau de métal sur sa tête. Il n'était ni grand ni costaud, hormis ses épaules, très larges, et ses bras musclés. Les yeux petits et sombres, l'expression solennelle, le teint cireux, le nez plat. Quant à sa barbe, des piquants noirs rayés de blanc, Jahan la trouva peu impressionnante. C'étaient les mains qui l'attiraient – de longs doigts osseux aux extrémités pâles ; des ongles fendillés et rongés couverts de poussière et de crasse.

« Merci de nous recevoir », dit Jahan en s'inclinant.

Sans se retourner, Il Divino répondit : « J'ai reçu autrefois une lettre de votre sultan.

— Ce devait être le défunt sultan Bajazet », hasarda Davoud.

Ignorant sa remarque, Michel-Ange poursuivit : « Vous ne faites pas de sculptures. Comment peut-on appeler cela de l'idolâtrie, je ne comprendrai jamais. Mais votre sultan était généreux. Je souhaitais ardemment venir. C'eût été *grandissima vergogna*[1]. Cela ne devait pas arriver. »

Bourru, la voix gutturale d'un être habitué à vivre replié dans son esprit, il parlait si vite que Davoud et Jahan peinaient à le suivre avec leur maigre italien. Il demanda : « Comment se porte votre maître ? »

C'est alors seulement qu'ils se rappelèrent le premier motif de leur venue et lui remirent la lettre que Sinan leur avait confiée. S'essuyant les paumes sur un tablier plus sale que ses mains, Il Divino brisa le sceau. Quand il eut achevé sa lecture il avait au fond des yeux quelque chose qui ne s'y trouvait pas l'instant d'avant – une sorte de fébrilité.

Davoud lui dit qu'ils seraient heureux de rapporter à Sinan tout message qu'il souhaiterait lui adresser. Avec un hochement de tête, l'artiste se dirigea vers une table recouverte d'objets de toutes sortes. Il poussa ce bric-à-brac sur le sol pour se faire de la place et s'assit pour composer une lettre, le front plissé par ses réflexions.

1. La pire des hontes. *(N.d.A.)*

Ne sachant que faire dans l'intervalle, et n'ayant pas été invités à s'asseoir, Jahan et Davoud examinèrent les lieux. Sur un établi étaient posées deux maquettes de Saint-Pierre, l'une en bois, l'autre en argile. Ils notèrent que Michel-Ange avait redessiné la façade et supprimé le portique. Il avait aussi modifié la forme des énormes piliers qui soutenaient le dôme. Les petites fenêtres avaient disparu, remplacées par des ouvertures moins nombreuses mais plus larges qui invitaient plus de lumière.

Un bruit de chute les arracha à leur transe. Michel-Ange qui avait fini sa lettre cherchait un bâton de cire. Frustré, il avait balayé de côté une paire de rouleaux, et brisé une carafe.

Ils cherchèrent sous les livres, dans les tiroirs, parmi les boîtes. Après une longue quête on retrouva l'objet perdu sous un coussin, à moitié piétiné. Michel-Ange fit fondre la cire, y apposa son sceau, noua un ruban autour de la missive. Il avait dû observer leur intérêt pour les maquettes de Saint-Pierre, car il dit : « Sangallo a mis des années à finir son dessin. J'ai fait le mien en quinze jours. »

Jahan fut surpris d'entendre de la colère dans sa voix. Lui, l'artiste le plus vénéré de Rome, rivalisait avec un fantôme. Il apparut à Jahan que peut-être la sculpture convenait mieux à son tempérament que l'architecture. Il s'abstint de le dire, et au lieu de cela, à la vue d'un dessin exquis représentant un cheval il remarqua : « Tu aimes les animaux. »

« Je les étudie. » Michel-Ange expliqua qu'il disséquait des cadavres et des bêtes goitreuses pour examiner les muscles, les nerfs, les os.

« Moi j'ai un éléphant blanc, dit fièrement Jahan. Nous travaillons sur les chantiers.

— Ton maître emploie un éléphant ? Peut-être qu'il m'en faudrait un aussi. »

Il les interrogea sur la mosquée Suleymaniye, loua le travail de Sinan. D'où Michel-Ange tenait-il ses informations ? se demanda Jahan. Il cherchait une façon délicate de l'interroger quand l'artiste leva la main et dit : « *Altro non mi achade*[1]. »

À ce signal, ils sortirent sans bruit.

---

1. « Je ne vois rien d'autre à ajouter » – formule avec laquelle Michel-Ange conclut souvent ses lettres. *(N.d.A.)*

Cette semaine-là ils repartirent pour Istanbul, faisant le trajet sur deux étalons. Tout en appréciant sa monture, Jahan se languissait de Chota. Il craignait que le dompteur qui le remplaçait ne fasse pas correctement son travail, ou même s'il le faisait, que l'animal refuse de manger comme font parfois les éléphants quand ils se sentent seuls ou abandonnés. Mais plus ils approchaient d'Istanbul plus le désespoir le gagnait. À Rome il avait réussi à chasser Mihrimah de son esprit mais maintenant le souvenir d'elle lui revenait avec une force accrue, comme des rapides pulvérisant le barrage qui les a brièvement endigués.

Quand ils firent halte pour prendre du repos et se soulager, Jahan remarqua que Davoud semblait pensif. Comme il savait que son compagnon était orphelin et avait été élevé par ses grands-parents, il l'interrogea sur son enfance. « Il n'y a pas grand-chose à raconter », dit doucement Davoud. Il avait le souvenir d'un garçon perdu, vindicatif, jusqu'à ce que Sinan le découvre, l'éduque et change sa destinée.

Ensuite ils repartirent pour Andrinople en silence, repliés chacun dans leurs pensées. L'obscurité tombait ; ils se mirent au galop, ne ralentirent le rythme que lorsque leur dos, et leurs chevaux écumants, ne purent en endurer davantage. Il y avait une auberge à proximité, où ils décidèrent de passer la nuit.

L'intérieur était bondé, la salle de repas vaste, mais dotée d'un plafond si bas qu'à moins d'être assis il fallait se courber. Dans un angle il y avait une cheminée taillée dans la pierre où bouillottait un chaudron noir de suie. Les clients étaient rangés autour de longues tables en bois – des hommes de tous âges et toutes religions.

À l'instant où Jahan et Davoud firent leur entrée, toutes les têtes se tournèrent dans leur direction, et le bruit diminua. Personne ne leur souhaita la bienvenue. Apercevant un espace libre à l'extrémité d'une table, ils s'y insérèrent. Jahan jeta un coup d'œil à la ronde. Sur sa gauche était assis un homme maigre grisonnant, peut-être un scribe, à voir ses doigts tachés d'encre. En face de lui à une autre table un Franji aux cheveux couleur de paille se réchauffait les mains au-dessus d'une écuelle fumante. Il retira son chapeau comme pour les saluer.

« Tu le connais ? demanda Jahan à Davoud.

— Comment veux-tu que je connaisse quelqu'un dans ce trou ? » fit-il nonchalamment.

Un nain passa chargé d'un plateau de boissons. Tandis qu'il avançait d'un pas décidé, quelqu'un lui fit un croche-pied. Il tomba, les chopes roulèrent sur le sol. Des rires éclatèrent. Le nain se releva, rougissant mais calme ; les clients retournèrent à leur repas, comme si c'était quelqu'un d'autre qui venait de s'esclaffer bruyamment.

Ils mangèrent en silence. Après le souper Davoud monta à l'étage pour la prière du soir.

Jahan choisit de rester un peu plus longtemps. Une sorte de quiétude telle qu'il n'en avait jamais connu l'envahit. Il était solitaire comme un phare abandonné, pourtant à ce moment même il se sentait accompagné, mais par quoi ou par qui il n'aurait su dire. Pour la première fois, la douleur du mariage de Mihrimah cessa de le tourmenter.

« Ton ami est parti ? »

Relevant la tête Jahan vit l'homme à la chevelure couleur paille qui le contemplait.

« Je peux m'asseoir ? » Sans attendre la réponse, le Franji s'installa. D'un claquement des doigts il fit signe au nain. Une minute plus tard, ils avaient un pichet posé entre eux sur la table.

« Buvons ! » dit l'étranger.

Le vin avait un goût d'écorce d'arbre et de roses séchées. Le voyageur, un Italien nommé Tommaso, fit à Jahan l'effet d'un homme intelligent. Il dit qu'il se rendait en Orient car il mourait d'envie de voir Sainte-Sophie. On remplit à nouveau les gobelets. Puis le pichet. Ils parlèrent amicalement, même si après coup Jahan ne put se rappeler la moitié de ce qui s'était dit.

« Notre maître nous a envoyés à Rome », dit Jahan. Bien qu'éméché, il se garda de faire allusion à la lettre qu'ils transportaient. « Il voulait que nous accroissions notre savoir. »

Tel un homme qui n'a pas parlé depuis plusieurs jours, Jahan évoqua tout ce qu'il était résolu à accomplir. Des mots inondés de vin. Depuis qu'il avait eu vent des noces de Mihrimah, quelque chose en lui aspirait à monter, et monter vite.

Tommaso qui l'observait par-dessus le bord de sa coupe lui dit très lentement : « Ce que nous faisons dans la vie a-t-il tant d'importance ? Ou est-ce tout ce que nous ne faisons pas qui pèse le plus ?

— Qu'est-ce que tu veux dire ? demanda Jahan après avoir englouti sa boisson.

— Imagine que tu passes à travers bois, tu vois cette femme. Toute seule. Tu pourrais la prendre sur place mais tu ne le fais pas. Cela montre quel genre d'homme tu es. Un gars t'injurie. Tu pourrais lui mettre ton poing dans le nez. Si tu ne le fais pas, voilà qui tu es.

— Alors ne rien faire est un exploit, c'est ça ?

— Exact, fit Tommaso avec un sourire. Tu construis avec du bois, de la pierre, du métal. Tu construis aussi avec du vide. Ton maître le sait si bien ! »

Jahan se sentit une nausée au creux de l'estomac. « Comment le connais-tu ?

— Tout le monde connaît ton maître, dit Tommaso en se levant, et il jeta une pièce au nain. Il faut que je m'en aille, mon ami. »

Sans l'avouer, Jahan était heureux que Tommaso se charge de l'addition. Il se serait senti coupable de dépenser l'argent de son maître pour du vin.

Tommaso ajouta : « Si tu veux réussir, c'est très bien. Que Dieu te protège dans l'une ou l'autre voie. Mais surtout ne deviens pas l'une de ces tristes âmes. »

En haut, Jahan trouva Davoud endormi parmi une douzaine de voyageurs. Titubant, il alla ouvrir une fenêtre. Un grillon craquetait dehors. Une chouette ulula. C'était une soirée exquise, la lune une faucille d'or. Déployé comme un éventail, un jardin aux plates-bandes bordées de pierre diffusait un parfum si délicieux qu'il aurait voulu le boire. Tandis qu'il aspirait ce doux arôme, les mots lui revinrent. Il les avait déjà lus, dans *L'Enfer* de Dante. *Ces tristes âmes qui vécurent sans infamie ni louange.*

Le lendemain au réveil, Jahan et Davoud s'aperçurent qu'on les avait dévalisés. Leurs bottes, les pièces qui restaient encore dans leur bourse, l'épingle d'argent, le prisme et le sac où ils avaient rangé leurs dessins, tout avait disparu. Ainsi que le carnet relié en cuir de Jahan. Chaque croquis méticuleusement dessiné au cours de leur voyage avait été emporté. Disparue aussi, la lettre de Michel-Ange.

« Quel genre de bandit voudrait voler des croquis d'architecte ? protesta Jahan.

— Ils ont dû croire que c'étaient des objets de valeur », dit Davoud d'une voix triste.

Bizarrement, rien n'avait été dérobé aux autres voyageurs. Le voleur, qui que ce soit, n'avait pris pour cibles que les apprentis de Sinan. Ils pleurèrent et gémirent comme des enfants. Ils cherchèrent dans tous les coins et recoins. En vain. Anxieux, mortifiés et brisés, ils quittèrent l'auberge. Chacun s'accusait : Jahan d'avoir bu la veille et Davoud d'avoir dormi si tôt et si profondément.

Ils ne sauraient jamais ce que Il Divino avait écrit à leur maître. La correspondance entre le maître architecte de Rome et le maître architecte d'Istanbul était rompue, et ce n'était pas la première fois. Les apprentis arrivèrent à la demeure de Sinan sans rien à lui offrir. Comme si leur long voyage n'avait laissé aucune trace, hormis les courbatures de leurs membres et les souvenirs de Saint-Pierre, qui commençaient déjà à s'estomper.

Le capitaine Gareth arriva, une odeur âcre mêlant sel, sueur et alcool accrochée à lui. Il semblait traverser les murailles du palais aussi aisément qu'un fantôme. Personne ne l'aimait, mais personne n'osait non plus le mécontenter. Résultat, chacun préférait lui laisser le champ libre – exactement ce qu'il voulait.

Jahan remarqua qu'il n'avait pas l'air en bonne santé. Sa peau, habituellement d'un rose vif qu'on rencontrait peu chez les Ottomans, avait pris une teinte cireuse. Ses lèvres étaient gercées, ses joues creuses. Jahan devina qu'il avait dû contracter quelque mal au cours d'une de ses traversées. C'était cela, ou la trahison qui avait fini par lui empoisonner l'âme.

« Tiens, tiens ! Ça fait bien longtemps. L'autre jour je me suis dit, il faut que j'aille rendre visite à ce faux cornac histoire de lui dire deux mots. J'arrive ici et qu'est-ce que j'apprends ? Oh non, me dit-on, il est à Rome ! À Rome ? Quel sacré veinard ! Alors, c'était comment, les bordels ? Ça me dirait bien d'en tâter aussi. Hélas ! Personne ne m'envoie à Rome ! Qu'est-ce que j'aurai comme compensation ? Dis-moi un peu, qu'est-ce que tu as rapporté à ton vieil ami ?

— On nous a dévalisés sur le chemin du retour, dit Jahan.

— Ah ouais ? J'adore les contes pour enfants. »

Pour le faire taire, Jahan lui donna le chapelet de rubis qu'il avait volé à l'inauguration de la mosquée Suleymaniye. Dire qu'il avait projeté de le vendre pour offrir un présent à Mihrimah ! Quel crétin, vraiment.

Un coup d'œil au butin et le visage du capitaine s'assombrit. « C'est tout, espèce de fainéant ? »

Ce n'était pas tout. Enterrée profondément au pied du même arbre, une autre boîte appartenait à Jahan : de l'argenterie volée aux cuisines impériales, une perle tombée de l'ourlet d'une robe de Mihrimah, un stylographe à plume d'or, une jarre de miel du cellier royal et une épingle à cheveux appartenant à Hesna Khatun. Une fois où elle le chapitrait, la nourrice avait eu une crise d'asthme et s'était courbée en avant, si près des doigts de Jahan que c'eût été péché de ne pas chiper l'épingle. Ces objets-là, il n'avait aucune intention de les céder au capitaine Foufurieux. Il voulait les garder pour son propre usage au cas où les choses tourneraient mal et l'obligeraient à prendre la fuite.

Mais le capitaine n'avait rien d'un imbécile. « Je perds patience. Dommage, tu es encore jeune. Quand ils sauront les mensonges que tu as racontés, ils vont t'écorcher vif. »

Jahan frémit à cette pensée mais s'avisa aussi que l'homme ne l'avait pas rossé ni menacé de son poignard. Quelque chose le faisait hésiter.

« Ta princesse est malheureuse, à ce qu'on dit. Pauvre petite. Elle a toutes les richesses du monde et pas d'amoureux pour la câliner.

— Je ne l'ai pas vue depuis longtemps, dit Jahan mal à l'aise.

— Oh, tu la verras, j'en suis sûr. Puisqu'elle raffole de l'éléphant blanc… »

Jahan comprit. Le capitaine Gareth avait entendu dire que la princesse Mihrimah n'était pas heureuse en ménage. Il savait, comme la ville entière, qu'elle passait ses après-midi à pleurer en cachette dans sa belle demeure solitaire. Sachant qu'elle était attachée à Chota, et peut-être aussi à son cornac, le capitaine devinait qu'avant longtemps elle reparaîtrait à la ménagerie. Jahan serait sa poule aux œufs d'or. Il n'avait pas envie de l'égorger trop vite.

Soudain Jahan se sentit réconforté. Avec un large sourire il dit : « Maintenant tu ferais mieux de partir. Le chef des eunuques blancs peut arriver d'un moment à l'autre. Je ne voudrais pas être à ta place s'il te trouve ici. »

La lèvre inférieure du capitaine s'affaissa, faute de savoir quoi répondre. Jahan s'empressa d'ajouter : « Pars ! Quand j'aurai quelque chose à te montrer je te le ferai savoir. »

En dehors d'un regard glacial, l'homme n'émit pas d'objection. Pour la première fois il décampa sans proférer des menaces. Et Jahan apprit ainsi un détail sur les misérables de son espèce – si effrayants qu'ils soient, ces gens-là se nourrissent de la faiblesse des autres. Si Jahan voulait survivre dans le sérail, décida-t-il, il devait se construire un harem intérieur et y mettre sous le verrou chaque peur, souci, secret et chagrin d'amour qui avait terni son âme. Il serait à la fois le sultan et l'eunuque de ce harem. Et n'autoriserait plus personne à y jeter un coup d'œil. Y compris son maître.

Le Dôme

Jahan se rappellerait toujours 1562 comme l'année du bonheur. Chacun connaît une année comme cela dans sa vie, pensait-il. Elle croît, fleurit, et juste au moment où on s'imagine qu'il en sera toujours ainsi, elle est terminée. Son temps de joie commença avec la construction d'une mosquée pour Mihrimah. Maintenant que son père lui avait donné d'immenses domaines et d'amples revenus, elle était devenue la femme la plus riche de l'Empire – et la plus autoritaire. Tous craignaient de la mécontenter. Maître Sinan lui-même était assez mal à l'aise en sa présence. Elle les faisait tous transpirer d'angoisse. Sauf Jahan. Il était trop épris d'elle pour penser à la craindre.

Alors que les autres apprentis étaient timides et répugnaient à suggérer des choses nouvelles, Jahan débordait d'idées. Il travaillait si dur que le maître appréciait son enthousiasme, même s'il n'était encore rien de plus qu'un apprenti. Sinan prit l'habitude de l'emmener avec lui chaque fois qu'il rendait visite à la princesse pour l'informer de l'avancée des travaux.

Tout au long de ces premiers mois, quoi que fasse Jahan, où qu'il se trouve, il pensait sans cesse au projet que Sinan avait dessiné si proprement. La nuit dans son lit il se creusait la cervelle en cherchant comment l'améliorer. Jusque dans son sommeil il transportait des pierres pour le monument de Mihrimah. Puis un jour, franchissant les bornes, il dessina un porche avec sept baies à voûte et le tendit à l'architecte impérial.

« Tu as écarté mon plan et dessiné le tien, dit Sinan, qui semblait plus incrédule que fâché.

— Maître, pardonne-moi, je ne voulais pas te manquer de respect. Je crois que l'entrée de la mosquée devrait être bouleversante, inattendue. »

Sinan aurait pu le réprimander sur-le-champ. Il n'en fit rien. Au lieu de cela il examina le croquis et demanda : « Pourquoi sept ? »

Jahan avait réfléchi à la réponse. « C'est le nombre des couches de la terre. Et des cercles que trace un pèlerin autour de la Kaaba. C'est un chiffre saint. »

Sinan resta pensif un moment. Puis il replia le rouleau et dit : « Reviens quand tu auras de nouveaux croquis. Il faut que tu fasses du meilleur travail si tu veux que je te prenne au sérieux. »

C'est ce que fit Jahan. Il persista à dessiner, mesurer, rêver. À aucun stade il ne s'avoua que sa mosquée devrait rappeler à Mihrimah le jour de leur rencontre. Du temps où elle n'était encore qu'une fillette effrayée par une guêpe. Quand elle portait un collier à sept perles. Dans ses plans il choisissait le marbre le plus clair, et du granit pour les colonnes, aux couleurs de sa robe et de son voile. Quatre tours soutiendraient le dôme, car ils étaient quatre cette après-midi-là dans le jardin : la princesse, Hesna Khatun, le cornac et l'éléphant. Et un unique minaret s'élèverait en hauteur, svelte et gracieux comme elle. Sa mosquée aurait une quantité de fenêtres, autant sur le dôme que dans la salle de prière, pour refléter le soleil dans ses cheveux.

Après des semaines de frénésie, Sinan attira Jahan à l'écart et lui dit : « Je te regarde besogner sans relâche. Même si tu n'es pas entièrement prêt, je crois que tu as la force et le courage nécessaires. Je vais te donner plus de responsabilités sur la mosquée de la princesse Mihrimah. Tu seras autorisé à faire ces changements. »

Jahan lui baisa la main, la posa sur son front. Peu importe ce qu'avait été sa vie antérieure, désormais elle ne serait plus jamais la même. Jamais il ne travaillerait aussi dur sur un autre chantier, à s'épuiser sur chaque détail.

Son dévouement inépuisable à la tâche était source d'irritation pour les autres apprentis, mais Jahan s'en aviserait seulement quand il serait trop tard.

Alors qu'ils étaient près de finir la mosquée de Mihrimah, le maître et ses apprentis se trouvèrent enlisés dans un bourbier. Cela faisait déjà un certain temps que les anciens aqueducs avaient besoin de réparations. Alignés tels des géants vaincus, ils projetaient leur ombre sur la cité, vieux et épuisés. Avec l'accroissement quotidien de la population d'Istanbul, les besoins en eau augmentaient. À grande profondeur sous les hôpitaux, auberges, abattoirs, hammams, mosquées, églises et synagogues, des sources miraculeuses irriguaient le sol – sauf qu'il n'y en avait plus assez.

Sinan était prêt à entreprendre cette tâche. Il ne voulait pas se contenter de restaurer ce qui avait été bâti du temps des infidèles : son projet était plus ample, plus audacieux. Il rêvait d'amener l'eau à toute la ville en construisant une série de ponts en pierre, d'écluses et de canaux souterrains. Des citernes – ouvertes et couvertes – fourniraient des réserves pour les étés chauds et secs. C'était une immense entreprise qui lui attirerait des adversaires et des détracteurs en foule – mais aucun d'aussi puissant que Rustem Pacha : chambellan du roi, nouveau grand vizir et époux de Mihrimah.

Rustem s'était opposé au projet de Sinan depuis le début. Plus d'eau voudrait dire plus d'émigrants – davantage de cohue, de taudis, de puanteur. Istanbul était déjà assez encombrée, inutile d'inviter de nouveaux habitants, qui arriveraient chacun avec leur baluchon de rêves et de déconvenues.

Ils étaient nombreux à prendre parti pour Rustem, quoique pour des raisons personnelles. Des architectes rivaux qui jalousaient son talent ne souhaitaient pas voir Sinan chargé d'une mission aussi colossale, redoutant qu'il ne réussisse. Les profanes assuraient qu'aucun mortel ne pouvait faire venir de l'eau des montagnes – à moins d'être Farhad qui trancha la roche pour acheminer du lait jusqu'au château de Shirin. Les prédicateurs disaient qu'il ne fallait pas remuer la terre de peur de réveiller les djinns qui répandraient des calamités sur le genre humain. Tandis que chacun critiquait, Sinan continuait à s'activer comme s'il n'y avait aucune raison de s'alarmer. Comment il pouvait préserver ses convictions au milieu des traîtrises, et rester serein face aux ragots malveillants, cela dépassait les facultés d'entendement de Jahan. Pas une seule fois le maître ne rendit calomnie pour calomnie. Il rappelait à Jahan une tortue qui, harcelée par des enfants, se retire sous sa carapace, attendant que la tourmente s'apaise. Mais la tortue Sinan travaillait tant et plus, pendant tout ce temps où il se tenait tranquille.

Nikola et Jahan devaient assister le maître dans son plan aquifère. Ils avaient pour responsabilité de prendre les mesures, calculer les angles de déclivité, perfectionner les croquis, inspecter les points où les conduits byzantins avaient cédé et juger comment les améliorer. Une fois qu'ils auraient réuni toutes ces informations, ils présenteraient leurs découvertes au sultan.

Chargés d'une mission de pareille importance, Nikola et Jahan étaient à proportions égales ravis et anxieux. De toutes les tâches accomplies au fil des ans, celle-ci était de loin la plus ardue. Cependant ils s'appliquaient moins pour impressionner le sultan ou vaincre le grand vizir que pour épargner toute honte à leur maître. Ils repérèrent un par un les trous de forage et les sources vives, criques, cours d'eau, têtes de puits, réservoirs, les inscrivirent sur la carte et cherchèrent comment les relier par des détroits sur et sous terre. Enfin, un jeudi après-midi, le maître et les deux apprentis, soignés et fringants, se rendirent au palais chargés de croquis et d'espoirs.

Ce fut Rustem qui les accueillit, avec politesse mais froideur. Jahan s'enfonça les ongles dans les paumes pour s'empêcher de frémir devant ce Croate qui lui avait volé Mihrimah. Le grand vizir n'en vit rien. Avec sa haute taille, son cerveau rusé et sa nature tenace, il avait obtenu maintes récompenses – et aujourd'hui probablement il s'appliquerait de son mieux à entraver le projet de Sinan. Les émigrants d'Anatolie lui inspiraient une aversion si forte que pour les empêcher de venir il était prêt à sacrifier la prospérité de tous les habitants de la cité.

Une fois introduits dans la salle d'audience, les apprentis virent le sultan Soliman assis sur son trône recouvert de drap d'or et incrusté de joyaux. Une fontaine coulait dans un angle, le bruit des gouttes déchirant le silence de la pièce. Le Maître des Terres et des Mers, vêtu d'une tunique de satin jaune bordée de zibeline noire, accueillit chaleureusement Sinan, bien que la rudesse de sa voix n'échappât à personne. Ses deux fils étaient devenus les pires ennemis l'un de l'autre, mais c'était la perte de Roxelane qui l'avait anéanti plus que tout. La femme à qui il écrivait des poèmes d'amour, la mère de ses cinq enfants, la reine haïe et adorée, la concubine qui s'était élevée plus haut qu'aucune autre fille de harem, Roxelane la rieuse, était partie. Morte sans avoir vu l'un de ses fils installé sur le trône ottoman.

Après s'être prosternés trois fois sur le sol, les apprentis avancèrent derrière leur maître, foulant l'épais tapis moelleux. Plus tard, Jahan se rappellerait la lumière des appliques murales, et l'odeur du tilleul sous la fenêtre, qu'il n'osait regarder mais dont la présence le réconfortait.

« Architecte impérial, défends ton projet », ordonna le sultan Soliman.

Sinan fit un signe à ses apprentis. Ils avaient dessiné leurs croquis sur des panneaux en peau de chameau si fine qu'elle en était presque transparente. Tenant chacun une extrémité, Nikola et Jahan déroulèrent le premier dessin. Sinan, pendant ce temps, résumait ce qu'il comptait faire, pointant par moments un détail sur le panneau. Ni le sultan ni le grand vizir n'émit une parole.

Ils passèrent rapidement aux deuxième et troisième dessins – des aqueducs de dimensions et d'emplacements variés. Le quatrième – un réseau de conduits souterrains qui relieraient plusieurs sources – était celui qui les enthousiasmait le plus, mais Sinan le mit de côté.

Devant un auditoire plus réceptif, il l'aurait montré. Pour l'instant, son instinct lui disait de le garder par-devers soi. Au lieu de quoi il dit qu'avec un système de canalisations il ferait couler l'eau dans les jardins, les arrière-cours et les vignes. Il ajouta qu'il n'y avait pas plus noble tâche que d'apaiser la soif des êtres desséchés. Quand il eut terminé, le sultan Soliman se racla la gorge un moment. Puis se tournant vers le grand vizir, il lui demanda son opinion.

Rustem n'attendait que cela. Il parla avec précaution, comme si ce qu'il allait dévoiler serait cause de souffrance, mais ne lui laissait pas le choix. « L'architecte Sinan est un homme adroit. Il est venu ici avec une idée sublime. Mais, je le crains, il ne comprend pas qu'elle ne peut nous attirer que des ennuis.

— Quelle sorte d'ennuis, vizir ?

— Mon sultan, ce projet est très coûteux. Il pèsera lourd sur le trésor. »

Interrogé sur ce point, Sinan déclara : « Il existe des solutions pour réduire les dépenses. Là où c'est possible, nous prendrons le chemin le plus court et emploierons les matériaux appropriés.

— Et qu'est-ce que tu auras accompli avec ça ? riposta le grand vizir. Davantage d'émigrants. Imagine qu'un incendie se déclare – comment l'éteindras-tu si les maisons sont serrées côte à côte comme des champignons sauvages ? » N'attendant pas de réponse, il sortit un mouchoir et s'en épongea le front. « La cité est pleine à craquer. Nous n'avons pas besoin d'encore plus de monde. »

Une ombre passa sur le visage de Sinan. « Combien viendront, il appartient à notre sultan d'en décider. Mais ceux qui vivent ici devraient avoir de l'eau. »

Le débat continua ainsi quelque temps. L'architecte impérial contrant le grand vizir, le grand vizir contrant l'architecte impérial. À la longue, lassé de leur joute, le sultan déclara : « Ça suffit. J'ai écouté les deux côtés. Vous serez informés de ma décision. »

Sinan et ses apprentis quittèrent la pièce à reculons. Rustem demeura, ce que Jahan trouva injuste. Sûrement qu'en leur absence il s'efforcerait de persuader le souverain. Jahan se creusa la cervelle pour tenter de redresser la balance. Si l'un d'eux pouvait passer un peu plus de temps seul avec le sultan, sans que le grand vizir s'en mêle, peut-être parviendrait-il à le convaincre. Autrement, ils n'avaient aucune chance.

Ce soir-là, fatigués par les événements de la journée, les apprentis logèrent chez Sinan. Jahan espérait discuter de la situation, mais le maître, jamais très porté sur les spéculations oiseuses, les mit à l'étude. Épuisés, ils gagnèrent leur lit aussitôt après souper. C'est là, allongé sur sa natte, à se tourner en tous sens dans le noir, que Jahan échafauda un plan.

Incapable de patienter jusqu'au matin, il se rendit à tâtons à l'autre extrémité de la chambre où Nikola dormait à poings fermés. Il le secoua par l'épaule.

Arraché brusquement à un rêve, Nikola dit : « Qui est là ?

— Chhht, c'est moi.

— Jahan… qu'est-ce qui se passe ?

— Peux pas dormir. Je pense tout le temps à ce qui est arrivé aujourd'hui.

— Moi aussi, dit-il, alors même qu'il n'avait aucune conscience du monde il y a à peine un instant.

— Comment notre sultan peut-il prendre une décision juste si le vizir est avec lui à longueur de temps ? Rustem a accès à lui tous les jours.

— C'est vrai, mais on n'y peut rien.

— Peut-être que si. J'ai une idée, dit Jahan. Il y a un endroit où le grand vizir ne viendra jamais déranger le sultan. »

Nikola en eut le souffle coupé. « Tu comptes entrer dans le harem ?

— Mais non, nigaud, fit Jahan, riant malgré lui. Il y a un *autre* endroit où le vizir ne tentera pas de le suivre. Devine !

— Aaagh, je ne trouve pas. Dis-le-moi, plaida Nikola.

— À la chasse. Quand le sultan ira chasser, je le suivrai et lui expliquerai nos intentions. Sans ce fouineur de vizir dans les parages il aura l'esprit plus clair.

— Mon frère, c'est un plan génial », dit Nikola.

Tous deux savaient que le grand vizir détestait la chasse. Étant d'une gaucherie et d'une balourdise irrémédiables il ne pouvait pas se déplacer au même rythme que les autres, à plus forte raison poursuivre une proie à travers les collines.

« Ce sera notre cadeau au maître, fit Jahan. Ne lui dis rien pour l'instant. »

La voix de Nikola se réduisit à un murmure. « Et si c'est dangereux ?

— Dangereux ? Pourquoi ? Si le sultan ne veut pas m'écouter, je m'en irai.

— Tu veux que je vienne avec toi ?

— Il vaut mieux que j'y aille seul. Au retour je te promets que je te raconterai tout.

— Mais... sois prudent.

— Ne crains rien, tout ira bien. »

En dépit de son assurance, jusqu'à la fin de la semaine, Jahan eut l'esprit agité comme une ruche, les nerfs en lambeaux. Il répétait constamment, mot à mot, ce qu'il dirait au sultan. Grâce à ses camarades de la ménagerie, il apprit où et quand le sultan irait chasser. Là commençait la deuxième partie de son plan, dont il n'avait rien dit à Nikola. Il emmènerait Chota avec lui. Jusqu'ici tous ses efforts pour attirer l'affection du sultan sur l'animal n'avaient abouti à rien. Maintenant, se dit Jahan, à la fois l'animal et son cornac avaient une chance de faire sa conquête.

Le jour arriva enfin et ce matin-là, perché sur l'éléphant, un sac en cuir sur le dos, Jahan atteignit l'immense porte Bab-i Humayun en direction d'Ayasofya et salua les gardes.

« Où vas-tu ? lui demanda l'un d'entre eux.

— Notre sultan, refuge du monde, a oublié son arc porte-chance. On m'a donné l'ordre de le lui apporter.

— Pourquoi ils ont pas envoyé un cavalier ? interrogea le deuxième garde.

— Parce que les éléphants vont plus vite que les chevaux », répondit Jahan sans ciller.

Ils ricanèrent. « Peut-être que je devrais aller vérifier, dit le premier garde.

— Bien sûr, je vais attendre. Si le sultan s'aperçoit qu'il n'a pas son arc porte-chance et qu'il se fâche, ça ne sera pas ma faute. »

En se tortillant les moustaches, les hommes l'observaient. La mine sérieuse de Jahan les faisait réfléchir. Puis comme s'ils étaient reliés par une corde invisible, tous deux s'écartèrent.

« Passe ! dit le deuxième garde. Et fais-moi galoper cet éléphant. »

Et c'est ce que fit Jahan, mais pas avant d'avoir laissé la ville derrière lui. Il ne tenait pas à piétiner quelqu'un. Dès que les vues et les bruits d'Istanbul disparurent, il donna l'ordre à Chota de se presser.

Ils atteignirent les bois de pins au nord de la ville. Jahan avait appris que, chaque fois que le sultan allait chasser, il poussait sa proie jusqu'au bord d'un certain précipice. C'est là que l'apprenti se posta. Un long espace de temps s'écoula – du moins en eut-il l'impression. L'inquiétude commençait à le gagner. Peut-être étaient-ils à l'affût derrière les buissons, pour ce qu'il en savait, et risquaient de le tuer par accident. Il s'inventait de nouvelles peurs quand il entendit les chiens aboyer au loin. Ils étaient une demi-douzaine, qui se rapprochaient à vive allure.

Puis Jahan l'aperçut. Un cerf mâle. Il surgit de la forêt en titubant. Une flèche lui avait percé l'encolure, une autre le cœur. C'était un miracle qu'il parvienne encore à courir.

Tandis que Jahan sautait à terre, le cerf vint plus près, ses andouillers luisant dans la lumière du soleil couchant. C'était un magnifique animal – de grands yeux liquides, emplis d'une folie proche du délire. Perturbé par l'odeur du sang, Chota balança ses défenses. Mais le cerf avait atteint un lieu à l'abri des menaces. Il écarquilla les narines, ouvrit la gueule comme s'il voulait dire quelque chose et s'effondra.

Jahan courut vers lui, et trébucha sur une racine. Au moment où il arrivait près du cerf, cinq lévriers surgirent de nulle part en aboyant de toutes leurs forces. Ils encerclèrent la carcasse, l'empêchant d'approcher.

D'instinct, Jahan se retourna et vit le sultan qui, du haut de son cheval, le regardait fixement. Tout tremblant, il se jeta sur le sol. « Mon Seigneur.

— Qu'est-ce que tu fais ici – avec l'éléphant ?

— Ton humble serviteur est venu pour te voir, si tu lui permets de dire quelques mots.

— Tu n'es donc pas mon cornac ?

— Si, mon Seigneur. » L'autre jour Jahan se tenait à quelques pas du sultan pour lui montrer leurs dessins. Mais apparemment celui-ci l'avait oublié. « Je suis aussi un apprenti de maître Sinan. C'est à ce propos que je suis venu plaider devant Ton Altesse. »

Pendant qu'ils parlaient, des serviteurs avaient chargé la dépouille sur une charrette tirée par deux chevaux. Les lévriers, qui aboyaient encore leur triomphe, suivaient bruyamment.

« Tu as emprunté un éléphant royal sans permission ? demanda le sultan. Tu sais qu'on pourrait te fouetter pour moins que ça ?

— Majesté, j'implore ton pardon. Il fallait que je te voie. Je me suis dit que si je venais avec l'éléphant tu me remarquerais. »

Si Jahan avait osé relever la tête il aurait vu les yeux du sultan se plisser en un sourire. « Tu dois avoir une raison pour oser commettre une pareille faute.

— Mon Seigneur, si tu m'y autorises... » Jahan ne pouvait empêcher sa voix de chevroter.

Lentement il déroula la peau de chameau qu'ils n'avaient pas eu l'occasion de montrer l'autre jour. Il expliqua à quel point le projet de Sinan était important pour la ville, et combien de gens – vieux, malades, fragiles et pauvres – prieraient pour le sultan chaque fois qu'ils étancheraient leur soif. Le sultan Soliman l'écouta et lui posa des questions. Jahan était ravi de constater qu'il avait vu juste en supposant qu'à l'extérieur du palais le souverain serait un être différent – plus aimable.

« Ton maître sait que tu es ici ? demanda le sultan.

— Non, mon Seigneur. Il serait très mécontent de moi s'il le savait.

— Je devrais être mécontent moi aussi, mais je ne le suis pas. Tu vénères ton maître, à l'évidence. Si tous les apprentis de Sinan sont aussi dévoués que toi, c'est un homme fortuné. »

Jahan sentit un sourire lui tirailler le coin des lèvres. C'est de telles vanités imprévues que se tissent les pires illusions de l'existence. C'est à des moments comme celui-là que Shaitan nous tape sur l'épaule et chuchote à notre oreille, d'un ton naïf, pourquoi ne pas vouloir plus ?

« Majesté, puis-je te montrer autre chose ? »

Le sultan fit un signe d'acquiescement minimal. Jahan sortit le parchemin qu'il gardait sous sa tunique. Ce dessin-là était de lui – un pont de pierre à sept arches.

Il aurait des avant-becs en amont qui protégeraient les piles contre la force de l'eau, et des passages pour les piétons et les animaux. Son énorme pont-levis permettrait de contrôler les flux de marchandises et de passagers. Si le sultan acceptait le pont en même temps que le réseau aquifère de Sinan, Jahan se ferait son propre nom. « Architecte des eaux », voilà comment on l'appellerait. Ou mieux encore, « le prodige de Sinan ». Peut-être même qu'il serait accepté dans la guilde, qui sait ? En règle générale un apprenti montait les degrés de la profession à la vitesse d'un escargot qui traverse une prairie, mais pourquoi Jahan ne serait-il pas une exception ? Son succès arriverait sûrement aux oreilles de Mihrimah.

Sans plus d'un rapide regard au dessin, le sultan retendit les rênes de son étalon. « J'aime ton courage, jeune homme. Mais le courage est une qualité dangereuse. Rappelle-toi, un gouvernant considère bien des aspects avant de prendre une décision. Rentre dans tes quartiers, et attends de mes nouvelles. »

Il repartit au galop, suivi par les hommes, les chiens et les chevaux. Longtemps après leur départ, Jahan sentait encore leur sillage de vent sur sa peau. Il poussa un soupir de soulagement. Tout s'était déroulé sans accroc. Il remercia les cieux.

Le lendemain sur le chantier, Nikola se précipita vers lui. « Alors ? Comment ça s'est passé ?

— Je l'ai vu. Je lui ai parlé. »

Les yeux de Nikola s'écarquillèrent. « C'est vrai ?

— Oui ! dit Jahan avec un sentiment de triomphe qu'il pouvait à peine contenir. Si tu me demandes mon avis, notre sultan veut que nous bâtissions un nouvel aqueduc et un pont.

— Quel pont ?

— Oh, je lui ai parlé de ce pont que j'ai dessiné.

— Sans consulter le maître ? »

Gêné, Jahan ne répondit pas. Tout le jour il attendit l'occasion de s'entretenir avec Sinan. Elle ne se présenta pas. En revanche, peu avant le coucher du soleil, quatre janissaires arrivèrent.

Sinan les salua. « *Salaam aleikum*, soldats. Qu'est-ce qui vous amène ici ?

— Nous sommes venus chercher un de tes hommes, architecte. »

Sinan dit : « Ce doit être une erreur. Mes ouvriers sont d'honnêtes gens.

— Pas un ouvrier. Un apprenti. »

Jahan avait entendu la conversation. Il s'approcha d'eux, pressentant l'inévitable, juste au moment où Sinan demandait : « Lequel ? » Un soldat lui donna le nom de Jahan.

Stupéfait, Sinan plissa les yeux. « C'est un bon étudiant.

— Ordres du grand vizir », dit le chef du détachement, qui avait du respect pour le maître et ne voulait pas le bouleverser en emmenant son apprenti de force.

« Il n'a rien fait de mal, n'est-ce pas ? » insista Sinan.

Personne ne se hasarda à répondre. Au milieu de ce silence embarrassant, Jahan marmonna : « Je suis désolé, maître. »

Le visage de Sinan se décomposa lorsqu'il comprit que certaines choses lui avaient échappé. Plaçant les mains sur les épaules de Jahan il les serra fort, comme s'il voulait lui transmettre un peu de sa propre foi. « Peu importe ce qui s'est passé, je ne t'abandonnerai pas. Tu n'es pas seul. Dieu est avec toi. »

La gorge de Jahan se serra. Il n'osait ouvrir la bouche de peur de laisser échapper un sanglot. Les soldats l'encadrèrent avec des égards. Dès que le bruit du chantier ne fut plus qu'un murmure, ils lui entravèrent les mains. C'est en cet état qu'on l'amena devant le grand vizir.

« Toi ! dit Rustem Pacha, le doigt pointé vers lui. Tu as eu le front de prendre le sultan en embuscade. Comme un serpent, tu as rampé derrière mon dos ! »

Jahan sentit la sueur lui mouiller la nuque ; il tremblait.

« Tu veux mettre le trésor en péril, c'est ça ! Je me suis renseigné sur ton compte. Tu m'as l'air d'un amas de mensonges. Tu es un espion perse ?

— Mon vizir, dit Jahan, la voix brisée, je le jure sur le saint Coran, je ne suis pas un espion. Mes intentions sont honnêtes.

— Nous verrons cela. » Rustem appela les gardes.

Et c'est ainsi que l'apprenti indiscipliné de Sinan, pour avoir voulu aider son maître à faire venir l'eau dans la cité, se vit conduire dans les noirs bas-fonds de la Forteresse aux Sept Tours – où des centaines et des milliers d'âmes étaient allées avant lui, mais d'où seule une poignée étaient ressorties vivantes.

« Ton nom ? » lui demanda le scribe pour la deuxième fois.

Jahan n'arrangeait pas ses affaires en refusant de répondre. Pourtant, une force en lui résistait à l'idée de voir son nom ajouté à ce parchemin où était enregistré le nom de chaque vaurien jamais capturé à Istanbul. Sa peur panique croissante lui soufflait qu'une fois inscrit on pouvait être enterré dans ce trou jusqu'à la fin des temps.

Le scribe le regarda avec colère. Son accent, à la différence de son écriture, manquait totalement de grâce. « J'interroge, tu réponds. Sinon je te coupe la langue. »

Le gardien principal qui les observait s'interposa : « Allons, allons. Inutile d'effrayer la volaille.

— Une volaille royale, *effendi* ! fit le scribe.

— On verra. Toutes les poules se ressemblent une fois plumées.

— C'est sûr, *effendi* ! »

Le gardien principal fixait Jahan avec une expression pince-sans-rire. Le visage émacié, les épaules voûtées, il lui rappelait un garçon de son village qui s'amusait à attraper des crapauds, les attacher sur un bâton et les disséquer avec son couteau – le visage immuable pendant toute l'opération, le regard vide.

« On n'a jamais eu quelqu'un de ce genre ici, n'est-ce pas ? dit le gardien principal comme si Jahan n'était pas dans la pièce.

— Ouais, belle prise, celui-là.

— La prise du grand vizir ! »

Jahan comprit qu'ils savaient déjà tout de lui. Lui demander son nom – tout comme le tenir entravé alors qu'à l'évidence il ne risquait pas de s'enfuir – c'était simplement pour le plaisir de l'ennuyer. En gardant le silence il ne faisait que prolonger cette comédie. Sa voix sortit rauque quand il répondit : « Je suis le dompteur d'éléphants de notre sultan et apprenti de l'architecte impérial. »

Un bref silence suivit, écorné par le grattement d'une plume. Quand il eut terminé le scribe dit : « C'est un misérable, pas vrai, *effendi* ?

— Misérable, c'est sûr. Un petit bonhomme qui a un grand ennemi. »

Jahan déglutit péniblement. « Mon maître va me sortir d'ici. »

Le gardien principal s'approcha si près que Jahan sentait son haleine fétide. « Tous les hommes qui ont pourri ici avaient un maître. Ça ne leur a fait aucun bien. Ces maîtres ne sont même pas venus à leur enterrement. »

Le scribe gloussa. Jahan insista : « Mon maître est différent.

— Le coq qui chante trop tôt appelle le boucher », dit le gardien principal et, en élevant la voix, il ordonna aux gardes : « Conduisez le prince dans son palais. »

Les gardes firent traverser à Jahan un couloir miteux et humide. Ils descendirent une volée de marches, entrèrent dans un corridor si étroit qu'ils durent se mettre en file. Jahan notait involontairement les fentes des murs aux points où s'était amassée une mousse verte gluante. Ils descendirent encore un étage, puis un autre. La puanteur se fit plus lourde, l'obscurité plus épaisse. Il marcha sur un obstacle dont il sut d'instinct qu'il avait été vivant jadis.

Ils étaient dans le ventre de la forteresse. En dehors de quelques flambeaux, il faisait si sombre que si Jahan n'avait pas su être arrivé ici le matin il aurait cru la nuit tombée. Il y avait des cellules à droite et à gauche, creusées comme des dents manquantes dans une bouche. Puis il les vit, *eux*. Les joues creuses, squelettiques, petits et grands, jeunes et vieux. Certains prisonniers le regardaient, le front appuyé sur les barreaux de fer. D'autres l'ignoraient, lui tournant le dos. D'autres encore étaient couchés sur des paillasses grossières. De loin en loin, Jahan apercevait un bras osseux tendu pour saisir une louche d'eau, un visage hagard émergeant de l'ombre, des étrons empilés à côté de seaux remplis d'excréments.

Un pensionnaire poussa un murmure éraillé, et quand Jahan se tourna pour l'écouter, il lui cracha au visage. Incapable de bouger les mains, Jahan tenta d'essuyer la bave avec son épaule. Le prisonnier s'esclaffa. Même après que ses lèvres cessèrent de remuer le rire persista – bas, sinistre. À cet instant-là Jahan eut le sentiment que la forteresse le raillait. Ses genoux se dérobèrent. Certes il était un voleur mais pas comme ceux-là. Ces gens étaient des bandits, assassins, violeurs, escrocs et brigands. Il n'aurait pas dû se retrouver parmi eux.

L'amertume, aigre et forte, lui monta à la gorge comme de la bile, l'étouffant presque.

« Avance ! » aboya un garde.

Devant eux, quelque chose couina. Le garde pointa sa torche dessus. Une chauve-souris. Jahan se demanda comment elle avait pu arriver là. Il n'eut pas le temps d'y réfléchir. Les gardes ouvrirent un portail rouillé et le poussèrent dans une cellule vide.

« Voilà ton trône, altesse. »

Jahan attendit que ses yeux s'accoutument aux ténèbres. Quelques échardes de lumière se faufilaient par des ouvertures en hauteur, pas plus d'une demi-douzaine, et chacune pas plus grande qu'une pièce de monnaie. C'est par là aussi que pénétrait l'air frais, s'il y en avait. Il vit des murs de pierre, un sol en terre battue, un matelas râpé et deux seaux en bois – l'un encroûté de fèces, l'autre rempli d'eau où flottaient quelques insectes morts.

« Hé, pourquoi vous l'avez pas amené par ici ? » brailla une voix à travers la salle.

L'homme se mit à débiter tout ce qu'il ferait à Jahan. À chaque saillie grossière, ses camarades de cellule hurlaient de rire. Ils continuèrent sur ce mode pendant quelque temps, lui qui beuglait des obscénités en claquant des babines ; les autres qui ricanaient. Bientôt ils entonnaient une chanson – et cognaient, frappaient dans leurs mains, tapaient du pied. Le tapage était tel que Jahan ne put se retenir de jeter un coup d'œil à leur cellule qui, à la différence de la sienne, était illuminée par des chandelles.

L'un des détenus – un adolescent aux cheveux bouclés, yeux en amande, joues à fossettes, se mit à danser tandis que les autres sifflaient et applaudissaient. Avec un déhanchement lent, il releva sa chemise, exhibant son nombril où luisait une perle minuscule. Un mot était tatoué dessous, en lettres assez grosses pour que Jahan pût les déchiffrer – *Cher amour*.

« Vas-y, Kaymak !

— Roule-nous un peu ce joli cul. »

Enhardi, Kaymak ébranla tout son corps. Plus il s'agitait et se trémoussait, plus les sarcasmes devenaient grivois. Les autres détenus – quatre en tout – gloussaient mais Jahan remarqua qu'ils craignaient le fier-à-bras. Ce qui le frappa aussi, c'est que contrairement à lui et presque tous ceux qu'il avait croisés en chemin, aucun de ces prisonniers n'était enchaîné. Comment ils avaient obtenu un tel privilège, Jahan ne pouvait l'imaginer.

Pendant que Jahan observait l'adolescent, la brute l'observait lui. Soudain il empoigna Kaymak par-derrière et donna des coups de reins comme s'il le montait. Ses camarades rugirent de rire. Rougissant, Kaymak afficha un sourire nerveux. Le tintamarre devait être audible partout à la ronde mais les gardes avaient disparu.

La brute sortit une lame de sa botte. Il lécha sa pointe froide et aiguisée et la posa contre la gorge de Kaymak. La pomme d'Adam du jeune homme sautait de bas en haut, mais il continuait à se déhancher. Pendant un temps tous trois furent enfermés dans un monde à eux – la brute, le danseur, la lame.

Le tortionnaire fit un pas de côté, releva sa manche. Son bras gauche était couvert d'ecchymoses et de coupures, certaines recouvertes d'une croûte, d'autres toutes fraîches. D'un geste rapide il s'entailla la chair du poignet au coude. Des filets de sang tombèrent sur le sol, et Jahan s'aperçut alors que ce dernier était piqueté de taches noires. Malgré tous ses efforts pour paraître indifférent il sentit son corps s'affaisser. Il lui vint à l'esprit qu'il serait capable de tuer cet homme.

C'est à ce moment-là qu'une voix perça l'air. « Ça suffit, là-dedans. »

Le commandement, si irréel à entendre, retentit sur les murs et fit taire le vacarme aussitôt. Jahan regarda à sa droite, vers la cellule à l'extrémité du corridor. Au début il ne vit rien. Puis, lentement, surgit de l'obscurité un visage familier. Balaban.

La brute émit un grognement. « Les gars s'amusaient un peu.

— Ah ouais ? Dis-leur qu'ils me cassent les oreilles. »

La brute fit un signe à ses hommes. Ils se replièrent dans leur coin, y compris l'adolescent qui se dandina vers le sien à contrecœur.

« Encore une chose, cria Balaban.

— Hmmm ?

— Arrête de te taillader, Abdullah. Pas envie de voir du sang partout.

— C'était pour le petit nouveau, dit Abdullah, vexé apparemment que ses caillots ne soient pas appréciés.

— Eh bien, la cérémonie est terminée », dit Balaban. Il s'approcha des barreaux de fer et c'est seulement là qu'il vit Jahan. « Ça alors ! C'est notre Indien. »

Il y avait cinq Gitans avec lui dans sa cellule, loyaux jusqu'à la moelle. Un par un ils saluèrent Jahan de la tête.

« Comment tu as fait pour arriver dans ce trou merdeux ? demanda Balaban.

— J'ai offensé le grand vizir. Et toi ?

— Moi ? j'ai rien fait. Juste chatouillé un peu un cadi. »

Balaban avait été arrêté pour avoir volé une voiture appartenant à un juge – le même qui avait naguère jeté en prison un cousin éloigné de Balaban et envoyé son grand-oncle à la potence. Résolu à venger sa famille, Balaban et ses compagnons avaient subtilisé les bijoux et les caftans du cadi, fait rôtir les paons de son jardin, enlevé sa quatrième épouse et mis le feu à ses écuries. Ce n'est qu'en jetant leur dévolu sur sa voiture toute neuve – arrivée du Frangistan, jadis propriété d'un seigneur – qu'ils s'étaient fait prendre.

Dans les basses-fosses de la Forteresse des Sept Tours, Balaban était roi. Au sein de la souffrance et du malheur il avait créé une oasis – coussins de soie moelleux, brasero pour se chauffer, pot en cuivre pour préparer du café, siège sculpté en bois de chêne qui faisait office de trône. Les détenus le vénéraient ou l'évitaient, et prenaient soin de ne pas lui marcher sur les pieds. Car tous avaient des êtres chers dehors – parents, épouses, enfants. Le plus farouche des prisonniers savait que, s'il faisait du tort à Balaban, un membre de sa parentèle gitane exercerait des représailles. Car Balaban était le chef d'une tribu immense, si vaste que lui-même en ignorait les dimensions. Mais ce n'était pas la seule raison qui le faisait tenir en haute estime. Les détenus comme les gardes redoutaient les mauvais sorts des Romanis, surtout ceux jetés à la pleine lune, qu'il faudrait sept générations pour purger. Même après la mort du coupable, ses petits-enfants continueraient à en souffrir les conséquences.

Tout cela, Jahan l'apprit rapidement. Il soupçonnait que la source de ces légendes n'était autre que Balaban lui-même. Après Sinan, c'était l'homme le plus intelligent qu'il eût jamais rencontré. Mais là où l'esprit de son maître était un lac serein sans fond, celui de Balaban était un fleuve tumultueux, qui roulait et giclait par-dessus bord, trop sauvage pour suivre un cours régulier.

La nuit Jahan s'enveloppait dans une mince couverture mitée qui puait l'odeur de chacun des usagers précédents. Souvent il faisait si froid que ses dents claquaient, lui rappelant le raclement d'un burin sur la pierre. À travers les lézardes des murailles le vent hurlait, les insectes grouillaient, les rats détalaient. L'idée qu'une de ces bestioles pourrait lui entrer dans l'oreille ou lui ronger le nez était si affreuse qu'il ne dormait que par saccades, attendant l'apparition de l'aube, la tête douloureuse à force de serrer les mâchoires. Chota lui manquait. Il rêvait de revoir encore une fois Mihrimah, d'entendre sa voix satinée. Sa vie antérieure lui faisait maintenant l'effet d'un conte qu'il connaissait vaguement pour l'avoir entendu narrer jadis par quelqu'un d'autre.

Les gardes étaient malveillants, les semaines atrocement lentes. Le temps devenait un escalier à vis sans fin qui ne conduisait nulle part. De la solitude, il pouvait s'accommoder ; pas d'être abandonné. Malgré tous ses efforts pour lui trouver des excuses, il ne comprenait pas que Sinan ne lui ait pas même envoyé un message. Les premiers jours, chaque fois qu'il entendait un pas dans le corridor, il croyait que les gardes venaient le libérer. Plus maintenant. Il était certain qu'on l'avait oublié. Il les imaginait – Youssouf, Nikola, Davoud et son maître – travaillant comme de coutume, sans être gênés par son absence. Il voyait Mihrimah avec ses suivantes, contemplant son visage dans un miroir vénitien, plongée dans un deuil silencieux – silencieux mais peu profond. Il pensait à Chota et aux dompteurs d'animaux du palais, chacun dans son monde à soi. Le ressentiment et la colère empoisonnaient son âme, se multipliant plus vite que les poux qui rampaient sur son crâne.

Une fois par jour on leur donnait un morceau de pain moisi et un gruau enrichi de morceaux de cartilage, que Jahan ne pouvait pas ingurgiter sans vomir. La faim produisait des effets bizarres, découvrit-il. Peu importe l'heure du jour, il rêvait de nourriture – toutes sortes d'aliments. Il parlait tout seul, ergotait avec ceux qui lui avaient fait du mal dans le passé. Le capitaine Gareth, Kamil Agha l'Œillet, le dresseur d'ours Mirka, son oncle… Qu'il veille ou qu'il dorme, il se querellait avec chacun d'eux.

Depuis sa cellule, Abdullah l'observait avec un sourire en coin, comme pour dire qu'ils commençaient à se ressembler.

Au bout d'un mois, les gardes amenèrent un garçon au visage trop joli pour son propre bien – un chapardeur, apprit-on. Il pouvait à peine marcher, après avoir reçu cent coups de bâton sur chaque plante de pied. Ensuite il avait dûment baisé la main qui l'avait châtié, en remerciant son bourreau de l'avoir remis sur le droit chemin. On lui enjoignit de payer l'homme qui l'avait flagellé pour le dédommager de l'avoir tant fatigué. Le garçon ne possédait pas un sou vaillant. Après une nouvelle bastonnade, on l'envoya à la Forteresse des Sept Tours.

Alors qu'il y avait toute la place voulue à côté de Jahan, on le mit dans la cellule en face. Abdullah n'attendit pas longtemps pour le harceler. Le garçon résista farouchement. De temps à autre, Jahan entendait sa voix grêle, emplie de crainte. Des cernes noirs apparurent sous ses yeux. Jahan se douta qu'il n'osait pas poser la tête pour dormir car il devait rester constamment en alerte.

Un matin, à peine endormi à l'approche de l'aube, Jahan fut réveillé par des sons étouffés. Il aperçut d'abord Kaymak, en train de s'épiler les sourcils dans un coin. Les autres faisaient une partie de dés, braillaient et juraient. Puis il les vit. Adbullah appuyait sa lame contre la gorge du garçon, l'obligeant à se taire pendant qu'il lui baissait son pantalon. Tous feignaient l'ignorance.

Jahan courut jusqu'aux barreaux et cria de toutes ses forces : « Balaban ! »

Pas un son. « Hé, Balaban.

— Quoi ? vint la réponse grinchue. Pas fini de braire ?

— Le garçon est en difficulté.

— Et alors ?

— Aide-le !

— S'il fallait que j'aide tous les jeunes abrutis à la ronde, j'aurais même plus le temps de chier.

— Ce n'est qu'un enfant.

— Et alors ? Si tu es un maillet, cogne ; si tu es un pion, laisse-toi cogner. »

Jahan vociféra : « Que le diable t'emporte ! Fais quelque chose ou sinon... »

La phrase resta en suspens dans l'air, inachevée. Jahan hésita, déglutit. De quoi pourrait-il bien le menacer ? « Ça voudra dire que tu n'es pas différent d'Abdullah.

— Jamais prétendu l'être », répliqua Balaban.

Abdullah ricana. Ses mains caressaient les hanches du garçon. « Tu veux le sauver ? Viens, prends sa place. »

Un silence pesant suivit tandis que Jahan se demandait quoi faire. Balaban, Kaymak, le garçon, les autres détenus – on aurait dit que tous attendaient sa réaction. Jahan eut un sentiment brûlant de honte, et un besoin plus profond de dire quelque chose de frappant. « J'ai un éléphant. Il a piétiné beaucoup d'hommes. Quand je sortirai d'ici je jure qu'il te tuera.

— C'est quoi, un éléphant ? demanda Abdullah, qui semblait perplexe.

— Une bête sauvage. Plus grosse qu'une maison. »

Abdullah prit un ton moqueur. « T'as avalé du haschich, c'est ça ? Où tu l'as trouvé ?

— C'est vrai. Les éléphants sont les plus gros animaux de la terre. Le mien va te mettre en purée.

— C'est un mensonge ! fit Abdullah.

— Tu ferais mieux de le croire, intervint Balaban. J'en ai un aussi. Son éléphant et le mien sont mari et femme. Des animaux intelligents. Plus futés que toi, c'est sûr. Pourraient t'écrabouiller comme un crapaud. »

Maintenant que Balaban se ralliait à Jahan, Abdullah prit la menace plus au sérieux. Le sourcil froncé, il demanda : « Qu'est-ce qu'ils mangent ?

— De la chair humaine, dit Jahan.

— Menteur », répéta Abdullah, quoique avec moins d'assurance cette fois.

Le garçon tira parti de ce bref instant pour se libérer de l'étreinte d'Abdullah et courut à l'autre extrémité de la cellule. Heureusement pour lui, il serait bientôt libéré. Jahan avait beau être content de le savoir en sécurité, il fut incapable de se lever de son grabat pour lui dire adieu. Il se sentait épuisé. Et assoiffé. Et gelé. Le temps s'était arrêté. Dans ses accès de délire, il embrassait Mihrimah, riait avec Sinan, marchait aux côtés de Nikola, Youssouf et Davoud. Il voyait aussi des goules et des *ifrits* menaçants. L'un d'eux, assez pénible, insistait pour lui faire absorber un breuvage.

« Je n'accepterai rien d'un *ifrit*, dit Jahan.

— Je suis pas un *ifrit*, espèce d'idiot. »

Jahan se força à ouvrir les yeux. « Balaban ?

— Ouais, allez, bois ! Tu es bouillant. » Tenant le gobelet d'une main, Balaban l'aida à s'asseoir et s'adosser au mur.

« Qu'est-ce que tu fais ici ?

— Je te soigne.

— Comment tu es entré ?

— J'ai les clefs de toutes les cellules de ce corridor.

— Quoi ?

— Chhht, on en parlera plus tard. Dis-moi, tu es marié ?

— Non.

— Tu as une amoureuse, alors ? Grosse poitrine, cul chaud. Imagine-toi qu'elle t'a préparé un sorbet. Avale une gorgée, ou tu lui brises le cœur. »

Même pour sauver sa peau Jahan ne pouvait imaginer Mihrimah préparer un sorbet – pour lui ou pour quiconque. Fermant les yeux, il marmonna : « Je ne veux...

— Fais-moi confiance et bois ça.

— Te faire confiance à *toi* ? Tu as refusé d'aider le garçon. »

Balaban soupira. « Ce garçon, il était pas des nôtres. Il avait pas juré allégeance. Si je protège tout le monde, comment tu veux que mes hommes restent loyaux ? J'ai assez de soucis comme ça. Tu sais ce qu'on dit, là où il y a deux Gitans, il y a trois opinions.

— Alors tu ne protèges que les tiens ?

— Oui, seulement la famille.

— Au diable ta famille.

— Attention à ce que tu dis, mon frère. Pourquoi je devrais aider toutes les crapules de ce gourbi ?

— Pourquoi tu m'aides moi ? Je me suis trompé. Tu es pire qu'Abdullah.

— Parle-moi encore comme ça et je t'arrache la langue.

— Vas-y, dit Jahan. Arrache-la, ça n'a plus d'importance.

— Sauf si… tu es de la famille. Après tu as le droit de me parler comme tu veux. »

Jahan fut pris d'un accès de toux, les épaules convulsées. Quand il retrouva sa voix, il demanda : « Qu'est-ce que tu racontes ?

— Passons un marché. Bois ça, rétablis-toi. J'organise une fête au printemps. Je te fais Romani honoraire. Plus besoin de te couper la langue. »

Une onde de rire monta aux lèvres de Jahan. Balaban le foudroya du regard. « Tu trouves ça drôle ?

— Non, ce n'est pas ça, dit Jahan. Je serais très honoré. C'est juste que… je ne crois pas que je vais sortir d'ici. »

Abdullah, qui les écoutait en douce depuis sa cellule, cria : « Qu'il pourrisse !

— Ferme ton clapet ! » beugla Balaban. Baissant la voix, il dit à Jahan : « Tu bois ça, je te fais Gitan. C'est une bonne potion, une recette de notre vieille *daki dey*. »

Dans l'état où il était, Jahan n'eut pas l'idée de demander qui c'était. Il prit une gorgée, et la recracha. « Beurk. Qu'est-ce que c'est ? C'est infect. »

Balaban soupira à nouveau. D'un geste vif, il tira en arrière la tête de Jahan, la maintint serrée contre son épaule et lui versa le liquide dans la gorge. Jahan cracha, s'étrangla, toussa et vomit mais il en avala quand même la moitié.

« Bien », dit Balaban. Il sortit de sa veste un mouchoir qu'il noua autour du front de Jahan. « Au printemps, tu entres dans la famille. »

Était-ce la magie du breuvage, qu'ensuite Jahan avala trois fois par jour pendant toute une semaine, ou la chance, dont il ne pensait pas être très gâté, il surmonta sa fièvre. Il trouva même de nouvelles forces pour se remettre au dessin.

Dans la Forteresse des Sept Tours, si l'espoir était une denrée rare, il y avait de la merde en abondance. Les seaux étaient rarement vidés et celui de Jahan ne faisait pas exception. Une pile d'étrons s'accumulait dans un coin. Au temps jadis, les architectes gravaient leurs dessins sur des sols en plâtre. Jahan dessina sur le sol de sa cellule avec une brindille et la merde lui servit d'encre.

Il commença par dessiner un caravansérail. L'effaça, tenta de dessiner un manoir qui serait digne de Mihrimah. Son chef-d'œuvre, c'était une prison. Pas verticale mais horizontale. Par des ouvertures dans le plafond elle recevrait beaucoup de lumière et d'air frais. Dans sa prison on ne mettrait jamais les jeunes condamnés avec les vieux. Et personne ne serait enchaîné. Les prisonniers apprendraient la menuiserie ou la maçonnerie. Il y aurait des ateliers adjoints au bâtiment principal. Jusqu'ici Jahan avait pris plaisir à dessiner des édifices sans vraiment penser aux gens qui s'en serviraient ou à leurs sentiments. Maintenant c'était différent. Il se souciait des gens autant que des bâtiments.

« Qu'est-ce que tu fabriques ? » interrogea Balaban lorsqu'il revint vérifier comment Jahan se portait.

« Je dessine un hospice. Cette partie c'est la cuisine. Et ici, la bibliothèque. Si chaque sage de la cité venait enseigner là un seul jour, imagine quels progrès feraient même les pauvres.

— Pauvre petit, tu es devenu complètement fou », dit Balaban, mais il ne put se retenir de demander : « Et ce dessin-là, qu'est-ce que c'est ?

— Ça, c'est un hôpital. Pour des gens encore plus fous que moi. Le bâtiment les contrôlera, mais sans les incarcérer.

— Eh bien, va faire tes dessins dehors. J'ai une nouvelle. Le grand vizir t'a accordé son pardon.

— Comment tu le sais ?

— J'ai de la famille au palais. »

Une ombre passa sur le visage de Jahan. « Mais pourquoi ? Qu'est-ce qui a changé ?

— Qu'est-ce qui ne va pas chez toi ? s'écria Balaban, en haussant les mains d'un geste exaspéré. Agenouille-toi et remercie Allah. Pourquoi tu poses toujours des questions ? Quand tu te noies, tu te cramponnes à un serpent. Tu demandes pas, t'es un bon serpent ou un mauvais, laisse-moi t'examiner d'abord. »

Peu avant l'aube, Jahan entendit des bruits de pas, puis la clef qui tournait dans la serrure. Deux gardes entrèrent, lui retirèrent ses chaînes, et l'aidèrent à se mettre sur pied. Malgré ce que lui avait dit Balaban, la première et la seule idée qui lui vint en tête c'est qu'ils allaient l'exécuter. Voyant sa réticence ils le poussèrent, mais plus doucement qu'ils ne l'avaient fait les autres jours. Leur compassion confirma sa crainte.

« Vous allez me pendre ?

— Non, imbécile. Tu es libre de partir. »

Incrédule, Jahan se rendit à la cellule de Balaban. Les Gitans dormaient. Contrarié de devoir partir sans leur faire ses adieux, il prit le mouchoir que leur chef lui avait mis autour de la tête et le noua aux barreaux. Il jeta un coup d'œil à Kaymak, qui marmonna juste quelques mots inaudibles. Non loin de là, Abdullah dormait paisiblement, l'air incapable de la violence qu'il avait en lui.

Ils parcoururent les couloirs, prirent les escaliers. Tout en franchissant les paliers, Jahan n'avait qu'une question en tête, qui l'avait sauvé et pourquoi. Dehors une voiture l'attendait.

« Où allons-nous ? demanda-t-il au cocher.

— J'ai reçu l'ordre de te conduire chez Son Altesse Mihrimah. »

Ainsi apprit-il qui était venu à son secours. Par la fenêtre de la voiture il contemplait la brume sur la mer, le vert sombre des pins, l'essor des milans à queue fourchue sur la brise. Tout semblait tel qu'il l'avait quitté. Et pourtant rien n'était pareil. Quand on subit un changement brutal, on s'attend à ce que le monde ait changé lui aussi.

Il passa la tête dehors et héla le cocher. « Je ne peux pas y aller dans cet état. Je t'en prie, conduis-moi dans un hammam.

— Non. J'ai l'ordre de te conduire chez ma sultane immédiatement.

— *Effendi*, sois pitoyable. Je ne voudrais pas qu'elle me voie comme ça. »

Le cocher haussa les épaules. Ça lui était égal. « Tu aurais dû y penser avant d'aller en prison », dit-il rudement.

Cette réponse mit Jahan en colère. Il n'avait plus de patience pour les gens sans cœur. « Maintenant écoute-moi bien. Je viens juste de sortir du cachot. S'il le faut j'y retournerai. Mais avant cela je te tuerai. »

Le cocher bougonna. Mais comme il craignait les réactions d'un ancien forçat, il arrêta la voiture au carrefour suivant et obliqua vers une rue latérale, en quête du hammam le plus proche.

Le propriétaire du hammam ne voulait pas laisser entrer Jahan, et finit par accepter seulement après s'être laissé soudoyer par le cocher. Lorsque l'eau chaude toucha sa peau, Jahan fit une grimace de douleur. La tiédeur du marbre sous ses orteils lui donnait l'impression de marcher sur des nuages. Il se rasa pour la première fois depuis des mois. Le *tellak*, un Kurde lourdaud, devait être irrité par une injustice subie le matin même, ou alors il avait consommé trop d'épices, car il frotta trop vigoureusement – ses doigts travaillaient vite, des anneaux écarlates se formaient autour de ses poignets sous l'effort. Lorsqu'il eut terminé Jahan avait la peau rouge comme un champ de pavots. L'odeur et la crasse du donjon lui sortaient des pores par pellicules noires. La tête lui tournait. Il se leva et traversa la buée en titubant jusqu'au dais à l'extérieur. L'air était frais et pur après les vapeurs chaudes de la chambre de massage.

Ils lui offrirent du sorbet aux fraises sauvages. Tandis qu'il sirotait sa boisson, faute de meilleure occupation il observa ceux qui l'entouraient. Un homme râblé au teint rouge, sans doute un marchand, somnolait. Un autre au regard furtif, la joue barrée d'une cicatrice, était assis sur la margelle, jambes pendantes presque entièrement recouvertes par un *pestemal* de coton. Le Kazakh à côté de lui dévisagea Jahan puis, le trouvant sans intérêt, lui tourna le dos.

Peu après deux adolescents apparurent – le visage imberbe, de grands yeux brillants. C'était l'homme râblé qui les avait fait venir. Jahan savait ce qui se passait. Dans des pièces privées, les garçons devaient offrir leurs services à des clients choisis. Jahan se rappela Kaymak et Abdullah. Son dos se raidit, sa bouche fit une grimace.

Une voix lui murmura à l'oreille : « Tu n'aimes pas les garçons. »

Un homme s'était affalé sur le marbre auprès de Jahan. Sa poitrine, ses bras, ses jambes et ses épaules étaient couverts de touffes de poils sombres.

« Je n'aime pas ce qui se passe », dit Jahan.

Tout en hochant la tête comme s'il était d'accord avec lui, l'homme répliqua en souriant : « Tu sais ce qu'on dit : les garçons l'été, les femmes l'hiver pour se tenir chaud.

— Je préfère prendre une couverture légère en été et un édredon l'hiver. »

L'homme gloussa sans insister. Avant de quitter le hammam, Jahan enfila les vêtements que le cocher lui avait fait porter. Il vit les deux garçons à l'extérieur qui chuchotaient, l'un d'eux brandissant un aspre comme si c'était la clef d'un monde secret.

Cette après-midi-là, lorsqu'il entra dans la villa de Mihrimah sur le Bosphore, une ardeur nerveuse l'envahit. Ainsi il n'était pas devenu inerte, ce cœur. En respirant par courtes bouffées pour se ressaisir, il s'agenouilla devant elle.

« Regarde-toi ! » Elle porta vivement une main à sa bouche. « Tu n'as que la peau sur les os. »

Jahan osa relever les yeux vers elle. Autour de son cou, un collier de perles captait les rayons du soleil à chacun de ses mouvements. Sa robe de fine soie avait la couleur des sapins. Femme mariée, elle se comportait différemment maintenant. Sous son voile elle était belle – et triste. Jamais le chagrin de quiconque n'avait paru aussi doux. Elle se faisait du souci pour lui. Peut-être même qu'elle l'aimait. Il eut le sentiment que son cœur se brisait.

Commandant plat après plat, elle insista pour qu'il goûte à tous. Ragoût de mouton, feuilles de vigne farcies, pruneaux au sirop, dragées multicolores. Il y avait sur une petite assiette quelque chose que Jahan n'avait jamais mangé auparavant – du caviar. Le destin était étrange. La veille il dessinait des asiles de fous sur une croûte de merde. Aujourd'hui il était assis sur des coussins de soie, à savourer du caviar servi par la main de sa bien-aimée. Les yeux clos pendant un instant, il n'aurait pu dire laquelle des deux vies était réelle, laquelle était la vie d'un autre.

« Autrefois tu me racontais des histoires, dit Mihrimah d'une voix à peine plus forte qu'un murmure. Tu t'en souviens ?

— Comment pourrais-je l'oublier, Altesse ?

— Tout était différent en ce temps-là. Nous n'étions que des enfants. Il faut être un enfant pour s'épanouir pleinement dans un conte, tu ne crois pas ? Pourtant, même adultes, nous pouvons… »

Elle allait ajouter quelque chose quand ses paroles furent interrompues par un bruit de pas venant du grand escalier. Le dos de Jahan se raidit à la pensée qu'il pouvait s'agir de son mari, Rustem Pacha. En tournant la tête il vit Hesna Khatun qui tenait une petite fille par la main. L'enfant s'inclina profondément devant sa mère et fixa ses grands yeux bruns sur Jahan.

« Aïcha, mon trésor, je veux que tu souhaites la bienvenue à notre invité. C'est un architecte de talent. Lui et maître Sinan ont construit ces belles mosquées dont nous parlons tout le temps.

— Oui, mère, dit la petite sans le moindre signe d'intérêt. Il s'est occupé aussi de l'éléphant blanc », ajouta Mihrimah.

Le visage d'Aïcha s'éclaira. « C'est toi qui as aidé l'éléphant à boire le lait de sa maman ? »

Jahan retint son souffle. Ces histoires qu'il avait racontées jadis à Mihrimah, elle avait dû les répéter à sa fille. De l'apprendre le fit sourire, comme s'il avait pénétré dans l'intimité de cette demeure, et fait partie sans même le savoir des conversations à l'heure du coucher. Par-dessus la tête de l'enfant il croisa le regard de Mihrimah. Un éclair de compréhension passa entre eux, comme un léger souffle de brise.

« Aimerais-tu venir un jour voir l'éléphant, Excellence ? » demanda Jahan à la fillette.

Aïcha fit la moue, comme pour dire peut-être ou peut-être pas. Au lieu de regarder sa mère pour obtenir son autorisation, elle se tourna vers Hesna Khatun, qui se tenait en retrait et les observait en silence.

Les yeux de Jahan se portèrent sur la nourrice. Elle avait vieilli : ses joues s'étaient flétries comme des feuilles sèches. Mais rien, pas même la dureté sans compromis de son regard, ne parvint à troubler les réflexions de Jahan. Voilà à quoi sa vie aurait ressemblé si seulement il avait eu la bonne fortune d'être à la place de Rustem Pacha – cette enfant serait sa fille, ces murs son bouclier contre le monde, cette vue splendide de la fenêtre la réalité qu'il découvrirait chaque matin au réveil, et la princesse qu'il aimait en secret, officiellement son épouse. Jamais auparavant, même dans les heures les plus sombres de son séjour au cachot, il n'avait souhaité à tel point la mort d'un homme.

Il sentit un léger mouvement. Hesna Khatun le dévisageait sans ciller, ses lèvres bougeaient à toute allure comme si elle parlait à quelqu'un. Jahan en eut la chair de poule. Il savait qu'elle avait lu dans ses pensées, sans pouvoir s'expliquer comment – et qu'elle trouverait le moyen de s'en servir contre lui.

Le lendemain de sa levée d'écrou, Jahan se réveilla le cœur pesant. Il cligna plusieurs fois des yeux, incapable de saisir où il se trouvait. Les dompteurs étaient déjà levés, et derrière la porte close, il entendait le feulement d'un léopard. Se sortant péniblement du lit, il traversa la cour en titubant jusqu'à la fontaine et s'aspergea le visage d'eau. Une légère ondée arrosait la bruyère, des gouttes nacrées comme la rosée. La brise apportait un parfum frais, les animaux arpentaient nonchalamment leur cage. Même s'il avait déjà passé du temps la veille en compagnie de l'éléphant, il avait hâte de le retrouver. Plus tard dans la journée, il rendrait visite à son maître. Il se sentait à la fois exubérant et nerveux. Il demanderait à Sinan pourquoi il n'était pas venu lui rendre visite à la forteresse, et s'il avait été empêché de le faire par une raison quelconque, pourquoi il ne lui avait pas au moins écrit une lettre.

Vers midi il arriva devant la demeure de son maître. Sa mélancolie s'évanouit dès qu'il vit Sinan et l'affection dans son regard. Il se demanda si le père qu'il avait perdu l'avait jamais regardé ainsi. Il s'inclina pour lui baiser la main mais Sinan le releva et le serra dans ses bras. La voix brisée, il dit : « Laisse-moi te regarder. Comme tu es maigre, mon fils. »

Peu après la *kahya* aveugle entra dans la pièce. Son fils apprenait maintenant toutes les tâches dont elle avait la charge, et Jahan savait qu'un jour proche il serait appelé à prendre sa place. L'apprenti en éprouva une profonde tristesse, et espéra qu'il pourrait dire adieu à la vieille servante le moment venu, et lui demander sa bénédiction.

« Il a besoin de manger, dit Sinan depuis son siège à la *kahya*.

— Le pauvre garçon ! » s'exclama-t-elle, et marchant aussi vite qu'elle le pouvait, alla donner des ordres pour le repas.

Les domestiques s'activèrent, apportant une table basse, des serviettes et des cuillers de bois. Ils placèrent devant lui des bols de miel, de beurre, de crème, du pain azyme, de la mélasse de raisins aigre-doux, du halva, et une jatte de yoghourt liquide à la menthe et aux raisins secs.

« Mange ! Bois ! » ordonna Sinan.

Jahan s'exécuta, bien qu'il n'eût guère d'appétit. Quand il fut incapable d'avaler une bouchée de plus, Sinan qui l'observait lui dit doucement : « On t'a puni afin de m'atteindre. Tout le monde le sait. »

Jahan ne sut que dire. Inconscient de l'amertume qui fermentait dans le cœur de son apprenti, Sinan poursuivit : « Sa Majesté souhaite reconsidérer le projet aquifère. J'aimerais que tu m'accompagnes au palais. Il faut laver ton nom.

— Je ne sais même pas de quoi on m'accuse », dit Jahan.

Une pause. « De traîtrise. »

Ce ne fut pas de l'horreur qu'éprouva alors Jahan, juste un profond chagrin.

« Rustem Pacha y sera ? » La dernière chose dont il avait envie, c'était bien de voir la vilaine tête du grand vizir.

« Sans aucun doute. Tu devras lui baiser la main, implorer son pardon. Tu t'en sens capable ? »

Jahan ne pouvait répondre. Au lieu de quoi il s'enquit : « Je ne comprends pas cette soudaine clémence. Qu'est-ce qui a changé ?

— C'est ce que je me suis demandé aussi. Il doit y avoir une raison, mais je ne la trouve pas. Tout ce que je sais, c'est que le sultan a exprimé le souhait de me voir. »

Jahan garda le silence. C'était sûrement Mihrimah. Elle avait dû parler à son mari, et plaider auprès de son père, le prier d'écouter une dernière fois l'architecte. Des allusions délicates comme des aigrettes de chandelle dans le vent. Tout indiquait qu'elle était attachée à lui. Jahan baissa la tête de peur que son maître ne lise dans ses pensées.

Le jour de leur visite, Jahan mit des vêtements neufs – un léger *shalwar* en coton, une chemise en toile de lin, des chaussures de cuir à bouts pointus. Son maître les avait achetés pour qu'il paraisse à son avantage. Sinan s'était vêtu lui aussi avec soin, d'un caftan de teinte rousse, et d'un turban en bulbe. La *kahya* marmonna les prières que sa mère lui avait enseignées il y a près d'un siècle et leur inonda la tête d'eau de rose bénie par sept imams.

On leur avait envoyé une voiture royale – un signe de bon augure, sans doute, indiquant que le sultan leur manifestait de la considération. Maître et apprenti prirent place à l'intérieur, les rouleaux entre eux. L'estomac noué, ils avaient peine à parler. C'est dans cette humeur que Sinan et Jahan arrivèrent au palais.

Le sultan Soliman les accueillit. À côté de lui se dressait l'imposante silhouette du grand vizir. De l'autre côté, le cheikh al-islam et l'agha des janissaires. Mains croisées, ils les examinaient avec une froideur qu'ils n'éprouvaient pas le besoin de masquer.

« Architecte impérial, dit le sultan, chacun de ces hommes honorables a des questions à te poser. Es-tu prêt à répondre ? »

Sinan s'inclina : « J'en serai honoré, Glorieuse Majesté. »

Le cheikh al-islam, Ebussuud Efendi, le visage aussi indéchiffrable qu'un manuscrit usé, parla le premier. « Dans notre illustre cité il y a des ponts datant des infidèles qui n'ont pas survécu. Ils se sont effondrés parce qu'ils ont été construits dans l'ignorance de la vraie foi. Es-tu d'accord ? »

Sinan prit une inspiration. « Dieu nous a donné un esprit et nous a dit de bien nous en servir. Nombre de ponts anciens sont en ruine parce qu'ils n'ont pas été construits sur un sol ferme. Quand nous bâtissons un pont, nous nous assurons que l'eau est peu profonde, le sol ferme, les marées favorables. Les ponts sont construits avec l'aide de la foi, c'est vrai. Mais aussi avec l'aide du savoir. »

Le sultan Soliman fit un geste à sa gauche, signal autorisant l'agha des janissaires à parler. « Majesté, ton vassal Sinan semble croire qu'il peut prédire la quantité d'eau qui se trouve sept couches sous terre. Comment est-ce possible ? Nous le prenions pour un architecte, pas pour un nécromancien. Est-ce qu'il fait aussi profession d'occultisme ? »

Jahan blêmit à ce sous-entendu, conscient qu'il impliquait une accusation de magie noire.

Sinan répliqua : « Je n'ai aucune expérience de la divination. La quantité d'eau souterraine peut se mesurer en utilisant des instruments adéquats.

— Ces instruments dont il parle, viennent-ils d'Allah ? Ou de Shaitan ? dit l'agha des janissaires.

— Sûrement de Dieu, répliqua Sinan. Il veut que nous étendions notre savoir. »

Le cheikh al-islam s'interposa. « Al-Kidar, puisse-t-il reposer au paradis, a découvert l'eau. Prétends-tu être aussi saint homme que lui ?

— Je ne vaux pas l'ongle d'un saint homme, dit Sinan. Al-Khidar a voyagé en compagnie du prophète Moïse et déchiffré les secrets de l'Univers. En comparaison de sa science, la mienne n'est qu'une goutte d'eau. Mais je crois qu'en nous servant des mesures correctes nous pouvons repérer les sources invisibles. »

Le sultan se tourna vers le grand vizir. « Qu'en dis-tu, pacha ? »

Rustem toussota. « J'aimerais savoir quelle somme l'architecte impérial a prévu de dépenser. Nous ne devons pas vider notre trésor. »

Sinan qui s'était préparé à cette question répondit : « Il y a deux voies, je crois. La dépense sera différente selon les souhaits de mon sultan. »

Cette réplique intrigua Soliman. « Que veux-tu dire, architecte ?

— Majesté, notre but est d'apporter de l'eau douce à la cité. Nous avons besoin d'ouvriers, des centaines. Si tu préfères, nous emploierons des esclaves des galères. Ainsi tu n'auras pas à les payer. Tu as des vassaux en quantité innombrable.

— Quelle est l'autre voie ?

— Nous louerons des ouvriers expérimentés. Ils seront payés selon leur compétence et le service rendu à Sa Majesté. En retour ils nous donneront leur sueur et leurs prières.

— Alors il pense pouvoir remplir nos coffres avec de la sueur et des prières ? » dit Rustem.

Ignorant cette remarque, le sultan demanda à Sinan : « Laquelle conseillerais-tu, *toi* ?

— Je crois que je les paierais et obtiendrais leur bénédiction. Le trésor est peut-être moins fourni qu'autrefois, mais cela vaudrait mieux pour le trône et le peuple. »

Jahan pâlit, s'attendant au pire. Après un long silence pénible, le sultan leva la main et dit : « L'architecte impérial a raison. L'eau est un don charitable, elle doit être distribuée généreusement. Je donnerai de l'eau au peuple et je paierai mes ouvriers. »

Mais presque aussitôt Soliman s'empressa de dire à Sinan. « Je ne t'autorise pas pour autant à construire un nouveau pont. Contente-toi de rénover les aqueducs – ça suffira. »

Il y eut des remous dans la salle, chacun des présents se demandait qui avait gagné la joute, si toutefois il y avait un gagnant. Sinan dit : « Mon Seigneur, avec ta permission, mon apprenti indien m'aidera à accomplir cette rénovation. »

Le sultan passa un doigt dans sa barbe tandis que ses yeux mesuraient Jahan. « Je me souviens de lui. C'est une bonne chose d'avoir un apprenti aussi dévoué. » Il marqua une pause. « Qu'en dis-tu, Pacha, allons-nous lui pardonner ? »

Le grand vizir, une étincelle dans les yeux, étendit le bras. Sinan fit un signe d'encouragement à Jahan. Affichant plus de fermeté qu'il n'en éprouvait, Jahan avança comme dans un brouillard et baisa la main ornée de bagues, la posa sur son front. Il aurait adoré faucher un de ces anneaux, se dit-il. Une compensation pour ses souffrances.

« Que Dieu bénisse vos efforts », dit Rustem, la colère glacée sur son visage contrastant avec la douceur de sa voix.

Sur le chemin du retour ils franchirent des couloirs de marbre, le maître et l'apprenti. Leur exultation était si intense qu'ils avaient peine à garder le silence. Jahan savait que son cœur n'était pas le seul à cogner ; son maître aussi avait eu peur. Une fois de plus, Sinan s'était retrouvé en mauvaise posture quand tout ce qu'il voulait c'était travailler. Une fois de plus, comme s'il était soutenu par un bienfaiteur inconnu, il avait obtenu un sursis. Peut-être avait-il un protecteur, pensa Jahan, un parrain mystérieux qui intervenait en sa faveur chaque fois que la situation devenait trop épineuse, un ange gardien invisible toujours présent à ses côtés...

De retour à la ménagerie, Jahan trouva les dompteurs d'animaux qui l'attendaient en affichant des sourires narquois.

« Viens avec moi, dit Olev, bras croisés sur la poitrine.

— Où va-t-on ?

— Pose pas de questions, répondit Olev en le tirant par le coude. Un homme qui vient de sortir du cachot a besoin d'un peu de joie. »

À la surprise de Jahan, Olev le dirigea vers les écuries des chevaux favoris. C'est là qu'on logeait les meilleurs pur-sang, qui portaient chacun autour de l'encolure une amulette bleue contre le mauvais œil. En les voyant approcher, Tempête, l'étalon chéri du chef des eunuques blancs, hennit doucement. Noble, majestueux, solitaire. Olev caressa l'animal en lui murmurant des paroles suaves à l'oreille.

« Quelqu'un va me dire ce qui se passe ? s'enquit Jahan d'un ton nerveux.

— Tu as toujours eu envie de monter ce cheval, pas vrai ? Eh bien c'est notre cadeau.

— Mais Kamil Agha… »

Olev lui coupa la parole d'un geste de la main. « T'inquiète pas, tout est arrangé. Il est pas au palais ce soir. Sorti rendre visite au hammam des chagrins. Me demande pas où c'est, j'en sais rien.

— Qu'est-ce que tu crois que je peux faire de ce cheval ?

— Rien, fit Olev avec un clin d'œil. Juste une petite chevauchée là-bas dans les collines. »

Peu après une ombre jaillit des portes de l'écurie. Jahan, couché si bas sur l'encolure du cheval qu'il était au niveau de son dos, lança Tempête dans l'obscurité. Quant aux deux gardes du portail, à qui on avait préalablement graissé la patte, ça leur était complètement égal. Jahan galopa dans la direction évoquée par Olev, savourant le vent sur son visage, se sentant pour une fois libre et hardi. Au bout de quelque temps il ralentit. Là, à faible distance, il aperçut un chariot et dessus, serrés les uns contre les autres, les Gitans.

« Ça alors ! s'exclama Jahan. Depuis quand êtes-vous sortis de prison ?

— Oh, on avait tous été relâchés un mois avant toi. On attendait juste que tu reçoives ton pardon, dit Balaban.

— Quoi ? Pourquoi tu ne m'as rien dit ? bégaya Jahan. Et qu'est-ce que vous faites tous ici à cette heure ?

— L'homme aux lions nous a prévenus, dit Balaban en accrochant les rênes de Tempête à l'arrière du chariot. Tes amis se sont concertés à ton sujet, il paraît. Ils pensent que l'heure est venue de t'accorder un peu de plaisir. Tu le mérites.

— Qu'est-ce que ça veut dire… ? » demanda Jahan, soupçonneux.

Les Gitans échangèrent un regard amusé.

« Tu vas voir », dit Balaban, et sans laisser à Jahan le temps de protester, il fouetta son âne. L'attelage s'ébranla, suivi par Tempête.

Le chariot cahotait à travers champs et chemins de campagne. C'était une fraîche soirée d'automne, mais le ciel était d'un noir velouté, des nuages de brume roulaient vers le nord, frôlant les limites de la cité. Une couverture de brouillard avalait les rues sinueuses et les ponts en arc, et Istanbul les avalait tous. Ils franchirent des allées, souvent si étroites – bordées des deux côtés de maisons en bois voûtées comme de jeunes arbres courbés par une tornade – que leur essieu raclait les murs sur leur passage. Les quartiers qu'ils traversaient semblaient de plus en plus silencieux, vermoulus et tristes. Balaban se taisait. Tout ce qu'ils entendaient, hormis un cri de mouette de temps à autre, c'était le claquement des sabots et des roues sur les pavés.

Le chariot fit halte et ils mirent pied à terre. Inspirant profondément pour se remettre d'aplomb, Jahan sauta à terre, chercha autour de lui un repère familier, et n'en vit aucun.

« Allons, le houspilla Balaban. Le mouvement est une bénédiction. » La main droite posée sur le cœur, le chef se tourna vers ses hommes : « Vous autres, partez, que Dieu vous accompagne. »

Jahan suivit Balaban. À chaque pas, les odeurs de la rue s'accentuaient – à l'arôme du jasmin se mêlaient l'odeur piquante de la mer et un parfum d'ail. Les dompteurs apprenaient beaucoup de leurs animaux, et Jahan savait une chose que Chota lui avait fait entrer dans le crâne : apprendre à mieux flairer. Aussi prêta-t-il plus d'attention à ces parfums portés par la brise et au bout d'un moment, il saisit une bouffée d'huiles aromatiques venue d'une maison voisine.

« Qu'est-ce que c'est que cet endroit ? » chuchota Jahan.

Balaban gloussa. « T'as pas compris ? On t'emmène dans un lupanar. »

Jahan blêmit. « Je refuse d'y aller.

— Quoi ? Tu as peur des filles ? On va juste entrer jeter un coup d'œil. Si ce que tu vois te plaît pas, on ressort. Que mon sang rougisse le sol sous tes pieds si je mens. Allez viens, l'Indien. Après tout ce qu'on a traversé ensemble en prison, écoute-moi. »

Jahan hésita. Il ne pouvait ni accepter ni refuser. Balaban le poussait devant lui, parlant sans interruption pour apaiser ses craintes. Il expliqua qu'un bordel à Istanbul, c'était un peu comme le début d'un conte turc – *il était une fois, et une fois il n'était plus.* Plusieurs courtisanes pouvaient demeurer sous le même toit pendant des mois, et juste au moment où on croyait qu'elles seraient toujours là, elles disparaissaient comme un songe, la maison n'était plus qu'une coquille vide. Et puis il y avait les épouses, pauvres comme des souris dans un garde-manger dévalisé, leur mari parti à la guerre ou bon à rien, qui faisaient la putain – mais juste à certaines occasions, rares et espacées.

Dans la plupart des quartiers les femmes soupçonnées d'avoir la vertu fragile se faisaient assaillir de malédictions et de pierres. Souvent au réveil elles trouvaient le seuil de leur maison enduit de goudron, des calomnies barbouillées sur leurs murs. Parfois on les arrêtait, voire même les emprisonnait.

Mais les cadis formaient un groupe hétéroclite et pas moins désorienté que les autres, disait Balaban. Ils avaient beau haïr les prostituées, ils considéraient ce commerce comme un mal inévitable et avantageux pour le trésor, puisqu'il était soumis à l'impôt. La seule période où il était strictement interdit, c'était pendant le ramadan. Le reste de l'année la prostitution était la seule infraction qui soit et ne soit pas un crime.

Le district d'Eyoub avait récemment fait preuve de rigueur et promulgué un décret. On ferma les tavernes, ainsi que les bordels et les maisons de café qui autorisaient les jeux de dés. Toutes les femmes de petite vertu furent bannies, même celles qui avaient changé de vie et trouvé un mari. Pour éviter un destin similaire, les femmes fardées se déplaçaient d'un lieu à un autre, selon le climat.

« La prostitution c'est comme le vent, dit Balaban, si tu essaies de la mettre aux fers, elle file par les trous. »

Sur ce ils arrivèrent devant une porte que leur ouvrit un homme noir. En voyant Balaban il s'inclina et dit : « Maître, sois le bienvenu.

— C'est toi le propriétaire ? » marmonna Jahan très surpris.

Balaban lança un regard glacial au domestique. Se tournant vers Jahan il leva les deux bras au ciel et lui dit : « Je suis un pauvre Romani. Tu crois qu'ici c'est une maison sur roues ? Comment elle pourrait être à moi ? Allez viens, perdons pas de temps. »

On les conduisit à l'étage, où une vieille femme au visage ridé comme une noix salua Balaban avec une vive estime. À côté d'elle, dans un panier, il y avait une chatte entourée de six chatons roulés en boule, tous avec le même pelage épais gris fumé. « Ils sont nés ici, fit-elle. Chacun porte le nom d'une de mes filles. »

Ces filles, apprit Jahan, c'était Fatima l'Arabe ; Nefise la Vénitienne ; une Kurde, Kamer ; Narin, circassienne ; Zarife, turque, Leah, juive, et Ani, arménienne.

Sur leur droite et sur leur gauche, des portes fermées, derrière lesquelles Jahan entendait parfois un murmure. Balaban le poussa dans une des chambres, le fit asseoir sur des coussins, lui dit qu'il devait aller voir ce que fabriquaient les musiciens, et disparut.

Une servante entra avec un plateau. Elle avait une chevelure flamboyante et des cicatrices pitoyables de chaque côté du visage. Ses yeux avaient un regard distant, comme en quête d'autres soirées, dans un passé lointain. Elle lui apportait de l'eau, du vin, et des assiettées de fromage de chèvre, figues au sirop, amandes grillées, condiments. Elle les plaça sur une table basse et lui demanda s'il désirait autre chose. Jahan fit non de la tête, le regard fixé sur les motifs du tapis. Sitôt la servante ressortie deux femmes entrèrent l'une derrière l'autre dans la chambre. La première était si grasse qu'elle avait un triple menton. Ses joues étaient rondes et rouge vif. Il lui vint à l'esprit que Chota, s'il était ici, les engloutirait comme des pommes. Cette pensée le fit sourire.

La femme s'en réjouit. « Je te plais ?

— Non ! » s'exclama Jahan. Ne voulant pas paraître impoli, il se hâta d'ajouter : « Euh, si, mais pas comme ça. »

Toutes deux se mirent à rire – elle plus fort que l'autre. La chair de son ventre bondissait de haut en bas. Claquant des lèvres, elle se pencha en avant. « J'ai trois seins, et il y a un monstre dans mon ventre qui sort quand j'ai faim. Je mange les hommes ! »

Jahan la dévisagea, horrifié. Un nouvel éclat de rire fusa.

« L'une de vous pourrait-elle appeler Balaban ? dit Jahan. J'ai besoin de le voir. »

Elles échangèrent un regard, craignant que leurs taquineries ne soient allées trop loin. Il faisait une chaleur étouffante, la pièce sentait le renfermé. Jahan se releva, marmonna une excuse et sortit comme une flèche. À la dernière seconde il s'avisa que les deux femmes le suivaient. D'un geste vif il referma la porte et poussa le verrou. Dans l'escalier il bouscula la servante qui avait apporté le plateau.

« Ça va ? dit-elle. Tu pars déjà ?

— Oui, Chota m'attend.

— C'est ta femme ? »

En dépit de lui, Jahan sourit. « Non, c'est mon éléphant. Un animal énorme. »

Ses yeux noirs brillèrent. « Je sais ce que c'est qu'un éléphant. »

Soudain les femmes enfermées dans la chambre se mirent à donner des coups dans la porte. Jahan pâlit. Ce qu'il voulait éviter à tout prix, c'était de se faire prendre. Il regarda autour de lui, pris de panique.

« Viens avec moi », lui dit la servante en lui tendant la main.

Par une trappe à l'arrière du palier ils atteignirent une volée de marches vermoulues. Elle le conduisit jusqu'à sa chambre sous les combles, où le plafond était si bas qu'ils devaient se courber. Mais sous la demi-lune la vue depuis la fenêtre était charmante – une forêt de grands pins et au-delà, la mer comme des bandes noires. D'ici elle paraissait autre chose que de l'eau, douce et consistante, un immense châle de soie drapé sur les épaules de la ville.

Jahan lui raconta ce qui s'était passé en bas, qui l'amusa beaucoup. Elle lui dit qu'elle s'appelait Peri. Elle avait été fille à soldats dans le passé, mais c'était fini. Avec ses traits défigurés – par un soldat qui avait vu de telles horreurs sur le champ de bataille qu'il avait l'esprit malade et vidait sa colère sur les prostituées – plus personne ne la désirait.

« Ce n'est pas vrai qu'aucun homme ne voudra de toi, dit Jahan. Tu es plus jolie que ces femmes en bas. »

Elle l'embrassa et il lui rendit son baiser, le goût de sa langue dans la bouche. Elle lui caressa les cheveux, les doigts doux et chauds sur son front ridé d'inquiétude. « Tu n'as jamais fait cela, n'est-ce pas ? » demanda-t-elle.

La forte rougeur de son visage était une réponse suffisante. Elle le fit étendre et lui retira ses vêtements à gestes lents. Quand elle posa les lèvres sur sa peau, il sentit le désir l'envahir. Jahan ignorait qu'il pût exister un tel royaume de délice. Des années plus tard seulement il comprendrait quelle chance il avait eue qu'une femme comme elle lui montre la voie.

Dans l'obscurité, endormi auprès de Peri, il se vit dans un pays inconnu, monté sur Chota. Ils caracolaient au-dessus des villas, sautant d'un toit à l'autre. Puis il aperçut Mihrimah dans le lointain, vêtue d'une robe de lin blanc, la chevelure flottant au vent. « Attends ! » hurla-t-il. Elle ne l'entendait pas. Il cria à nouveau. Chaque fois qu'il ouvrait la bouche un autre hurlement se perdait.

« Chhht, réveille-toi. »

Il fallut un moment à Jahan pour se rappeler où il était, et quand la mémoire lui revint, une sueur froide l'envahit. Il s'habilla à toute allure en bredouillant : « Il faut que je m'en aille. » Il s'interrompit en voyant le visage de Peri s'assombrir. « Je suis désolé. Je ne connais pas... cela, je... te paie ? »

Peri détourna la tête. « Tu ne me dois rien. »

Jahan s'approcha d'elle, lui caressa les cheveux. Il sentait fermenter en lui une confusion qui se changerait bientôt en sentiment aigu de culpabilité. Il savait qu'il devait partir avant que cela ne se produise. Il ne voulait pas que Peri le voie regretter ce qui venait de se passer entre eux.

« Tu as parlé dans ton sommeil, dit Peri en lui ouvrant la porte.

— Je t'ai réveillée ? »

Peri ignora la question. « Elle habite ton cœur, c'est sûr. Qui que soit cette femme. Elle sait que tu l'aimes ? »

Étourdi, penaud, Jahan quitta la maison. Jamais il n'aurait osé donner le nom d'amour au sentiment qu'il éprouvait pour Mihrimah, et pourtant, une fois le mot prononcé, dévoilé, par quelqu'un d'autre, il le recueillit délicatement et le serra contre sa poitrine, ne voulant plus lâcher prise.

Cent trente hommes furent engagés pour réparer les aqueducs. Ils étaient répartis en deux équipes – la première consolidait l'aile ouest, le second la partie médiane où la dégradation était plus avancée. Entre-temps les quatre apprentis, aidés d'un astrolabe, mesuraient la profondeur des vallées et l'altitude des sommets. Selon sa coutume, Sinan leur ordonna d'étudier les méthodes employées par les artisans d'autrefois. Ils devaient comprendre sur quels points les Byzantins avaient réussi et où ils avaient échoué s'ils voulaient les surpasser.

Davoud et Youssouf, férus de géométrie, prenaient les mesures des cours d'eau. Nikola et Jahan arpentaient les collines, repéraient les canaux détruits et les ruisselets obstrués. À certains endroits le flot se ruait dans une gorge parce que les canalisations étaient hors d'usage. L'eau se dispersait dans de vertes prairies et replongeait dans le sol sans être d'aucune utilité aux êtres humains. À d'autres endroits ils devaient rechercher la source du courant et nettoyer les tuyaux. Ils endiguaient l'eau pour la forcer à couler dans unc scule direction, celle de la cité. Puis grâce à un nouveau fossé ils la laissaient courir d'un bout à l'autre du vallon. À chaque stade ils mesuraient l'écoulement – à l'aide de becs de cuivre attachés aux réservoirs à écluses – calculant la quantité d'eau qui s'était accumulée en route.

Une semaine plus tard, Jahan commença à remarquer des détails étranges. Les ouvriers faisaient un détour pour éviter les apprentis, traînaient à exécuter les ordres. Plus il les observait, plus se confirmait sa conviction qu'ils cherchaient des excuses pour ne pas planter un clou, porter une planche, des choses infimes qui, additionnées, suffisaient à tout retarder.

Il prit à part l'un des dessinateurs – un Kurde nommé Salahaddin. Sa femme venait de donner naissance à des jumeaux. Le connaissant pour un honnête homme, Jahan comptait qu'il lui dirait la vérité.

« Qu'est-ce qui se passe ? Pourquoi ils sont tous si lents ? »

Salahaddin détourna le regard. « On travaille, *effendi*.

— Vous prenez du retard – pourquoi ? »

Une légère rougeur lui grimpa aux joues. « Tu ne nous as pas dit qu'il y avait un saint ici.

— Qui a dit ça ? »

L'homme haussa les épaules, refusa de livrer des noms.

Jahan tenta une autre question. « Comment ils savent que c'est un saint ?

— Ils ont vu... une apparition », répliqua Salahaddin, en l'observant comme s'il cherchait une confirmation.

C'était le fantôme d'un martyr – un vaillant soldat musulman tué en combattant les infidèles. Une flèche lui avait traversé la poitrine, touchant le cœur, pourtant il s'était battu sans faiblir encore pendant deux jours. Au matin du troisième jour il était tombé, et on l'avait enseveli dans les parages. Maintenant son âme, dérangée par le bruit et l'agitation du chantier, apparaissait aux ouvriers, qui redoutaient de voir le fantôme lancer sa malédiction sur eux.

« Sornettes. Celui qui a répandu cette histoire essaie de nuire à maître Sinan.

— Mais c'est vrai, *effendi*, assura Salahaddin. Il y en a qui l'ont vu.

— Où ça ? dit Jahan, mains levées dans un geste d'exaspération. Montre-moi ! »

À sa surprise, l'homme lui indiqua du menton le chafaud.

« Le fantôme a élu demeure ici ? » demanda Jahan pour le taquiner.

Mais Salahaddin garda la mine grave. « C'est ici qu'on l'a vu. »

Jahan passa le reste de l'après-midi à faire le tour du chafaud, vérifier les planches, resserrer les cordes, s'assurer que tout était stable, et lancer des regards noirs à tous ceux qui lui adressaient ne serait-ce qu'un coup d'œil.

« Tu es distrait », lui reprocha Nikola le lendemain alors qu'ils étudiaient les mesures.

« Désolé. J'ai l'esprit... » dit Jahan, et il sursauta. Quelque chose venait de lui accrocher l'œil, sur la plateforme de bois, à la hauteur du troisième niveau. Quelques ouvriers travaillaient là-bas, l'un d'eux portant un seau. Il vit l'homme osciller, comme si une main invisible le poussait, puis retrouver son équilibre. Les cheveux au-dessus de sa nuque se hérissèrent. Dans le passé, quand le bois se faisait rare, ils utilisaient des plateformes suspendues aux culées pour faire des économies. Mais celle-ci partait du sol et elle était fixée aux murs, soutenue par des étais et des baliveaux. Pour qu'elle bouge il fallait que les cordages se soient distendus, et qu'une partie de l'édifice – partie ou totalité – flotte librement.

« Ça ne va pas ? » demanda Nikola, suivant son regard.

Un hurlement de panique pulvérisa le bourdonnement laborieux. Ils virent une planche bondir en l'air, tournoyer comme une feuille dans le vent et s'écraser sur le sol. Une autre planche atterrit sur la tête d'un maçon avec un bruit affreux. Les ouvriers couraient de toutes parts sous une pluie de bois et de métal.

« *Kiyamet, kiyamet* », gémit quelqu'un.

Les bœufs bramaient de douleur, un cheval à la patte brisée gisait sur le côté, corps frémissant, narines dilatées. Jahan n'arrivait pas à repérer Chota dans la débandade. En un clin d'œil le chafaud qu'ils avaient si fièrement dressé quelques semaines auparavant s'était effondré. Les ouvriers du niveau supérieur de la section médiane étaient les plus atteints, avec ceux d'en dessous que les planches avaient touchés. Huit d'entre eux ne survivraient pas. Parmi eux, Salahaddin.

Sinan et ses quatre apprentis s'approchèrent du laveur de morts. « Pouvons-nous rester près de toi pendant que tu fais sa toilette ? »

Le *gassal* hésita. Puis, soit parce qu'il avait reconnu l'architecte impérial, ou qu'il le confondait avec un parent en deuil, il dit : « Très bien, *effendi*. »

Sinan se tourna vers ses apprentis. « L'un de vous veut-il se joindre à moi ? »

Youssouf évita son regard, une légère rougeur lui montant aux joues. Nikola, qui n'était pas musulman, dit que Salahaddin n'aurait peut-être pas souhaité sa présence pendant la toilette funèbre. Davoud, soudain livide, dit n'avoir toujours pas oublié les cadavres qu'il avait vus enfant, et ne souhaitait pas en croiser un autre avant sa propre mort. Comme il ne restait plus que lui, Jahan acquiesça. « Je viendrai. »

Le corps nu de Salahaddin était étendu sur le marbre froid. Des meurtrissures de tailles et couleurs variées couvraient le côté gauche de sa poitrine et sa tête à l'endroit où les planches l'avaient atteint. Même ainsi, Jahan eut la sensation étrange que les blessures étaient peintes plutôt que gravées dans la chair de Salahaddin, et que si le lavage les effaçait, il pourrait à tout moment redonner des signes de vie.

« Dieu a construit le palais de notre corps et il nous en a confié la clef », dit Sinan d'une voix si basse que le *gassal*, debout derrière lui, inclina la tête en pensant qu'il priait.

Le palais de notre corps... en voilà une expression bizarre, pensa Jahan. Tout ce qu'il voyait c'était un amas de chair blessée. Comme s'il lisait dans ses pensées, Sinan lui demanda de s'approcher.

« L'homme est bâti à l'image de Dieu. Son centre n'est qu'ordre et équilibre. Tu vois ces cercles et ces carrés. Tu vois comme ils sont disposés de façon bien proportionnée. Il y a quatre humeurs – le sang, la bile jaune, l'atrabile et le phlegme. Nous travaillons avec quatre éléments – le bois, le marbre, le verre, le métal. »

Jahan et le *gassal* échangèrent un regard. Jahan savait ce que l'homme pensait car il avait eu la même pensée. Il craignait que son maître n'ait perdu la raison sous l'effet du chagrin ou de la fatigue.

« Le visage est la façade, les yeux sont les fenêtres, la bouche est la porte qui s'ouvre sur l'univers. Les bras et les jambes sont les escaliers. » Puis Sinan versa de l'eau d'une aiguière, et en dessinant des cercles de ses mains, se mit à laver le corps avec une telle tendresse que le *gassal* n'osa pas bouger.

« C'est pour cela, quand tu vois un être humain, esclave ou vizir, mahométan ou païen, que tu dois le respecter. Souviens-toi de cela, même un mendiant est propriétaire d'un palais. »

Jahan dit : « Avec tout mon respect, maître, je ne vois pas de perfection. Je vois les dents qui manquent. Cet os de travers. Nous sommes tous, je veux dire, certains sont bossus, d'autres...

— Des craquelures à la surface. Mais le bâtiment est intact. »

Le *gassal*, étirant le cou par-dessus leurs épaules, inclina la tête en signe d'assentiment, peut-être convaincu plus par le bercement de la voix de Sinan que par ses opinions. Après quoi ils se turent. Ils lavèrent le corps du défunt deux fois – une fois à l'eau chaude, une à l'eau tiède. Puis ils l'enveloppèrent de la tête aux pieds dans un linceul d'un blanc de lait, laissant sa main droite à l'extérieur. Ils la prirent doucement et la placèrent sur son cœur comme s'il faisait d'un même geste ses adieux à ce monde et ses salaams au suivant.

L'imam qui conduisit la prière funèbre avait un goitre si gros qu'il appuyait sur sa trachée, ne laissant le souffle sortir que par bouffées rauques. Il dit que c'était une grande consolation que ces hommes soient morts sur un chantier, au lieu de reluquer des femmes de mauvaise vie ou de boire ou de jouer ou de blasphémer. La mort les avait croisés à un moment de dur et honnête labeur. Quand viendrait le jour du Jugement, car il viendrait à coup sûr, Dieu en tiendrait compte.

Il dit que Salahaddin avait quitté cette vie mortelle en construisant un pont pour le sultan – personne n'osa le corriger en signalant qu'il s'agissait en fait de réparer un aqueduc. En récompense, dans l'autre monde, quand ce serait son tour de franchir le Pont de Sirat – plus fin qu'un cheveu, plus glissant que mille anguilles – un couple d'anges viendrait à son aide. Ils le tiendraient en l'air par les mains et ne le laisseraient pas tomber dans les flammes de l'enfer béant.

Le cercueil fut transporté au cimetière voisin au son des gémissements et des mélopées. La famille de Salahaddin était pauvre, c'est Sinan qui avait payé pour sa pierre tombale.

Le père du défunt, terrassé par l'âge et le chagrin, vint à pas lents vers eux. Ému et honoré qu'un homme comme Sinan assiste aux obsèques de son fils, il remercia chacun d'entre eux. Le frère de Salahaddin, lui, gardait ses distances. Il n'était pas difficile de deviner qu'il les tenait pour responsables de sa perte, ce garçon à peine âgé de quatorze ans. D'un regard, Jahan sut qu'ils s'étaient fait encore un ennemi. Quand il se retira derrière la foule après avoir jeté quelques pelletées de terre sur le cercueil de son frère, Jahan le suivit.

« Que Dieu accueille ton frère dans son paradis », fit Jahan dès qu'il l'eut rattrapé.

Aucune réaction. Un moment de gêne s'écoula, chacun attendant que l'autre prenne la parole. À la fin, ce fut le garçon qui rompit le silence. « Tu étais avec lui quand il est mort ?

— J'étais tout près.

— Le fantôme l'a poussé. Tu as vu ce qui s'est passé ?

— Personne ne l'a poussé. C'était un accident, dit Jahan, nerveux car même lui ne pouvait nier l'étrangeté des faits.

— Le fantôme veut que vous arrêtiez. Il y aura des désastres sans fin si vous le dérangez, mais ton maître s'en moque. Il n'a pas de respect pour les morts.

— Ce n'est pas vrai. Le maître est un homme bon. »

Le visage du garçon s'assombrit de colère. « Ton ami avait raison. Vous souillez un endroit sacré. Avec vos marteaux et vos ânes. Vous êtes tous voués à l'enfer. »

La foule commençait à se disperser. Parmi les familles endeuillées qui se frayaient un chemin vers le portail, Jahan vit Sinan avancer péniblement, comme s'il était tiré contre son gré par des fils invisibles. « Ne blâme pas mon maître », dit-il, à court d'arguments.

Tandis qu'ils quittaient le cimetière, des rafales de vent leur envoyaient des amas de poussière et de boue. Plus tard, bien plus tard, Jahan s'aviserait que dans le tohu-bohu il n'avait pas demandé au frère de Salahaddin qui était cet *ami* avec qui il avait conversé, et pourquoi il avait émis des prédictions aussi terribles.

Le lendemain à peine la moitié des ouvriers se présentèrent au travail.

« Belle trouvaille, les ouvriers rémunérés ! s'exclama Davoud. Si nous avions recruté des esclaves enchaînés, rien de tout cela ne serait arrivé. Tu vois où ça nous mène, la gentillesse ?

— Le maître va trouver des remplaçants », dit Nikola.

Il avait raison. Résolu à terminer ce qu'il avait commencé, Sinan recruta de nouveaux ouvriers. Ce n'était pas difficile d'en trouver. Ils étaient nombreux en ville à chercher du travail. La douleur de la faim l'emportait sur la peur des malédictions d'un saint. Pendant quelque temps, la situation sembla s'améliorer. La restauration progressait sans incident. L'automne arriva, l'air refroidit.

Puis vint le déluge. Il se déversa par les vallées, emportant maisons, tavernes, sanctuaires et cabanes. Comme ils n'avaient pas réussi à désobstruer tout à fait les canaux menant à l'aqueduc, le flot renversa le chafaud et pulvérisa le chenal comme si c'était une gaufre. Le déluge les avait pris par surprise. Personne ne fut blessé. Mais ils perdirent des semaines de travail et du matériel coûteux. Le désastre redonna des arguments aux semeurs de ragots. Désormais chacun, même ceux qui doutaient auparavant, avait fini par se persuader que Sinan et ses apprentis étaient maudits.

Leur ardeur les abandonna. Jusqu'ici le maître avait réussi à surmonter tous les obstacles si grands ou terrifiants soient-ils. Cette fois c'était différent. Comment Sinan pourrait-il venir à bout d'un fantôme ?

Les travaux de restauration s'arrêtèrent. Malgré tous ses efforts, Sinan ne put convaincre un seul homme de continuer à travailler. Les ouvriers accusaient l'architecte impérial de mettre leur vie en danger pour gagner la faveur du sultan. Qui a besoin d'eau si c'est de l'eau ensorcelée ? Les aqueducs dataient du temps des infidèles. Pourquoi les réparer sinon pour répandre l'idolâtrie ?

Jahan fut surpris d'entendre qu'ils avaient déjà oublié le fantôme du martyr musulman. Ils avaient trouvé de nouvelles peurs auxquelles s'accrocher, et Dieu sait s'ils s'y accrochèrent. Silencieux et dociles en surface, ils chuchotaient des propos calomnieux dès que les apprentis avaient le dos tourné.

Au bout d'une semaine de ce marasme, Sinan apparut accompagné d'un petit homme efflanqué. Tous deux grimpèrent sur le chafaud qui avait été rebâti.

« Ouvriers ! Contremaîtres ! Nous avons la chance d'avoir parmi nous un vénérable *hodja*. »

Sinan tendit la main à l'inconnu. Le prédicateur fit un pas en avant, livide et crispé, peu habitué à de telles hauteurs. Les yeux clos, il psalmodia des versets du Coran. On le surnommait le Rossignol, apprirent-ils. Né en Bosnie, il communiait avec Dieu en sept langues et connaissait les rites d'une foule de sectes et de croyances. Il y avait quelque chose dans la voix de cet homme, d'allure par ailleurs très ordinaire, qui charma les ouvriers. Il leur dit de se reprendre et cesser de dire du mal des autres, car si Shaitan pouvait voler aussi haut c'était grâce à deux ailes : l'oisiveté et la calomnie.

Le *hodja* vint chaque jour et resta parmi eux de l'aube au crépuscule, la chevelure pleine de poussière, les chaussures boueuses. Il aspergea les lieux d'eau bénite et récita la prière de *Cevsen*, révélée par l'archange Gabriel, nous dit-il, un jour où le prophète Mahomet avait peur et besoin de protection – car il arrive aux prophètes, comme au commun des mortels, d'être terrifiés par les périls de ce monde – et sanctifia les aqueducs, apaisant les craintes des juifs, des chrétiens et des musulmans sans distinction. Puis il conclut : « Tout est propre, maintenant. Ce chantier est aussi pur que le lait de vos mères. Remettez-vous au travail. »

Et c'est ce qu'ils firent. Peu à peu. Ils achevèrent les rénovations de manière si impeccable que même ceux qui haïssaient Sinan plus que tout être au monde ne purent élever d'objections. Le sultan Soliman était satisfait. Il honora son architecte de maints éloges et cadeaux, lui donnant le surnom *Al-insan al-Kamil*, « celui qui a atteint la perfection ».

C'est à la suite de cet incident que Jahan comprit que le secret de son maître ne résidait pas dans sa robustesse, car il n'était pas robuste, ni dans son indestructibilité, car il n'était pas indestructible, mais dans son aptitude à s'adapter au changement et aux calamités, à se reconstruire, encore et encore, de ses propres ruines. Si Jahan était fait de bois, Davoud de métal, Nikola de pierre, et Youssouf de verre, Sinan était comme l'eau courante. Quand un obstacle entravait sa course, il coulait dessous, dessus, autour, par tous les moyens possibles ; il trouvait un passage à travers les failles et il continuait à couler de l'avant.

Quelle nuit atroce ! Chota se tordait de douleur. Rugissant, hurlant, grondant jusqu'aux premières lueurs de l'aube, il agitait sa trompe en tous sens, épuisé. Il souffrait tant que Jahan dut dormir auprès de lui, si on peut appeler cela dormir. Un coup d'œil dans la gueule de l'animal et il comprit la cause de son tourment : la molaire au fond de sa mâchoire inférieure gauche avait une vilaine teinte noire et sa gencive était gonflée de pus.

Jahan se rappela l'été précédent où lui-même avait souffert d'une affreuse rage de dents, jusqu'à ce que le barbier qui rasait le contremaître des écuries royales le prenne en pitié. Au milieu des cris et des gémissements, il avait tiré tant et plus, et mis fin à sa souffrance. Mais Jahan ne voyait pas qui dans tout Istanbul serait assez brave pour arracher une molaire d'éléphant.

« Qu'est-ce qui ne va pas ? demanda Taras dès qu'il entra dans l'écurie et vit son expression. Une tête au bout d'une pique a l'air plus gai.

— C'est Chota. Sa dent le torture.

— Si seulement on était dans la taïga, fit Taras avec un soupir. Je connais un arbuste qui aurait guéri ça en un instant. Grand-mère en raffole. »

Jahan le regarda bouche bée de stupeur. « Ta grand-mère vit encore ?

— Oui, elle fait partie des damnés », dit Taras. Voyant la surprise de Jahan il ajouta sèchement : « Y a pas pire malédiction que d'enterrer tous ceux que tu aimes et continuer à respirer. »

Des années plus tard Jahan se rappellerait ces paroles mais pour l'instant elles passèrent en sifflant comme un courant d'air.

« Prends de l'ail, des quantités, du fenouil, de l'huile de clou de girofle... une pincée d'anis, pas plus... Mélange le tout. »

Jahan se fit donner ces ingrédients à la cuisine et les pila dans un mortier jusqu'à ce qu'ils forment une pâte verte gluante. Quand il lui montra la mixture, Taras se dit satisfait. « Maintenant frottes-en les gencives de la bête. Ça va calmer la douleur – pour le moment. Faut arracher cette dent. »

Jahan courut à l'écurie. Mais l'éléphant repoussa ses tentatives avec une telle fureur qu'il ne put appliquer que la moitié de la pâte, et encore il n'était pas sûr d'avoir atteint la bonne molaire. La gueule de Chota répandait une odeur nauséabonde. Il n'avait rien pu avaler et la faim, comme toujours, le mettait hors de lui. Jahan cousit ensemble deux cache-nez, étala le reste de l'onguent entre les deux et attacha le tout autour de la tête de l'animal, contre la peau irritée. Chota avait l'air si drôle que Jahan aurait ri si la pauvre bête n'avait autant souffert.

Arpentant les rues, Jahan se mit en quête d'un arracheur de dents ou d'un barbier. Le premier qu'il aborda éclata de rire quand il apprit l'identité du patient. Le deuxième avait la mine si menaçante que Jahan n'aurait pas osé l'introduire dans la ménagerie. Il allait renoncer quand il se rappela le seul homme de cette ville qui savait tout sur tout – Siméon le libraire.

Le quartier de la tour de Galata grouillait de monde. Les marchands avançaient de pair avec les colporteurs ; les émissaires et les drogmans s'écartaient sur le passage des charrettes à bœufs ; un ambassadeur assis dans un *tahtirevan* porté par des esclaves noirs le frôla. Il vit des hommes qui allaient entendre leur leçon à la *yeshiva*, des vieillards en grande conversation aux coins des rues, une femme qui tirait son fils par la main. Des mots espagnols, français et arabes virevoltaient dans l'air.

Il courait d'une rue à l'autre, pensant à Chota, quand il s'arrêta net. Devant lui, tout juste à quelques pas de la maison de Siméon, il reconnut le voyageur avec qui il avait bu lors de leur escale à l'auberge. Et à ses côtés, Youssouf, l'apprenti muet, les yeux rivés au sol. L'homme dit quelques mots, sur quoi Youssouf hocha la tête et s'éloigna.

Les souvenirs affluant, Jahan se rappela qu'ils avaient été dévalisés à leur retour de Rome. Soudain il soupçonna que l'homme devant lui devait avoir un lien avec cette affaire. « Hé, Tommaso ! »

L'Italien se retourna. Ses yeux se rétrécirent à la vue de Jahan. Filant comme une flèche il disparut parmi la foule. Jahan le poursuivit un moment, tout en sachant qu'il ne pourrait pas le rattraper. Déçu, il fit demi-tour et alla frapper à la porte de Siméon.

« Tu vas bien ? demanda le libraire.

— Youssouf était là à l'instant, non ? Avec un homme blond ?

— Quel homme blond ? Je n'ai pas vu Youssouf depuis des semaines.

— Peu importe, fit Jahan avec un soupir. J'ai besoin de ton aide.

— Tu tombes bien, un vaisseau vient d'arriver. Il y a de nouveaux livres d'Espagne.

— Je les regarderai plus tard. Je dois d'abord secourir l'éléphant. »

Quand Jahan lui eut exposé son dilemme, Siméon fit la grimace. « Je suis un homme d'idées, jamais opéré un animal.

— Tu ne connais personne ?

— Aucun meilleur que toi. Attends, je vais voir si je trouve quelque chose dans un des livres. Ensuite tu pourras le faire toi-même.

— Parfait, dit Jahan d'une voix faible.

— Il va falloir lui donner un sédatif. Une quantité de *boza.* Ou encore mieux, une potion somnifère. »

Siméon lui dit qu'aux jours anciens les médecins se servaient de ciguë, qui avait tué nombre de mortels et en avait sauvé quelques-uns. Aujourd'hui ils préféraient la belladone ou bien la mandragore, une plante qui pousse un cri affreux quand on l'arrache. Mais le mieux c'était l'opium. Galien recommandait d'en prendre en cas de jaunisse, hydropisie, lèpre, migraine, toux et mélancolie. Pour un homme de la taille et l'âge de Jahan, le bon dosage était deux cuillerées. Puisqu'un éléphant pèse autant qu'une montagne et a la taille d'un arbre... Les sourcils de Siméon s'arquèrent tandis qu'il faisait le calcul. « Il va t'en falloir un tonnelet !

— Où je vais trouver ça ?

— Chez le chef des eunuques blancs. Il n'y a pas de miracle hors de portée pour cet homme. »

Jahan retourna au palais avec un livre sous le bras et toutes sortes de soucis en tête. C'est qu'on ne plaisantait pas avec Kamil Agha l'Œillet ! Il n'oubliait pas la semonce qu'il avait reçue lors de sa première arrivée. Malgré tout, rassemblant son courage, Jahan alla le voir. À sa surprise, l'homme se montra aimable, compréhensif, même.

Un tonnelet d'opium lui fut fourni en un clin d'œil. Jahan ne chercha pas à savoir comment on l'avait acquis. Des années au palais lui avaient inculqué le code du silence. Il savait quand il valait mieux ne pas poser de questions. Deux dompteurs soulevèrent la mâchoire du haut de Chota ; deux autres firent descendre celle du bas. L'éléphant, affaibli et fatigué, leur opposa peu de résistance. Pour faire bonne mesure, à l'aide d'un entonnoir, ils vidèrent dans sa gueule inerte un pichet de vin rouge chaud.

Peu à peu, la respiration de Chota ralentit ; ses traits s'étalèrent comme de la cire, ses yeux se firent vitreux. Les pattes pliant sous son énorme poids, il s'affala. Ils l'immobilisèrent avec force câbles, chaînes et cordages au cas où il se réveillerait et les attaquerait dans un accès de délire. C'est dans cet état que Jahan entreprit de l'opérer.

Il commença avec un burin, puis passa rapidement au marteau. Dara le dompteur de girafes, Kato le dompteur de crocodiles et Olev le dompteur de lions se relayèrent pour marteler, frapper, cogner. Puis tirer, dévisser, déraciner. Au bout d'un temps qui leur parut une éternité, Jahan parvint à extraire la dent – comme le croc d'un serpent géant sorti d'un conte qu'un *meddah* raconterait quelque part dans une maison de café.

« Donne-la-moi », ordonna le chef des eunuques blancs, les yeux luisants.

Jahan comprit alors pourquoi il s'était montré si gentil depuis le début. S'étant approprié le cabinet de curiosités qui appartenait jadis à la sultane Roxelane, il voulait y ajouter la dent de Chota. Jahan frémit en se demandant où était caché ce cabinet et ce qu'il pouvait bien renfermer d'autre.

En apprenant le décès de Rustem Pacha, Jahan éprouva toute une série d'émotions, mais le chagrin n'en faisait pas partie. Le mari de la princesse Mihrimah... le père de ses trois enfants... le favori royal qui la touchait chaque nuit... le *devchirmé* qui était monté en grade trop vite... l'illustre grand vizir, très respecté et très redouté... L'homme qui avait envoyé Jahan au cachot et s'attendait à ce qu'il lui baise la main une fois libéré... avait suivi la voie de toute chair. Il souffrait depuis quelque temps d'hydropisie, cela Jahan le savait. Car il avait beau s'appliquer à tenir l'homme loin de ses pensées, chaque jour Jahan apprenait sur lui un détail nouveau et le haïssait davantage.

Un mois plus tard, Mihrimah convoqua Sinan – en lui signifiant de venir avec son apprenti indien.

« Architecte impérial, je veux que tu construises une mosquée raffinée pour mon regretté époux, que le ciel soit sa demeure. » Elle portait des couleurs sombres comme il convient à une veuve.

Jahan attendait derrière son maître, mains croisées, les yeux fixés sur le sol, et il se dit qu'il aurait la charge de cette mosquée et qu'il y inscrirait un signe quelque part, subtil mais évident pour l'œil avisé. Il graverait sa haine de Rustem Pacha dans le monument même qui lui serait dédié. Et si c'était péché de penser de la sorte, il était pécheur, sans l'ombre d'un doute.

Ignorant ce qu'il avait en tête, Mihrimah continuait à parler. Inutile de s'inquiéter des dépenses, car elle couvrirait tous les frais. Elle exigeait une cour spacieuse et une rangée d'échoppes voûtées qui fourniraient des revenus à la mosquée. Elle tenait à faire un usage généreux des plus belles faïences d'Iznik : vert sauge, bleu saphir, et rouge aussi sombre que le sang de la veille.

« Il en sera fait selon ton désir, Altesse, dit Sinan.

— Je veux qu'elle soit splendide, dit Mihrimah. Digne du noble nom de mon défunt mari. »

Jahan soupira intérieurement. La rancune était lovée en lui comme un serpent. Il se lamentait, presque malgré lui, d'avoir accompagné son maître dans cette demeure pleine de richesses. Mais alors, comme si elle avait observé son malaise, Mihrimah se tourna vers lui.

« Je n'ai pas vu l'éléphant depuis un certain temps. Comment se porte l'animal ?

— Chota s'est langui de toi, Altesse », dit doucement Jahan.

Elle l'examina, relevant sur lui les marques du temps. « Comment peux-tu le savoir ?

— Jour après jour je l'ai vu attendre les yeux fixés sur le sentier que Son Altesse a honoré de son passage. »

Mihrimah éleva la main comme pour toucher l'air qui les séparait. « Eh bien, dis à Chota que j'étais absente, enfermée dans une autre vie, mais je reviendrai lui rendre visite car je n'ai jamais connu un éléphant blanc comme lui.

— Il sera heureux d'entendre cela, Altesse.

— Dis-lui que rien de tout cela n'était entre mes mains. »

Le regard de Jahan glissa vers le ciel. Un milan planait au-dessus d'eux, beau et libre, prêt à prendre son essor sur un courant ascendant. Il dit : « Je suis sûr qu'il le comprend, Altesse, et je suis sûr qu'il attend toujours que tu reviennes. Les éléphants n'oublient jamais. »

Tandis que le maître et l'apprenti prenaient congé, Mihrimah murmura : « Tu dis que les éléphants n'oublient jamais. Qu'en est-il des dompteurs d'éléphants ? »

Jahan pâlit. Il sentit le regard de son maître, stupéfait par le ton informel de la conversation qu'il venait d'entendre. Mais pour une fois il n'avait pas envie de se cacher. Pas envie de faire semblant. Inclinant la tête, il dit : « Ils n'oublient pas non plus, Altesse. Ils n'oublient pas non plus. »

Istanbul, le siège du trône, bien qu'usée par les incendies et les tremblements de terre, éclatait aux entournures. Comme le chèvrefeuille, elle attirait des gens de toutes origines et toute espèce – bourdonnant d'activités, d'appétits, de rêves. Des âmes bien trop nombreuses sous un même ciel, plus nombreuses encore que les étoiles qu'ils contemplaient – musulmans, chrétiens, juifs, croyants et hérétiques de toute foi, parlaient ensemble à Dieu, leurs prières et leurs demandes de secours, de bonne fortune, emportées par le vent, à haute et basse altitude, mêlées au cri des mouettes. Jahan se demandait comment le Tout-Puissant pouvait entendre qui que ce soit dans pareil chahut.

Vers la fin de l'été le cheikh al-islam Ebussuud Efendi lança une charge contre Sinan. Il déclara que les plaques de marbre que l'architecte avait déplacées de Sainte-Sophie pendant une restauration étaient damnées, et qu'elles avaient apporté calamité sur calamité aux Stambouliotes. À la fin, ne sachant plus où placer les pierres maudites de l'ancienne église, Sinan et les apprentis s'en servirent pour la tombe de la sultane Roxelane, espérant qu'elle n'en prendrait pas ombrage.

En 1566, le premier jour de mai, la guerre pour conquérir la forteresse de Szigetvár commença, et les services de l'éléphant furent requis. Bien qu'affligé de cette nouvelle, Jahan s'exécuta. Il pouvait bien suivre une formation d'apprenti chez Sinan, mais il était et resterait, tant que Chota vivrait, le cornac du sultan.

Ils atteignirent Belgrade en juin ; le Danube s'étendait à perte de vue – tumultueux, séduisant, altier. Le sultan Soliman, qui jusqu'alors avait chevauché en tête des troupes, ramena sa monture, une jument alezane, au trot. Jahan ne se doutait guère que c'était la goutte dont souffrait le sultan qui lui rendait la posture à califourchon si pénible. Son grand vizir Sokollu – un homme astucieux à la voix posée et la mine grave, un *devchirmé* originaire d'un village bosniaque appelé Sokolovici, le Nid de Faucon – avait envisagé de le faire transporter en litière puis finalement rejeté cette idée. Une telle mesure aurait découragé les soldats qui préféreraient marcher sous une pluie de têtards que voir leur commandant en chef faible et déclinant. C'est alors qu'on trouva la solution : Chota.

Jahan reçut la consigne de préparer l'éléphant à transporter le Seigneur de l'Orient et l'Occident. « Assure-toi que l'animal comprend bien qui le monte », l'avait-on prévenu.

Le lendemain matin, Jahan vit le sultan de près pour la première fois depuis plusieurs années. Sa peau, drainée de tout éclat, lui faisait l'effet de cendres froides dans un coin de l'âtre longtemps après la disparition des flammes. Son front haut, qu'il avait transmis à Mihrimah, était strié de rides, une calligraphie mystérieuse encrée par le temps. S'inclinant très bas, Jahan baisa l'ourlet de son caftan – une tunique de tissu ordinaire car Soliman continuait à éviter l'opulence. Ses gardes l'aidèrent à monter dans le *howdah*. Une fois qu'il fut installé, Jahan prit sa position sur l'encolure de Chota. Et dans cet équipage, ils partirent.

Ils arrivèrent à Szigetvár le cinquième jour d'août. L'après-midi était étouffante, les champs parsemés de pissenlits. Ils plantèrent le camp, disposèrent les canons du siège, tirés par des douzaines de bœufs. Ensuite ils dressèrent la tente à sept queues de cheval du sultan en haut d'une colline d'où le souverain pouvait observer la forteresse qu'ils avaient juré de saisir. Le comte Nikola Subic Zrinski la commandait. Ses hommes avaient accroché aux remparts d'immenses tentures couleur de sang.

« Qu'est-ce que ça signifie ? demanda Jahan à un fantassin.

— Ça veut dire qu'ils ne sortiront pas de ce damné château fort. Qu'ils préféreraient mourir. »

Tenaces et loyaux, le comte et ses soldats défendirent leur citadelle. Les jours s'étirèrent en semaines. Un mois passa. La chaleur devint insupportable. En guise de repas on leur donnait à chacun du millet grillé, des noix, de la viande séchée et un morceau de fromage de lait de jument. Les troupeaux de moutons et de cabris qu'ils avaient apportés d'Istanbul attendaient d'être abattus. Comment l'ennemi pouvait résister presque sans nourriture avec des troupes de plus en plus réduites, Jahan n'aurait su le dire. L'armée du sultan attaquait ; la forteresse résistait. Il y eut de nombreuses pertes de part et d'autre, davantage du côté ottoman que dans les lignes ennemies. Mais là où les assiégés se comptaient par centaines, les Ottomans étaient des milliers. Ils enterraient leurs morts dans d'immenses fosses et se préparaient à redonner l'assaut. À maintes reprises ils envoyèrent des messagers dire au comte de se rendre, lui promettant la vie sauve s'il acceptait. Le sultan Soliman lui offrit le commandement de la Croatie sous tutelle ottomane. Chaque messager revint avec la même réponse : ils se battraient.

Le feu des canons ottomans résonnait sur les collines pentues. La résistance de l'ennemi était inébranlable. Les brèches ouvertes dans la journée étaient comblées la nuit par les hommes, les femmes et les enfants. Ils utilisaient tout ce qu'ils possédaient pour fortifier les murailles – bois, tissus, tapis. Rien n'était épargné. Pas même une exquise tenture de soie qui avait dû appartenir à une famille riche. On y voyait des naïades danser et jouer de la lyre, leur chevelure luisant comme des rayons de lune sur les ondes noires. Jahan ne pouvait en détourner les yeux. Les janissaires non plus. Le tableau était si enchanteur, ce paradis satiné, son éclat et sa douceur si séduisants, que les chefs, soupçonnant quelque sortilège, ordonnèrent de bombarder la tapisserie. Ils mitraillèrent cette partie de la muraille sans interruption jusqu'à ce que ses teintes lumineuses se fondent en une couche terne de suie et de scories.

Par une claire après-midi de septembre, Jahan, monté sur Chota, ramenait le sultan à sa tente quand ils entendirent une explosion qui sonnerait à leurs oreilles pendant une éternité. Le sol trembla ; des volutes de fumée s'élevèrent au-dessus des nuages. L'éléphant sursauta si violemment qu'il faillit les jeter à terre.

Jahan glapit des ordres à Chota, s'efforçant de le rassurer tout en regardant sidéré le ciel d'un noir de poix.

« *Mahout* ! que se passe-t-il ? interrogea le sultan depuis son lit de coussins dans le *howdah*.

— Mon Seigneur, ils viennent de faire sauter leur arsenal… et eux avec.

— Qu'est-ce que tu as dit ? » Le sultan se redressa et s'inclina en avant pour mieux voir. « En effet, murmura-t-il. En effet. »

Pendant un long moment horrifié, le souverain et le cornac contemplèrent la fournaise. Chota balançait la trompe et agitait les oreilles avec frénésie. Indifférent à l'angoisse de l'animal, le sultan ordonna : « Approche-toi plus près. Je veux voir. »

Jahan obéit, espérant que l'éléphant ne s'affolerait pas. Mais quand ils arrivèrent devant la scène, ce fut lui qui fut secoué. Le sol était jonché d'armes en miettes et de membres sectionnés : impossible de dire lesquels appartenaient à l'ennemi, lesquels aux leurs. Jahan, la respiration haletante, fut pris de nausée. La bile lui emplit la bouche et faillit le faire vomir. Il se couvrit le visage des deux mains.

« Ne pleure pas, dit le sultan. Prie. »

Honteux de sa faiblesse, Jahan redressa les épaules. « Je prierai pour nos soldats, mon Seigneur.

— Non. Prie pour eux tous. Il n'y a plus de différence maintenant. »

Cet homme qui pendant ses quarante-six années de règne avait livré sans relâche une guerre après l'autre ; qui avait donné l'ordre de tuer le plus brillant de ses grands vizirs et peut-être son seul ami ; qui avait assisté à l'étranglement de son fils aîné, en avait fait mourir un deuxième de chagrin, et organisé l'assassinat d'un troisième là-bas en Perse ; qui s'était imposé comme le plus fort de tous les sultans ottomans – cet homme venait de dire, dans un champ de pissenlits et de cadavres, qu'au bout du compte il n'y avait pas de différence entre le soldat à l'intérieur et le soldat à l'extérieur de la forteresse, laissant Jahan face à une énigme qu'il serait incapable de résoudre avant bien des années.

Le lendemain matin, l'odeur de chair brûlée faisait encore un dais sur le champ de bataille, une puanteur si épaisse que le vent ne parvenait pas à l'emporter. Jahan avait le sentiment que l'odeur était logée au fond de sa gorge, l'empêchant presque de respirer, encore moins d'avaler.

Cependant, comme n'importe quel autre jour, Jahan prépara Chota pour aller chercher le sultan, et ils l'attendirent devant sa tente. Mais ce fut Sokollu qui sortit au bout d'un moment, et murmura qu'il voulait s'entretenir avec le cornac. Jahan avait vécu assez longtemps au sérail pour savoir que si un grand vizir souhaitait parler avec un simple domestique c'est qu'un événement terrible venait de se produire ou n'allait pas tarder. Jahan le suivit, le cœur au bord des lèvres.

Dans la tente du sultan, malgré l'abondante lumière du jour, une lampe luisait modestement dans un angle. En face, sur un sofa de velours, le sultan gisait immobile.

« Écoute, fils, dit le vizir. Ce que tu vois, personne ne le sait. Tu comprends ?

— Il est… ? bafouilla Jahan.

— C'est cela, hélas. Notre sultan s'est éteint, qu'il repose en paradis. Nous le pleurerons plus tard. Toi et moi avons une tâche importante. »

Ne sachant de quel côté se tourner, Jahan contempla ses pieds, les yeux écarquillés de chagrin. Le sultan Soliman, âgé de soixante-douze ans, n'avait pas eu le temps de savourer leur triomphe.

« Il nous faut absolument dissimuler la vérité à l'armée. » Sokollu parlait avec précaution, par saccades ; un homme qui estimait que les mots, comme l'argent, doivent être utilisés avec parcimonie. « Notre sultan s'installera sur l'éléphant comme si c'était un jour ordinaire. Et tu le conduiras autour du camp. »

Jahan grimaça quand il comprit qu'il lui faudrait placer un cadavre sur le dos de Chota. « Et si quelqu'un veut parler au sultan ?

— Assure-toi que l'éléphant ne s'approche de personne. Si les janissaires le voient de loin ce sera suffisant. Ils n'ont pas besoin d'entendre sa voix. Tout ce qu'ils ont besoin de savoir c'est qu'il est vivant. »

Soudain ils entendirent des pas. Les gardes faisaient entrer quelqu'un. Sokollu, qui s'était arrangé pour que seuls les plus dignes de confiance franchissent le seuil, tourna la tête pour vérifier qui arrivait. C'était un Tatar de courte taille, à l'encolure de taureau.

« Ah, c'est toi. Approche. »

Le grand vizir sortit un rouleau de sa tunique, le baisa et le posa sur son front. « Porte ceci au prince Sélim. »

L'homme s'inclina très bas.

« Va comme le vent. Ne t'arrête pas en route. Mange sur ton cheval. Ne dors pas. Ne gaspille pas de temps. Le sort de l'Empire dépend de toi. »

Jahan se demanda combien de jours il faudrait pour galoper de Szigetvár à Kütahya où le prince remplissait des fonctions de gouverneur. Il ne suffisait pas que la nouvelle de la mort de son père lui parvienne sans délai ; il fallait que lui aussi atteigne Istanbul à temps. Un trône vide était signe de mauvais augure ; tout était possible dans l'intervalle entre la fin du père et l'accession du fils.

Sokollu sortit d'un coffret en nacre un exemplaire du Coran. « Il faut que vous juriez sur le livre saint. Tous les deux. »

Tous deux obéirent. Pourtant le grand vizir ne parut pas encore satisfait. Il leur demanda d'où ils étaient originaires.

« L'Hindoustan, répliqua Jahan.

— Kazan », dit le messager.

Sokollu sortit un poignard doré orné de pierreries. « Tendez les mains. »

Il fit une entaille sur l'index du messager, puis sur celui de Jahan. Le sang tomba en gouttes sur le fourreau du poignard. « Si l'un de vous trahit le secret, je vous tue tous les deux. »

Jahan ne comprenait pas pourquoi sa vie devrait dépendre d'un inconnu, et le messager devait éprouver le même sentiment car il se tourna vers lui le sourcil froncé. Pourtant ni l'un ni l'autre n'osa protester. Sokollu leur donna à chacun un mouchoir de soie pour envelopper leur doigt.

« Maintenant, va, mon fils, dit-il au messager, puisse Allah te guider. »

Jahan jeta un dernier regard sur l'homme dont la loyauté lui était désormais vitale. Ils échangèrent un signe de tête en guise d'adieu muet. Jahan ne pouvait deviner que des années plus tard, ce serait le même messager qui conduirait maître Sinan au palais la nuit où le petit-fils de Soliman tuerait ses cinq frères pour consolider son trône.

À peine le messager parti, ce fut le médecin qui entra. Un ancien *converso* de Salamanque qui était entièrement revenu à sa religion d'origine. Il parlait le turc avec un accent chantant. Lui aussi dut jurer le silence, mais sans livre saint, car le Pentateuque de Moïse n'était pas disponible – et pour une raison quelconque, son doigt fut épargné.

« Il peut m'aider ? » demanda le médecin, en indiquant Jahan de la tête.

Sokollu, qui leur tournait maintenant le dos, s'occupait à imiter la signature du sultan sur toutes sortes de lettres et de commandements au nom du souverain. Il les libéra du geste, disant par-dessus son épaule. « Va l'aider. »

Le médecin ouvrit une jarre dont l'odeur âcre emplit la tente. Un mélange de myrrhe, de cassia et d'autres épices. Ils dévêtirent le sultan et lui enduisirent tout le corps de cet onguent. La scène dont Jahan fut ensuite témoin, il se révélerait incapable de la confier à quiconque, même s'il en avait terriblement envie. Elle reviendrait souvent hanter ses rêves. Le médecin ouvrit le côté gauche de la poitrine du sultan et en sortit le cœur. On aurait dit un oiseau rouge, et malgré son immobilité, l'espace d'une seconde Jahan redouta de le voir battre encore. Le tenant à deux mains, le médecin le plaça dans une cuvette en argent. Puis il recousit l'entaille avec douze points impeccables. Jahan le dévisagea avec horreur. « *Effendi*, pourquoi avons-nous fait cela ?

— Le cœur est le centre de notre être. C'était le dernier vœu de notre sultan. S'il mourait ici, il voulait que son cœur soit enterré sur le champ de bataille. »

Choisissant le plus beau caftan qu'ils purent trouver dans les coffres ils rhabillèrent le cadavre. Pour finir ils peignèrent sa barbe, lui mirent un trait de suie autour des yeux et de la poudre rose sur les joues. Quand ils eurent terminé, le sultan Soliman avait meilleure mine que de son vivant.

« Enlevez-moi cette tunique, fit Sokollu dès qu'il eut observé leur ouvrage. Trop élégante. Il ne porterait pas ça. »

Cette fois ils choisirent une tunique simple. Au crépuscule, trois gardes d'élite qui venaient de faire la tournée d'inspection du camp vinrent rapporter que tout était calme. Avec leur aide, on amena l'éléphant sur le seuil. Chota donnait des signes de nervosité, sentant quelque chose d'insolite.

« Qu'est-ce qui se passe ? demanda Sokollu, irrité.

— Mon seigneur, accorde-moi un peu de temps pour préparer l'animal, je t'en prie. »

Jahan parla doucement à Chota en lui expliquant qu'il allait devoir transporter un cadavre. Seulement quelques jours, promit-il. Après maintes caresses, et une quantité de pommes, l'animal se calma et leur permit d'installer le sultan dans le *howdah*. Jahan sauta à sa place habituelle sur l'encolure de l'éléphant et donna le départ, les yeux fixés sur les vautours qui volaient en cercle au loin. Quand il en vit quelques-uns s'abattre sur les corps épars jonchant le sol, il dut se détourner. Vingt mille hommes avaient péri dans le siège de Szigetvár.

Un soir au retour, ils apprirent que le prince Sélim était arrivé dans la cité à temps. Le messager avait réussi. Sokollu était profondément soulagé. Comme il était inutile désormais de faire semblant, il donna l'ordre aux gardes de dévoiler la vérité. Le corps du sultan fut sorti du *howdah* et placé dans une litière tirée par deux étalons blancs. C'est dans cet attelage qu'ils regagnèrent la capitale. Le peuple d'Istanbul les attendait. Par milliers, ils s'étaient groupés sur les deux bords de la route, s'arrachaient les cheveux et les vêtements, se frappaient la poitrine. Jahan vit des guerriers vaillants fondre en larmes, des hommes sangloter comme des enfants.

Aussitôt après les funérailles du père, vint l'intronisation du fils. Sélim voulait que le peuple célèbre l'événement comme jamais on ne l'avait fait auparavant. Tremblements de terre, épidémies, décès... les calamités avaient plu si fort et si vite qu'il ne restait plus de joie, encore moins d'espoir. C'était assez de deuil. Le temps était venu de se réjouir.

Les oulémas furent scandalisés. Même Sokollu redoutait leur réaction. Ce fut son conseiller Feridun Beg qui le persuada d'autoriser un peu de liesse à la foule : « Un corps peut-il être constipé en permanence ? Le monde a besoin de se vider les boyaux. Laisse-les s'amuser, mon vizir. »

Le jour où Sélim monta sur le trône, Chota fut paré d'un splendide couvre-chef et d'une mante argent ornée de pierreries. L'éléphant conduisit le cortège royal à travers les rues d'Istanbul. Les gens saluaient, acclamaient, chantaient à tue-tête. Et une fois de plus, Jahan eut peine à croire que le public puisse passer soudain du chagrin à la joie, que les fleuves de larmes puissent sécher si vite. S'ils oscillaient avec tant d'aisance entre deuil et liesse, cela signifiait-il qu'ils pouvaient passer de l'amour à la haine sans plus d'effort ?

Une fois le nouveau sultan intronisé, Chota et Jahan repartirent travailler sur les chantiers. Le matin ils quittaient la ménagerie, toujours par le même sentier ; le soir ils rentraient, las et assoiffés, sentant la poussière et la boue. C'est à peu près à cette époque que maître Sinan commença la construction d'un pont sur le lac Büyükçekmece – long, arqué et gracieux.

Une nuit de décembre, le gros œuvre terminé, ils retournaient vers la ville – le maître et les trois apprentis dans une voiture, Jahan devant eux, monté sur Chota. Après un virage ils entendirent un bruit lointain venant de la ville, et quelque part au milieu du vacarme, un cri aigu à vous glacer le sang. Quand Jahan leva la tête vers le ciel il vit une cascade d'orange, jaune et rouge, aux teintes si vives qu'elles lui blessèrent les yeux. Il hurla : « Au feu ! »

Ses compagnons descendirent de voiture. Sinan paraissait anéanti. Il dit : « Nous devons leur porter secours.

— Pourquoi ne pas prendre Chota ? proposa Jahan. Nous irons plus vite. » Tous montèrent dans le *howdah* tandis que Jahan s'installait sur l'encolure de l'éléphant.

Ils arpentèrent les rues, suivant la trace des hurlements qui transperçaient l'air comme des éclisses. Sur leur chemin, le vent soufflait de plus en plus fort, plus chaud, poussant l'orage de feu d'une maison de bois à sa voisine.

Jahan clignait sans cesse des yeux, étourdi autant par l'incandescence que le tumulte. Les flammes léchaient le ciel nocturne de tourbillons si colorés qu'elles leur donnaient presque consistance. De temps à autre une flambée s'élevait, les arbres rougeoyant comme des lustres de Murano.

Chaque coin de rue leur dévoilait un spectacle plus poignant que le précédent. Les animaux couraient en tous sens, perdus, étourdis. Des familles entières tentaient de sauver leurs maigres biens, les hommes transportant paniers et tonneaux, les femmes pâles d'effroi, les bébés qui criaient à pleins poumons. Seuls les enfants restaient intrépides, gambadant partout comme s'ils participaient à un grand jeu inventé à leur intention par les adultes.

Sous leurs yeux des quartiers entiers partaient en fumée. Des chambres qui avaient vu naître des enfants, célébrer des circoncisions, concevoir, ou rendre le dernier soupir, ces lieux et les souvenirs qu'ils renfermaient n'étaient plus que cendres. Rien ne subsistait hormis la chaleur persistante et le sol jonché de vêtements, chaussures, bibelots, un morceau de brique jadis délogée d'un mur. Ils firent halte à un croisement où l'incendie avait fait les pires ravages. Sinan, saisi, demanda qu'on l'aide à descendre. Dans sa charge d'architecte impérial, il s'était évertué à prévenir ce genre de catastrophe, en faisant paver les rues, vérifier l'état des bâtiments. Tout cela pour rien.

Quelques janissaires désœuvrés parlaient aux habitants, poussaient une caisse, mais avec des gestes lents, presque à contrecœur. Sinan se dirigea vers l'un d'eux qui observait les alentours d'un œil morne, assis sur une bille de bois.

« Pourquoi restes-tu là sans rien faire ? »

Le janissaire qui ne s'attendait pas à être questionné sortit de sa rêverie sans reconnaître l'architecte. « Quoi ?

— Pourquoi n'aides-tu pas ces gens ?

— C'est ce que je fais », dit-il d'un ton morose.

Un autre janissaire s'approcha. Il dit qu'ils n'avaient pas tenté d'éteindre les flammes parce qu'ils attendaient des consignes de leur agha, qui était au lit, malade.

À ces mots le visage de Sinan s'assombrit. « Quelles consignes te faut-il ? Comment peux-tu rester à l'écart quand la cité est en flammes ? »

Pendant que Sinan parlait aux janissaires, le cornac et l'éléphant, distraits par un son, tournèrent dans une rue latérale. Un peu plus loin Jahan vit deux femmes qui s'injuriaient bruyamment, hors d'elles. Par des voisins il apprit qu'elles étaient toutes deux épouses d'un marchand en voyage. Quand l'incendie avait éclaté les femmes s'étaient ruées dehors en empoignant leurs enfants, chacune supposant que l'autre s'était chargée du nouveau-né.

Jahan jeta un coup d'œil au bâtiment en flammes et aux deux femmes éplorées.

« Attends-moi ici. Je vais entrer », dit-il. À aucun prix il n'aurait emmené l'éléphant avec lui, sentant combien les flammes le terrifiaient.

Lentement, Jahan se dirigea vers la maison ardente. Il fit chaque pas avec précaution, à l'écoute du moindre bruit. Dès qu'il eut franchi le seuil, les flammes l'assaillirent de tous côtés. La partie de l'étage supérieur donnant sur la rue s'était effondrée, mais la partie arrière du bâtiment restait intacte. Il vit un chandelier de cuivre et s'en empara par habitude, tout en sachant que l'objet avait peu de valeur. À quelques pas de là, il eut plus de chance : un encrier d'or incrusté d'émeraudes, vide. Toussant, haletant, Jahan franchit des écrans de fumée les yeux si larmoyants qu'il voyait à peine où il allait. Il fit un écart pour éviter une poutre enflammée qui atterrit juste devant lui. Le bois lui heurta l'épaule et le fit tomber. Impossible d'avancer plus loin.

Soudain un anneau charnu lui encercla la taille et le souleva.

« Chota ! Comment es-tu arrivé ici ? » s'exclama Jahan.

En guise de réponse, l'éléphant le porta vers l'intérieur de la maison – ou ce qui en restait.

Jahan ne pouvait ouvrir la bouche de crainte d'avaler une nouvelle rasade de fumée. Retirant sa veste, il s'en couvrit le visage. Chota le poussait par-derrière, doucement mais avec insistance. Cerné de toutes parts, Jahan entra en titubant dans la deuxième pièce et se remit d'aplomb. L'éléphant attendait derrière lui.

Et là il le vit – le berceau. Ses voiles de tulle avaient dû aider le bébé à respirer. Jahan saisit le fardeau, et s'assura qu'il était vivant. D'une main l'enfant, se cramponnant à la vie, saisit celle de Jahan. Il avait tant pleuré qu'il n'avait plus de voix ; sa bouche en bouton de rose était muette. Pourtant sa force était surprenante, contagieuse aussi, sans doute, car Chota et Jahan retrouvèrent tous deux leur sang-froid.

Quand ils ressortirent, le nombre de spectateurs dans la rue avait triplé. Sinan et les apprentis étaient là eux aussi, ayant entendu l'histoire de l'animal qui était entré dans une maison en flammes. La mère du bébé courut vers eux et saisit son enfant des bras de Jahan. Puis avec force prières, rires, remerciements, larmes, elle tenta d'embrasser la main de Jahan, le cuir de Chota, tout cela à la fois, sans craindre de se faire piétiner par l'éléphant.

Jahan tituba jusqu'à Sinan qui venait vers lui bras grands ouverts. « Je suis furieux contre toi..., dit-il, mais fier, mon fils, si fier. »

Les apprentis l'étreignirent. Pourtant Jahan sentit chez eux une certaine froideur. Il avait brillé plus fort qu'eux et cela, ils n'appréciaient pas.

On apprit que l'agha des janissaires était réellement malade. Mais ce n'était pas la raison qui avait retardé ses instructions aux soldats. L'armée, qui réclamait une augmentation de leur solde, avait vu dans l'incendie une occasion de démontrer à quel point ils étaient indispensables. Comme le grand vizir avait mis quelque lenteur à accorder cette augmentation, l'agha avait mis quelque lenteur à ordonner aux janissaires d'éteindre les flammes.

Le cornac et l'éléphant repartirent vers la demeure du maître, couverts de suie et empestant le roussi. Jahan banda les pieds de Chota. Deux de ses ongles étaient cassés et saignaient. Sa peau était couverte de brûlures. Les cicatrices de cette nuit-là persisteraient sans jamais guérir.

Plus tard, depuis le jardin de Sinan, Jahan resta à contempler la ville en contrebas, les guirlandes de fumée qui flottaient de toutes parts. À l'aube il n'y eut pas de chants d'oiseau, pas de cheminées en action, pas de mouettes à l'affût ; tout était plongé dans le silence. L'air avait fraîchi ; le froid semblait étrange après la chaleur de la nuit.

Une fois l'incendie maîtrisé, on put voir l'étendue des dégâts. À part le quartier juif, où les bâtiments étaient en pierre, rue après rue avait été rasée.

« Le feu a été notre maître, dit Sinan quand ils furent tous réunis à nouveau. Il nous a appris une leçon. »

Cette semaine-là, Sinan se rendit au palais et obtint les permis nécessaires. Il dormit peu, établit de nouveaux plans. Les rues seraient élargies d'une demi-coudée de chaque côté. Aucune maison ne devrait dépasser deux étages. On utiliserait la brique et la pierre de préférence au bois dans les nouvelles constructions, décida-t-il.

À peine ces règles étaient-elles promulguées que les gens se mirent à les enfreindre. L'incendie avait été un maître, en effet. Mais Istanbul, où on préfère oublier que se remémorer, n'apprit jamais sa leçon.

Un soir Sangram vint trouver Jahan avec un bol de *sutlach,* exactement comme il l'avait fait jadis, il y a tant de lunes. Il était très vieux et frêle, la tête agitée de mouvements incontrôlables, comme s'il discutait avec un interlocuteur invisible. Jahan prit la friandise, le remercia. Tout en le regardant manger, Sangram demanda : « Tu sais ce que le capitaine Foufurieux a fait, ce coup-ci ? »

Jahan faillit lâcher la cuiller. « Quoi donc ? »

La flotte du capitaine Gareth avait croisé une armada. Dans le combat qui suivit, le marin mordit la main qui le nourrissait depuis des années et tourna casaque. Cette guerre qu'il avait commencée dans le camp des Ottomans, il la termina en buvant à la santé du pape. Sachant qu'on l'écorcherait vif s'il se faisait prendre, il avait fui le territoire ottoman. Il ne reviendrait plus jamais à Istanbul. Mais ça lui était égal. Avec le droit de sanctuaire accordé par la papauté, il était satisfait de son nouvel étendard, prêt à traquer les marins ottomans.

À l'annonce de ce rebondissement, Jahan resta sans voix, submergé de souvenirs troublants. C'était à cause du capitaine Gareth et lui seul qu'il avait abouti dans la ménagerie royale. C'est lui qui avait eu l'idée de déguiser l'enfant en dompteur d'animaux et de l'introduire à un jet de pierre des richesses du sérail. Un plan qui avait fonctionné sans accroc dès lors que les matelots sous ses ordres s'étaient débarrassés du vrai cornac – jeté dans les eaux glacées, sans plus d'ambages. « Jamais apprécié les manières de ce gars », avait dit le capitaine pour toute explication, sans que Jahan comprenne pourquoi il avait pris en grippe un homme qui ne parlait pas un mot de turc ni d'anglais et passait ses journées à contempler les vagues. Sa cale abritait des marchandises d'Hindoustan et un éléphant blanc à l'agonie. Jahan n'était qu'un moussaillon évadé de chez son beau-père. Un garçon natif d'Anatolie. Qu'est-ce qu'il connaissait aux éléphants ? Tandis que ces souvenirs affluaient, une autre pensée lui vint. Pourquoi Sangram venait-il brusquement lui parler du capitaine Gareth ?

« Alors tu savais… murmura Jahan.

— Comment j'aurais pu faire autrement ? dit Sangram. Tu m'as dit que tu venais de l'Hindoustan. Tu parlais aucune de nos langues et les histoires que tu racontais tenaient pas debout.

— Alors pourquoi tu ne m'as pas dénoncé ? Tu aurais pu dire à tout le monde, “ce garçon est un imposteur, il ment”. »

Sangram sourit. « J'allais le faire… et puis j'ai changé d'avis. J'avais pas envie que tu souffres. Tu me semblais avoir déjà eu ton lot d'épreuves – pourquoi te causer plus de tourment ? »

Jahan se leva, baisa sa main osseuse.

« T'étais qu'un gamin, et regarde-toi maintenant », dit Sangram, submergé de tendresse.

Jahan se mordit la lèvre. Comme c'était étrange. Pendant qu'il courait après des rêves qui n'arriveraient jamais et en voulait à la vie de les lui refuser, des gens lui étaient venus en aide sans attirer l'attention sur eux-mêmes. Des gens qui avaient donné sans rien attendre en retour.

Le sultan Sélim avait la ferme intention de profiter de sa ménagerie, de la restaurer et de l'agrandir. À la différence de son père, qui semblait à peine au courant de leur existence, le nouveau souverain s'intéressait à la vie de ses sujets animaux. Il venait régulièrement voir les bêtes sauvages, parfois seul, le plus souvent en compagnie de ses courtisans. Il appréciait particulièrement les grands félins – tigres, guépards et lions – et pour une raison inconnue de tous, s'était pris d'affection pour l'autruche. Les singes excitaient sa curiosité avec leurs cris et leurs mouvements mystérieux. Mais c'est Chota qu'il aimait par-dessus tout. Il adorait se promener sur le dos de l'éléphant. Pour cela il avait commandé un *howdah* plus grand avec une échelle pliante. Chota fut doté d'une nouvelle coiffure : turquoise vif, bordée de pampilles d'or et ornée de plumes de paon. À son grand désarroi Jahan s'était vu fournir une livrée tout aussi voyante et ridicule – un pourpoint de tissu argent moiré brodé de tulipes bleues et un turban blanc. Le sultan avait un goût prononcé pour la parure – à la fois sur lui-même et sur son entourage. Il aimait se distraire en compagnie de nains, muets, bouffons, préférant leur compagnie à celle de ses vizirs et conseillers et à leurs discours ennuyeux.

Poète, habile archer, Sélim était un homme triste et préoccupé. Le teint coloré, le cou si court qu'il semblait presque inexistant, il avait les épaules rondes comme écrasées sous un poids invisible. Il n'était plus de première jeunesse – quarante-deux ans – quand il devint sultan. Toute sa vie il avait attendu, prié et intrigué pour monter sur le trône ottoman mais pourtant, quand son heure vint, il n'était pas prêt. Jahan le comparait à la flamme d'une bougie – nerveux, instable, attendant le vent qui finirait par l'éteindre.

Son frère Bajazet – son plus grand rival – avait été exécuté en Perse, faisant de Sélim l'unique héritier. On aurait pu croire qu'il en serait satisfait. Mais au contraire, cela l'avait rendu anxieux. S'il était aussi facile de tuer un prince, sans remords ni représailles, à quel être au monde pourrait-il se fier ? Il buvait beaucoup. Mangeait gloutonnement. Couchait avec les plus jolies femmes. Chassait le cerf, le canard, la perdrix, le sanglier. Rien ne pouvait apaiser sa soif. Un regard à ses costumes suffisait à apprécier l'écart entre lui et son père. Sa passion de l'opulence l'inclinait aux caftans de soie, pierres précieuses rares, brocarts raffinés, parfums entêtants. Il se fardait les yeux de khol, ce qui lui donnait un regard dur peu assorti à sa personnalité. Ses turbans ornés de plumes aux teintes criardes dépassaient en hauteur ceux du sultan Soliman, cela, tout le monde l'avait remarqué.

Ses nombreuses femmes avaient de nombreux enfants. Mais une concubine surpassa toutes les autres et devint son épouse – Nur-Banu la Vénitienne, l'enchanteresse. Sa mère l'avait baptisée Cecilia. Elle disait qu'elle était issue d'une famille de haut rang et aurait vécu comme une femme de la noblesse si elle n'avait été réduite en esclavage par des corsaires à l'âge de douze ans. Les bouches hostiles complétaient les parties de l'histoire qu'elle avait omises – elle était bien fille d'un patricien, mais bâtarde, née hors des liens du mariage. Nur-Banu n'avait jamais renoncé à envoyer des lettres à ses parents de Corfou et Venise. Elle écrivait aussi au *bailo*, au doge, aux sénateurs.

En retour elle recevait non seulement des missives mais aussi des cadeaux. Tout comme Sélim, Nur-Banu était éprise de splendeur. Récemment, elle s'était fait envoyer de Venise une paire de chiens de compagnie, au pelage rasé couleur crème, qui ne la quittaient jamais. Des bestioles amusantes, qui aboyaient sur tout ce qui bougeait, sans s'inquiéter de leur taille. Avant chaque repas on faisait tester leur nourriture par un goûteur, au cas où une âme perfide aurait voulu les empoisonner. Il y avait pas mal de gens qui auraient aimé le faire.

La nuit autour de l'âtre, les dompteurs parlaient de la sultane, échangeant rumeurs et récits hautement fantaisistes. Le code de silence qui imposait à chacun de se tenir coi s'appliquait encore, mais de façon moins stricte que jadis. Même s'ils choisissaient prudemment leurs termes et usaient d'un langage secret, ils jasaient à cœur joie. Il y avait d'autres changements. De la cour des eunuques à la tour du médecin en chef, des appartements princiers aux dortoirs des *zuluflu baltacılar*, les hallebardiers à tresse, le sérail bruissait d'échos. Chaque murmure, gloussement, ragot qu'on réprimait sous le règne de Soliman était désormais libéré, roulait en vagues dans les couloirs.

Les jours où le temps était tiède le sultan aimait sortir en bateau avec ses compagnons, manger et boire tout en glissant autour de la Corne d'Or, sucer des pastilles de musc pour se parfumer l'haleine. Sélim voulait croire qu'aussi longtemps que le grand vizir Sokollu tiendrait les rênes l'Empire se porterait bien. Sans qu'il soit fermé aux complexités de l'État, une part de lui aurait préféré rester poète, ou se faire barde itinérant, s'il n'avait pas été confiné au trône.

Les oulémas détestaient ses façons et l'accusaient d'être un pécheur. Les janissaires lui reprochaient de ne pas conduire l'armée d'un champ de bataille à un autre. Le peuple qui le comparait à son père le trouvait faible et maudissait le fantôme de Roxelane – qui persistait à hanter les salles de marbre – de n'avoir rien mis au monde de meilleur. Sélim les apaisait, organisait des dotations, distribuait des richesses, dans le seul but qu'on le laisse tranquille. Grâce à sa générosité, les rumeurs malveillantes étaient lavées à grande eau comme une inscription sur le sable mouillé – pour être bientôt intégralement réécrites.

Parmi les courtisans les plus proches de Sélim il y avait des poètes, des élégistes et des musiciens. Une poétesse nommée Hubbi Hatun était capable de réciter pendant des heures, les yeux clos, la voix montant et descendant comme une mouette dans une rafale de vent. Des baladins, qui connaissaient des mélodies de tous les coins de l'Empire et pouvaient chanter en douze langues, et faire passer leur auditoire de l'extase au désespoir, du désespoir à l'extase. Un peintre qui, chaque fois qu'il était un peu éméché, disait qu'un jour il utiliserait son sang pour la couleur rouge.

Jahan les connaissait tous. Ils déambulaient nonchalamment dans les jardins de roses, après quoi ils faisaient une halte à la ménagerie pour assister au repas des animaux. Une bande de tapageurs avides de festoyer et chahuter autant que leur protecteur. Leurs visites étaient improvisées, irrégulières. Elles pouvaient se produire à n'importe quelle heure de l'après-midi ou de la soirée.

Un jeudi, en pleine nuit, les dompteurs furent réveillés par de la musique et des rires. Ils échangèrent des regards, les yeux lourds de sommeil, tentant de déchiffrer ce qui se passait.

« Où sont ces damnés valets ? » tonna une voix dans l'ombre.

Ils enfilèrent leurs vêtements à la hâte et se mirent en rang dehors. Le sultan les attendait avec trois invités – tous pleins d'entrain et, à voir leur allure, très éméchés.

Sélim brailla : « Où est le cornac ? »

Jahan fit un pas en avant, s'inclina profondément.

« Nous te cherchions. Nous voulons faire un tour à dos d'éléphant.

— Maintenant, mon sultan ? »

La question souleva une tempête de ricanements tandis que le sultan le foudroyait du regard. Jahan bafouilla une excuse et se rua vers l'écurie. Chota grogna, mécontent d'abandonner la terre de rêve où il gambadait gaiement. À force de prières et de menaces, Jahan parvint à le faire sortir et à installer le *howdah.*

Le sultan, le musicien, le poète et le ménétrier y prirent place. Jahan remarqua que le sultan avait grossi et qu'il soufflait péniblement en montant. Leur suite de domestiques transportaient des paniers chargés de mets et de boissons. À l'aide de cordes, ils hissèrent chaque panier dans le *howdah*. Chota souleva Jahan avec sa trompe et le déposa sur son encolure. Et ils se mirent en route pour leur équipée nocturne.

Jahan pensait qu'ils se promèneraient dans les jardins impériaux mais quand ils atteignirent le portail extérieur il entendit Sélim ordonner : « Continue à avancer, cornac.

— Où cela, mon Seigneur ?

— Avance, tu t'arrêteras quand je te le dirai. »

Les gardes, les yeux ronds d'ahurissement, s'écartèrent pour les laisser passer. Chota, encore endormi et de mauvaise humeur, marchait à un train d'escargot, refusant d'accélérer le pas malgré les houspillements de Jahan. À l'intérieur du *howdah*, ils ne semblaient guère s'en soucier. Ils chantaient. Les accents d'un luth emplissaient l'air. Ils traversèrent les rues sinueuses, où rien, pas une feuille ni une ombre, ne bougeait.

« Cornac, arrête ! » ordonna le sultan.

Jahan obéit.

« Descends. »

Ce qu'il fit également.

« Maintenant, attrape ! »

Riant comme des enfants, ils firent descendre un panier. Dedans il y avait du vin et une coupe. « Bois ! ordonna le sultan.

— Mon Seigneur…

— Allez ! Tu sais à quel point les gens sobres ennuient ceux qui s'amusent ? »

Jahan emplit la coupe et la vida, salué par une cascade de rires. Le sultan, que cela amusait visiblement, lui dit : « Bois encore. »

Et ainsi de suite. Avant de s'en rendre compte, il avait avalé toute la bouteille. Il demanda à Chota de le remonter et quand l'animal s'exécuta, Jahan sentit sa tête tourner comme une roue de carrosse. Il se tint assis immobile, le visage empourpré, jusqu'à ce qu'il entende le sultan demander : « Dis-moi, cornac, tu as déjà été amoureux ? »

Jahan répondit avec quelque hésitation : « Tout ce que je sais de l'amour c'est qu'il fait souffrir, Altesse. »

Du *howdah* s'échappait une mélodie des plus tristes, qui flottait dans la brise comme une plume d'oiseau disparu depuis longtemps. Le poète déclama : *Contemple la beauté qui dilate le cœur dans le miroir de la rose*[1]…

À cet instant, Jahan se dit que Dieu devait les regarder, et comprendre la souffrance et la crainte

1. Citation d'un ghazal de Bâkî, compagnon et poète favori de Soliman le Magnifique. *(N.d.A.)*

qu'ils éprouvaient de se sentir si petits, si vulnérables. Il applaudit vigoureusement. Une telle insolence lui eût valu des ennuis en temps normal, mais elle fut accueillie avec des rires joyeux.

Soudain une voix sonore déchira l'air. « Qu'est-ce que c'est, ce bordel ? »

Face à eux ils virent un homme tout vacillant de sommeil, la mine furieuse de quelqu'un qu'on a réveillé en sursaut. Apparemment le seuil où ils s'étaient arrêtés lui servait de lit. Trop ivre pour retrouver le chemin de sa maison il s'était endormi là.

Jahan tenta de prévenir le pauvre gars. Il se pencha et chuchota : « C'est le sultan qui est assis là-haut.

— Ouais, c'est ça », aboya le soûlard. Il pointa du doigt vers Sélim. « Lui c'est le sultan ! » Désigna les courtisans. « Eux c'est les archanges. » Puis Chota. « Cette bête c'est le *zebani* de l'enfer. Et moi je suis mort. »

Le sultan s'interposa : « Qu'est-ce que tu fais dans les rues à une heure pareille ?

— Rien.

— Tu tiens à peine debout mais tu cherches encore à boire, n'est-ce pas ? Ne mens pas ! Tu n'as pas honte ? »

Ahuri, perdu, l'homme s'inclina en avant comme s'il voulait baiser la trompe de Chota. « Je cherche, oui. Mais pas du vin. » Il se tapota la poitrine. « Je suis en quête d'amour. »

Les courtisans se mirent à glousser, et le sultan aussi, en dépit de son irritation. « À cette heure-ci, dans des rues désertes. Tu es incurable. »

L'ivrogne leva la tête. « Peut-être bien que oui. Mais toi ? »

Jahan était malade d'inquiétude. Il n'osait regarder le sultan, redoutant le châtiment qu'il allait maintenant infliger à cet insolent sujet. Pourtant quand Sélim reprit la parole ce fut d'une voix calme, presque compatissante. « Attrape ! » Quelque chose roula sur le pavé. L'homme le ramassa et contempla avec perplexité l'anneau qu'il avait en main.

« Si tu trouves ce que tu cherches, dit le sultan, viens au palais et montre-leur mon sceau. Dis-leur que tu as un message pour le Seigneur de l'Empire. »

L'ivrogne, comprenant alors qu'il s'agissait bien du sultan, chaloupa en avant pour lui baiser la main, l'ourlet ou les pieds et ne pouvant en atteindre aucun, étreignit la patte de Chota à la place.

« Écarte-toi, dit Jahan. Tu vas te faire piétiner. »

L'homme recula d'un pas, à court de mots, tremblant, suant, bafouillant sa gratitude, stupéfait et heureux d'être en vie.

Sélim ordonna : « En route, cornac. »

Sur le chemin du retour tous étaient silencieux et soudain sombres.

Depuis leur arrivée au palais impérial, Chota s'était parfois senti négligé, voire maltraité, mais il avait toujours été unique. Il n'y avait pas d'autre éléphant dans la ménagerie. Pas d'autre éléphant royal dans tout l'Empire. Tout changea le jour où une caraque vint faire escale dans le port de Galata.

On était au mois d'avril. Les arbres de Judée étaient en pleine floraison, la cité enveloppée de senteurs, quand le navire jeta l'ancre. Sa cargaison comptait trois animaux : un zèbre, une girafe, et un éléphant de savane d'Afrique. On les transporta au palais sur des chariots, misérables et malades après une traversée éprouvante. Hélas ! la girafe, avec sa langue noire et ses yeux sereins, ne survécut pas longtemps. Le zèbre fut expédié à la maison des lions. Quant à l'éléphant, un mâle de vingt-quatre ans nommé Mahmoud, il se rétablit et resta sur place. Avec lui était arrivé un visage hostile – Buziba.

À l'époque Chota avait atteint la trentaine. Loin d'être sénile en années d'éléphant, il n'avait pourtant plus l'aisance de son apogée. Cependant, avec chaque saison qui passait, il devenait plus intelligent, plus subtil. Jahan comprenait maintenant pourquoi les guerriers cousus de cicatrices préféraient les vieux éléphants aux jeunes. Quelle que soit l'agilité de leurs membres, les jeunes étaient facilement téméraires – comme les êtres humains.

Mahmoud fut logé dans la même écurie que Chota, tandis que Buziba rejoignait les autres dompteurs dans le hangar. Au début, Jahan tenta de l'éviter mais c'était impossible. Chaque soir ils soupaient ensemble, dans l'après-midi ils soignaient leurs éléphants côte à côte. Si Buziba avait déjà entendu parler d'un hammam il n'en donnait aucun signe. Il se baignait rarement, voire jamais, et ne nettoyait rien autour de lui. Contrairement aux usages du palais, il mangeait bruyamment. Pendant les repas Jahan évitait de s'asseoir près de lui pour échapper aux miettes qu'il crachait à tout vent.

Jahan n'était pas le seul que les nouveaux venus irritaient. Chota aussi était perturbé. Furieux. Il supportait mal que Mahmoud mâche son foin, boive son eau, partage ses friandises. Quand l'occasion se présentait il renversait le seau de l'autre ou lui fauchait sa nourriture. Un éléphant en colère est un vengeur-né.

Un matin en entrant dans l'écurie, Jahan surprit Chota en train de piétiner la mante que Buziba jetterait sur le dos de Mahmoud quand ils sortiraient faire une promenade.

« Honte à toi ! siffla Jahan, à voix basse pour ne pas être entendu. Enlève tes pattes de là. »

Trop tard. La mante était couverte de crasse.

« Qu'est-ce qui se passe ? » demanda Buziba derrière lui.

Il eût été vain de nier l'inconduite de Chota, et Jahan n'essaya même pas. « Je vais la nettoyer, je te promets. »

Buziba ramassa le vêtement non sans avoir marmonné entre ses dents ce que Jahan interpréta comme une malédiction. « Tu me prends pour un idiot ? Je vois bien ce qui se passe, dit-il, la voix moins émue que satisfaite. Toi et ta bête vous êtes jaloux.

— Ce n'est pas vrai.

— Si, et il y a une raison. Bientôt on va vous montrer la porte, à tous les deux. Tout le monde voit bien quel éléphant est le meilleur. »

Jahan ouvrit et referma la bouche, incapable d'émettre une objection. Quelqu'un avait deviné sa peur la plus intime et l'avait prononcée tout haut, et l'univers l'avait entendu.

Le lendemain le sultan apparut entouré de ses courtisans. Au moment où Jahan se dirigeait vers Chota pour le préparer à la promenade, Sélim dit : « Essayons le nouvel éléphant. »

Buziba se jeta sur le sol, déclarant que lui et l'animal seraient heureux de servir le Souverain de la maison d'Osman, Commandeur des Croyants et Successeur du Prophète, Ombre de Dieu sur Terre, le plus généreux, le plus vertueux, le plus droit de tous les souverains passés et à venir.

Jahan n'avait jamais entendu une telle pluie de paroles mielleuses, dégouttantes d'épais sirop gluant. Mais elles parurent plaire au sultan. En un éclair on plaça le *howdah* de Chota sur Mahmoud, on tendit à Buziba la jaquette de Jahan – cette affreuse jaquette qu'il détestait de toutes ses forces mais à laquelle soudain il attachait un grand prix. Tandis que Jahan se mordait les lèvres et que Chota agitait sa trompe comme un balancier, Mahmoud et son cornac prirent leur place, sans plus de façons.

Et les voilà partis. Même quand ils furent hors de vue, leur sillage sonore persista, apporté par le vent – du moins Jahan crut l'entendre dans son chagrin. Il caressa Chota qui lui enroula sa trompe autour de la taille. Ils restèrent ainsi longuement, chacun cherchant refuge dans la compagnie de l'autre.

Le lendemain, tout l'enfer se déchaîna. Il y avait un étang derrière les écuries, entouré de mousse comme un tapis vert moelleux. L'eau n'était guère qu'une mare garnie de poissons mais Chota aimait beaucoup venir là. Jahan avait obtenu la permission qu'il prenne un petit bain de temps à autre, car Sélim trouvait assez attachante la vue d'un éléphant qui s'ébattait dans l'eau.

Quand Chota et Jahan arrivèrent au bord de l'étang, ils trouvèrent Mahmoud installé à la place habituelle de Chota. À ses côtés, Buziba balançait ses pieds nus dans l'eau et se chauffait au soleil, les yeux mi-clos, bouche entrouverte.

Jahan se demanda quelle attitude prendre. Inutile d'entamer une querelle qui parviendrait aux oreilles du chef des eunuques blancs et le mettrait en difficulté. Mais il ne pouvait pas tolérer cela. Chota, à côté de lui, tranquille comme une souris, semblait lui aussi réfléchir aux choix qui s'offraient à lui.

Avec précaution, Jahan s'avança vers Buziba et lui tapota l'épaule. Arraché à sa rêverie, celui-ci eut un geste de recul. « Qu'est-ce que tu veux ?

— Cet endroit appartient à Chota. »

Sans une trace d'émotion sur son visage rigide, Buziba referma les yeux en bâillant et ses pieds reprirent leur balancement paresseux, comme si Jahan et Chota n'étaient pas là à attendre une réponse.

Jahan dit : « Partons, Chota. Nous reviendrons à un autre moment. »

À peine avait-il fait un pas qu'il entendit un bruit de plongeon. Chota, béni soit-il, avait fait ce que lui-même n'avait pas osé. Buziba, au milieu de l'étang, lâcha un juron, toussa, agita les mains. Voyant qu'à l'évidence il ne savait pas nager, Jahan courut vers lui.

« Prends ma main, je vais te tirer de là. »

Buziba cessa de gesticuler quand il comprit que l'étang était peu profond. Il se redressa, dégoulinant d'eau, sortit par ses propres moyens et passa devant eux comme une boule de rage.

Et c'est ainsi que cela commença. Leur guerre. Chaque jour ils trouvaient une nouvelle excuse pour se sauter à la gorge. Jahan arrivait difficilement à se concentrer sur ses travaux pour Sinan, tellement il craignait qu'en son absence Buziba ne fît du mal à Chota. Il perdit le sommeil, l'appétit. Il se rappela ce qu'avait dit un jour Sinan, une note de compassion dans la voix : « C'est l'équilibre qui nous tient debout. Ça vaut pour les bâtiments. Ça vaut pour les gens. » Jahan avait perdu son équilibre. Chota aussi. L'éléphant passait des jours entiers le regard fixe comme s'il souhaitait de toutes ses forces se retrouver derrière les murs de l'écurie qu'il partageait avec son ennemi. Après deux semaines de ce tourment, Jahan élabora un plan. Dans l'intervalle le temps avait refroidi, l'été s'enfuyait déjà. Les Gitans de Balaban, rentrés récemment de Thrace, partiraient bientôt vers le sud. Jahan résolut de leur rendre visite avant leur départ.

Ils l'accueillirent comme un frère perdu de longue date. On servit des sorbets au tamarin, des arômes succulents les entouraient – mélasse de raisins secs, fromages de chèvre, *pide* fourré aux épinards, viande rôtie. Les enfants couraient en tous sens, les aïeules riaient de leur bouche édentée. Tout en s'empiffrant ils s'enquirent du sultan, avides d'entendre les derniers cancans du palais. Jahan expliqua qu'il avait dû graisser la patte des gardes pour se faufiler dehors et qu'il devrait rentrer avant la relève du soir.

« Alors qu'est-ce qui t'amène ici ? voulut savoir Balaban.

— J'ai besoin d'aide. On peut se parler seuls ?

— Pas besoin. C'est la famille », dit-il en ouvrant les deux mains.

S'approchant plus près, Jahan lui chuchota à l'oreille. « Est-ce qu'il y a quelque chose qui fasse brûler un mâle pour une femelle ? »

Balaban fit un large sourire. « Oui, ça s'appelle l'amour.

— Non, pas comme ça. Pour... s'accoupler. Une poudre ou une boisson qui excite le désir. »

Balaban interrompit sa mastication et dévisagea Jahan. « Tu es malade ?

— Pas pour moi. Pour un éléphant.

— Cette bête a pas besoin de remontant. Qu'est-ce que tu as contre la pauvre Gulbahar ?

— Oh, ce n'est pas pour Chota ! »

Jahan lui raconta tout – comment il avait perdu sa sérénité à cause d'un autre éléphant et un autre cornac. Il s'attendait à voir Balaban faire de l'esprit à ses dépens, mais quand il eut terminé le Gitan fit un signe de tête solennel et lui dit : « Te chagrine pas. On va t'aider. »

Jahan sortit la bourse qu'il avait apportée et la posa sur la table.

« Ça vient du sultan ou de toi ? interrogea Balaban.

— Le sultan ne sait rien de tout cela. Il ne doit rien savoir.

— Alors garde-la, rétorqua Balaban à sa manière abrupte et joviale. Pars, maintenant. On saura te trouver. »

Jahan repartit pour la ménagerie. Dans sa tête un brouet de sorcière fermentait – honte, espoir, culpabilité. Deux jours après un jeune garçon vint à sa recherche lui remettre une jarre. « Quelqu'un t'envoie ça. »

Jahan examina le messager – les yeux noirs brillants, le sourire à fossettes, la peau olivâtre. Aucun doute, il était apparenté à Balaban. La jarre contenait une poudre de couleur safran. Il y plongea le bout du doigt et goûta. Une saveur peu épicée, légèrement salée, qu'il pourrait mêler à n'importe quel aliment.

Dans du sorbet à la grenade sorti en fraude des cuisines, il fit fondre une cuillerée de poudre. Dès que Buziba eut le dos tourné, il donna le breuvage à l'éléphant, qui l'engloutit allègrement. Rien ne se passa. Le lendemain il refit un essai en augmentant la dose. Toujours rien. Il versa le reste de poudre dans du gruau de riz et regarda Mahmoud avaler le tout.

La chance voulut que ce soir-là le sultan Sélim arrive avec ses compagnons, pressés d'entamer une nouvelle nuit de réjouissances.

« Cornac », s'exclama le sultan.

Jahan s'inclina. « Oui, mon sultan.

— Où est l'autre cornac ? »

Buziba arriva en courant, le visage inondé de sueur. « Majesté, l'éléphant est malade. Je te supplie de nous excuser pour cette nuit.

— De quoi souffre cette bête ? » interrogea le sultan.

En guise de réponse un son affreux leur parvint des écuries, suivi d'un grand fracas. Le sultan se dirigea vers l'origine du bruit, les autres derrière lui.

C'était un spectacle des plus étranges. Mahmoud, dans sa frénésie, s'était rué contre la cloison en bois de sa stalle et une de ses défenses était restée coincée dans la paroi. Il ne pouvait ni avancer ni reculer. Son organe mâle enflé ruisselait. Il hurlait – plus de rage que de douleur. Personne n'osait s'approcher, y compris Buziba.

Ce fut la fin de Mahmoud. Même une fois dégagé de sa cloison, sa rage et sa frustration ne s'apaisèrent pas. Pour finir, il fallut l'entraver. Il brisa ses chaînes, abattit les murs, fonça dans les arbres. Et pire encore, barrit, gémit, trompetta. Avant la fin du mois, Mahmoud et Buziba furent expédiés dans l'ancienne église près de Sainte-Sophie.

Personne n'eut le moindre soupçon – à part Olev. « C'était toi, pas vrai ? » interrogea-t-il, les sourcils contractés.

Comme Jahan, déjà bourrelé de remords, ne répondait pas, Olev poursuivit : « Je me rappelle le jour où tu es arrivé. Ton éléphant était un bébé ; toi aussi. Et maintenant, regarde-toi ! Tu es devenu un des nôtres, et c'est bien dommage. »

Jahan releva les yeux. « Qu'est-ce que ça veut dire ?

— Ça veut dire que tu livres des batailles pas vraiment nécessaires, fit Olev. C'est toi le plus fort. Quand même, prends garde. Si tu portes une épée, tu obéis à l'épée, pas le contraire. C'est impossible de tenir une arme et en même temps éviter d'avoir du sang sur les mains.

— Moi je peux – ne te fais pas de souci pour moi », dit Jahan. Mais à peine avait-il parlé qu'il sentit une pointe aiguë de regret, craignant de n'avoir tenté le destin.

Depuis le jour de son avènement, chaque fois qu'Istanbul lui assombrissait l'humeur, ce qui était fréquent, Sélim partait pour Andrinople – la ville où il avait passé une partie de sa jeunesse. Là-bas il pouvait chasser, flâner et boire tout son soûl, loin des regards critiques et des langues bavardes. Comme tout être conscient d'être largement détesté, le sultan se sentait redevable envers ceux qui le soutenaient – et le peuple d'Andrinople lui avait toujours été fidèle. Ainsi après plusieurs années de règne, Sélim décida de récompenser leur loyauté en commanditant une mosquée, non dans la capitale comme on s'y attendait, mais dans la ville sanctuaire.

Dès l'instant où on annonça que le sultan allait faire construire un splendide édifice, les médisances commencèrent. On disait que si le choix ne s'était pas porté sur Istanbul, il y avait une raison. N'ayant jamais conduit l'armée sur un champ de bataille, le sultan n'avait pas le front de faire construire un si noble monument dans la capitale. Comment la mosquée de Sélim pourrait-elle s'élever à proximité de la mosquée de Soliman quand le fils n'arrivait pas à la cheville du père ? Voilà pourquoi, disaient les mauvaises langues, le nouvel édifice ne pouvait se situer ailleurs qu'à Andrinople.

Des mots teintés de bile noire. Sans s'y arrêter, Sinan – avec ses quatre apprentis – posa les fondations de la Selimiye en avril. Le sultan offrit à son architecte une tunique d'or et d'argent, afin de montrer quelle confiance il lui accordait. Tous sur le chantier – des menuisiers aux esclaves des galères – observaient en attendant la suite, sans trop d'optimisme ni de mélancolie, avec le sentiment qu'ils allaient mettre au monde quelque chose d'unique. Ils travaillaient, pénétrés de cette certitude – et de cette crainte. C'était un péché de créer une œuvre aussi majestueuse, comme si on voulait rivaliser avec le Créateur. Les imams et les prêtres et les rabbins refuseraient peut-être d'entendre cela mais en leur for intime ils soupçonnaient que, parfois, Dieu lui-même était jaloux.

L'idée d'une mosquée était venue au sultan dans un rêve. Il vit apparaître le prophète Mahomet – qu'il reconnut non par son visage, car aucun être terrestre ne peut le voir, mais par son aura. Sélim lui promit de conquérir l'île de Chypre, et avec les dépouilles, de lui construire une magnifique mosquée du vendredi. Le prophète fit un signe aux anges qui attendaient à ses côtés. Glissant dans l'air, lumineux comme des lucioles, ils disparurent et revinrent avec un rouleau. C'était le plan de la Selimiye.

Ravi et enthousiaste, le lendemain le sultan répugnait à se réveiller. Quand il finit par le faire, il raconta sa vision au grand vizir. Sokollu, fin et perspicace qu'il était, pensait que les rêves d'un gouvernant sont de deux sortes : ceux qu'il ne doit partager avec personne, pas même son grand vizir, et ceux qu'il doit faire connaître à tous. Ce rêve-ci, conclut-il, était de la deuxième espèce.

Avant midi, Sokollu avait déjà abordé le sujet avec le *nisanci*, le chef de la chancellerie. Cet homme qui avait un faible pour les douceurs en fit part au chef de la brigade des desserts, qui à son tour le raconta au fournisseur de noix des cuisines royales. Dans l'après-midi, l'histoire quitta le palais sur un chariot de pistaches et atteignit les faubourgs d'Istanbul. De là elle se répandit dans les ruelles des teinturiers et des tanneurs. Quand la prière du soir se répandit dans l'air, les Stambouliotes étaient au courant par centaines. À la fin de la semaine la cité entière, y compris le *bailo* de Venise, savait que le prophète avait demandé au sultan de délivrer Chypre des infidèles chrétiens.

Sélim se rendit sur la tombe de ses ancêtres et sur la sépulture du martyr Ayyoub al-Ansari. Les esprits donnèrent leur bénédiction à ses projets de guerre. Mais au moment d'embarquer, il ne voulut pas rejoindre la flotte. La conquête serait accomplie non par l'épée du sultan mais par le rêve du sultan. Et rapporterait un énorme butin. Nicosie fut prise et mise à sac jusqu'à ce qu'il ne subsiste pratiquement rien de la ville ancienne. Famagouste se rendit après soixante-huit jours de bombardements – avec des centaines de captifs.

Pendant ce temps, à Andrinople, l'architecte impérial et ses apprentis travaillaient à s'en user les doigts. Sinan abordait chaque tâche comme un cocon où s'abriter contre les tempêtes de tous ordres : une fois replié dedans, il échappait au monde extérieur. Les guerres ne l'intéressaient nullement, encore moins les victoires. Pourtant ce fut seulement après la conquête de l'île que le chantier prit de l'élan. L'argent du tribut coulait à flots, et grâce à lui plus d'ouvriers, plus de matériaux.

Bizarrement, à mesure que la mosquée gagnait de la hauteur, le sultan descendait de plus en plus bas. Tous deux, l'homme et le bâtiment étaient inextricablement liés dans un mouvement profond mais inverse – comme la nuit et le jour. Pour que l'un existe, l'autre devait périr. Pour chaque clou enfoncé, chaque pierre ajoutée à l'édifice, Sélim se voyait reprendre un bien – santé, bonheur, pouvoir et en dernier lieu sa destinée, *kismet*.

Alors qu'il travaillait sur l'un des huit piliers massifs de la mosquée Selimiye, par une après-midi d'automne, le maître fit dire à ses apprentis qu'il souhaitait les voir. En arrivant à sa tente, Jahan trouva les autres groupés près de l'entrée. Il se percha sur un établi auprès d'eux en attendant que Sinan termine son entretien avec un groupe de vitriers.

Davoud avait l'air sombre et méfiant, selon son habitude. Il chuchota : « Maître Sinan ne nous aurait jamais fait quitter tous les quatre notre tâche. Il y a sûrement un grave ennui. »

Heureusement les vitriers repartirent bientôt, leur évitant de bâtir des hypothèses ineptes. Ils trouvèrent le maître assis sur un tapis représentant des arbres en fleurs bordé d'un cortège de cerfs, gazelles, tigres et lions – tissé dans la ville d'Hérat au Grand Khorasan, et offert à Sinan par un *beg* kurde pour qui il avait construit un hospice. Appuyé sur des coussins, Sinan tenait dans sa main droite un chapelet qu'il égrenait lentement. Jahan savait qu'il en utilisait un différent selon son humeur : opale de couleur azur quand il était plongé dans ses pensées, ambre jaune quand il était joyeux, onyx noir quand il avait hâte d'entamer un nouveau projet. Aujourd'hui c'était le béryl vert pâle, celui qu'il prenait quand il était préoccupé. Sur la table basse devant lui étaient posés une tasse de café et un verre d'eau. Et à côté, un dessin que Jahan reconnut : Ayasofya.

Un par un ils s'assirent sur le tapis, face au maître. Il garda le silence jusqu'à ce qu'ils soient installés ; le son des grains, qui défilaient plus rapidement maintenant, emplissait l'air. Puis il leur dit ce qui lui pesait sur l'esprit.

Le domaine de Sainte-Sophie, au fil des ans, s'était vu envahir de taudis, construits chacun en toute illégalité. Plusieurs plaintes adressées au chef des cadis d'Istanbul étaient restées vaines. À la longue, voyant la situation se dégrader dangereusement, Sinan avait adressé une pétition au sultan. Dans sa lettre il déplorait que des ignares, prenant eux-mêmes la toise en main, élèvent des structures sans aucune connaissance du métier ni souci des environs.

« Notre sultan a examiné la requête de son humble serviteur », dit Sinan.

Un comité avait été constitué. Le chef des cadis, l'imam de la mosquée, divers érudits religieux et les doyens des dessinateurs et des maçons se réuniraient pour inspecter les dégâts et faire un rapport de leur enquête. Après quoi, sous réserve de l'accord du sultan, Sinan entreprendrait les réparations de Sainte-Sophie.

« Pour cela je dois retourner à Istanbul et j'aimerais que vous veniez avec moi. »

Jahan baissa la tête, rayonnant de plaisir. Quel honneur ce serait de rénover cette perle de l'architecture – jadis une basilique chérie, aujourd'hui une majestueuse mosquée. Le bâtiment qui avait incité Justinien à s'exclamer orgueilleusement : « Salomon, je t'ai surpassé ! » Mais en même temps Jahan avait la nette sensation qu'on ne leur avait pas tout dit. Il demanda : « Si le sultan nous donne la permission de restaurer la mosquée, qu'adviendra-t-il des maisons avoisinantes ? »

Une ombre passa sur le visage de Sinan. « Elles vont être démolies. »

Jahan inspira profondément, saisissant le dilemme de Sinan. Son maître devrait faire un choix entre les habitants et le bâtiment, et à l'évidence il avait choisi ce dernier.

De retour à Istanbul, le jour de leur réunion, à leur grande surprise ils furent rejoints par le sultan et son entourage. Désireux de juger par ses propres yeux de la situation, le sultan Sélim avait décidé de venir, accompagné de ses hauts dignitaires et vizirs. Ensemble ils firent le tour d'Hagia Sophia. Ce qu'ils virent était consternant. Des gouttières couraient sur les murs extérieurs de la mosquée, répandant une eau boueuse qui laissait tout ce qu'elle touchait plus sale qu'avant. Sur ses contours des grenouilles coassaient, des rats grouillaient, des étrons s'empilaient – animaux et humains mêlés. Au détour d'un angle ils tombèrent sur une carcasse de chien, la mâchoire partie, les yeux écarquillés, comme figés d'horreur.

Tous ceux qui vivaient autour de la mosquée s'étaient installés récemment à Istanbul. Quittant leurs villages, ils avaient migré vers le *siège du trône*, sans toit pour les accueillir, ni parents à qui se fier, ni terre à cultiver. Ayant appris par la rumeur que le terrain autour de Sainte-Sophie était inoccupé et facile d'accès, c'est là qu'ils avaient planté leurs racines. Ce n'étaient pas seulement des cabanes de taille variée qui empiétaient sur le vénérable bâtiment, mais toutes sortes d'édifices, ateliers, écuries, étables à moutons, laiteries, poulaillers, latrines. Tous s'adossaient à la mosquée, exerçant une poussée de quatre côtés sur ses murs. La pression était telle que la façade ouest de Sainte-Sophie, là où le peuplement était le plus dense, commençait à pencher vers l'intérieur.

La petite troupe entra dans l'échoppe d'un cordonnier. L'artisan, les yeux dilatés de peur, rendu muet par l'apparition du sultan, tremblait et bafouillait, incapable de répondre à la moindre question. Heureusement il s'abstint de s'évanouir. Plus loin dans la rue sous un appentis ils virent d'énormes chaudrons où l'on faisait bouillir des tripes d'animaux pour en faire des chandelles. La puanteur était si infecte que le sultan se rua dehors, un mouchoir de soie sous le nez. Les autres le suivirent en toute hâte.

L'un des résidents de ce quartier bigarré avait construit un hangar à bétail et une maison à trois étages dont il louait les chambres libres à des étudiants ou des pèlerins. Un autre, en voulant faire un puits dans son arrière-cour, avait creusé si profond qu'il avait endommagé les fondations de Sainte-Sophie. Un troisième avait bâti une maison qui s'était effondrée, miraculeusement sans blesser personne ; sur quoi il en avait bâti une seconde et réussi cette fois à la faire tenir debout. Maintenant une pile de gravats encombrait son jardin, là où les enfants jouaient et les chiens rôdaient.

Une fois la visite terminée, du haut de son étalon, le sultan s'écria : « Architecte impérial, avance-toi. »

Sinan obéit, en s'inclinant très bas.

« C'est scandaleux. Je souhaite voir Ayasofya restaurée. »

Sinan s'inclina de nouveau, fermant les yeux de gratitude.

« Je te donne ma bénédiction. Commence la restauration sans délai. Pose des contreforts partout où il faut. Démolis les appentis. Pas un seul n'a été construit avec ma permission. »

Le sultan agita une main chargée de bagues en direction de deux serviteurs qui s'avancèrent, l'un ouvrant la voie, l'autre portant un caftan de pure soie bordé d'hermine. Le grand vizir le prit et, se tournant vers Sinan qui était toujours agenouillé, il lui dit d'une voix douce de se relever. C'est ainsi que l'architecte reçut l'habit d'honneur.

Davoud, Youssouf, Nikola et Jahan échangeaient des regards furtifs, incapables de réprimer leurs sourires.

« Eh bien. Tu peux commencer l'ouvrage, dit le sultan en ajustant ses rênes, prêt à partir.

— Majesté, il y a parmi les bâtiments illicites un entrepôt qui appartient au palais, dit Sinan. Nous autorises-tu à le faire abattre comme le reste ? »

Le sultan Sélim n'eut qu'une brève hésitation. « Fais ce que tu dois faire. »

Le lendemain, ils inspectèrent les quartiers de Zeirek et Kalenderhane. Là aussi ils trouvèrent des constructions non autorisées en abondance. Sinan décida de tracer un espace de cinq toises autour de la mosquée et raser tout ce qui se trouverait à l'intérieur de cette limite. Il fit rédiger à ses apprentis un plan de travail détaillé. Pas une fois mais deux – une copie qui serait soumise à l'approbation du sultan, l'autre pour les archives de Vefa. Ils enregistrèrent leur engagement de : remettre en état les parties d'Ayasofya, intérieur et extérieur, qui étaient endommagées ; acheminer de l'eau pure à la mosquée par de nouvelles canalisations ; recouvrir de plomb les toits lézardés ; remplacer le socle en bois des minarets, usé et poreux, par un solide socle en brique ; ouvrir une bande large de trois toises autour de la madrasa en démolissant les appentis ; conserver un espace libre de trente-cinq toises à droite et à gauche d'Ayasofya et abattre tous les édifices illicites ; utiliser les pierres, briques et poutres récupérées lors des démolitions pour réparer la mosquée.

Peu après réception de cette liste, le sultan ne se contenta pas de donner son accord, il promulgua un décret :

« Au chef des cadis de la cité d'Istanbul en charge de la dotation destinée à la mosquée Ayasofya

Voici l'ordre que je t'adresse pour qu'il soit appliqué sur-le-champ dans son intégralité. Lorsqu'il m'a été rapporté que la Grande Mosquée souffrait de l'usure du temps et de l'outrage des habitants, et implorait d'être réparée, j'ai inspecté les lieux en personne accompagné du chef des architectes royaux et de plusieurs experts, que Dieu accroisse leur sagesse, et suis parvenu à la conclusion que la restauration est indispensable et par conséquent qu'elle doit être exécutée, car l'entretien des sanctuaires vénérés est un commandement de Dieu le Tout-Puissant et une noble responsabilité pour le sultan.

Aussi je te commande d'apporter ton aide à l'architecte impérial et à ses dessinateurs, et de t'assurer qu'il leur sera fourni tout ce dont ils pourraient avoir besoin pour exceller dans leur tâche. »

Ragaillardis par ce décret, Sinan et les apprentis entreprirent la rénovation. Ils avaient avec eux quatre-vingt-cinq ouvriers équipés de maillets et de masses, ainsi qu'une grande quantité de poudre à canon. Des animaux également : bœufs, chameaux, mules, et Chota.

À leur arrivée devant Sainte-Sophie, ils trouvèrent une foule de gens qui les attendaient. Ils barraient la route, rempart de chair et d'os, empêchant les ouvriers de passer, les yeux sombres et creux plissés d'exaspération, les bouches crispées. La colère ambiante était palpable. Peu habitués à une telle haine, les apprentis furent pris de court. Ainsi que leur maître, le visage livide, et soudain, l'air très vieux.

« Que se passe-t-il ? interrogea Sinan.

— Nous sommes en train de détruire leurs maisons, répondit Nikola.

— Maître, laisse-moi leur parler. » C'était Davoud qui venait de prononcer ces mots. « Ils viennent de chez moi. Je connais mes frères. Nous ne devons pas en faire des ennemis.

— Il a raison, dit Jahan. Il faudrait tenter de les convaincre avant de commencer. »

Resserrant sa cape autour de lui comme s'il sentait un courant d'air, Sinan y consentit. « Va, Davoud, parle-leur. Explique-leur bien que nous compenserons leurs pertes. Le sultan l'a promis. » Puis il se retourna vers les ouvriers. « Nous ne ferons rien aujourd'hui. »

Le lendemain quand ils arrivèrent, la rue était vide et tout semblait calme. Au moins jusqu'à ce que le contremaître se rue vers eux, le visage cramoisi, et dise sans même une formule de salutation : « *Effendi*, s'il te plaît.

— Qu'y a-t-il ? demanda Sinan.

— Ils ont volé nos outils, brisé nos charrettes. Ils nous empêchent de travailler, bande de scélérats ! » Une foule – plus nombreuse et plus en colère que la veille – s'était rassemblée sur l'autre flanc de la mosquée, expliqua-t-il.

« Qu'est-ce qu'ils veulent ? demanda Sinan.

— Ils disent que c'est un temple infidèle, expliqua Gabriel Boule de Neige. Le toupet de ces gens-là ! Ils répandent de méchantes rumeurs sur ton compte, pardonne-moi de te dire cela, maître.

— Qu'est-ce qu'ils disent ? » demanda Sinan.

Gabriel baissa les yeux. « Ils disent que comme tu es un chrétien converti, tu veux détruire les maisons de bons musulmans pour sauver une église. »

Sinan dit, le front plissé de souci : « Les mosquées, les synagogues, les églises, toutes sont édifiées pour honorer Dieu. Comment peut-on leur manquer de respect ? »

La foule ne voulait rien entendre. Dans les jours qui suivirent, les apprentis rencontrèrent un obstacle après l'autre. Les ouvriers subissaient des menaces. On trouva deux animaux morts empoisonnés. Craignant qu'il n'arrive malheur à Chota, Jahan cessa de l'amener sur le chantier. Impossible d'enfoncer un clou, de déplacer une pierre.

Au bout d'une semaine, Sinan envoya ses apprentis chez le chef des cadis pour lui demander de l'aide. Un homme à la barbe grise, les yeux enfoncés, la mine circonspecte. Jahan s'attendait à le voir mécontent des insurgés. Au lieu de cela, il était furieux contre Sinan.

« Votre maître a écrit au sultan, et notre sultan, avec sa bienveillance coutumière, a pris sa requête au sérieux. Et regardez où cela nous amène.

— *Effendi*, ces gens ne sont-ils pas à blâmer ? demanda Jahan. Ils ont construit illégalement autour d'Ayasofya et… »

Le cadi lui coupa la parole. « C'est bon. Je vais voir ce que je peux faire. Ne vous attendez pas à des miracles. »

Les apprentis quittèrent la demeure du cadi très abattus. Jahan comprenait que les gens susceptibles de les aider s'abstiendraient de le faire, par amertume ou paresse ou jalousie des succès de Sinan.

La situation aurait pu rester enlisée sans une *fatwa* qui fut lancée peu après. Les paroles du grand mufti plurent sur la ville comme des grêlons, éteignant tous les incendies petits et grands.

« *Question : Certains disent, concernant la réparation d'une sainte mosquée qui était anciennement une église, nous ne partirons pas parce qu'une construction d'infidèles finira par s'effondrer de toute façon, peu importe si elle s'effondre, et certains les soutiennent, disant que quiconque rénove un temple d'infidèles est un infidèle. Que faut-il faire contre ces gens et ceux qui les suivent ?*

Réponse : Quiconque profère de telles erreurs est lui-même un infidèle et il sera exécuté. Ceux qui empêchent les travaux seront punis. La restauration de la mosquée se déroulera sans obstacle, comme il sied à la juste charia. »

À partir de là, les choses se calmèrent. Il n'y eut plus de foule dans les rues, même si quelques incidents mineurs se produisirent ici ou là – chapardage d'équipement, surtout. Sinan repartit pour Andrinople avec Youssouf pour terminer la Selimiye. Jahan n'en était pas ravi. Il aurait préféré garder un œil sur Youssouf. Il n'avait pas encore pu l'interroger sur son rendez-vous secret avec Tommaso, et de le voir maintenant accompagner seul le maître le préoccupait.

Davoud, Nikola et Jahan restèrent en charge du chantier de Sainte-Sophie. Tous les deux ou trois jours ils devaient écrire au maître pour le tenir informé de l'avancement des travaux. Progressivement les lettres s'espacèrent, un silence coupable emplit la distance entre le maître et les apprentis.

Cela ils ne l'avouèrent jamais à Sinan, mais les apprentis restés à Istanbul s'y sentaient mal à l'aise. Chaque fois, ils tentaient de prévenir les occupants des taudis qu'ils allaient démolir de leur laisser assez de temps pour déménager leurs possessions. Mais les gens étaient soit lents soit réticents, de sorte que chaque fois les mêmes douloureuses scènes éclataient : des familles entières, avec force pleurs et malédictions, traînant le peu de biens qu'ils possédaient – ustensiles de cuisine, lampes, matelas, jouets, un berceau, un *kilim*, un oiseau dans sa cage.

Jahan prit l'habitude de vagabonder dans le quartier pour se changer les idées, parfois en compagnie d'un autre apprenti, le plus souvent seul. Un de ces jours-là, Nikola et lui passaient par une ruelle crasseuse bondée d'ateliers à moitié vides quand ils virent s'approcher deux enfants. Une fille et un garçon – frère et sœur à en juger par leur ressemblance – aux yeux gris-vert luisant sur de sombres taches de rousseur, qui leur lancèrent un regard malicieux. Ils avaient les cheveux coupés court, une précaution contre la vermine. Tous deux étaient pieds nus.

En s'accroupissant, Jahan leur dit : « Hé, petits. Vous ne devriez pas être ici tout seuls. Où habitez-vous ? »

La fillette indiqua un hangar au bout de la ruelle. Nikola et Jahan échangèrent un regard coupable. C'était l'un des bâtiments qu'ils devaient raser le lendemain matin.

Le garçon prit la main de Jahan et la tira de toutes ses forces. Sous ses larges manches de chemise effrangées, ses poignets avaient l'air de deux bâtonnets blancs. Jahan comprit, affolé, que l'enfant voulait qu'il le suive jusqu'à leur maison. Il dit, plus fort qu'il n'en avait l'intention : « Non, je ne peux pas venir avec toi. »

Les enfants ne voulaient pas renoncer. Pendant que le garçon suppliait de ses grands yeux liquides, la fille tirait Nikola par la main. Pour finir les apprentis ne purent résister.

Une odeur fétide de moisi et de pourriture frappa Nikola et Jahan de plein fouet quand ils entrèrent dans le taudis que les enfants appelaient leur maison. Dans la première pièce, un homme malade gisait sur le sol. Il était veillé par une femme voilée de la tête aux pieds. Quand elle les vit elle se hâta de quitter la pièce.

« Mon père », dit la fillette.

Au son de sa voix, le patient qui jusque-là était resté inerte tourna la tête. Le regard qu'il adressa à Jahan était empli de souffrance. Quand il ouvrit la bouche, il n'en sortit qu'un sifflement. La petite, impavide, se pencha vers lui, écouta, hocha la tête et dit : « Il veut savoir si ton nom est Azraël. »

Jahan frémit. L'homme, manifestement en proie à une hallucination, le prenait pour l'Ange de la Mort. Une voix intérieure lui chuchota de partir. Mais au lieu de lui obéir, il souhaita meilleure santé au malade et suivit les enfants dans les entrailles de la demeure. Nikola les rejoignit en boitillant. Dans la deuxième pièce ils virent des bébés jumeaux endormis dans le même berceau, bouche entrouverte, éclairés par un pinceau de lumière. L'un des bébés avait une malformation de la lèvre. Des jumeaux identiques qui ne se ressembleraient jamais.

Les enfants leur firent signe de continuer à avancer. En traversant un couloir sombre, bas de plafond, ils sortirent dans l'arrière-cour ; les deux apprentis furent surpris de voir combien ils étaient proches d'Ayasofya. Sur le côté il y avait un poulailler vide. Une porte de bois branlante ouvrait sur un espace de sol qui servait de toilettes et répandait une âcre puanteur. Près de cette porte une chatte tigrée, les mamelles enflées, dormait dans un panier entourée de cinq chatons de la même couleur.

La fillette prit l'un des chatons par la peau du cou et lui pressa le nez contre son torse maigre. L'animal ne fit aucun bruit, étouffé de tendresse. Puis brusquement elle le tint à bout de bras et dit : « Prends-le.

— Ah non. Je ne peux pas.

— C'est pour toi. »

Jahan se montra tout aussi ferme. « Je ne veux pas de chaton. »

Le visage de la petite se décomposa. « Ils vont mourir ici. »

Voyant la détresse de sa sœur, le garçon saisit le chaton et le poussa dans les bras de Jahan. Le chaton paniqué écorcha le pouce de Jahan, qui lâcha un cri.

« Je suis désolé, dit Jahan. Je ne suis pas en mesure de sauver ton chaton. »

Troublés, les apprentis retraversèrent la maison et sortirent dans la rue, où de nombreux voisins s'étaient rassemblés, ayant appris leur présence. Quelqu'un jeta une pierre, qui frappa Nikola à l'épaule.

Les apprentis s'enfuirent à toutes jambes. Dans leur désarroi ils prirent le mauvais tournant, se retrouvèrent dans un champ, les chevilles assaillies par les ronces. La poitrine pantelante, tous les sens en alerte, ils s'attendaient à voir quelqu'un surgir de derrière les buissons. Quand ils ralentirent, Nikola haleta : « Je ne veux pas faire cela.

— Moi non plus », dit Jahan.

De retour sur le chantier, ils trouvèrent Davoud au travail. Quand il les vit, son visage se fit soucieux. « Ça va ? »

Jahan lui raconta leur expédition. Le malade, les enfants, les bébés…

« Il ne faut pas te laisser émouvoir, dit Davoud. Ils n'avaient pas le droit de construire ce hangar.

— Mais ils n'avaient pas d'autre endroit où aller.

— Ils auront une compensation. Notre sultan l'a promis. »

Jahan dit : « Tu sais aussi bien que moi que ça ne suffira pas.

— Qu'est-ce que nous y pouvons ? murmura Davoud en passant les doigts dans sa barbe. Notre maître nous a confié cette tâche.

— Ah oui, et lui, où est-il ? En train de construire la mosquée du sultan pendant que nous devons nous occuper de ce gâchis. » À peine avait-il dit cela que Jahan s'interrompit, secoué par sa propre colère. « Pardonne-moi.

— C'est déjà fait », dit Davoud avec un sourire fraternel.

Cette semaine-là ils tardèrent à écrire à Sinan, aucun d'entre eux ne se sentant le cœur pour le faire. Ils s'évitaient mutuellement, comme si plus ils passaient de temps ensemble plus cela leur rappelait leur culpabilité. Puis arriva une lettre du maître.

Mes diligents apprentis

Je serais resté auprès de vous si je n'avais reçu l'ordre de terminer la mosquée de notre sultan sans délai. L'urgence de la mosquée Selimiye m'a contraint de vous laisser seuls. Je l'ai fait en sachant que vous étiez entièrement capables de prendre soin de la Grande Mosquée Ayasofya. Néanmoins, je suis bien conscient que c'est notre tâche la plus ardue. Dans notre métier nous voyons rarement les gens. Nous nous lions d'amitié avec les carrières de pierre, nous conversons avec les carreaux de céramique, nous écoutons le marbre.

Cette fois, cependant, vous vous retrouvez face à des gens dont vous démolissez les maisons. C'est une tâche pénible. Si j'en avais le pouvoir, j'aurais transporté chacune de ces familles dans des demeures plus saines avec quantité d'arbres et de terre. Malheureusement c'est au-delà de mon pouvoir. Et au-delà du vôtre.

Mais souvenez-vous que les cités aussi sont comme des êtres humains. Elles ne sont pas faites uniquement de pierres et de bois. Elles sont faites de chair et d'os. Elles saignent quand on les abîme. Chaque construction illicite est un clou planté dans le cœur d'Istanbul. Pensez à vous montrer pitoyables envers une cité blessée tout comme vous l'êtes envers une personne blessée.

Que Dieu vous comble selon vos désirs et vous garde en équilibre.

Sinan, l'humble
et vil élève de Seth et Abraham,
les Saints Patrons
des Maçons et des Architectes.

Cet automne-là les apprentis rasèrent de fond en comble une quantité innombrable de taudis. Ils avaient beau aller vite, de nouveaux occupants arrivaient encore plus vite. Dès qu'ils abattaient des édifices, enlevaient les décombres, en d'autres points de la ville de nouveaux bâtiments s'érigeaient, tout aussi illicites, tout aussi laids et périlleux. De nouveau les règlements établis par Sinan sur la largeur des rues et la hauteur des maisons furent enfreints. Jahan était désemparé. Jamais jusqu'ici il n'avait imaginé que la tâche d'un architecte serait de défendre la cité contre ses habitants et protéger le passé du futur.

Le dôme – c'était lui l'objet de toutes les conversations. Dans ses missives à l'architecte impérial, le sultan exigeait un dôme plus grand que celui d'Ayasofya. Sa mosquée proclamerait le triomphe de l'islam sur le christianisme et prouverait au monde entier qui étaient les favoris dans le regard de Dieu. Tout ce bavardage rendait Jahan anxieux. À l'instar de leur souverain, les gens forçaient les architectes à la compétition, dressant Sinan le menuisier contre le mathématicien Anthémius et Isidore le physicien qui avaient dessiné l'église infidèle au temps jadis.

« Quelque chose te préoccupe ? interrogea Sinan. Tu me sembles très lointain. »

Une fine couche de sciure de bois couvrait leurs chaussures, un mince voile de sueur luisait sur leur front. Bien qu'exténués ils continuaient à travailler comme si chaque jour était leur dernier. Jahan dit : « J'ai hâte d'avoir fini et de repartir.

— Nous aurons terminé dans quatre semaines, si Allah le veut », dit Sinan, la voix hésitante.

Même cela c'était trop, pourtant Jahan n'émit pas d'objection. Il avait honte de se plaindre alors que le maître, qui avait plus de quatre-vingts ans, se dépensait du matin au soir. En dépit de leurs prières il refusait de prendre du repos. Telle une phalène vers la flamme, Sinan était attiré par la poussière, la crasse et la besogne des chantiers. Les mains rugueuses, les ongles fendillés, sous les caftans de soie qu'il portait pour les cérémonies, il était resté manœuvre jusqu'à la moelle. Cela faisait un effet indéniable sur ses apprentis. De le voir sur le terrain, comme peut faire la vue d'un commandant sur le champ de bataille, incitait chacun à travailler encore plus dur.

« Cette mosquée nous épuise », dit Jahan.

Sinan devint pensif. « Tu l'as remarqué. »

Peu préparé à entendre son maître exposer ses craintes, Jahan bégaya : « Tu le sais.

— Pense à un bébé dans le sein. Il se nourrit de sa mère et il l'épuise. Quand nous mettons au monde un bâtiment, nous sommes pareils à la mère. Une fois que le bébé sera là nous aurons l'âme en fête. »

La comparaison entre construire et donner le jour fit sourire Jahan. Aussitôt une autre pensée lui vint. « Mais je ne comprends pas. Le sultan ne travaille pas avec nous. Pourquoi cela mine-t-il ses forces ?

— Il reste très attaché à sa mosquée, dit Sinan.

— Nous avons construit d'autres bâtiments. Des ponts, des mosquées, des madrasas, des aqueducs… Pourquoi n'ai-je jamais éprouvé cela avant ?

— Si, mais tu ne t'en souviens pas. Ça aussi, c'est dans la nature des choses. Nous oublions ce que nous avons ressenti la fois précédente. Là encore, comme une mère. » Sinan marqua une pause, comme s'il hésitait à continuer.

« Mais certaines naissances sont plus pénibles que d'autres.

— Maître… tu veux me faire comprendre que ce que nous créons peut nous tuer ?

— Ce que nous créons peut nous affaiblir, dit Sinan. Il est rare que cela nous tue. »

Trois semaines plus tard, le sultan leur écrivit pour les informer qu'il souhaitait venir personnellement superviser les dernières touches de sa mosquée. Il se rendrait à Andrinople à la tête d'une cavalcade royale. Pour cela il avait besoin d'un éléphant. Comme Mahmoud était tombé en défaveur et n'avait pas encore regrimpé les échelons, Chota, une fois de plus, était requis.

Avec la bénédiction de son maître, Jahan ramena Chota au palais. Il eut plaisir à revoir ses anciens amis de la ménagerie pendant que l'éléphant se reposait dans son écurie. Le lendemain matin ils étaient prêts à rejoindre le cortège.

C'était spectaculaire. Janissaires, gardes d'élite et archers, tous étaient en grande tenue aux vives couleurs. Plusieurs concubines accompagnaient le sultan, assises dans des voitures fermées d'épais rideaux. L'air vibrait d'excitation et de fierté. Mais par-dessous, l'inquiétude flottait, comme des nuages noirs s'amassent à l'horizon par une belle journée ensoleillée. Les chrétiens, atterrés par la perte de Chypre et la conversion de leurs cathédrales en mosquées, avaient constitué une Sainte Ligue. Ils avaient soif de vengeance. Les forces du pape, des Espagnols et des Vénitiens, surmontant leurs anciennes discordes, s'étaient unies. Tandis qu'on se préparait pour le voyage vers Andrinople, un combat naval entre armées ottomane et chrétienne se déroulait dans le golfe de Corinthe près de Lépante.

Au bout d'une heure, le sultan Sélim sortit en se pavanant, le visage rond et rouge. Après avoir salué les soldats, il fit signe qu'on lui amène son cheval – un étalon pur-sang noir. C'est alors que se produisit un incident on ne peut plus étrange. Le cheval, sans aucune raison, bascula en avant et trébucha. Un cri étouffé s'éleva dans le public. Ce ne pouvait être qu'un signe – un mauvais présage.

Sélim, visiblement troublé, ordonna qu'on reconduise le cheval à l'écurie. Il n'allait pas monter un animal ensorcelé. Rapidement, on lui trouva un substitut : Chota. Puisque le sultan tenait à quitter la capitale en grand style et arriver de même à Andrinople, quelle meilleure monture que l'éléphant ? Jahan reçut l'ordre de préparer le *howdah* et le couvre-chef brillant, tintinnabulant, que Chota détestait par-dessus tout.

Le sultan s'accrocha à l'échelle souple et, avec quelque difficulté, parvint en haut. Il allait s'asseoir à l'intérieur quand Chota, soit parce que sa coiffure le démangeait ou qu'un démon lui piqua l'œil, chaloupa si fortement que le souverain perdit l'équilibre. Son turban, une énorme montagne de plumes, glissa, chavira, et atterrit juste devant Jahan qui attendait en bas. Le cornac s'en saisit et escalada l'échelle à toute vitesse.

Pour la première fois ils se voyaient les yeux dans les yeux : Jahan sur l'échelle, le sultan à l'intérieur du *howdah*. Jahan baissa la tête. Mais l'espace d'un bref instant, leurs regards se croisèrent.

« Mon Seigneur, dit Jahan qui se tenait à la corde d'une main et offrait le turban de l'autre.

— Donne-moi cela », dit Sélim, la voix teintée d'irritation.

Le turban glissa de la main du sultan, et fit une nouvelle chute. En bas les serviteurs se précipitèrent pour le ramasser. Ils le tendirent à Jahan, qui le tendit au sultan. Cette fois Sélim le prit avec soin, sans un mot, le visage blanc comme un cadavre. Puis il dit : « Tu peux avancer, cornac. »

Jahan se rua en bas de l'échelle, tapota la trompe de Chota. L'animal le souleva à sa place habituelle sur l'encolure. Sous un concert de prières et de louanges, le cortège s'ébranla. La foule rangée des deux côtés de la route les regardait avec admiration. Pourtant, derrière cette splendeur, un sentiment de malaise s'était abattu sur tous les présents. En dehors du bruit des sabots, des roues et des clochettes de Chota, on n'entendait pas un son. Jahan n'avait jamais vu autant de monde faire aussi peu de bruit.

Le malaise se dissipa quand ils laissèrent Istanbul derrière eux. Mais de tristes nouvelles les accueillirent aux portes d'Andrinople. La flotte ottomane tout entière avait sombré dans une défaite humiliante, atroce. Si *kiyamet* devait avoir un autre nom, ce serait Lépante. Des milliers d'hommes noyés, tués, réduits en esclavage. La foule était sous le choc, mais ce sentiment ne dura pas. Après la stupeur vint le mécontentement, et après le mécontentement, la fureur. Soudain chacun bouillait de colère contre le sultan.

Pour la première fois depuis des années, Jahan avait peur de se promener dans les rues. Une fois où il passait à dos d'éléphant, on leur lança une pierre. Elle frôla la tête de Chota en sifflant et alla cogner un tronc d'arbre. Jahan regarda autour de lui, cherchant le coupable. Il vit quelques enfants en train de jouer aux osselets, un colporteur qui vendait des abats et des piétons qui déambulaient. Cela pouvait être n'importe lequel d'entre eux. À cet instant précis il eut le sentiment qu'on les observait avec mépris parce qu'ils étaient l'éléphant du sultan et le cornac du sultan.

L'humeur sur le chantier était sombre également. L'ouvrage commencé plein d'espérance avait viré au chagrin. Zèle et désespoir. Puissance et perte. Chypre et Lépante. La Selimiye, comme si elle était construite sur un pendule invisible, oscillait entre les contraires. Et en leur milieu se tenait maître Sinan, impavide, intact, laborieux.

Ils poursuivirent. Les minarets étaient sveltes, élégants et plus élevés que tout ce qu'on avait pu voir ou entendre rapporté jusqu'ici. La lumière pénétrait en abondance par quatre rangées de fenêtres sur trois niveaux de galeries, réfléchie sur les panneaux de mosaïque, et donnait à la mosquée une allure brillante et joyeuse en dépit de l'humeur des ouvriers. Les façades en grès avaient la couleur du miel, chaude et accueillante. Le volume intérieur était immense, d'un seul tenant. Partout où l'on s'agenouillait on pouvait voir le *mihrab*, où l'imam s'installait pour conduire la prière. Chacun était à égale distance de Dieu.

On fit venir des peintres grecs de l'île de Chios pour travailler à la décoration. Il y avait aussi un artiste mahométan, un rêveur nommé Nakkash Ahmed Chelebi. Il avait une telle dévotion pour la mosquée qu'il venait à toute heure du jour juste pour la contempler, l'admirer. Tandis qu'au loin, en pleine mer, des îles étaient capturées, des flottes sombraient, des chrétiens tuaient des musulmans et des musulmans tuaient des chrétiens, dans l'univers-cocon de Sinan ils travaillaient côte à côte.

Soutenu par huit piliers de marbre et de granit, selon un plan octogonal, le dôme reposait au sommet d'un carré ayant à chaque coin un demi-dôme. Si ravissant soit-il, dedans comme dehors, c'était sa dimension que chacun voulait connaître. Des experts en géométrie s'unirent à Taqi al-Din, l'astronome impérial, pour prendre des mesures minutieuses. Tous voulaient connaître la réponse : leur dôme surpassait-il Sainte-Sophie, oui ou non ?

Oui. Si l'on mesurait le dôme depuis sa base il était plus haut. Le dôme rond de la Selimiye avec son sommet plus élevé l'emportait sur le dôme surbaissé de l'église de Justinien. Mais pourtant non. Si l'on mesurait la hauteur depuis le sol jusqu'au sommet, il était légèrement plus bas, celui de Sainte-Sophie le dépassait.

Plus haut et plus bas simultanément. Et Jahan se demanda, mais n'osa jamais poser la question, si au milieu du flot d'excitation et d'exigences ce n'était pas exactement cela qu'avait voulu maître Sinan.

Marcantonio Barbaro, son temps de mission accompli, quittait Istanbul. Le *bailo* avait passé six ans sous les cieux ottomans et, à la différence de bien des visiteurs, était devenu, toutes proportions gardées, un Stambouliote. Étant de nature cordiale il avait des amis à foison, dont deux qu'il tenait en haute estime : le grand vizir Sokollu et Sinan.

Car ce pétillant émissaire de Venise, cet homme de lettres, était connaisseur en matière de sculpture et d'architecture. Il venait souvent rendre visite à Sinan dont il qualifiait l'ouvrage, avec un claquement de doigts et un rire sonore, de *fabuloso*. Sinan allait le voir aussi, en dépit de ceux qui le critiquaient de s'être lié d'amitié avec un infidèle.

Il y avait une autre créature dans cette ville pour qui l'ambassadeur s'était pris d'affection : Chota. Chaque fois que Marcantonio croisait Jahan, il s'enquérait de la santé de l'animal, lui apportait des friandises. Avec sa soif de savoir, il interrogeait Jahan sur les éléphants – pas sur leur nourriture, leur poids, ou leur espérance de vie, questions auxquelles Jahan était habitué. Celles de Marcantonio étaient différentes. Était-ce vrai que les éléphants, comme les femmes, avaient tendance à pleurer quand ils avaient le cœur brisé ? Quand l'animal s'endormait, Jahan pensait-il qu'il rêvait ? Avait-il la notion de son être éléphantesque ou n'avait-il conscience que du monde extérieur à lui-même ? Incapable de répondre à ces interrogations, à plusieurs reprises Jahan avait laissé Marcantonio nourrir lui-même Chota et le monter dans l'espoir qu'il trouverait les réponses tout seul.

Par une belle journée de printemps, Marcantonio apparut à la ménagerie suivi de deux serviteurs qui portaient un immense cadre.

« Un cadeau d'adieu pour le grand vizir, dit le *bailo* avec un sourire espiègle.

— Je pourrais y jeter un coup d'œil ? » demanda Jahan.

Quand ils retirèrent le tissu qui le protégeait, Jahan vit avec surprise que c'était un portrait de l'émissaire italien en caftan et turban. Il était assis sur un sofa – non pas jambes croisées l'une sur l'autre à la manière des Franjis, mais une jambe en arrière et l'autre genou plié comme font les Ottomans. La fenêtre ouverte à l'arrière-plan offrait une vue d'Istanbul – vertes collines luxuriantes, nuages duveteux, mer d'un bleu intense piquetée de caïques.

Au premier abord, le portrait ne ressemblait guère au *bailo*. Marcantonio avait la peau terne, poreuse, alors que son image peinte rayonnait de jeunesse et de santé. La bosse de son nez, les poils de ses narines, la loupe sur sa joue qu'il poudrait avec soin chaque matin, avaient tous été effacés. Comme si en revêtant le costume ottoman et en acceptant de poser pour le peintre il avait glissé dans un autre royaume où tout était plus moelleux, plus brillant. En bas de la toile il y avait une dédicace – *Domino Mahomet Pacha Musulmanorum Visiario amico optimo.*

Plus Jahan contemplait le portrait plus il le sentait vivre. Lentement, les caïques se mirent à glisser sur la mer, les rames à éclabousser, les nuages sur l'horizon tournèrent au rouge ardent. Puis l'homme du portrait roula des yeux circonspects vers le *bailo* comme pour vérifier à quel point ils se ressemblaient. Avec un frisson, Jahan rabattit le tissu. Il était certain qu'un esprit se cachait dans le cadre, mais n'aurait su dire s'il était bon ou mauvais.

Le mercredi, alors que les apprentis dessinaient avec application, un autre cadeau arriva de la part de Marcantonio, cette fois pour maître Sinan. Un coffret en bois de rose sculpté, gravé en or des initiales MB. À l'intérieur, un volume relié en cuir, *I dieci libri dell'architettura* de Vitruve, traduits et commentés par Daniele Barbaro, le frère de Marcantonio en personne.

Sinan, bien qu'ayant déjà étudié le traité, fut ravi de recevoir cette nouvelle édition en italien. Serrant le coffret contre sa poitrine, il se retira dans la bibliothèque. Mais auparavant il appela Jahan : « Viens m'aider à lire ceci. »

La tâche était complexe. Jahan trouva le texte rédigé dans un italien de cour raffiné difficile à interpréter. Chaque phrase demandait un effort. Peu à peu, il parvint à en franchir les pages. Sinan l'écoutait avec soin, les yeux rétrécis par la concentration.

L'architecture est une science, disait le livre. Elle s'appuie sur trois qualités, *forza*, la force ; *utilità*, que Jahan traduisit par usage ; et *belleza*, la beauté.

« Dis-moi, laquelle des trois sacrifierais-tu si tu devais en sacrifier une ?

— *Belleza*, répondit Jahan avec assurance. On ne peut pas faire de compromis sur la solidité ou l'utilité. Mais on pourrait se passer de beauté, au besoin. »

Le visage de Sinan exprimait son désaccord. « On ne peut pas renoncer à la beauté.

— Alors laquelle sacrifierais-tu ?

— Aucune, répondit Sinan avec un sourire affectueux. Si tu renonces à une des qualités, tu finiras par les perdre toutes les trois. »

À cet instant précis le fils de la *kahya* entra, porteur d'une missive du palais. Sinan brisa le sceau et la lut, les yeux luisants de mouchetures ambrées. Il dit que le sultan Sélim offrait un banquet pour Marcantonio. Un grand honneur, aucun doute, qui montrait bien l'affection du souverain pour le *bailo*.

« C'est très généreux de la part de notre sultan, commenta Jahan.

— Eh bien, on dirait que tu y assisteras aussi.

— Moi ? » Jahan ne pouvait croire que son nom figurait dans une lettre royale.

Pas tout à fait, à vrai dire. D'abord, la lettre émanait du grand vizir Sokollu. Ensuite ce n'était pas le nom du cornac mais celui de l'éléphant qui était cité. Sachant combien le *bailo* appréciait l'animal, Sokollu chargeait Chota de distraire l'assemblée ce soir-là. Le cœur de Jahan plongea.

« Tu es contrarié, dit Sinan.

— Je suis l'apprenti de l'architecte impérial, mais le vizir me considère comme un cornac.

— Courage, dit Sinan. J'aimerais que tu m'accompagnes au banquet. Après avoir mangé, tu pourras donner ton spectacle. »

Jahan le regarda bouche bée, contenant à peine son excitation. Cela voulait dire qu'il ne dînerait pas avec les dompteurs de la ménagerie en attendant son tour, mais dans la grande salle avec les invités. Pourtant, au lieu de remerciements, ces mots lui échappèrent : « Chota ne connaît aucun numéro.

— Il n'en a pas besoin. Fais parader l'animal. Un simple tour devrait suffire. Ils veulent voir ce que Dieu a créé bien plus que ce que tu sais lui faire faire. »

Pourtant, Jahan était bouleversé. Malgré le passage des années, le désastre remontant à l'époque de la sultane Roxelane était encore frais dans sa mémoire. Non sans rancune, il reprit l'entraînement de Chota. On avait offert une nouvelle mante jaune à l'éléphant pour l'occasion, et quand il en était vêtu, de loin il ressemblait à un globe de feu. Il porterait des bracelets de cheville, des anneaux d'argent d'où pendaient une centaine de clochettes. La première fois que Jahan les lui mit aux pattes, l'animal parut perplexe. Il fit quelques pas hésitants, s'arrêta, repartit, s'arrêta encore, incapable de comprendre l'origine de ce bruit.

L'après-midi du grand jour, Jahan lava, brossa et huila Chota des défenses à la queue. Puis il lui mit sa mante et ses bracelets.

« Comme tu es beau, roucoula Jahan. Si j'étais une dame éléphant, je tomberais amoureuse de toi. »

L'espace d'une seconde, les yeux de Chota, trop petits pour sa tête, se plissèrent de gaieté. Dans cet équipage, ils franchirent le portail accédant aux cours intérieures.

La soirée commença par un cérémonial de cadeaux. Le *bailo* se vit offrir châles, pantoufles, ceintures ornées de pierreries, rossignols dans une cage d'or, et une bourse dodue contenant dix mille aspres. Un murmure appréciatif s'éleva, chacun louant la générosité du sultan Sélim, alors même qu'il n'était pas encore apparu. On conduisit l'ambassadeur à la salle du dîner. Dans une pièce haute de plafond, quatre tables avaient été préparées pour les invités les plus éminents. Marcantonio, le grand vizir et Sinan seraient assis à la même table.

Le sultan dînerait seul, selon la coutume du palais. Jahan pensa aux rois et reines franjis qui dînaient parmi les gens de leur suite. Il se demanda quelle était la meilleure coutume, la leur ou celle des Ottomans ? Qui voudrait voir le monarque ronger une cuisse de poulet ou mâchonner et roter comme le commun des mortels ? Ne pas voir le sultan attablé le rendait d'autant plus respectable. Mais cela le mettait aussi hors de portée et au bout du compte, difficile à comprendre. Il était plus facile d'aimer quelqu'un dont on partage le pain.

Cependant les autres invités, Jahan inclus, furent conduits vers des salles plus petites. Une cinquantaine de garçons, tous de taille et corpulence égales, vêtus d'un *shalwar* vert, commencèrent le service. Adroits et rapides, ils portaient de grands plateaux ronds qu'ils plaçaient sur des supports en bois. Dessus ils disposaient des cuillers et des olives, des bols de condiments et d'épices si petits qu'on osait à peine y tremper les doigts de peur de les briser. Ensuite ils apportèrent des cuvettes et des aiguières d'argent pour que chacun se lave les mains. Pour finir ils distribuèrent des serviettes et des *peskirs* que les invités mirent sur leurs genoux pour s'essuyer les doigts.

Connaissant l'importance des bonnes manières de table, Jahan observait à droite et à gauche comment les autres se conduisaient. La pire faute qu'on pût commettre dans un banquet, c'était la gloutonnerie. Même devant son plat préféré, il fallait manger lentement, ne montrer aucun signe de gourmandise. Jahan prit soin d'utiliser les trois doigts de sa main droite, sans faire couler d'huile. Heureusement, d'autres comme lui vérifiaient comment chacun se comportait. À diverses reprises leurs regards se croisèrent, et ils échangèrent un signe de tête poli.

On leur servit un potage au blé avec un tronçon de pain noir, si nourrissant que Jahan aurait pu arrêter là son repas. Mais sitôt les cruches retirées on leur apporta des feuilles de vigne farcies, riz aux pignons, kebab de poulet, poulet aux champignons, agneau de beurre, pigeons frits, perdrix rôties, pieds de mouton, oie farcie de pommes, anchois marinés, böreks à la viande hachée, œufs aux oignons, et un énorme poisson rouge pêché dans les eaux glacées du Nord. Le tout accompagné de bols de *hoshaf* et de pichets de citronnade. L'appétit ranimé par les arômes exquis, Jahan goûta à tous les plats. Pendant qu'ils mangeaient, les *cheshnici* et *kilerci* circulaient autour d'eux, s'assurant que tout se déroulait en parfaite harmonie. Puis vinrent les desserts : baklava aux amandes, poires en écrin à l'ambre gris, entremets aux cerises, fraises sauvages sucrées sur glace pilée, pyramides de figues au miel.

Après dîner les convives s'affalèrent sur des sièges préparés dehors à leur intention. Les mangeurs de feu se pavanaient dans leurs pourpoints brillants, les acrobates faisaient des sauts périlleux, les avaleurs de sabre engloutissaient les lames les plus aiguisées. Trois frères apparurent : un *cemberbaz,* qui jonglait avec des cerceaux, un *shishebaz* qui jonglait avec des bouteilles, et un *canbaz* qui jonglait avec sa vie en dansant sur une corde tendue en hauteur. Quand vint leur tour, Chota et Jahan firent leur entrée avec une assurance feinte. Ils exécutèrent, par chance sans anicroche, les quelques tours qu'ils connaissaient. Chota cueillit la fleur accrochée à la ceinture de Jahan et l'offrit au *bailo,* qui l'accepta avec un rire de bonheur.

Ensuite tous trois – le maître, l'apprenti et l'animal – quittèrent le palais, chacun replié dans ses pensées. On sentait dans l'air quelque chose d'irrévocable. Le *bailo* repartait, l'été touchait à sa fin. Le sultan Sélim n'était pas apparu de toute la soirée, et le bruit courait que sa santé déclinait. Jahan avait le sentiment qu'en vérité ce monde lui aussi était un spectacle. D'une manière ou d'une autre, tous paradaient. Ils exécutaient chacun leurs tours, certains restaient en place plus longtemps, d'autres étaient plus brefs, mais pour finir ils sortaient tous par la porte du fond, tous également insatisfaits, avec la même soif d'applaudissements.

Peu après l'inauguration de la mosquée Selimiye, le sultan fut terrassé par un accès de mélancolie. Son abattement était tel qu'il ne pouvait même pas se réjouir du grand monument élevé à son nom. Jahan trouvait étrange que les gens simples venus prier dans la mosquée prennent plus de plaisir à son architecture et sa splendeur que le souverain qui l'avait financée. Les humeurs de son corps le faisaient souffrir. Il avait trop de bile noire dans le sang, ce qui avait pour effet une tristesse insurmontable de jour comme de nuit. On lui avait posé des ventouses, fait plusieurs saignées, donné de l'hellébore, provoqué des vomissements, sans pouvoir dissiper sa tristesse.

En compagnie de son maître, ses camarades apprentis et Chota, Jahan repartit pour Istanbul. Avec l'éléphant blanc, il reprit ses quartiers dans la ménagerie. C'est là, une après-midi de décembre, que le sultan apparut. Il était accompagné d'un soufi appartenant à la secte des halveti.

Jahan était dans l'écurie, occupé à vérifier la nourriture de l'éléphant. Récemment plusieurs jeunes dompteurs avaient été désignés l'un après l'autre pour prendre soin de Chota, mais Jahan continuait à veiller sur l'animal, s'assurer qu'on le traitait bien. C'est ainsi, alors qu'il contrôlait la qualité des soins, qu'il entendit le sultan et le soufi se promener dans les jardins de roses. Il monta en haut de la grange au foin et les épia par une fente entre les planches de bois. Le visage fané de Sélim avait pris une teinte jaunâtre maladive, sa barbe était en bataille et il avait encore grossi. Ses yeux étaient gonflés. Il s'était sûrement remis à boire. Ou alors, Jahan le comprit avec horreur, à pleurer.

Le sultan et le soufi s'assirent sur un banc de pierre près des cages des félins. Jahan avait peine à croire que le Commandeur des Fidèles, Successeur du Prophète du Maître de l'Univers, pût se laisser tomber ainsi sur ce siège froid et malpropre. Leurs voix, tel le chuchotis d'une rivière, étaient presque inaudibles. Puis il saisit ces mots qui coulaient des lèvres du sultan. « Est-il vrai qu'Allah aime les purificateurs ? »

C'était la sourate du repentir, Jahan le savait. Le sultan aimait tellement cette prière qu'il l'avait fait inscrire en *thuluth* sur le mur de la mosquée qu'il avait fait construire à Konya. Jahan éprouva une immense tristesse, qui l'enhardit plus qu'il ne l'aurait habituellement osé. Quittant sa cachette, il sortit leur souhaiter la bienvenue.

« Comment se porte la bête ? demanda Sélim, qui n'avait jamais appris le nom de Jahan.

— Il va bien, mon Seigneur. Son Altesse aimerait-elle monter son éléphant ?

— Une autre fois, cornac », dit Sélim, l'air distrait.

Il n'y aurait pas d'autre fois. Cette semaine-là Sélim fit une chute au hammam et se cogna la tête. Certains racontèrent qu'il était ivre au moment de sa mort. D'autres qu'il était sobre mais si absent qu'il ne savait plus s'orienter. Fils d'un homme trop dominant, gouverneur d'un empire trop vaste, porteur d'une âme trop blessée, rêveur de poèmes trop délicats, Sélim l'Ivrogne, Sélim le Blond, Sélim le Désespéré quitta ce monde à l'âge de cinquante ans. Nur-Banu plongea son corps dans la glace, et garda sa mort secrète jusqu'à ce que son fils favori, Mourad, revienne du lieu où il était posté en Anatolie.

Le sultan Mourad monta sur le trône. Il fit d'abord exécuter ses frères puis enterrer son père. S'il savait apprécier une mosquée imposante autant que tout autre souverain, il n'accordait pas autant de valeur à la majesté que son grand-père Soliman, ou à la beauté que son père Sélim. Ni *forza* ni *belleza*, seule comptait maintenant *utilità*. Le fonctionnel avant le grandiose. À partir de ce jour, plus rien ne serait pareil pour Sinan et ses quatre apprentis.

Une nuit, la ménagerie fut réveillée par un affreux tintamarre. Un mélange de hennissements, aboiements, grognements, cris, gémissements déchira l'air. Rejetant sa couverture, Jahan bondit sur ses pieds. Les autres dompteurs firent de même. Taras le Sibérien, rompu à toutes les catastrophes, fut le premier à sortir pendant que les autres cherchaient leurs vêtements et leurs bottes. À tâtons dans le noir comme un aveugle, Jahan le rejoignit dans le jardin où une tranche de lune luisait timidement. Puis un torrent de lumière se déversa d'en haut – une cascade de toutes les teintes de rouge. Il lui fallut le temps d'un battement de cœur avant de comprendre ce que c'était.

« Au feu ! » hurla quelqu'un.

Jahan assistait à un nouvel incendie au cœur du palais. Le jardin, les pavillons et les passerelles, toujours si calmes qu'on pouvait entendre siffler ses cheveux en marchant, vibraient maintenant d'appels à l'aide. Le code de silence qui remontait à l'époque du sultan Soliman était parti en fumée.

L'incendie s'était déclaré de l'autre côté des murs intérieurs, sur l'extrémité est de la deuxième cour. Jahan savait quelles dépendances y logeaient : les cuisines royales. Office, garde-manger, cellier et rôtisserie se consumaient. Sinan et ses apprentis venaient tout juste de réparer ces bâtiments. Et voilà qu'ils brûlaient. Les flammes se propageaient à l'ouest, où elles encerclaient lentement mais sûrement la volière. Jahan se demanda si quelqu'un avait libéré les oiseaux. La pensée de centaines de paires d'ailes battant d'épouvante, incapables de prendre leur essor, le perça à vif.

La première cour où ils se trouvaient était encore indemne. Cependant, le vent était fort et capricieux. Il soufflait dans leur direction de temps à autre, leur envoyant d'épaisses cendres grises qui ressemblaient à des papillons morts. La fumée leur irritait les yeux, leur emplissait les poumons. Les singes saisis d'une peur plus ample que leur raison – babines retroussées, regard étincelant – cognaient sur les barreaux de fer. Les dompteurs devaient déplacer la ménagerie et la mettre à l'abri.

Mais ce n'était pas une mince affaire. Sous l'effet de la panique, les animaux étaient capables de comportements on ne peut plus étranges. Les jardins royaux, sans être leur domaine de naissance, représentaient leur foyer. Personne ne savait comment ils réagiraient quand on les forcerait à quitter leur cage pour une caisse en bois. Comme ils avaient trop peu de charrettes à leur disposition, les dompteurs devaient procéder par petits nombres, reloger quelques animaux à la fois. Désorientés, peu préparés, ils discutaient entre eux de ce qu'il fallait faire. Les palefreniers circassiens voulaient attendre les ordres du chef des eunuques blancs. Une autre vague de fumées et d'étincelles soufflée dans leur direction suffit à les faire taire. Il n'y avait plus de temps à perdre.

Ils commencèrent par les grands singes. Non parce qu'ils avaient plus de valeur, mais parce que leur chahut était insupportable. Ensuite Jahan sortit Chota de son écurie. Âme pleine de sagesse, Chota ne causa aucune difficulté et se montra même serviable, docile. Il consentit à tirer la charrette où étaient montés les gorilles et les macaques qui glapissaient, sautaient de bas en haut, titubaient comme des poivrots déchaînés.

Les animaux capables de trotter iraient à destination sur pattes – chevaux, chameaux, zèbres, girafes, gazelles et rennes. Craignant qu'un bruit soudain ne déclenche une débandade, les dompteurs restaient vigilants. Ils lièrent les bêtes entre elles par l'encolure, composant une caravane de partenaires insolites. Certains à cheval, d'autres en charrette, ils suivirent leurs animaux. Malgré leurs précautions, à peine avaient-ils franchi les murailles du palais que les zèbres, comme ensorcelés, dévalèrent la colline, entraînant le reste de la caravane. Les dompteurs se lancèrent à leur poursuite comme des démons. Inondés de sueur, de poussières et de jurons ils parvinrent à freiner les zèbres avant que ceux-ci ne fassent trébucher le troupeau entier les uns sur les autres.

À l'aide de bâtons et de filets, de sucreries et de menaces, ils chargèrent les animaux royaux sur les charrettes. Les reptiles, caméléons, autruches, tortues, ragondins, belettes, paons, lamas terrifiés partirent les premiers. Ensuite les renards, hyènes, panthères et léopards. On les transporta à l'extérieur des portes du palais, en bas des pentes menant à un espace ouvert près du quai, sans trop savoir jusqu'où les flammes pouvaient s'étendre.

L'éléphant et le cornac firent plusieurs voyages, apportant de quoi nourrir et abreuver les bêtes. Quand ils eurent terminé, Jahan plaça un panier de feuilles devant Chota et le laissa aux soins des jumeaux chinois pour repartir inspecter la ménagerie. En partie parce que c'était une vieille habitude. Il est vrai que depuis la disparition du capitaine Gareth il avait cessé de chaparder mais comme tout voleur, il savait qu'un incendie offrait une occasion inespérée de tomber sur des richesses imprévues. Mais ce n'était pas la seule raison qui l'incitait à revenir. Il pensait à Mihrimah. Longtemps, après le décès de son frère Sélim, elle avait cessé de venir au palais. Mais cette nuit elle se trouvait elle aussi dans le harem. Était-elle angoissée ? se demanda Jahan. Il se souvint de la nourrice, qui devait passer un mauvais quart d'heure, avec son asthme. D'ici deux heures, pour ce qu'il en savait, les flammes risquaient d'atteindre sa chambre. Il voulait s'assurer qu'elles étaient en sécurité.

Les gardes à l'entrée étaient trop affolés pour se soucier de lui. Le brasier s'était rapproché, léchant les murs proches des jardins de roses, semant des braises comme une pluie d'or. Quand il atteignit le parc des félins, Jahan fut surpris de voir qu'ils étaient toujours enfermés – deux femelles et un mâle. Fébriles et tendues, les bêtes puissantes arpentaient leur cage, grondant contre quelque cible au loin comme s'ils étaient confrontés à un ennemi qu'eux seuls pouvaient détecter.

Devant la cage, Olev, avec son entrain coutumier, brailla : « Hé, l'Indien. Pourquoi tu es revenu ?

— Juste pour vérifier si tout allait bien. Besoin d'un coup de main ?

— Mes petites ont la frousse, mon garçon veut pas sortir. Va falloir que je les traîne. Pas envie de voir ces pauvres bêtes frire comme des courges. »

Souriant de sa propre plaisanterie, sans aucune arme, Olev ouvrit la porte de fer et entra dans la cage. Jahan le vit s'approcher d'une des femelles, lui parler d'une voix calme et égale. La lionne restait immobile, le regard attentif à chaque geste du dompteur. Doucement, prudemment, Olev lui plaça une longe autour du cou et la tira dehors avec précaution. Il la fit monter par une planche jusqu'à la caisse en bois placée sur une charrette. Ensuite il apaisa la deuxième lionne de la même manière. Quand elle sortit, le mâle les suivit du regard depuis son coin, ses yeux comme deux fentes de citrine sombre.

Jahan sentait sa nuque le brûler. L'appréhension commença à le ronger. L'aube pointait à l'horizon. Sur le visage d'Olev il voyait quelque chose qui ne s'y trouvait pas avant. Un minuscule frémissement des narines, une crispation de la bouche. Dans la cage ils étaient tous deux face à face – le dompteur et le lion. Olev tenait une corde à la main, le geste mou et lent, comme s'il ne savait quoi en faire. Pour la première fois, Jahan le vit hésiter. Le lion gronda, juste un grognement à peine audible, comme si lui aussi était tiraillé entre des élans opposés. Le cœur battant, Jahan saisit un rotin et posa un pied dans la cage.

« Recule, dit Olev. Va-t'en. »

Retenant son souffle, Jahan obéit.

« Ferme la porte ! »

Jahan s'exécuta à nouveau. Il se sentait engourdi, incapable de réfléchir lucidement. La queue-de-cheval rousse d'Olev se dénoua, lui couvrant le cou. Il essuya la sueur de son front, distrait un bref instant. À ce moment-là le lion se tourna vers lui en grondant à nouveau, comme s'il venait juste de le remarquer, comme si ce n'était pas l'homme qui le soignait depuis des années, le nourrissait chaque jour avant de se nourrir lui-même. La bête leva la patte, sortit ses griffes, et bondit sur le dompteur.

Olev tomba à la renverse. Il n'y avait aucune trace de souffrance sur son visage, seulement de la stupeur. La mine d'un père déçu par son fils. Jahan s'agitait comme un fou, remuait les bras, criait. Le rotin toujours à la main il frappa les barreaux de la cage dans l'espoir de distraire le lion. Le tour réussit. L'animal recula, et se dirigea vers Jahan.

Entre-temps Olev s'était relevé, titubant. Au lieu d'aller vers la porte, il s'approcha du félin, l'appela. Tout alla très vite. Comme en rêve Jahan vit la scène se dérouler sous ses yeux. Le lion détacha son regard de Jahan, fit demi-tour et se jeta sur le dompteur, lui plantant ses mâchoires dans le cou.

Jahan hurla, comme avec la voix d'un inconnu. Il brisa le rotin, cogna dans les barreaux, injuria le félin. Trouvant un bâton à proximité, il repartit en courant, trop terrifié pour penser à prier. Il entra dans la cage. Olev gisait dans une mare de sang. Ne lui trouvant plus d'intérêt, le lion était retourné dans son coin. Lentement, sans jamais le quitter du regard, et sans la moindre idée de ce qu'il ferait si le lion bondissait, Jahan tira le blessé dehors. Olev avait les yeux ouverts. Le sang jaillissait de sa gorge, le lion lui avait entaillé le cou, tranchant la veine jugulaire. Dès qu'il eut sorti Olev de la cage, Jahan referma la porte. Peu importe si les flammes arrivaient jusqu'au lion. Il souhaitait que l'animal brûle.

Ils ensevelirent Olev dans un cimetière proche du sérail. Le lion, en dépit des vœux de Jahan, survécut. À vrai dire, les flammes ne touchèrent jamais la ménagerie, ils s'étaient donné tout ce mal pour rien.

Les cuisines royales étaient réduites en cendres ainsi qu'une partie du harem et les appartements privés du sultan. Sinan et ses apprentis n'avaient plus qu'à tout reconstruire.

Après l'enterrement d'Olev – auquel n'assistèrent que les autres dompteurs et les écuyers – une émotion nouvelle s'empara de Jahan. Il était hanté par un pressentiment, comme si en une seule mort il les avait vus mourir tous. Il rageait intérieurement, non contre le lion qui avait tué son ami, mais contre tous les autres ; contre lui-même qui avait laissé Olev seul dans la cage et agi trop tard ; contre le sultan, qui se moquait comme de sa première chemise qu'un de ses serviteurs se fasse tuer à son service ; contre maître Sinan qui, indifférent à ces désastres, continuait à construire bâtiment sur bâtiment ; contre Dieu, qui les laissait souffrir autant et comptait encore qu'ils lui adressent des prières pleines de gratitude. Oui, le monde était beau – d'une beauté qui l'irritait. Quelle différence cela faisait-il qu'ils soient heureux ou malheureux, qu'ils agissent bien ou mal, quand le soleil et la lune continuaient à se lever au même rythme, avec ou sans eux ? La seule créature dont il ne prît pas ombrage, c'était Chota, auprès de qui il passait le plus de temps possible, apaisé par son calme.

Ce n'était pas seulement de la colère. Elle se doublait d'un autre sentiment – une ambition comme il n'en avait jamais connu jusqu'ici. Une part de lui souhaitait défier le maître qui l'avait pris comme apprenti, le sultan qui avait fait de lui son cornac, Dieu qui l'avait fait si faible, et par-dessus tout Mihrimah, qui pendant toutes ces années l'avait fait souffrir en silence. Il travaillait dur, parlait peu. Il était à peu près dans cette humeur quand Sinan et ses apprentis arrivèrent pour, une fois de plus, réparer les dégâts.

« Nous ajouterons des salles de bains et des pavillons sur la rive, dit Sinan. Le harem et les appartements privés ont besoin d'être remis en état. Nous les agrandirons. Tout ce que nous construisons doit s'accorder à l'esprit du bâtiment. » Il fit une courte pause. « Je veux que vous me dessiniez un plan. Celui qui m'apportera le meilleur croquis sera mon assistant principal. »

Des propos qui surprirent Jahan. Jusqu'à ce jour Sinan les avait toujours traités comme égaux entre eux, même s'ils savaient qu'ils ne l'étaient pas. Maintenant leur maître les mettait en compétition l'un contre l'autre. Cela aurait dû l'enthousiasmer. Sauf que son cœur n'y était pas. Cependant il se mit à la tâche – mais pas auprès des autres apprentis à l'ombre des jardins. Il alla à l'écurie, s'assit à côté de Chota, et c'est là qu'il termina ses dessins.

Quelques jours plus tard, Sinan demanda à lui parler – d'urgence. Jahan vit qu'il avait placé les quatre croquis côte à côte.

« Viens, dit-il. Je veux que tu les regardes et que tu me dises ce que tu vois. »

Ignorant qui était l'auteur de chaque rouleau, Jahan examina les trois autres dessins. Il les compara chacun avec le sien. Il semblait être le seul à proposer d'abattre les bains et de les reconstruire à l'arrière du harem. Même si Mihrimah n'y vivait plus, c'était avec dans l'esprit la pensée de son confort qu'il avait fait ce projet. En étudiant les croquis, il reconnut les traits rapides de Davoud, le tracé méticuleux de Nikola, et le dessin fluide de Youssouf.

« Qu'en penses-tu ? » demanda Sinan.

Gêné, Jahan indiqua les qualités de chaque dessin. Sinan dit : « Je sais quels sont leurs points forts. Dis-moi leurs points faibles.

— Celui-ci a été expédié trop rapidement, dit Jahan. Cet autre, expliqua-t-il, à force de vouloir copier son maître, ne venait pas de l'âme.

— Et celui-là ? demanda Sinan en lui montrant son propre rouleau. J'aime bien qu'il se soucie des occupants du harem et cherche à le leur rendre plus commode. »

Jahan sentit ses joues brûler.

« Mais il ne s'occupe pas des alentours. Il n'y a pas d'harmonie entre les nouvelles additions et l'ancienne structure. »

Les yeux de Sinan brillèrent. Il désigna le dernier projet. « Et celui-ci ?

— Soigneux, équilibré. Il a respecté le bâtiment et l'a agrandi en proportion.

— C'est exact. Ce que j'aimerais savoir, c'est pourquoi ton dessin, qui est plus inventif, n'accorde aucune attention au palais. »

Le visage de Jahan s'assombrit. « Je ne sais pas, maître.

— Le tien était le meilleur mais il avait un défaut. Nous n'édifions pas des bâtiments qui flottent dans un espace vide. Nous respectons l'harmonie de la nature et l'esprit du lieu. »

C'est ainsi que l'assistant muet devint l'assistant principal. Rougissant jusqu'aux oreilles, un sourire timide sur les lèvres, Youssouf gardait les yeux rivés au sol comme s'il espérait y disparaître. Quant à Jahan il avait appris quelque chose sur lui-même : qu'il avait atteint un point dans son métier où il pouvait soit améliorer soit détruire son talent. Davoud, Youssouf, Nikola – ce n'étaient pas eux ses rivaux. Son adversaire le plus redoutable n'était autre que lui-même.

Ils passèrent l'été à agrandir le palais, et réparer les points où l'incendie avait fait des dégâts. Habitués qu'ils étaient aux chantiers de toute sorte, celui-ci leur paraissait différent, et d'un calme insolite. Pour une fois il n'y avait pas de cancans entre les ouvriers, pas de plaisanteries ou de farces pendant qu'ils transportaient les poutres, manœuvraient les poulies ou mangeaient leur soupe. Quand ils dressaient une colonne faite d'un seul bloc de marbre, des douzaines d'hommes appliqués à tirer ensemble, les aussières leur déchirant les paumes, on ne les entendait pas crier *Allah, Allah*. Pas plus, quand l'un d'eux avait fait du beau travail, qu'on n'entendait d'éloges dans la bouche des contremaîtres, prêts moins à distribuer les compliments qu'à les pousser tous à trimer plus fort. Même le son des maillets, des scies et des haches semblait moins assourdissant que de coutume. Un silence malaisé recouvrait l'ensemble du site, les laissant égarés comme s'ils s'éveillaient à l'instant d'un profond sommeil. C'était tout l'effet de sentir le sultan Mourad si près d'eux.

Au cours de ces semaines-là, Jahan rencontra des serviteurs qu'il n'avait jamais croisés auparavant et découvrit des salles dont il ignorait l'existence. Le palais était un labyrinthe de pièces en enfilade et de cheminements circulaires, comme un serpent qui se mord la queue. Un lieu assez solitaire pour rendre un homme amoureux de son ombre, et assez peuplé pour le faire suffoquer. Il y avait bien plus de monde sous ses toits qu'à l'époque du sultan Soliman – plus de femmes dans le harem, plus de gardes aux portes, plus de pages servant plus de mets. Comme un poisson qui ne sent pas le stade où il est rassasié, le palais continuait à absorber tant et plus.

Une fois que les apprentis eurent reconstruit les cuisines, ils s'occupèrent des additions à la partie extérieure du harem. Les concubines, repliées dans les chambres les plus éloignées, étaient invisibles. Jahan espérait voir, sinon Mihrimah, au moins quelque objet lui appartenant – un mouchoir avec ses initiales, une pantoufle de velours, un peigne en ivoire. Il n'avait rien trouvé. Quelques jours plus tard, Mihrimah lui fit parvenir un message. Elle et *dada* retournaient dans son manoir. *À midi nous franchirons le premier portail.*

Assis sur l'une des plus hautes branches d'un pommier, Jahan attendait, ravi et terrifié. Dans la chaleur somnolente, le soleil luisait à travers les branches chargées de fruits mûrs que personne n'osait cueillir car elles appartenaient au sultan – qui se souciait peu de telles futilités. Jahan se crispa en entendant un cliquetis lointain. Une voiture apparut au petit trot. Il lui sembla que lui et lui seul avait atteint un point fixe tandis que le monde continuait à avancer. Tout était familier, dans un style étrange. Auprès de l'immensité de l'Univers le bruit de son cœur était inaudible. Il était là en observateur. Rien de plus. Les feuilles bruissaient, les chenilles rampaient, les ailes d'une phalène remuaient dans la brise. Jahan savourait chaque détail, pressentant qu'il ne connaîtrait plus jamais pareil moment. Le temps se mua en fleuve. Auprès du talus herbeux il regardait l'eau couler, seul, abandonné. La voiture fit halte. Une main gracieuse comme un oiseau voleta par la fenêtre et tira le rideau. Mihrimah leva les yeux vers le perchoir de Jahan. Son visage s'adoucit quand elle vit l'adoration dans son regard. Elle s'avisa une fois de plus que malgré les décennies et les distances, leurs rides et leurs cheveux gris, rien n'avait changé entre eux. Jahan la contempla longuement, sans détourner les yeux ni baisser la tête, plongeant son regard dans le sien. Les lèvres de Mihrimah esquissèrent un tendre sourire, ses joues rosirent un peu. Elle sortit un mouchoir de son sein, le respira, leva les yeux vers Jahan puis lâcha le mouchoir pour qu'il revienne le chercher ensuite.

C'était une après-midi étouffante en période de ramadan – le jeûne les avait ralentis. Jahan ne souffrait pas trop de la faim, c'était la soif qui le tuait. Quelle que soit la quantité d'eau qu'il absorbait pendant le *sahur*, le repas du soir, dès qu'il revenait sur le chantier le lendemain matin il avait la bouche sèche comme de la poussière. Au bout de quelques heures, incapable d'endurer cela plus longtemps, il se dirigeait vers l'arrière des cuisines, où il y avait une fontaine. Là il se rinçait la bouche pour se débarrasser de ce goût de rouille. S'il avalait quelques gouttes par la même occasion, tant pis. C'était un péché, de tricher comme cela. Pourtant il espérait que Dieu ne verrait pas d'inconvénient à ce qu'il utilise quelques gouttelettes de Son eau infinie.

Tandis qu'il se rendait à la fontaine, Jahan remarqua une silhouette devant lui. Rapide, furtive, elle disparut dans les buissons. Il reconnut l'apprenti muet et se mit à suivre sa trace. Il décida qu'il était temps maintenant de lui parler afin de découvrir si c'était lui le traître.

Youssouf alla tout droit vers l'étang où Chota venait se rafraîchir de temps à autre ; il s'assit là, le visage indéchiffrable. D'abord, Jahan se dit qu'il était venu lui aussi étancher sa soif. Mais il semblait seulement contempler son reflet dans l'eau, triste et songeur comme s'il venait de quitter un être cher. Jahan l'observa quelque temps. Youssouf était si calme et si absorbé qu'à part le mouvement de ses mains et le regard qu'il jetait parfois en direction du chantier, il aurait pu être inanimé, encore une créature bizarre pour la collection du chef des eunuques blancs.

Puis, comme en rêve, il retira ses gants. Ses mains étaient fines et blanches, sans la moindre trace de brûlure. Pourquoi leur avait-il menti à tous ? s'étonna Jahan. Ce qui advint ensuite était encore plus troublant. Youssouf se mit à chantonner. Sa voix, une voix que personne n'avait jamais entendue, était cadencée, suave. Comprenant qu'il était tombé sur un sombre mystère, sans trop savoir comment se comporter, Jahan retint son souffle, contemplant l'apprenti que depuis tout ce temps il croyait muet.

Youssouf retomba dans le silence ; le moment s'évanouit. Jahan voulut s'éloigner sans bruit mais dans sa hâte il marcha sur une brindille. Youssouf sursauta et l'aperçut. Son visage se défit, la lèvre saillante comme celle d'un enfant. Sa frayeur était telle que Jahan faillit courir à lui et lui dire de ne pas s'inquiéter ; il ne révélerait pas son secret. Au lieu de quoi il retourna travailler et tenta de chasser l'épisode de son esprit. Pourtant il ne pouvait s'empêcher d'épier Youssouf, qui gardait la tête inclinée, les yeux fixés au sol.

Ce soir-là après le souper Jahan s'autorisa à réexaminer le mystère. Le visage imberbe, les longs cils recourbés, cette posture modeste, les mains gantées pliées sur les genoux. Tout cela commençait à s'éclairer. Le lendemain il trouva Youssouf qui dessinait, couvert de suie et de poussière. À la vue de Jahan ses yeux s'assombrirent, son dos se raidit.

« J'aimerais te parler, dit Jahan. Viens avec moi, je t'en prie. »

Youssouf le suivit. Ils marchèrent jusqu'à ce qu'ils trouvent un coin d'ombre sous un arbre et s'assirent jambes croisées sur le sol.

Jahan s'éclaircit la voix. « Je t'ai toujours envié. Tu as un don. Pas étonnant si le maître t'a choisi pour être son apprenti principal. »

Un manœuvre qui passait, un panier de pierres sur le dos, détourna leur attention. Quand ses pas s'estompèrent, Jahan reprit : « Mais tu avais une conduite étrange... je t'ai soupçonné de jouer un rôle dans les accidents. »

Le visage de Youssouf se plissa d'étonnement.

« Maintenant je comprends pour quelle raison tu étais si secret. Tu n'es pas muet. Tu as caché ta voix parce que... tu es une femme. »

Les yeux de Youssouf se nouèrent aux siens, larges et terrifiés comme si Jahan était une apparition. Ses lèvres remuèrent, d'abord sans émettre un son – cette voix qui n'avait pas servi pendant si longtemps chancelait comme un poussin qui apprend à voler. « Tu vas le répéter ?

— Écoute, je n'essaie... »

Les mains tremblantes, elle lui coupa la parole. « Si tu parles, je suis perdue. »

Jahan la regarda avec une sorte de crainte et acquiesça de la tête, lentement. « Je te donne ma parole. »

De découvrir ce secret avait excité la curiosité de Jahan, non seulement envers l'apprenti muet mais envers Sinan. Il était certain que le maître savait. Plus, même, il soupçonna que c'était son idée depuis le début. Sinan voulait qu'elle travaille, il l'autorisait et l'encourageait à travailler, elle une femme au milieu de centaines d'ouvriers, année après année, chantier après chantier. Toute la semaine il rumina ce dilemme. À la fin il alla lui parler.

« Mon apprenti indien, dit gaiement Sinan. Tu as quelque chose à me demander, je le vois.

— J'aimerais savoir, si tu veux bien, comment tu choisis tes apprentis.

— Je les prends parmi les adroits.

— Ils sont nombreux à l'école du palais, qui feraient de meilleurs dessinateurs.

— Certains pourraient... » Sinan laissa la phrase en suspens.

« Je croyais autrefois que nous étions les meilleurs étudiants que tu aies rencontrés. Ma vanité ! Je comprends que nous avons du talent, mais nous ne sommes pas les plus doués. Tu ne choisis pas les plus doués. Tu choisis ceux qui sont bons mais qui sont... » Il hésita, cherchant le mot juste : « Perdus... abandonnés... oubliés. »

Un moment passa avant que Sinan ne réponde. « Tu dis vrai. Je choisis mes apprentis avec soin. Ceux qui ont des aptitudes mais nulle part où aller.

— Pourquoi ? »

Sinan prit une profonde inspiration. « Tu es déjà allé au bord de la mer, la grande mer. »

Ce n'était pas une question, mais Jahan fit oui de la tête.

« Tu as déjà vu des tortues de mer rejetées sur le rivage ? Elles continuent à marcher, de toutes leurs forces, mais elles ne sont pas sur la bonne route. Elles ont besoin d'une main qui les détourne de leur chemin et les remette dans la direction de la mer, là où est leur milieu. »

Sinan tira sur sa barbe, qui avait beaucoup blanchi ces derniers mois. « Quand je t'ai vu, je me suis dit que tu avais une excellente tête sur les épaules, et que tu apprendrais vite, si seulement je pouvais te détourner des mauvaises habitudes, du passé, et te diriger vers le futur. »

Tout en écoutant le maître, Jahan trouva le mot qu'il cherchait : *brisés*. Il commençait à comprendre ce que faisait Sinan, ce qu'il avait fait pendant tout ce temps. Jahan, Davoud, Nikola et Youssouf. Tous quatre, foncièrement différents mais brisés de la même manière. Maître Sinan ne se contentait pas de les former, il s'appliquait aussi, de manière douce mais ferme, à les réparer.

Jahan tint parole. Il ne partagea avec personne le secret de Youssouf, pas même Chota, saisi par l'idée superstitieuse que le secret passerait de l'animal au *howdah*, du *howdah* aux gens qu'il transportait. Graduellement, pendant leurs pauses, Youssouf lui raconta son histoire – ou ce qu'il en restait – et son nom de bien des étés auparavant, Sancha.

Elle habitait une grande maison d'une blancheur de lait, couverte de glycine, dans une ville nommée Salamanque. Son père était un médecin réputé. Doux avec ses patients, strict avec sa femme et ses enfants, il n'avait pas de vœu plus cher que de voir ses trois fils lui succéder dans sa noble profession. Et il tenait à ce que sa fille soit éduquée. Aussi chaque précepteur qui venait chez eux faisait la classe aux quatre enfants. L'été où elle eut huit ans, la peste franchit les portes de la cité. La mort prit les garçons l'un après l'autre. Il ne resta que Sancha, accablée par la culpabilité d'être vivante quand ceux qu'elle chérissait le plus étaient partis. Sa mère, transie de chagrin, chercha refuge dans un couvent de Valladolid. Sancha se retrouva seule avec son père. Elle prit soin de lui, bien qu'il n'eût visiblement que dédain pour ses efforts. Pourtant, peu à peu, il reprit son éducation. Pas en médecine, car il était persuadé que les femmes par nature en étaient incapables, mais dans d'autres domaines – arithmétique, algèbre, philosophie. Il lui enseigna tout ce qu'il savait. Étant bonne élève, elle apprit vite, moins au début par soif de science que dans l'espoir de gagner l'amour de son père. Par la suite, elle eut de meilleurs maîtres. Parmi eux un architecte, vieux et démuni, qui passa beaucoup de temps à l'instruire et, entre deux leçons, à tenter de lui voler des baisers.

Son père avait des amis qui étaient comme lui des hommes épris de sagesse. *Conversos* et catholiques, ainsi qu'un Arabe. Mais la peur et le soupçon régnaient. On envoyait les hérétiques au poteau, l'odeur de chair brûlée polluait le vent. Son père, dont la santé commençait à décliner, déclara que l'année prochaine elle épouserait un cousin éloigné. Un riche marchand qu'elle n'avait jamais rencontré et haïssait déjà. Suppliant, pleurant, elle tenta de le convaincre de ne pas l'obliger à partir, mais en vain.

Le vaisseau qui devait la conduire chez son fiancé fut attaqué par des corsaires. Après des semaines de souffrance, dont elle voulait tout oublier, elle se retrouva à Istanbul sur le marché des esclaves, et vendue à un musicien de la cour qui faisait partie des fréquentations de Sinan. C'était un être doux qui la traitait bien et qui lui autorisa, à sa demande, plume et papier. Cependant les deux épouses du musicien la tourmentaient quotidiennement. Jalouses de sa jeunesse et sa beauté, elles se plaignaient amèrement de ne pas recevoir d'elle le service que doit rendre une concubine. Elles l'avaient examiné de la tête aux pieds et vérifié qu'il ne lui manquait aucune partie du corps, mais doutaient encore qu'elle pût être une femme. Même si on l'avait convertie à l'islam et renommée Nergiz, elle dessinait en secret des églises surmontées de croix et de cloches. Le musicien écoutait leurs récriminations, mais pas une seule fois il ne demanda à voir les dessins dont elles parlaient.

Un jour où le maître de maison était parti en voyage, ses épouses déchirèrent les dessins de Sancha et la frappèrent si violemment que ses vêtements furent mis en lambeaux. Il rentra le soir même. Le destin de Sancha aurait pu être différent s'il était revenu quelques jours plus tard, quand ses blessures auraient été guéries. Mais il vit son visage meurtri, ses yeux enflés. Il trouva aussi les dessins détruits. Un seul était resté intact. Il l'emporta pour le montrer à Sinan. À sa surprise l'architecte en fut impressionné, et désireux de rencontrer son auteur. Le musicien expliqua à Sinan que c'était une de ses concubines, une jeune fille qui n'était plus vierge mais jolie comme un rayon de soleil, et qu'il serait heureux de la lui offrir en cadeau. Sinan pourrait en faire ce qu'il voulait. Si cette fille restait chez lui, ses épouses la piétineraient comme une vulgaire carpette.

C'est ainsi que Sancha aboutit dans la demeure de l'architecte impérial. Elle était autorisée à se servir de la bibliothèque et à dessiner du moment qu'elle aidait Kayra, l'épouse du maître, aux tâches ménagères tous les matins jusqu'à midi. Au bout d'un an à ce rythme, Sinan commença son instruction. Il était satisfait de cette élève insolite, mais n'envisageait nullement de l'emmener sur un chantier.

La semaine où Sinan déposa la pierre de fondation de la mosquée Shehzade, Sancha le supplia de la laisser travailler avec lui. Après avoir essuyé plusieurs refus, elle prit une paire de ciseaux et coupa sa longue chevelure couleur terre de Sienne brûlée, qu'elle déposa en pile devant la porte du maître. Quand Sinan sortit le lendemain matin, il marcha sur un tapis soyeux de cheveux. Il comprit. Et lui apporta des vêtements masculins. Quand elle les enfila il fut mi-amusé mi-surpris. Elle pouvait aisément passer pour un garçon. Le seul obstacle, c'était sa voix. Et ses mains. On pouvait le surmonter par le silence et une paire de gants. Sinan décida qu'elle serait son apprenti muet.

Sancha raconta tout cela à Jahan une après-midi où ils travaillaient à la mosquée de Findikli. Un baldaquin hexagonal en dôme, quatre tourelles à voûte bombée. Ils étaient assis tous deux sur un banc face au demi-dôme surmontant le *mirhab*.

« Personne n'est au courant ? demanda Jahan.

— Si, la femme du maître, Kayra.

— Qui d'autre ?

— Un seul, dit Sancha. Cet architecte italien, Tommaso. Il suit notre maître partout. Une fois il m'a entendu lui parler, je le crains. »

Jahan allait répondre quand il saisit un son comme celui d'une bête nocturne tapie dans les parages, et se retourna effrayé. Tout semblait calme, pourtant il sentait de tout son être qu'ils n'étaient pas seuls. Le cœur battant la chamade il regarda autour de lui. Il aperçut un petit groupe d'hommes qui rôdaient à quelque distance. Parmi eux, il reconnut le frère de Saladdin. Jahan se rappela leur rude échange au cimetière. Il savait que le jeune homme haïssait Sinan, le tenant pour responsable de la mort de son frère. Jahan craignit qu'il ne soit venu ici dans l'intention de nuire au maître. Mais c'étaient peut-être des voleurs. Il y en avait toujours à proximité des chantiers, en quête de marchandises à voler. Ne voulant pas alarmer Sancha ni aggraver sa détresse, il observa les intrus quelques instants et garda ses soupçons pour lui.

« Je t'ai vue avec Tommaso », dit Jahan après une pause. Son visage s'assombrit quand une nouvelle pensée lui vint. « Il te fait chanter. »

Sancha baissa les yeux.

« Mais tu n'es pas riche. Qu'est-ce qu'il attend de toi ?

— Ce ne sont pas les richesses qui l'intéressent, dit Sancha en tortillant un pan de chemise entre ses doigts. Il veut les dessins du maître. »

Jahan la regarda, horrifié. « Tu les lui as donnés ?

— Tout ce qu'il a eu c'est un lot de croquis médiocres. Il croit qu'ils appartiennent à maître Sinan. C'est moi qui les ai dessinés. »

Un sourire s'échangea entre eux. Un sentiment de camaraderie que Jahan, s'il n'avait su la vérité la concernant, aurait appelé fraternité. Ce que Sancha ne dit pas, ni alors ni plus tard, et que Jahan mettrait longtemps à découvrir, c'est qu'elle gardait enfoui un secret qui avait préservé sa force. Et sa loyauté sans faille. Par les pires nuits de solitude où elle s'endormait en pleurant, la pensée de celui qui vivait sous le même toit, même à toute une vie de distance, la pensée de l'affection qu'il lui témoignait, bien que paternelle, lui réchauffait l'âme.

Elle était son apprenti. Elle était sa concubine. Elle était son esclave. Et pas plus âgée que sa fille. Pourtant Youssouf Nergiz Sancha Garcia de Herrera, une âme chargée de bien trop de noms pour un corps si frêle, était éprise de maître Sinan.

Ils n'eurent plus jamais l'occasion de converser en termes aussi intimes et honnêtes que cette fois-là. Le même jour un nouvel accident se produisit. Un bloc de pierre glissa d'un contrefort de la salle de prière et tomba sur le sol, blessant deux esclaves des galères et tuant le contremaître dévoué de Sinan, Gabriel Boule de Neige.

Les accidents étaient assez sporadiques pour qu'on puisse les attribuer au destin, mais ils étaient aussi étrangement similaires, étrangement persistants.

S'ils ne servent pas, le fer rouille, le bois s'effrite, l'homme tombe dans l'erreur, disait Sinan. *Nous devons travailler.*

Marchant sur ses traces, les quatre apprentis se démenaient comme si demain devait être le jour du Jugement dernier et qu'il fallait à tout prix terminer avant que tout ne disparaisse en poussière. Ils construisaient à tour de bras, mosquées du vendredi, masajid, madrasas, écoles coraniques, ponts, bains, hôpitaux, lazarets, hospices, greniers à blé, et caravansérails pour des voyageurs de tous horizons. La plupart étaient des commandes des sultans ; les autres de leurs mères, épouses et filles, et des vizirs successifs.

Cependant Sinan ne construisait pas toujours sur commande des plus riches et puissants. Les sanctuaires, par exemple. Ces monuments-là aussi, les apprentis les érigeaient avec sérieux. C'était souvent le maître qui en couvrait les frais. Et la seule raison pour laquelle ils continuaient bon an mal an à en construire, c'est que quelqu'un quelque part les avait vus en rêve. En tant que chef des architectes royaux, Sinan ne se sentait pas seulement responsable des nouvelles structures ou de l'état des villes ; il supervisait aussi les rêves pieux.

N'importe qui pouvait venir présenter une telle requête – soldat, aubergiste, gâte-sauce, même un mendiant. Ils frappaient à la porte de

Sinan, respectueux mais résolus, et secrètement fiers, comme s'ils s'étaient vu confier une importante missive des cieux. Puis ils racontaient leur rêve. La plupart du temps, il s'agissait de saints ou de sages très mécontents car leur sépulture abandonnée tombait en ruine. Ou de martyrs qui révélaient l'endroit où leurs restes étaient enfouis et demandaient des funérailles convenables. Ou des mystiques exécutés pour hérésie, et enterrés à la sauvette, voire pas du tout.

Les défunts de ces visions étaient impatients, leurs requêtes toujours urgentes. Tout comme les plaideurs de rêve – c'est ainsi que Jahan les appelait. Ils comptaient que l'architecte et les apprentis arrêteraient la tâche à laquelle ils travaillaient – par exemple la construction d'une mosquée du vendredi – pour les suivre sur-le-champ. Certains allaient jusqu'aux menaces. « Il est très puissant, ce saint-là. Si tu ne fais pas ce qu'il demande, il jettera une malédiction sur toi. »

Chaque semaine l'un des apprentis se chargeait des plaideurs de rêve. Sa tâche impossible consistait à écouter chacun et faire le tri entre les honnêtes et les imposteurs. C'est ainsi que Jahan passa un grand nombre de jeudis après-midi perché sur un tabouret face à des inconnus. Il y avait toujours un scribe à côté de lui, voûté sur la table, grattant sa plume sans relâche. Chaque pétition devait être consignée, même si elle était pleine de sornettes ou de détails insignifiants. Sinan faisait un accueil cordial aux pétitionnaires. Il leur annonçait que son apprenti était là pour entendre ce qu'ils avaient à leur confier. Jetant un regard de côté en direction de Jahan, il repartait avec un sourire espiègle au bord des lèvres. Scruté par des douzaines de paires d'yeux qui surveillaient son moindre geste, Jahan se sentait souvent inondé de sueur. La pièce était petite, étouffante. Soudain elle manquait d'espace pour ces gens et leurs grandes espérances.

Ils venaient de partout. Ports grouillants d'activité ou hameaux désertés. Et ils suppliaient les apprentis d'aller construire partout – au cœur d'une cité, une ferme, ou un arpent de terre qui n'abritait que des serpents. La plupart des plaideurs de rêve étaient des hommes d'âges variés. Des écoliers accompagnés par leur père. Parfois, une femme. Elle attendait dehors pendant que son mari ou son frère leur transmettait ses rêves.

Une fois un groupe de paysans demandèrent que l'on restaure la fontaine byzantine qui fournissait de l'eau à un village. Ils s'étaient adressés au cadi mais toutes leurs démarches jusqu'ici étaient restées vaines. Puis un chaudronnier eut un rêve pieux. Un saint énergique et furieux lui confia que sous la fontaine étaient enfouies les ruines d'un *dargah* soufi. Tant que l'eau continuait à couler, les âmes des derviches reposaient en paix. Maintenant que l'eau s'était tarie, elles étaient dérangées. Il fallait donc réparer la fontaine – sans délai.

Quand Jahan rapporta au maître le contenu de ses audiences, Sinan retint cette histoire en estimant qu'ils devaient la prendre en considération.

« S'il te plaît, maître, tu crois qu'ils disent la vérité ? objecta Jahan.

— Ils ont besoin d'eau, peu importe ce que je crois. »

Ils reconstruisirent la fontaine, nettoyèrent les fossés qui amenaient l'eau de la montagne. Les villageois furent satisfaits ; Sinan aussi.

C'est un de ces jours-là qu'arriva un meunier. Il dit qu'en moulant le grain il avait entendu chanter une femme – un chant doux et captivant. Craignant que ce ne soit un djinn, il s'était dirigé vers les collines. Le lendemain la voix l'attendait ; pourtant il avait jeté du sel par-dessus son épaule gauche et craché trois fois dans le feu. Les anciens du village lui conseillèrent de lire le Coran avant de s'endormir. Ce qu'il fit. Cette nuit-là une femme lui apparut en rêve. Son visage brillait comme si elle avait une lanterne sous la peau. Sa chevelure blonde lustrée était répandue sur ses épaules. Elle expliqua qu'elle avait été étranglée sur l'ordre de la Sultane Mère, mais ne dit pas son nom. Depuis, son âme errait dans le monde à la recherche de son corps, qui était sous la mer. Récemment un pêcheur avait trouvé dans ses filets un peigne en écaille de tortue qu'elle portait dans les cheveux et qui s'était détaché quand on l'avait jetée à l'eau, une pierre attachée aux pieds. Ne sachant que faire de l'objet, le pêcheur l'avait rangé dans une boîte. Elle voulait que le meunier retrouve le peigne et l'enterre comme s'il était sa chair et ses ossements. Ainsi elle aurait une tombe et retrouverait la paix.

« Pourquoi n'est-elle pas apparue au pêcheur ? demanda Jahan incrédule.

— C'est pas quelqu'un de bien, fit le meunier. Il vit à un jet de pierre du château de Roumélie. Dans une petite maison, bleue comme un œuf de merle.

— Tu es allé là-bas ?

— Bien sûr que non, *effendi*. C'est elle qui m'a dit tout ça. Je suis pauvre, ma femme est malade, j'ai pas de fils pour me donner un coup de main. Je peux pas partir aussi loin. »

Jahan comprit ce qu'on lui demandait. « Je ne peux pas y aller non plus. On a besoin de moi, ici. »

La déception qu'il lit dans son regard transperça Jahan comme une flèche enflammée. Pourtant sa surprise fut encore plus forte quand Sinan, après avoir écouté l'histoire, dit à Jahan d'aller explorer un peu le coin. Ainsi le lendemain, l'éléphant et le cornac se mirent en route.

Trouver le pêcheur, ce fut facile ; quant à lui parler, impossible. Les yeux noircis d'amertume et la bouche qui n'avait visiblement pas souri depuis une éternité, c'était un être sans pitié. Au premier coup d'œil, Jahan sut que jamais cet homme ne l'autoriserait à fouiller ses possessions. Il élabora donc un autre plan. Dès qu'ils furent passés derrière les collines, il sauta à terre, attacha Chota à un saule que l'animal aurait pu arracher sans le moindre effort, et lui dit : « Je reviens tout à l'heure. »

Silencieux comme une chouette, Jahan revint sur ses pas. Il contourna la cour et se faufila dans l'appentis, qui empestait le poisson. Il trouva quelques boîtes, mais aucune ne contenait de peigne. Il allait partir quand il avisa un panier sur le sol. Les mains tremblantes, il l'examina. Le peigne était à l'intérieur. Couleur brun moucheté et ambre, fendillé sur les bords. Il l'empocha et prit ses jambes à son cou.

Heureusement Sinan ne s'enquit pas de la façon dont il avait obtenu le peigne. Au lieu de quoi il dit : « Nous devons la mettre au repos. Il lui faut une pierre tombale.

— Mais... est-ce qu'on peut enterrer un peigne à la place d'un corps ? demanda Jahan.

— Si c'est tout ce qui reste d'une personne, je ne vois pas ce qui l'interdit. »

Sous un mûrier, Sinan et les apprentis creusèrent profondément. Ils placèrent le peigne dans la fosse. Tout en jetant de la terre sur la tombe, ils prièrent. Pour finir, la femme apparue en rêve au meunier eut une pierre tombale. Dessus il était inscrit :

Prie pour l'âme de celle
dont le nom n'a pu être découvert
Aimée du Tout-Puissant,
Il la connaît depuis toujours.

Au cours de l'été 1575 l'astronome Taqi al-Din vint plus fréquemment que de coutume rendre visite à Sinan. Tous deux se retiraient dans la bibliothèque où ils conversaient pendant des heures. Il y avait un projet nouveau et exaltant dans l'air, Jahan pouvait le humer comme l'odeur du pain frais – quelque chose qui enthousiasmait ces deux vieillards comme s'ils étaient à nouveau des enfants.

L'astronome impérial et l'architecte impérial s'étaient toujours respectés mutuellement. Taqi al-Din avait participé maintes fois aux cérémonies d'inauguration d'une mosquée, aidé à faire le relevé des mesures. De même, il consultait Sinan sur les lois de l'arithmétique, dont tous deux étaient férus. Tous deux savaient lire couramment dans plusieurs langues – turc, arabe, persan, latin et un peu d'italien. Au fil des ans ils avaient échangé une foule de livres et d'idées et, soupçonnait Jahan, pas mal de secrets. Si le goût des nombres était une chose qu'ils avaient en commun, l'autre était leur diligence. Ils étaient également convaincus que la seule façon de remercier Allah pour les talents qu'Il leur avait donnés c'était de travailler sans relâche.

En dépit de ce qu'ils partageaient, à vrai dire, ils n'auraient pas pu être plus différents. Taqi al-Din était un homme de passion. Son visage tel un livre ouvert dévoilait chaque émotion qui lui traversait le cœur. Quand il était joyeux, ses yeux s'illuminaient ; s'il devenait pensif, ses doigts trituraient son chapelet avec une telle vigueur qu'ils auraient pu en briser le fil. Son obsession du savoir était telle que d'après la rumeur il rémunérait des fossoyeurs pour qu'ils lui apportent des cadavres à étudier. Si quelqu'un s'étonnait qu'un observateur des étoiles montrât tant d'intérêt pour le corps humain, il disait que Dieu avait dessiné en parallèle microcosme et macrocosme. Il déplorait souvent l'arrogance des oulémas et l'ignorance du peuple. À lui voir autant de feu dans l'esprit, ses amis redoutaient qu'il ne se brûle un jour. Fervent et animé, il contrastait avec Sinan qui étalait rarement ses émotions et avait en général un comportement placide.

Sauf qu'en ce moment Sinan lui aussi paraissait excité, voire inquiet. Il passait ses jours à lire et à dessiner, selon son habitude, mais aussi à regarder par la fenêtre, l'air lointain et distrait, ce qui était inhabituel. À deux reprises, Jahan l'entendit demander aux serviteurs si quelqu'un avait apporté un message.

Un mercredi où les apprentis travaillaient dans la demeure du maître, le messager tant attendu arriva avec un rouleau. Scruté par quatre paires d'yeux, Sinan brisa le sceau, lut la lettre. Son visage, rigide d'ardeur retenue, s'adoucit dans un sourire de soulagement.

« Nous allons construire un observatoire ! » annonça-t-il.

Un bâtiment pour étudier l'espace immense au-dessus de leurs têtes. Plus grand que tout ce qui avait été construit jusqu'ici, en Orient ou en

Occident. Les astronomes du monde entier viendraient y affûter leurs talents. Le sultan Mourad avait promis qu'il soutiendrait Taqi al-Din dans son désir d'explorer le dôme invisible.

« Cela va transformer notre vision de l'Univers, observa Sinan.

— Pourquoi cela devrait-il nous inquiéter ? » demanda Davoud.

En guise de réponse, Sinan dit que le savoir, *ilm,* était un carrosse tiré par de nombreux chevaux. Si l'un des destriers se mettait à galoper plus vite, les autres chevaux devraient accélérer eux aussi, et le voyageur du carrosse, *alim,* en bénéficierait. Le progrès dans un domaine entraîne le progrès dans d'autres. L'architecture doit être amie de l'astronomie ; l'astronomie de l'arithmétique ; l'arithmétique de la philosophie, et ainsi de suite.

« Encore une chose, dit Sinan. C'est vous qui allez construire l'observatoire. Je veillerai sur vous mais ce sera votre œuvre. »

Les apprentis le regardèrent bouche bée, incrédules. Ils avaient collaboré à une foule de constructions mais n'en avaient jamais créé une seule par eux-mêmes.

Nikola dit : « Maître, nous te sommes redevables. Tu nous as honorés.

— Que Dieu éclaire votre chemin », dit Sinan.

Dans les semaines qui suivirent, les apprentis présentèrent leurs esquisses au maître. Ils se rendirent à Tophane sur le site qui leur avait été attribué, vérifièrent la nature du sol, mesurèrent le degré d'humidité. Tout en continuant à rivaliser pour la place de favori du maître, ils unirent leurs forces. La joie de construire ensemble surpassait toutes les jalousies.

Taqi al-Din, pendant ce temps, était l'être le plus heureux de l'Empire, et le plus agité. Constamment sur le terrain, à poser des questions qui n'avaient aucun sens pour personne, il piaffait d'impatience de voir fini son observatoire adoré. Quelques semaines après l'ouverture du chantier, la peur de la mort le saisit. Pris d'une fascination morbide pour les accidents et les maladies, il redoutait de quitter cette vie avant l'achèvement de l'édifice. Jamais auparavant Jahan n'avait vu un homme intelligent se rendre aussi fou d'inquiétude.

Des instruments arrivaient de tous les coins du monde. On rassemblait des livres et des cartes du ciel pour constituer la collection qui logerait dans le bâtiment. La bibliothèque, ronde et spacieuse, était inondée de lumière par les hautes fenêtres, avec un escalier qui descendait en spirale jusqu'à une pièce en sous-sol. Jahan l'aimait particulièrement et il était fier d'avoir contribué à la dessiner.

À mesure que le gros œuvre avançait, Jahan en apprit plus long sur le compte de Taqi al-Din. Né à Damas, éduqué à Naplouse et au Caire, il s'était ensuite établi à Istanbul, confiant que c'était le bon endroit où exercer ses talents. Ici il était devenu prospère, gravissant les échelons jusqu'au rang d'astronome en chef. Ce que Jahan apprendrait peu à peu, c'est que l'initiative du projet venait de lui, qui avait su convaincre le sultan qu'un observatoire royal était indispensable. Cela ne voulait pas dire, toutefois, qu'il en avait persuadé l'ensemble de la cour. Immensément respecté par certains, honni par d'autres, Taqi al-Din avait des amis et des ennemis en abondance.

Grâce aux découvertes du mathématicien Jamshid al-Kachi et aux instruments perfectionnés par Nasir al-Din al-Tusi, Taqi al-Din ambitionnait de poursuivre les recherches de l'observatoire édifié à Samarcande par Ulugh Beg – un sultan astronome et mathématicien. Il y a deux cents ans de cela, disait-il, les plus grands érudits ont dévoilé nombre de secrets de l'Univers. Leurs découvertes, au lieu d'être approfondies, ont été délaissées et oubliées. Un savoir précieux perdu pour les générations à venir. Des germes de sagesse, partout à la ronde, attendaient d'être exhumés, comme les coffres d'un trésor profondément enfoui sous terre. Le savoir était donc moins affaire de découverte que de mémoire.

Taqi al-Din faisait souvent allusion à Tycho Brahé – un astronome du Frangistan. Par coïncidence, au moment où les apprentis posaient la première pierre de leur observatoire, l'Uraniborg de Brahé s'élevait bien loin d'eux dans le détroit du Sund. Les deux hommes, au lieu de nouer leurs andouillers, s'échangeaient des lettres d'estime et d'admiration mutuelles.

« Nous aimons la même femme, expliquait Taqi al-Din.

— Que veux-tu dire ? bafouilla Jahan.

— La voûte céleste, nous en sommes fous tous les deux. Hélas ! nous sommes mortels.

Nous partis, d'autres tomberont amoureux d'elle. »

Une fois les instruments d'optique placés dans leurs encoches respectives, sur des supports en fer forgé, Taqi al-Din fit faire le tour des lieux aux apprentis de Sinan. De chaque côté où il se tournait, Jahan voyait des horloges astronomiques à trois cadrans, d'un ouvrage et d'une précision exquis. Dans une pièce à l'arrière ils remarquèrent des pompes à eau de taille variée, mais Taqi al-Din précisa qu'elles n'avaient aucun lien avec le firmament, c'était simplement une autre de ses passions. En haut il y avait une gigantesque sphère armillaire – *dhat al-halaq*. Elle servait à mesurer la latitude et la longitude, apprirent-ils. Un engin mural, *libna*, composé de deux grands quadrants de cuivre, permettait de calculer la déclinaison du Soleil et des étoiles. De longues pièces de bois, qui à leur humble allure semblaient insignifiantes, mesureraient la parallaxe lunaire. Un astrolabe équipé d'un anneau de cuivre évaluerait l'azimut des étoiles ; son voisin déterminerait les équinoxes. Le préféré de Jahan, c'était un sextant qui estimait la distance entre deux corps célestes.

Dans chaque pièce ils découvraient un appareil qui dévoilait un nouveau mystère du firmament azuré. L'astronome de la cour expliqua qu'il en était des corps célestes comme de tant de choses dans la vie, il fallait trouver le bon guide. Au lieu de prendre la Lune comme point de référence, il étudiait deux étoiles mouvantes : l'une s'appelait Vénus, l'autre Aldébaran – un nom qui enchantait tellement Jahan qu'il se le répétait sans cesse, comme un poème.

Si les instruments étaient neufs, les livres et les manuscrits de la bibliothèque étaient très anciens. C'est là que Taqi al-Din conservait ses traités de géométrie, d'algèbre et de physique. Il était particulièrement satisfait que par un décret récent, adressé aux cadis d'Istanbul, le sultan ordonne à tous ceux qui possédaient des collections de valeur de les remettre à l'observatoire royal. *Quand tu recevras cet ordre, recherche les livres fondés sur l'astronomie et la géométrie, et donne-les à mon honorable astronome Taqi al-Din, afin qu'il puisse poursuivre son excellent ouvrage, sous ma protection.*

Avec un appui aussi fort ils pensaient que rien ne pouvait tourner mal. Immaculé à l'intérieur comme à l'extérieur, l'observatoire, *leur* observatoire, avec ses fenêtres irisées par le soleil couchant, brillait au sommet d'une colline de Tophane.

La cérémonie d'ouverture fut splendide. Le soleil rayonnait généreusement au-dessus de leurs têtes, dans un ciel bleu sans faille. Néanmoins l'air était vif et froid, comme si l'hiver et l'été avaient voulu tous deux être présents en un jour pareil. Les mouettes plongeaient des hauteurs, sans cris pour une fois, les hirondelles descendaient s'abreuver à la fontaine de marbre de la cour. Le parfum de myrrhe sur leurs vêtements et leurs barbes se mêlait aux saveurs sucrées du halva que Taqi al-Din avait fait distribuer aux ouvriers, qui avaient trimé dur pour tenir les délais.

Sinan était présent, vêtu d'un caftan de teinte cannelle et d'un turban en forme de bulbe, les doigts de la main droite égrenant un chapelet imaginaire. Les apprentis, quelques pas derrière lui, s'efforçaient de dissimuler leur fierté. Car même si c'était pour la santé et le triomphe de Mourad et le succès de l'astronome de la cour qu'ils étaient venus prier, les étudiants de Sinan avaient largement contribué à cet observatoire. Ils ne pouvaient retenir leur satisfaction devant les deux bâtiments qu'ils avaient dessinés, construits et équipés – sous les auspices de leur maître mais entièrement leur œuvre. C'était leur création, que le Créateur leur pardonne ce mot, qui n'appartient qu'à Lui.

Au-delà du domaine de l'observatoire, le vent apportait les voix d'une foule de partisans et de curieux. Des émissaires étrangers venus en observateurs, des marchands calculant ce que cela pourrait leur rapporter, des pèlerins qui murmuraient des prières, des mendiants en quête d'aumônes, des voleurs en quête de proies, et des enfants perchés sur les épaules de leur père pour apercevoir l'endroit d'où on pouvait regarder le Soleil et la Lune, et même savoir où allaient les étoiles filantes quand elles tombaient.

Taqi al-Din, long et droit, se tenait au centre, vêtu d'une tunique flottante blanche comme l'albâtre. Quarante brebis et quarante vaches avaient été sacrifiées dans la matinée, les viandes distribuées aux plus pauvres d'entre les pauvres. Maintenant une goutte de sang brillait sur son front, entre les deux yeux. À sa droite et à sa gauche étaient rangés vingt-quatre astronomes, leur visage illuminé de plaisir.

Brusquement, tous les sons s'apaisèrent. Une onde d'excitation parcourut l'audience. Le sultan Mourad arrivait. Comme de l'eau sa présence se répandit dans la cour, remplissant chaque interstice, bien avant qu'on ne repère le cortège à l'horizon. L'Ombre de Dieu sur Terre allait ouvrir le plus grand observatoire des sept climats. Une fois le sultan et ses gardes parvenus à destination et installés, un cheikh soufi entonna une prière, d'une voix forte et veloutée en même temps.

« Daigne Allah accorder Sa protection à notre Sultan magnanime ! »

Tous firent écho à l'unisson, savourant le mot comme si c'était un morceau de choix. « *Amin !*

— Daigne Allah se montrer miséricordieux envers notre glorieux Empire et nous guider dans tous nos actes et nous aider à rejoindre ceux qui ont traversé ce monde avant nous sans tomber dans l'erreur ! Daigne Allah prendre soin de cette maison et révéler les secrets du ciel à ceux et à ceux-là seuls capables de les porter.

— *Amin !* »

Tout en écoutant les paroles du soufi, Jahan laissa son regard dévier vers les oulémas, les autorités religieuses qui suivaient la cérémonie. La rumeur disait que le cheikh al-islam qui avait été chargé de conduire la prière commune avait refusé. Jahan observa le visage de cet homme. Il paraissait serein, l'expression paisible comme un étang, mais juste alors il pinça les lèvres, sa bouche se tordit en grimace, comme s'il venait de goûter une substance amère. Jahan ne pensait pas que d'autres s'en soient aperçus, absorbés comme ils l'étaient par la prière. Mais lui il l'avait vu, ce geste minuscule, et sa poitrine se serra.

Pendant un instant, bref comme l'envol d'un condor, Jahan sut d'instinct, même si tout semblait en ordre, que quelque chose n'allait pas. Il sentait comme une certitude que Sinan le savait aussi – d'où le mouvement fébrile de ses doigts. Pendant ce temps Taqi al-Din, tout à sa joie, ne se doutait de rien.

Plus tard Jahan réfléchirait longuement à cet instant. Sinan n'avait pas une grande expérience des oulémas mais il sentait bien leur hostilité profonde. Taqi al-Din, quant à lui, les connaissait mieux que quiconque. Après tout il avait rempli des fonctions de juge, théologien, *muwaqqit* gardien du temps, et enseigné dans une madrasa. Pourtant il ne partageait pas le malaise qu'éprouvèrent ce jour-là le maître et l'apprenti. Peut-être que la proximité induisait l'aveuglement, finirait par conclure Jahan, et que l'éloignement aiguisait la conscience.

Taqi al-Din rédigeait un traité sur les corps célestes, un ouvrage qu'il appelait *zij*. Il y notait les positions, distances et mouvements du

Soleil, de la Lune et des astres. Cela lui prendrait des années, expliquait-il, mais quand l'ouvrage serait terminé il servirait de guide à perpétuité.

« Un *zij* est une carte, expliquait-il. Une carte de la création divine. »

Il y a longtemps un sage infidèle nommé Aristote – qui enseigna au grand Iskandar tout ce qu'il savait – soutenait que la Terre était au centre de l'Univers et qu'elle était paisiblement en repos, à la différence d'autres objets célestes. Il laissa aux astronomes le soin de calculer la somme des sphères en rotation autour d'elle, le nombre accumulé de tous ces dômes qui se mouvaient au-dessus de leur tête.

« As-tu réussi à les compter ? » interrogea Jahan lorsqu'il vint avec Davoud lui rendre visite peu après l'inauguration.

« Huit », répondit fermement Taqi al-Din.

C'était un chiffre impeccable, avec de bonnes raisons – la forme de la Terre, la disposition des corps célestes, les strates de l'Univers, Dieu avait tout ordonné pour permettre aux humains de voir, étudier et contempler. Plus Taqi al-Din parlait, plus il devenait volubile. Il dit qu'Aristote, avec tout son talent, avait fait des erreurs. C'est le Soleil, non la Terre, qui est au centre de l'Univers. Les autres corps tournent autour de cette boule de feu en orbites parfaites. Il leur montra un livre qui d'après lui le prouvait sans le moindre doute. Jahan lut le titre à haute voix, les mots latins glissant sur sa langue, lisses et ronds, où il s'agissait de la révolution des sphères, par *Nicolas Copernic*. Quel nom bizarre, pensa-t-il, mais l'astronome en chef le prononçait avec une telle vénération que dans sa bouche il avait tout d'une incantation.

« Copernic avait une amie, mais il ne s'est jamais marié », dit Taqi al-Din en montrant du doigt le volume relié de cuir comme si c'était un être vivant. « Il a élevé les enfants de sa sœur mais n'en a jamais eu lui-même. »

Davoud demanda : « Pourquoi ne s'est-il pas marié ?

— Dieu sait. Mais peut-être pour son bien à elle. Quelle épouse supporterait un mari qui ne voit rien d'autre que les cieux ? »

Davoud et Jahan échangèrent un regard, la même idée leur venant. Taqi al-Din avait beau être marié, il dormait la plupart de ses nuits dans l'observatoire. Ils n'osèrent pas lui demander si en parlant de Koppernigk il faisait aussi allusion à lui-même.

Remerciant l'astronome et ses acolytes, Davoud et Jahan firent leurs adieux. À peine étaient-ils dehors qu'une nappe de brouillard les enveloppa, pénétrante et sinistre. En tâtonnant à l'aveuglette ils retrouvèrent Chota, remontèrent à leur place et lentement, très lentement, repartirent au petit trot vers la ville.

Au bout de quelques pas, l'instinct poussa Jahan à se retourner. Une chose étrange se produisit alors. Des deux hauts bâtiments qui composaient le laboratoire on ne distinguait plus rien – pas même la lueur d'une chandelle aux fenêtres ou des instruments sur la terrasse supérieure. Leurs contours s'étaient enfoncés dans un océan de gris si épais qu'à cet instant on aurait cru que l'observatoire n'avait jamais existé, et que tout ce qui s'était dit ou accompli sous son toit n'était qu'empreintes sur le sable.

Par un jour de grand vent – Jahan sur l'encolure de Chota, le maître et les apprentis dans le *howdah* – ils trouvèrent Taqi al-Din qui les attendait dans la cour, la mine préoccupée. Jahan qui ne lui avait pas rendu visite depuis quelque temps fut stupéfait de voir à quel point il avait changé. L'enthousiasme qui lui fardait les joues aux premiers mois de l'observatoire s'était usé, laissant un visage plus âgé et émacié à force de tension. Après un bref échange de saluts, les deux vieillards se retirèrent dans le pavillon, sous une canopée de vignes, leurs voix feutrées, inquiètes.

Ne pouvant s'approcher, ne voulant s'éloigner, les apprentis se rendirent à la cuisine où sans se soucier des grommellements du cuisinier, ils se perchèrent près de la fenêtre – l'unique endroit de la maison d'où ils pouvaient épier leurs maîtres. À cette distance, impossible d'entendre leur conversation. Mais rien ne pouvait les empêcher de forger des hypothèses.

« Il y a quelque chose qui ne va pas, murmura Davoud. Je le sens dans mes os.

— Peut-être que c'est seulement une discussion », dit Nikola, qui ne voulait pas renoncer à son optimisme habituel.

Taqi al-Din avait amené l'un de ses acolytes – un jeune astronome au visage grêlé, sa très maigre barbe couleur de soleil couchant. Quand il se joignit à eux les apprentis le harcelèrent de questions, lui demandèrent ce qui se passait. Il eut beau tenter d'éluder, il dévoila bientôt les faits. « Mon maître a vu une comète dans le Sagittaire. »

Jahan jeta un coup d'œil aux autres. Nikola semblait perplexe, Davoud soupçonneux ; quant à Sancha, pas moyen de deviner ce qu'elle pensait car elle avait les yeux fixés sur le sol. Certain qu'il n'était pas le seul ignorant dans la pièce, il demanda : « Qu'est-ce que c'est ? »

L'astronome soupira. « Une étoile à longue queue. Énorme. Elle se dirige vers nous.

— Qu'est-ce qu'elle va faire ? s'enquit Davoud.

— Mon maître le dira.

— Tu dois bien le savoir aussi, insista Davoud.

— Certaines comètes ont provoqué des déluges. Il y a un royaume où toutes les femmes enceintes ont avorté. Une autre fois il a plu du ciel des grenouilles à trois pattes. »

Les apprentis l'écoutaient avec horreur. Aiguillonné par sa propre voix le jeune homme continua à égrener les calamités. « Une autre comète a causé une sécheresse de sept années. Des vents si violents qu'ils ont déraciné tous les jeunes arbres. Les sauterelles ont dévoré toutes les plantes qui restaient.

— Chut, ils arrivent », dit Nikola, même si on ne risquait pas de les entendre de l'extérieur.

Penauds, à la manière d'enfants mal élevés, ils sortirent dans le jardin pour saluer leurs maîtres. Ce qui troublait Taqi al-Din semblait avoir flétri l'humeur de Sinan, comme un chancre qui passe d'un arbre à son voisin.

« Regarde-les, dit Taqi al-Din en montrant du doigt les apprentis.

— Les cancans volent plus vite qu'une comète, dit Sinan sur le ton badin qu'il réservait aux réprimandes paternelles.

— Surtout si quelqu'un ne sait pas tenir sa langue », reprocha Taqi al-Din, le regard fixé sur son acolyte qui baissa la tête aussitôt, le rouge aux joues. L'astronome impérial ajouta calmement : « Ce n'est pas grave. La ville entière le saura bientôt de toute façon. »

Encouragé par ces propos, Jahan interrogea : « Qu'est-ce que tout cela signifie ?

— Allah est grand et Ses présages de même, dit Taqi al-Din. Nous autres mortels ne voyons pas toujours les choses sous cet angle, mais à la fin il en va toujours ainsi. »

Jahan le dévisagea, la langue paralysée. Cette réponse, qui n'offrait guère de réconfort, l'avait abattu. Il n'était pas le seul. Jusque-là les apprentis s'étaient surtout préoccupés d'inventer des dangers là où ils n'en voyaient aucun. Maintenant ils se sentaient menacés par une force inconnue mais n'avaient ni la vision nécessaire pour la comprendre ni le pouvoir de la vaincre.

Sinan disait vrai en parlant de la vitesse des rumeurs. Dans les jours qui suivirent, ce fut l'unique sujet de conversation des Stambouliotes. Murmures craintifs et sombres prémonitions se faufilaient dans les lézardes des murs, remplissaient les interstices entre les pavés, traversaient le trou des serrures, coulaient dans les égouts, salissant l'air même. Peu après le sultan annonça qu'il tiendrait un conclave de notables, vizirs et représentants des oulémas. Un conseil impromptu où Taqi al-Din ferait un rapport sur la situation. Jahan fut enthousiasmé d'apprendre que Sinan avait été convié aussi à venir donner son opinion.

« Je t'en prie, emmène-moi avec toi », plaida Jahan.

Sinan lui jeta un regard sévère. « Pourquoi, juste parce que tu es curieux ?

— Si ce n'est pas moi, emmène l'un d'entre nous. Nous avons construit cet observatoire... »

Il n'eut pas besoin de poursuivre. Sinan céda. « Va te préparer. »

Après la prière de la mi-journée, le maître et le cornac arrivèrent au palais. Comme les autres on les fit entrer dans la salle d'audience. Une quarantaine de dignitaires, certains accompagnés de leurs assistants, étaient rangés des deux côtés de l'immense pièce. Assis sur un trône d'or, le sultan Mourad était au cœur de toute la scène.

On fit entrer Taqi al-Din. Jahan le vit s'agenouiller et baiser l'ourlet du sultan, s'incliner à nouveau pour saluer les membres du *diwan* et attendre modestement, les mains croisées, l'œil fixé sur ses pieds. À cet instant, personne n'avait envie d'être à sa place.

« Astronome impérial, tu es ici pour dire à notre sultan bienveillant ce que la comète promet de nous apporter, dit le grand vizir Sokollu.

— Si Son Altesse le permet », dit Taqi al-Din, et il sortit un rouleau de sous sa tunique. Il en commença la lecture à voix haute :

« Moi, Taqi al-Din ibn Ma'ruf, en ma qualité de chef des astronomes royaux, j'ai vu une comète dans le Sagittaire. Après avoir consulté mon *zij* et utilisé mon turquet comme le fit jadis le grand Nasir al-Din Tusi, je l'ai située à 26° de longitude dans le Sagittaire et 22° de latitude nord. Pour faire mes mesures j'ai pris trois étoiles majeures comme points de référence : Aldébaran, l'œil du taureau ; Algorab, le corbeau : et Altaïr, l'aigle en vol. Pendant des jours j'ai observé le mouvement de la comète pour comprendre son tempérament. J'ai noté par écrit en détail toutes les étapes de sa trajectoire afin que les jeunes astronomes l'étudient quand mon âme aura quitté ce monde d'ombres. »

Ici Taqi al-Din marqua une pause. On n'entendait pas un bruit dans la pièce.

« J'ai peu dormi pendant les sept nuits qui ont suivi. Mes apprentis et moi nous sommes relayés, examinant –

— Épargne-nous ce que *toi* tu as fait, l'interrompit Sokollu. Dis-nous ce que l'étoile va faire. »

Taqi al-Din prit une profonde respiration, comme s'il absorbait ce moment, cette salle ; il enregistra les visages amis et ennemis qui observaient chaque geste, chaque soupir, et se sentit peut-être aussi seul que la comète qu'il avait suivie à la trace. Le doigt posé sur son rouleau, il sauta au dernier paragraphe :

« J'ai découvert que la comète est attirée par Vénus, que sa queue s'étend en direction de l'est, que son mouvement va du nord au sud. En étudiant la constitution de la comète et le tempérament de la planète dont elle subit l'attraction, je suis arrivé à la conclusion qu'à la différence des comètes qui ont visité notre firmament dans les jours anciens celle-ci est de nature bienveillante. Elle ne nous veut aucun mal. »

Un bruit discret de soulagement s'éleva. Au milieu du bourdonnement, avec un hochement de tête, le sultan s'exprima pour la première fois. « C'est une bonne chose. Donne-nous plus de détails.

— Elle apportera quantité de nuages de pluie. La moisson débordera, dit Taqi al-Din.

— Et sur le champ de bataille ? demanda l'Ombre de Dieu sur Terre.

— Nos troupes remporteront une victoire éclatante, Majesté. »

Une nouvelle onde de joie parcourut la salle. Les yeux écarquillés luisaient de plaisir. Après quoi, la séance fut levée.

Cependant rien de tout cela n'advint. La guerre avec la Perse ne se déroula pas comme prévu. Même si l'armée ottomane triompha, elle subit des pertes si nombreuses que personne ne fut dupe. Vint ensuite la sécheresse. Pendant des mois, les garde-mangers restèrent vides, les enfants allaient se coucher affamés. Pire encore fut le tremblement de terre qui détruisit des quartiers entiers. Ensuite la peste frappa à nouveau. Les gens mouraient en masse et étaient ensevelis en masse. De quelque côté que l'on se tourne, il n'y avait que pauvreté et chagrin.

La comète avait apporté du malheur. Mais à nul plus qu'à Taqi al-Din. Les oulémas se mirent à comploter contre lui. Le nouveau cheikh al-islam Ahmed Shamseddin Effendi qui n'attendait que l'occasion de s'en prendre à l'astronome de cour l'attaqua de toutes ses forces. *C'était à cause de l'observatoire que cette calamité s'était abattue sur la cité.* Qui étaient-ils pour oser surveiller Dieu ? Il fallait se plier à l'inverse, c'était Dieu qui les surveillait. Les êtres humains devraient avoir les yeux tournés vers le sol et non levés vers la voûte céleste.

Le sultan ordonna de démolir l'observatoire.

Le matin où ils apprirent la nouvelle, les apprentis coururent jusqu'à la maison du maître. À peine capables de parler, leurs regards se croisaient sans se voir comme s'ils marchaient dans un rêve.

Maître Sinan passa le reste de la journée seul dans le pavillon, se remémorant peut-être un temps où Taqi al-Din et lui étaient assis là, croyants et pleins d'espoir. Après la prière du soir il sortit et dit d'une voix si douce et suave qu'elle démentait la dureté du propos : « Vous l'avez construit ; à vous de le raser.

— Mais Maître... », tenta de protester Nikola.

Jahan perdit son sang-froid. Depuis la mort d'Olev la colère s'était accumulée dans son cœur et à ce coup elle éclata. « C'est pour cela que tu nous as laissés le construire ? Tu ne l'as pas fait toi-même parce que tu savais que ça se terminerait forcément comme ça. »

Les autres le dévisagèrent bouche bée. C'était une pensée qu'ils avaient tous eue en douce, mais ils étaient stupéfaits qu'il se montre assez discourtois pour la dire tout haut. Sinan répondit : « Je ne m'en doutais pas. Si je l'avais su je ne vous aurais pas demandé de le construire. »

Mais une fois lancé Jahan ne pouvait plus s'arrêter. Il insista. « Alors pourquoi ne défends-tu pas notre observatoire ? Comment peux-tu laisser faire une chose pareille ? »

Sinan eut un sourire triste, les rides autour de ses yeux se creusèrent. « Il y a des choses qui sont en mon pouvoir et d'autres qui ne le sont pas. Je ne peux pas empêcher les gens de démolir. Tout ce que je peux faire c'est continuer à construire. »

La veille de la démolition, chacun se retira le soir dans ses quartiers, évitant toute conversation. Le maître était en haut dans le *haremlik* avec sa famille ; Nikola dans l'atelier ; Davoud hors de vue ; Sancha dans sa chambre à l'arrière de la maison de Sinan ; et Jahan replié à l'écurie. La pauvre *kahya*, ne pouvant les convaincre de souper ensemble, dut envoyer leur repas à chacun sur des plateaux séparés.

Jahan regrettait de ne plus guère passer de temps seul avec l'éléphant et satisfaire à tous ses besoins, aussi ce soir il renvoya le jeune valet. Dans le secret de son cœur il était sûr que personne ne savait s'occuper de l'animal aussi bien que lui. Comme aux temps anciens il lava l'urine du sol, déblaya les excréments, remplit le tonneau d'eau, mit des feuilles fraîches dans la mangeoire. Il gratta les pieds de Chota – les gros de devant tout ronds, et ceux de derrière ovales. Il inspecta ses ongles, huit en tout, qu'il coupa, nettoya, et frotta un par un d'huile de palme. Les travaux sur les chantiers et les marches dans les collines pentues, année après année, avaient laissé leur marque. Quatre de ses ongles étaient fendus, et un cinquième près de tomber.

Jahan inspecta la trompe de l'animal, satisfait de n'y trouver aucune verrue, et vérifia que sa queue n'avait ni puces ni tiques. Il examina la peau tendre derrière les oreilles pour voir s'il y avait des poux, la pire des vermines. C'était bizarre de voir une bête de cette taille aussi totalement démunie face à la plus infime des créatures. Mais la vérité c'est qu'un seul pou était capable de détruire la sérénité d'un éléphant, le mettre en colère. Il trouva quelques petites pustules brunes, heureusement rien d'alarmant. Après l'avoir lavé, Jahan s'assura que le dos n'avait ni abcès ni écorchure. Une fois la peau sèche, il lui appliqua un onguent. Pendant qu'il s'affairait, Chota attendait patiemment, ravi de ses soins. Jahan aussi prenait plaisir à la tâche. Elle l'aidait à oublier son désespoir, même s'il savait qu'avant peu tout lui reviendrait en mémoire. Quand il eut terminé, Chota agita la trompe comme pour lui demander s'il lui trouvait belle allure.

« Et voilà, beau comme une pièce d'or », dit Jahan.

C'est alors qu'il entendit des pas derrière le portail entrouvert.

« Par ici », cria-t-il, s'attendant à voir un domestique lui apporter son repas. À sa stupeur, c'était Sinan. S'essuyant les mains sur un chiffon graisseux, Jahan courut vers lui. « Maître, bienvenue. » Cela semblait incorrect de l'inviter dans une écurie, aussi il s'empressa d'ajouter : « Tu souhaites que je sorte ?

— Parlons ici. C'est mieux. »

Jahan étendit la mante de Chota sur une botte de foin, lui faisant un siège bizarre, mi-velours, mi-paille.

« Je n'aurais jamais cru voir le jour où je te demanderais ce que je vais te demander, dit Sinan une fois installé.

— Quoi donc ? dit Jahan, sans être trop sûr qu'il avait envie d'entendre la réponse.

— J'ai besoin de tes talents. Pas comme dessinateur. Tes anciens talents, si on peut les appeler comme cela. »

Voyant l'incompréhension de Jahan, il expliqua lentement. « À l'époque où tu te servais dans les possessions des autres, je veux dire. Je sais que tu ne le fais plus. »

Honte. Horreur. Ainsi le maître savait tout de ses chapardages. Un flot de culpabilité le parcourut jusqu'au bout des doigts. Mais il ne chercha pas à nier. « Oui, bon... mais... je ne comprends pas.

— J'ai besoin que tu voles quelques objets pour moi, mon fils. »

Jahan le regarda avec stupeur.

« Demain, comme tu le sais, les bâtiments vont être rasés. Les instruments. Les livres. Tout cela est arrivé si vite que Taqi al-Din n'a pas eu le temps de sauver grand-chose. Les portes sont verrouillées et personne ne peut entrer. »

Jahan hocha la tête, commençant à entrevoir ce qu'il suggérait.

« Si nous pouvions reprendre au moins quelques livres, ce serait une consolation pour notre ami.

— Oui, en effet, maître.

— Tu n'es pas obligé d'accepter, bien sûr, dit Sinan, la voix réduite à un murmure. C'est peut-être une mauvaise idée.

— Je pense que c'est une excellente idée.

— C'est peut-être dangereux, mon fils.

— C'est toujours dangereux de voler, maître, si tu me pardonnes de dire cela. »

Sinan contempla son apprenti avec un sourire mélancolique, la tête inclinée de côté, comme si sa vue en même temps l'abattait et lui redonnait courage.

« Il faut que cela reste un secret entre nous, dit Sinan après une pause.

— Et Chota, fit Jahan. Il fait moins de bruit en marchant qu'un cheval. Et il peut porter davantage.

— Très bien. Nous l'emmènerons avec nous.

— Nous ? Tu as l'intention de m'accompagner ?

— Certainement. Je ne peux pas t'envoyer là-bas tout seul. »

Jahan réfléchit un moment. S'il se faisait prendre, il passerait pour un voleur ordinaire. Si Sinan se faisait prendre, il perdrait sa réputation, et même sa position à la cour. Ses ouvriers, sa famille, ses étudiants, tous ceux qui le voyaient comme un exemple paternel seraient bouleversés. « Je ne peux pas travailler avec quelqu'un auprès de moi, déclara-t-il. C'est contre ma nature. »

Le maître émit une objection. L'apprenti résista. Sinan dit qu'il annulait tout, Jahan riposta que c'était trop tard : maintenant qu'il était au courant du projet il l'exécuterait de toutes façons. C'était une guerre de mots insolite. Ils se querellaient sans se quereller.

« Très bien », concéda enfin Sinan, avec un petit geste de la main que Jahan prit moins comme un aveu de défaite que comme un signe de confiance.

Après quoi le maître tendit à Jahan une bourse remplie de pièces. S'il tombait sur le gardien de nuit, il devrait s'efforcer de le soudoyer. Cela pouvait réussir. Ou échouer. Tout dépendrait des dispositions de l'homme, et de ce que la Providence réservait à Jahan.

Un bruit de pas qui approchaient les fit frémir tous deux. Un garçon apparut, chargé d'un plateau avec un bol de potage fumant, du pain, de l'eau et des baklavas. Ils attendirent qu'il eût fini de servir la nourriture et quitté les lieux.

« Mange, dit le maître. La nuit va être longue. »

Jahan rompit un morceau de pain, le trempa dans la soupe et se brûla la langue, tandis qu'il réfléchissait. Il dit d'un ton pensif. « Y a-t-il un objet en particulier que tu souhaites que je prenne ?

— Eh bien ! » Sinan, le sourcil levé, s'attendait à cette question. « Pas les instruments, ils sont trop volumineux. Il faudrait sauver les livres, le plus grand nombre possible. Si tu peux, trouve son *zij*, tu sais tout le soin qu'il y a mis. »

Les tables de la Lune, du Soleil, des étoiles et des corps célestes. Des années et des années de travail. Pourquoi l'astronome en chef ne l'avait-il pas emporté avec lui ?

Comme s'il lisait dans son esprit, Sinan ajouta : « Taqi al-Din gardait tous ses objets de valeur à l'observatoire. C'était sa vraie maison. »

Jahan avala quelques cuillerées de soupe, se jeta un autre morceau de pain dans la bouche, et mit le reste dans sa ceinture. « Je suis prêt à partir. »

C'était la pleine lune – elle luisait au-dessus de la ville comme un feu de joie d'une époque révolue. Parmi les ombres, Jahan conduisit Chota jusqu'à Tophane.

Découpés sur un ciel de plomb, les bâtiments avaient l'air de deux géants tristes serrés l'un contre l'autre. Un éclair de douleur traversa Jahan à la pensée que demain à cette heure ils auraient disparu. Il sauta à terre et écouta la nuit pour s'assurer qu'il n'y avait personne alentour. Tout bas, il dit à Chota de l'attendre, le récompensa de pommes et de noix que l'animal engloutit aussitôt. Jahan avait pris de grands sacs pour transporter les livres. Il les rangea dans sa tunique, embrassa trois fois la trompe de Chota pour se porter chance et partit en ligne droite vers l'observatoire.

Il essaya d'abord l'entrée principale. Un cadenas rouillé y était fixé. Il le tritura un peu à l'aide de la lame et de la pointe qu'il avait rangées dans sa ceinture. Ce serait facile de l'ouvrir, estima-t-il ; mais il ne pourrait pas le remettre en un seul morceau. Demain matin tout le monde saurait qu'il y avait eu effraction.

Il se glissa le long des murs et essaya les portes arrière des deux côtés. Comme il y avait un passage entre les bâtiments, l'une ou l'autre porte ferait l'affaire du moment qu'il trouvait un point d'accès. Puis il vit ce qu'il lui fallait : une fenêtre ronde du rez-de-chaussée. Il se rappela que cet hiver elle fermait mal et n'avait jamais été entièrement réparée. Taqi al-Din s'était plaint que l'ouvrier avait fait un travail médiocre. Puis il l'avait complètement oubliée. Ainsi que tout le monde.

Jahan se mit aussitôt à palper les jointures. En un clin d'œil le gond lui céda avec un léger clic. Il poussa le panneau et se faufila à l'intérieur. La pièce était si sombre, et il était si peu préparé à l'opération qu'il sentit ses genoux se dérober. Il monta l'escalier en spirale et pénétra dans la bibliothèque ; une puissante odeur de papier, vélin, encre et cuir lui sauta au visage. Chaque étagère répandait le sang de sa blessure dans la nuit. Chancelant, il regarda de droite à gauche. Il y avait là des milliers de livres, cartes et manuscrits. Comment pouvait-il savoir lesquels avaient plus de prix que d'autres ? Comment juger ? Par leur âge ? Leur auteur ? Leur thème ?

Jahan parcourut les rangées, sortit des livres au hasard, les flaira et les toucha, puis les apporta près de la fenêtre où brillait un coin de lune. Des mots en latin, arabe, ottoman, hébreu, grec, arménien, persan, pleuvaient sur lui. Il suffoqua. Puis il se gourmanda sévèrement. Ses doutes lui faisaient perdre un temps précieux. Pris de panique, il sortit les sacs qu'il avait apportés et commença à y enfourner tous les livres qui lui tombaient sous la main. Puisqu'il ne pouvait pas choisir, il ne choisirait pas. Il les sauverait tous.

Il vida la première étagère, la deuxième, la troisième. Un des sacs était déjà plein. Le deuxième sac engloutit les trois étagères suivantes. Et voilà. Il fit un pas en avant, titubant comme un homme ivre. C'était trop lourd. Il dut retirer quelques volumes, les mains tremblantes, claquant des dents comme s'il se tenait dans un courant d'air froid.

« Je vais revenir », chuchota-t-il.

Il ressortit, trouva Chota, déchargea les livres dans le *howdah* puis repartit en courant, à bout de souffle. Il se maudit de n'avoir pas pensé à emporter une brouette. C'eût été plus avisé. Il reremplit les sacs, encore cinq étagères, et se rua à nouveau dehors. Il ne comptait plus les allers et retours qu'il avait réussi à accomplir. Il soufflait si bruyamment qu'il craignait que quelqu'un ne l'entende et n'anéantisse tous ses efforts.

Déglutissant, la bouche sèche, il tenta de regagner son calme. À l'extérieur de la fenêtre, l'aube pointait. Il se dit que ce serait sa dernière tournée. C'était fini. Ceux qu'il pouvait sauver, il les sauvait ; les autres, il les laissait. C'est alors que se produisit une chose qu'il ne révélerait à personne, même des années plus tard dans son vieil âge. Les livres, manuscrits, cartes et graphiques se mirent à l'appeler par son nom ; d'abord tout bas, puis sur un ton de plus en plus aigu, le suppliant de les emporter avec lui. Jahan voyait leur bouche de papier déchiré, leurs larmes d'encre. Ils se jetaient à bas des étagères, marchaient l'un sur l'autre, lui bloquaient le passage, les yeux dilatés d'horreur. Jahan eut le sentiment d'être dans une barque cherchant à sauver une douzaine d'hommes sur une mer démontée tandis que d'autres par centaines se noyaient autour de lui.

Ses yeux s'emplirent de larmes. Il chargea encore trois sacs et partit en hâte, comme s'il était poursuivi par une force invisible. Comment il remonta sur Chota, comment il atteignit la demeure de Sinan, il ne s'en souviendrait plus par la suite. Il donna tous les livres à son maître et refusa de s'approcher d'eux tant il craignait de les entendre de nouveau lui parler.

« Apprenti indien, tu en as sauvé une telle quantité ! dit Sinan.

— J'en ai abandonné tellement plus », dit amèrement Jahan.

Une ride d'inquiétude lui barrant le front, Sinan vida les sacs, épousseta les livres et les cacha dans sa bibliothèque. Plus tard Jahan apprendrait de lui qu'il avait sauvé quatre cent quatre-vingt-neuf livres.

Lorsque Jahan eut regagné sa chambre, posé la tête sur sa couche et réussi à calmer sa respiration, alors seulement il s'avisa que dans sa hâte il avait oublié de chercher le *zij* de Taqi al-Din. À la fin l'astronome n'avait pu empêcher ce qu'il méprisait le plus. Le savoir et la sagesse devraient être une accumulation, un flot ininterrompu d'une génération à la suivante ; et pourtant, les jeunes astronomes qui viendraient après lui devraient tout recommencer depuis le début.

Le lendemain, peu après l'aube, le ciel saignant sur la cité, ils se tenaient là tous les six

– Sinan, les apprentis et l'éléphant, prêts à détruire ce qu'ils avaient édifié. Pas un pigeon ébouriffé sous les auvents, pas un souffle de brise. Jahan aperçut des larmes dans les yeux de Sancha. Personne ne disait mot.

Toute la journée, à la tête d'équipes d'ouvriers qui arrivaient avec leurs masses, leurs maillets et leurs charges de poudre, ils crevèrent portes et fenêtres, enfoncèrent les murs. Chota tirait de toute sa force sur les cordages attachés aux piliers de bois. Les gens venaient regarder. Certains applaudissaient et frappaient des mains, la plupart les observaient dans un silence hébété. Cinq jours plus tard, la dernière pierre partie, il y eut des prières, tout comme trois étés auparavant quand les apprentis de Sinan avaient posé la pierre de fondation. Mais cette fois-ci les spectateurs remerciaient Dieu d'avoir renversé un édifice de péché.

En même temps que l'observatoire, quelque chose en Jahan fut réduit en poussière. Sans son amour pour Mihrimah et sa loyauté envers Sinan, il aurait abandonné cette ville de briques cassées et de bois brûlé. Va-t'en, chuchotait une voix au fond de lui – mais où ? Il était trop vieux pour se lancer dans de nouvelles aventures. Pars, implorait la voix – mais comment ? Il avait beau s'indigner des manières d'Istanbul, elle s'était emparée de son âme. Même ses rêves ne pouvaient se dérouler ailleurs. Pars, l'avertissait la voix – mais pourquoi ? Le monde était un chaudron bouillant, le même ragoût d'espoirs et de chagrins qu'on soit proche ou éloigné.

Pendant des années innombrables il avait consacré sa vie à cette cité où il avait été – et restait encore – un étranger ; son amour à une femme hors d'atteinte ; sa jeunesse et sa vigueur à un métier qui, même si on l'appréciait, était proscrit au moindre revers de situation. Ce qu'ils avaient mis des années à construire, pierre sur pierre, pouvait être détruit en une après-midi. Ce qui était chéri aujourd'hui serait objet de mépris demain. Tout restait assujetti aux caprices du destin et désormais il n'avait plus le moindre doute que le destin fût capricieux.

Les semaines qui suivirent furent les plus sombres de sa vie à Istanbul. Il se demandait pourquoi ils travaillaient si dur à des petits détails alors que personne – ni le sultan, ni son peuple, et sûrement pas Dieu – ne se souciait de la somme d'efforts qu'ils dépensaient. Ils semblaient ne s'intéresser qu'à la taille et à la majesté des édifices – sans offenser le Tout-Puissant. Pourquoi Sinan accordait-il tant d'attention aux points les plus raffinés quand ils étaient si peu nombreux à les remarquer, et plus rares encore ceux qui les appréciaient ?

Rien n'endommage plus l'âme humaine que le ressentiment caché. En apparence Jahan continuait à faire ce qu'il faisait depuis toujours – travailler auprès de son maître, nourrir Chota, même s'il ne s'occupait plus entièrement de lui comme par le passé. Mais au fond de lui, une somnolence enveloppait son cœur, effaçant tout signe de joie comme la neige fondue efface les empreintes de pas de la vie. Il perdait la foi en son métier. Il ne se doutait guère, à l'époque, que la valeur de la foi ne dépend pas de sa force ni sa fermeté, mais du nombre d'occasions où on peut la perdre et se montrer capable de la retrouver.

Le jour le plus froid en quarante ans, dit-on à l'époque – le jour de la mort de Mihrimah. Dans les rues de Scutari, des chats pris par le gel en sautant d'un toit à l'autre étaient suspendus en l'air comme des lampes de cristal. Les mendiants, pèlerins, derviches errants et tous les sans-abri devaient chercher refuge dans les hospices de peur de tourner en glace. Pourquoi elle avait choisi pareil jour pour quitter ce monde, Jahan ne le saurait jamais. Elle était née au printemps et adorait les fleurs épanouies.

Elle était malade depuis des mois, sa santé déclinait en dépit du nombre de médecins à son chevet qui augmentait chaque jour. Jahan l'avait vue six fois pendant ces mois misérables. Chaque fois un peu plus maigre. Il avait vu plus souvent Hesna Khatun, la vieille messagère récalcitrante. Elle venait à la ménagerie apporter des missives de la princesse et attendait à l'écart pendant que Jahan composait sa réponse. Il prenait son temps, choisissait ses mots avec soin, sans se soucier de la nourrice qui bougonnait et soufflait à côté de lui. Pour finir, elle prenait sa lettre scellée d'un air irrité et disparaissait.

C'était donc une lettre que Jahan attendait ce matin de janvier 1578 quand la nourrice se présenta à la ménagerie, drapée dans une cape de fourrure. Au lieu de quoi elle lui dit : « Son Altesse souhaite te voir. »

Des portails fermés s'ouvrirent grand devant lui ; des salles inconnues s'illuminèrent. Les gardes qui le virent approcher détournèrent la tête, faisant mine de ne pas le voir. Tout avait été arrangé. Quand Jahan atteignit la chambre de Mihrimah il dut lutter pour garder son sourire intact. Elle avait le visage enflammé, le corps congestionné. Ses jambes, ses bras, son cou, même ses doigts étaient enflés comme si la guêpe qu'elle fuyait enfant l'avait criblée de piqûres.

« Jahan, bien-aimé... », dit-elle.

Jahan cessa de feindre la maîtrise et enfouit son nez dans la frange de son couvre-pied. C'était là qu'il se tenait depuis tout ce temps – quelque part sur la frange de son existence. En voyant ses larmes elle leva la main et dit doucement : « Non, s'il te plaît. »

Immédiatement Jahan la pria de lui pardonner. À nouveau elle murmura : « S'il te plaît. »

L'air de la chambre sentait le renfermé, à cause des fenêtres closes et des lourds rideaux. Jahan eut une envie soudaine de les ouvrir, mais il se tint immobile.

Elle lui ordonna de venir tout près, plus près, malgré le regard incendiaire d'Hesna Khatun. Elle posa sa main sur celle de Jahan, et même s'ils s'étaient touchés auparavant, toujours à la dérobée, c'était la première fois qu'il sentait son corps s'ouvrir à lui. Jahan l'embrassa sur les lèvres. Il goûta la terre.

« Toi et ton éléphant blanc... avez apporté de la joie dans ma vie désolée », dit-elle.

Jahan chercha quoi dire pour la réconforter, mais ne put trouver aucun mot qu'elle autoriserait. Peu après un serviteur apporta à la malade un bol de flan parfumé à l'eau de rose. Le doux arôme qui autrefois lui aurait aiguisé l'appétit la fit vomir. Jahan lui donna de l'eau à la place, qu'elle but avidement.

« Quand je ne serai plus là tu entendras peut-être dire de moi des choses qui pourraient te déplaire.

— Personne n'osera dire de pareilles choses sur toi, Altesse. »

Elle eut un sourire las. « Quoi qu'il arrive après ma mort, je veux que tu penses à moi avec de la chaleur dans le cœur. Veux-tu me promettre que tu ne prêteras pas l'oreille aux colporteurs de ragots et aux médisants ?

— Je ne les croirai jamais. »

Elle parut soulagée mais fronça aussitôt le sourcil quand une pensée nouvelle lui vint à l'esprit. « Et si tu doutes de moi ?

— Excellence, jamais je... »

Elle l'empêcha de poursuivre. « Si jamais tu as des soupçons à mon égard, rappelle-toi, derrière toute chose il y a une raison. »

Jahan lui aurait demandé ce qu'elle voulait dire s'il n'avait entendu juste alors un bruit de pas qui approchaient. Les trois enfants de Mihrimah entrèrent, marchant l'un derrière l'autre. Jahan fut surpris de voir à quel point Aïcha avait grandi depuis la dernière fois où il l'avait vue. Un par un ils embrassèrent la main de leur mère. Un silence respectueux flottait dans l'air. Le plus jeune garçon faisait semblant de paraître calme, malgré le tremblement de sa lèvre inférieure qui le trahissait.

Après leur départ, Jahan lança à Hesna Khatun un regard peiné. Il voyait bien à l'agitation incessante de la nourrice qu'elle voulait qu'il s'en aille. Il ne voulait pas partir. Ce lui fut un léger soulagement quand Mihrimah, sentant son malaise, lui dit : « Reste. »

Tandis que l'obscurité descendait, sa respiration s'affaiblit. Jahan et Hesna Khatun attendaient chacun d'un côté du lit, elle priant, lui se souvenant. Des heures passèrent dans un brouillard. Bien après minuit, Jahan lutta pour garder les yeux ouverts, saisi par la conviction irrationnelle que, tant qu'il veillerait sur elle, elle irait bien.

L'appel à la prière le réveilla. Il n'y avait pas un mouvement dans la pièce, pas un son. Pris d'une panique glacée, il se mit péniblement sur pied. Il dévisagea la vieille femme, qui semblait n'avoir pas fermé l'œil.

« Partie, dit Hesna Khatun d'un ton acide. Ma gazelle est partie. »

Dix mois plus tard, Sinan et les apprentis mettaient la dernière main à la mosquée de Sokollu. Un dôme central, huit arches, huit piliers et une cour à deux étages. Un portique couvert baigné de lumière par d'amples fenêtres jouxtait la salle de prière en forme de carré. Le *minbar* en marbre d'un blanc pur était bordé de carreaux de céramique turquoise. Un balcon délicat et élégant courait autour du mur intérieur. Moins majestueuse que la mosquée d'un sultan, elle avait un caractère marqué, à l'image de l'homme lui-même.

Le grand vizir Sokollu arriva pour passer en revue le chantier, escorté par des conseillers, sentinelles, laquais et flatteurs. Il inspecta le bâtiment qui le rendrait immortel, posant d'innombrables questions, impatient de voir les ouvriers terminer leur ouvrage. Il se comportait avec une grande dignité, cet homme toujours intelligent et habile, celui de tout l'Empire qui voyait le plus loin. À ce jour il avait servi trois sultans : Soliman, Sélim et Mourad. Comment avait-il survécu là où tant d'hommes d'État avaient payé de leur tête la plus petite erreur, nombre de gens se posaient la question. La rumeur disait qu'il était protégé par une *djinni* éprise de lui, dont aucune créature humaine ne pouvait prononcer le nom. Chaque fois que Sokollu était en danger, la *djinni* l'avertissait.

Jahan observait les simagrées de loin. Il n'avait pas oublié ce jour lointain à Szigetvár, où ils avaient placé dans le *howdah* de Chota le corps du défunt sultan Soliman, en faisant comme s'il était toujours vivant. Depuis cette époque, le temps comme un sculpteur passionné avait ciselé les traits de Sokollu et donné à son visage une expression sévère. C'est à cet instant, où Jahan se faisait la réflexion qu'il avait beaucoup vieilli, que le grand vizir s'arrêta et se retourna. Ses yeux eurent une lueur quand il aperçut le cornac.

« Le dompteur d'éléphants, s'exclama le grand vizir avec un claquement de doigts dédaigneux. Ma parole, tu as du blanc dans les cheveux. Tu as vieilli ! »

Jahan s'inclina respectueusement et ne dit rien. Depuis que Mihrimah était partie, ses années lui semblaient plus pesantes que jamais.

Sinan intervint. « Jahan est l'un de mes meilleurs apprentis, mon Seigneur. »

Sokollu demanda à Jahan comment il allait et où était l'éléphant, quoique sans prêter attention aux réponses. Une heure plus tard, le grand vizir repartait au galop, assis en amazone, suivi par son escorte. Jahan ne détacha les yeux de lui que quand il se fondit parmi les ombres au bord de la route, englouti par le crépuscule. Cette nuit-là une tempête arracha les pieux de soutènement, plia les arbres, inonda les fossés, laissant les lieux saccagés.

Le lendemain matin Jahan trouva le chantier couvert de boue. Des ruisselets d'eau crasseuse coulaient de toute part. Devant lui une douzaine d'ouvriers tentaient de dégager une charrette enlisée. Une autre équipe relevait un tronc massif à l'aide de poulies d'acier en criant à l'unisson *Allah, Allah*, comme si la construction était une victoire à remporter. Sur le toit pentu, d'autres hommes réparaient les points endommagés. Partout où il dirigeait son regard il voyait des gens s'évertuer à redresser la situation. Le seul qui ne faisait rien c'était Chota, vautré dans une mare brunâtre, ravi.

Il y avait un abri de fortune à l'extérieur de la mosquée, en face du narthex, où le maître se retirait quand il lui fallait du repos. Ce jour-là, terrassé par une douleur dorsale, il y passa l'après-midi étendu à plat, enroulé de serviettes chaudes. Un médecin juif vint lui tirer deux bols de sang pour libérer les humeurs malignes. Puis il appliqua des cataplasmes sur ses articulations douloureuses.

Après la prière du soir la porte s'ouvrit et le maître sortit, pâle et somnolent, mais rétabli. Il fit signe de la main à Jahan, et allait émettre une formule de salutation quand un accident se produisit. L'un des hommes en train de hisser des plaques de plomb sur le toit perdit le contrôle de sa charge. La corde qu'il tenait cassa, lâchant tout le lot de plomb à l'instant précis où passait Sinan.

Un cri transperça l'air. Sonore, aigu et clairement féminin. C'était Sancha. Trois mots jaillirent de ses lèvres : « Maître, prends garde ! »

Les plaques de plomb atterrirent avec un fracas horrible. Sinan, qui avait miraculeusement pivoté de côté, fut épargné. S'il n'avait pas bougé, telle l'épée de Damoclès, elles l'auraient découpé en tranches.

« Je n'ai rien », dit Sinan quand ils accoururent vers lui.

C'est alors que, une par une, toutes les têtes se tournèrent vers Sancha. Elle rougit jusqu'aux oreilles sous leurs regards inquisiteurs, la lèvre tremblante.

Sinan rompit le silence gêné en disant : « Quelle bénédiction d'avoir entendu la voix de Youssouf ! La peur libère les langues nouées, à ce qu'on dit. »

Sancha frissonnait, tête basse, le corps flasque comme une poupée de chiffon. Pendant les heures de travail qui restaient, elle évita tout le monde. Jahan n'osait s'approcher d'elle. Les ouvriers étaient soupçonneux. Il y a un *hunsa* parmi nous, chuchotaient-ils avec des regards obliques. Un être mi-femme, mi-homme, figé à jamais dans une sorte de limbes. La possibilité que Youssouf soit une femme n'était encore venue à l'esprit de personne.

Le lendemain l'apprenti principal de Sinan n'était pas sur le chantier. Ni le jour suivant. On leur dit que Youssouf souffrant avait dû partir pour quelques semaines. Où, comment, personne ne posa la question. Tous avaient le sentiment qu'ils butaient sur un secret mais qu'il valait mieux – il était plus sûr – de ne rien savoir. Seul Jahan comprit que c'était fini – Sancha ne reviendrait plus travailler avec eux. En reparaissant elle se mettrait en danger ainsi que le maître. Elle était retournée à ce qu'elle abhorrait : la vie d'une concubine.

Cette semaine-là Jahan arpentait le site, perdu dans ses pensées, quand il aperçut une corde que Chota avait piétinée dans la boue. Distraitement, il la ramassa. En l'examinant, il se sentit blêmir. Les deux brins latéraux s'étaient rompus, laissant la fibre effilochée, tandis que les brins du milieu étaient plus courts et droits, comme s'ils avaient été tranchés par une lame. Quelqu'un avait aminci la corde en tailladant le centre. De l'extérieur on aurait dit une corde ordinaire ; à l'intérieur elle était fragile comme une coquille d'œuf.

Jahan alla sur-le-champ trouver le maître. « Quelqu'un a posé un piège. »

Sans un mot, Sinan jeta un coup d'œil à la corde. « Tu veux dire que ce n'était pas un accident ?

— Je ne le crois pas. Pourquoi es-tu sorti de l'appentis, maître ?

— J'ai entendu quelqu'un m'appeler, dit Sinan.

— Sûrement la personne qui a mijoté cela. Il savait que la corde se briserait parce qu'il l'avait tailladée. Pauvre San... Youssouf, qui a tenté de te sauver. Et maintenant il est condamné !

— Puisque tu en sais déjà si long..., dit Sinan, une infinie tristesse dans les yeux, tu dois savoir qu'elle est à la maison avec ma famille.

— Maître, travailler avec toi est sa seule joie. Tu devrais la faire revenir. »

Sinan secoua la tête. « Je ne peux plus la garder ici. C'est trop dangereux. »

Jahan pinça les lèvres, s'efforçant de retenir des paroles qu'il pourrait regretter ensuite. « Tu ne vas pas chercher à savoir qui a fait ça ?

— Qu'est-ce qu'on peut faire ? Je ne peux pas interroger tous les ouvriers du chantier. Si les hommes se doutent que je me méfie d'eux, ils perdront toute volonté de travailler. »

Jahan se sentit gagné par l'appréhension. Lui, au contraire, estimait que Sinan devrait interroger chacun d'entre eux jusqu'à ce qu'on découvre le coupable. Il dit d'une voix dont il ne se serait pas cru capable : « Michel-Ange a pleuré son assistant comme un fils. Mais toi... tu te moques bien de nous. Du verre, du bois, du marbre, du métal... Nous ne sommes donc que cela à tes yeux, de simples outils pour tes constructions ? »

Dans le silence qui suivit, Sinan dit lentement : « Ce n'est pas vrai. »

Mais Jahan ne l'écoutait plus.

Même avec un apprenti en moins, le maître parvint à finir la mosquée de Sokollu dans les délais. On chanta des prières, on sacrifia des béliers et des brebis teints au henné, dont la viande fut distribuée aux pauvres. Sokollu, rayonnant de joie et de fierté, donna des bakchichs aux ouvriers et libéra une centaine de ses esclaves. Peu après, lors d'une réunion du *diwan*, un homme vêtu comme un derviche demanda à parler au grand vizir. Comme ce dernier, il était originaire de Bosnie. Pour une raison que personne ne put deviner, ni alors ni plus tard, Sokollu lui donna la permission d'entrer, de s'approcher.

L'inconnu le poignarda, puis il fut capturé et tué avant qu'on ne découvre la raison derrière le meurtre. Sokollu, Sokolovic, le grand vizir, et l'un des derniers protecteurs de l'architecture était défunt. La *djinni*, si elle existait, n'avait pas su le prévenir cette fois.

Après l'assassinat de Sokollu, le sultan désignerait une succession de vizirs, dont aucun ne soutiendrait la comparaison avec leur prédécesseur. D'un seul coup, on aurait dit qu'on venait de soulever un couvercle, et que le chaudron qui bouillait dessous explosait. Le trésor impérial était vide, la monnaie dévaluée. Les janissaires étaient furieux, les paysans inquiets, les oulémas mécontents, maître Sinan trop vieux et trop frêle, et son apprenti muet n'était plus à ses côtés.

Jahan rêvait qu'il était dans son village. Il remontait le sentier conduisant à leur maison, le soleil chaud sur sa nuque. Trouvant le portail ouvert, il entra. Il n'y avait personne dans la cour. Puis il remarqua un léger mouvement sous un arbre – un tigre. Non loin de là un paon faisait la roue, un cerf broutait une maigre touffe d'herbe. Il avança lentement à pas de loup pour ne pas attirer l'attention sur lui. Tentative vaine, car le félin l'avait déjà repéré. Mais il cligna à peine des yeux, indifférent. À chaque pas Jahan croisait d'autres animaux – un rhinocéros, un ours, une girafe. Pendant son absence, sa famille avait construit une ménagerie.

La maison s'était agrandie de plusieurs pièces, d'étages supplémentaires. Pris de désarroi il cherchait sa mère et ses sœurs, trottait le long des corridors de marbre. En haut, dans une pièce qui ressemblait au palais du sultan, il trouva son beau-père assis tout seul. L'homme lui indiqua du doigt l'arrière-cour ; sauf qu'elle n'existait plus. À la place il y avait un fleuve turbulent. Au loin, il vit Sinan dans une barque entraînée par le courant.

Jahan poussa un hurlement. À sa voix Sinan se leva et perdit l'équilibre, agitant les bras comme un oiseau prêt à s'envoler. La barque chavira, le jetant à l'eau. Quelqu'un criait tout près de l'oreille de Jahan en le secouant par l'épaule.

« Réveille-toi, l'Indien ! »

Jahan obéit, le cœur battant à se rompre. L'homme qui l'observait était bien le dernier qu'il s'attendait à voir : Mirka le dresseur d'ours. Jahan lui lança un regard torve, le souvenir d'une nuit il y a bien des années lui revenant aussi vif qu'une épée sortie de son fourreau.

Mirka recula, les mains levées comme pour se défendre. « Il est arrivé quelque chose. Fallait qu'on te prévienne. »

C'est alors seulement que Jahan remarqua la présence du garçon auprès de lui. C'était Abe, le nouveau cornac de Chota – un jeune Africain noir, svelte, à peine âgé de seize ans. Gentil, mais si peu expérimenté que Jahan ne lui aurait pas confié un lapin, à plus forte raison un éléphant.

« Que s'est-il passé ? » demanda Jahan.

Mirka détourna les yeux. « L'animal est parti. Il s'est enfui. »

Jahan rejeta la couverture d'un coup de pied, se leva d'un bond et empoigna Abe par le bras. « Où étais-tu ? Pourquoi tu n'as pas gardé un œil sur lui ? »

Le garçon s'affaissa comme un sac vide entre ses mains. Mirka tira Jahan en arrière. « C'est pas sa faute. La bête saccageait tout, elle a brisé ses chaînes. Je l'avais jamais vue enragée comme ça.

— Quelque chose a dû le mettre en colère, dit Jahan. Qu'est-ce que tu lui as fait ?

— Rien, répondit Abe, la voix suintante de terreur. Il était possédé. »

Jahan enfila son *shalwar* et s'aspergea le visage d'eau. Ils longèrent furtivement les dortoirs. En arrivant à la ménagerie, ils se tinrent sur le seuil de l'écurie vide, et se mirent en quête d'indices inexistants.

« Par où il est parti ? » interrogea Jahan.

Mirka et Abe échangèrent un regard. « Il est sorti par le portail principal. Les gardes n'ont pas pu l'arrêter. »

Jahan sentit le cœur lui manquer. Dans une ville aussi vaste, comment retrouver Chota avant qu'il ne se mette dans de mauvais draps ?

« Il me faut un cheval et une lettre de permission, dit Jahan à Mirka.

— On va demander au chef des eunuques blancs. Il sera furieux quand il apprendra ça. Mais il faut qu'on retrouve la bête. »

Peu après Jahan franchissait les portes du palais, chevauchant sans la moindre idée de la direction à prendre. Les rues s'étalaient devant lui, ouvertes comme des éventails. Son cheval – un destrier alezan clair plus très jeune – galopait à contrecœur, mais il finit par prendre de la vitesse. Ils traversèrent une enfilade de places et de bazars.

En tournant à l'angle d'une rue, Jahan croisa un veilleur avec deux janissaires sur les talons. Le veilleur brandit sa matraque en braillant : « Toi, là, arrête. »

Jahan obéit.

« Tu es un djinn ?

— Non, *effendi*, je suis un être humain comme toi, dit Jahan.

— Alors descends de ton cheval ! Qu'est-ce que tu fabriques dehors en pleine nuit, à défier le règlement du sultan ? Suis-nous.

— *Effendi*, je viens du palais. » Une main sur le pommeau de sa selle, de l'autre Jahan lui tendit la lettre d'autorisation. « Un animal s'est échappé. On m'envoie à sa recherche. »

Tout en déchiffrant le document, l'homme marmonna : « Quel genre d'animal ?

— Un éléphant. » Comme il n'y eut pas de réaction, Jahan ajouta : « Le plus gros animal sur terre.

— Comment tu vas le capturer ?

— Je suis son dompteur, dit Jahan, dont la voix se fêla. Il fera ce que je lui dis. »

Jahan n'en était pas si sûr, mais heureusement ils n'insistèrent pas davantage. Il sentait encore leurs yeux fixés sur son dos quand il quitta la rue.

Ce n'est qu'en voyant un muezzin en route vers sa mosquée pour la prière du matin qu'il mesura depuis combien de temps il était dehors à la recherche de Chota. Il se rappela l'ancien cimetière dominant la Corne d'Or et la conversation qu'il avait eue avec Sangram il y a longtemps, dans une autre vie. *J'ai entendu dire une chose étrange à propos de ces bêtes. Il paraît qu'elles choisissent l'endroit où elles aimeraient mourir. On dirait qu'il a trouvé le sien.*

Quand Jahan atteignit le lieu qu'il cherchait, un voile de nuages cachait la lune, une odeur âcre de sel parfumait le vent. Il aperçut une grande ombre devant lui, peut-être un rocher. Sautant à bas de son cheval, il approcha. « Chota ? »

Le rocher pivota.

« Qu'est-ce que tu es venu faire ici ? »

Chota leva la tête et la laissa retomber aussitôt. Sa gueule, dont la plupart des dents avaient disparu, s'ouvrit et se referma.

« Vilain garçon ! Ne refais jamais ça. » Jahan lui étreignit la trompe en pleurant.

Ensemble ils assistèrent au lever de l'aurore. Le ciel leur déploya ses plus riches teintes comme un marchand de tissu vantant ses soies précieuses. Jahan contemplait Istanbul avec ses mouettes, ses pentes raides et ses cyprès, saisi par le pressentiment que leur temps dans la cité touchait à sa fin. Curieusement, cela ne l'attristait pas. La tristesse viendrait plus tard, il le savait. Elle vient toujours à retardement.

Après force supplications Jahan parvint à convaincre Chota de le suivre au palais. Ils lui firent regagner son écurie, l'enchaînèrent par des entraves plus solides, remplirent ses seaux de nourriture fraîche, et sortirent en espérant que son escapade serait bientôt oubliée. Pourtant le cornac était contraint d'affronter désormais ce qu'il avait refusé de voir jusque-là. L'éléphant était mourant. Et la grande bête voulait être seule quand viendrait la fin.

Après le Maître

Il y a un arbre au paradis qui ne ressemble à aucun autre sur terre. Ses branches sont translucides, ses racines boivent du lait en guise d'eau et son tronc étincelle comme s'il était serti dans la glace, mais celui qui s'en approche découvre qu'il n'est pas froid, pas froid du tout. Chaque feuille de cet arbre est marquée du nom d'un être humain. Une fois l'an, au cours du mois de Shaban, dans la nuit qui sépare le treizième du quatorzième jour, tous les anges se rassemblent en cercle autour de lui. Ils battent des ailes à l'unisson. Ainsi ils font lever un vent puissant qui agite les branches. Peu à peu, les feuilles tombent. Parfois il faut beaucoup de temps à une feuille avant qu'elle ne se détache. Pour d'autres, la chute est aussi rapide qu'un clin d'œil. Au moment où une feuille touche le sol, la personne dont elle porte le nom inscrit rend son dernier souffle. C'est pourquoi les sages et les érudits ne marchent jamais sur une feuille sèche, au cas où elle emporterait l'âme de quelqu'un quelque part.

En 1588, par une journée pluvieuse, la feuille de maître Sinan toucha le sol. Il avait travaillé jusqu'à ses derniers instants, la santé et l'esprit toujours vigoureux. Ce n'est que dans les dernières semaines qu'il avait été cloué au lit. Les trois apprentis se tenaient groupés autour de lui, comme les contremaîtres en chef qui travaillaient avec Sinan depuis si longtemps. Les femmes, drapées dans leurs voiles, formaient un rang près de la porte, et même si Jahan n'osait regarder dans leur direction, il savait que l'une d'entre elles était Sancha, la concubine aimante de Sinan.

La voix réduite à un murmure, dans la faible lumière qui suintait par les stores, l'architecte impérial leur dit qu'il avait écrit, signé et scellé son testament. « Vous le lirez quand je serai parti.

— Tu ne vas nulle part, maître. Que Dieu te garde toujours parmi nous », dit Nikola en essuyant une larme furtive.

Le maître leva la main comme pour balayer de telles mondanités. « Il y a une chose importante que vous devez savoir. Les accidents... les retards... pendant tout ce temps, je n'ai rien vu. »

Soudain l'atmosphère de la pièce changea. Chacun retint son souffle en attendant la suite. Une appréhension tendue déferla dans l'espace où l'instant d'avant il n'y avait que du chagrin.

« Attendez quarante jours après ma mort, dit Sinan en peinant sur chaque mot. Ouvrez mon testament et vous verrez lequel d'entre vous j'aimerais avoir pour successeur, si Dieu le veut. Vous devriez continuer à construire. Surpasser ce que j'ai fait.

— Maître... tu parlais des accidents. Tu ne veux pas que nous cherchions le responsable ? demanda Jahan.

— Jahan... esprit de feu... tu as toujours été le plus curieux, dit Sinan avec difficulté. Tout cela devait avoir une raison. Il faut chercher la raison, ne pas haïr la personne. »

Au souvenir des dernières paroles de Mihrimah, Jahan sentit une douleur si puissante qu'il ne put prononcer un seul mot. Elle aussi, elle avait dit que chaque chose avait une raison. Il attendait une explication mais elle ne vint pas. Peu après, les apprentis furent priés de sortir, car ils avaient suffisamment fatigué le maître. Ce fut la dernière fois où Jahan le vit. Le soir suivant, plus tôt que de coutume, Sinan s'endormit. Il ne se réveilla plus.

Et c'est ainsi, au terme de presque cinquante ans comme architecte impérial et quatre cents bâtiments exquis, sans compter d'innombrables sanctuaires et fontaines, que Sinan quitta ce monde. Il avait toujours laissé une petite faille dans ses ouvrages, façon de reconnaître qu'il n'était ni parfait ni complet, car ces qualités n'appartenaient qu'à Dieu. C'est à peu près dans le même esprit qu'il mourut, à l'âge glorieux mais imparfait de quatre-vingt-dix-neuf ans et demi.

Le septième jour suivant la mort de Sinan, sa famille appela à une réunion de prière pour son âme. Parents, voisins, pachas, artisans, étudiants, ouvriers et passants… Les gens étaient venus de loin pour participer au rituel. Il y avait tant d'invités qu'ils se déversaient dans la cour, et de là dans la rue, tout le long du chemin jusqu'au quartier suivant. Même ceux qui ne l'avaient jamais rencontré le pleuraient comme s'il était un des leurs. Des caramels durs et des sorbets furent servis, de la viande et du riz offerts à riches et pauvres. On fit brûler des rameaux d'olivier pendant la récitation intégrale du Coran. *Youssouf Sinanettin bin Abdullah.* Son nom fut prononcé par tous d'une seule voix, encore et encore, une incantation qui ouvrait les cœurs fermés. À mi-chemin, Jahan saisit une bouffée de parfum familier : le mélange d'ambre gris et de jasmin dont Sinan parfumait ses caftans. Il regarda à la ronde, se demandant si son maître était ici, en train de les observer d'une alcôve ou d'une niche, d'écouter ce qui se disait de lui en son absence, avec ce sourire particulier.

Jahan pensait à Sancha, sachant qu'elle était quelque part dans la maison, derrière ces murs, le front pressé contre la fenêtre vitrée, les cheveux courts coiffés d'un voile de gaze. Cela le chagrinait tellement, l'idée qu'elle ne pourrait plus travailler avec eux, qu'il dut chasser ses pensées comme un vol de noirs corbeaux.

Après la prière, les apprentis firent un morceau de route ensemble – Nikola, Davoud et Jahan. Le ciel était sombre et nuageux, comme s'il reflétait leur état d'esprit. Des feuilles mortes flottaient dans la brise, des mouettes plongeaient en quête de nourriture. Ils étaient constamment à court de conversation. Ce n'était pas seulement le chagrin. Il y avait autre chose, quelque chose qui n'existait pas avant. Jahan comprit que pendant toutes ces années Sinan avait été le lien invisible qui les tenait rassemblés. Certes, dans le passé, il y avait eu de petites jalousies, mais Jahan les avait toujours imputées à un amour commun pour le maître et un désir d'exceller à ses yeux. Maintenant il s'avisait qu'ils étaient bien plus différents que semblables, tous les trois, trois vents de passage, chacun orienté vers une direction différente. Il n'était pas le seul à le ressentir. Tout d'un coup, ils pesaient leurs mots, à la manière d'étrangers courtois.

Tandis qu'ils traversaient un bazar, ils firent halte pour acheter du pain azyme et du *pekmez*. Ils n'avaient rien mangé dans la maison de deuil et la marche leur avait ouvert l'appétit. Jahan marchandait avec un vendeur quand juste derrière lui, il entendit un éternuement. Un regard de côté lui apprit que cela ne venait pas d'un inconnu comme il s'y attendait. C'était Nikola, qui se cachait maintenant le visage, l'air honteux. Quand il retira sa main, il avait une goutte de sang sur la paume.

« Ça va ? » demanda Jahan.

Nikola fit signe que oui. Ses yeux paraissaient deux étoiles filantes dans le firmament serein de son visage. Davoud, absorbé par les tortues que vendait un paysan, semblait n'avoir rien remarqué. Les tortues étaient très recherchées ces temps-ci car leurs écailles, réduites en poudre et consommées dans une soupe de yoghourt, passaient pour guérir une quantité de maladies.

Sous les branches traînantes d'un saule, ils attaquèrent la nourriture, parlèrent des gens présents à la cérémonie et de ceux qui ne s'étaient pas montrés. Mais il y avait une question que personne n'osait aborder : lequel d'entre eux remplacerait le maître ? Il leur faudrait attendre l'ouverture du testament. Jusque-là, toute spéculation serait futile. Comment pouvaient-ils savoir ce qui était caché dans les runes de l'Orkhon, inscrit dans les étoiles, que même Taqi al-Din n'avait pu déchiffrer ? Aussi ils bavardèrent de tout et rien, des mots brefs sans conséquence, et peu après ils partirent chacun de leur côté.

Le lendemain, Jahan fut convoqué dans les quartiers du chef des eunuques blancs et informé qu'il commencerait à enseigner à l'école du palais – une charge respectable qui l'emplissait autant d'appréhension que de fierté.

Plus tard, quand il rencontra ses étudiants, il lut sur leurs jeunes visages innocence et curiosité, vanité et ignorance, dextérité et paresse. Laquelle de ces qualités allait prendre le pas sur les autres, se demandait-il ; l'éducation les changerait-elle ou leur voie était-elle déjà tracée ? Si son maître était vivant, il aurait dit : « Tout homme reçoit son propre *kismet* car Dieu ne répète jamais deux fois le même destin. »

Pendant qu'il était plongé dans ses propres préoccupations, les semaines passèrent. Alors seulement il s'avisa qu'il n'avait eu aucune nouvelle de Davoud ou Nikola. Il leur envoya à tous deux un message. Quand aucune réponse ne vint, l'inquiétude le gagna, surtout pour Nikola. Davoud avait femme et enfants ; Sancha vivait toujours dans la maison de maître Sinan ; Jahan avait Chota et un lit dans la ménagerie, et maintenant un autre à l'école du palais. Mais les parents âgés de Nikola venaient tous deux de s'éteindre. Jahan se dit qu'il savait très peu de choses de lui. Pendant toutes ces années ils avaient trimé côte à côte, été comme hiver, et pourtant ils restaient chacun un mystère pour l'autre.

Le mardi matin, Jahan décida de rendre visite à Nikola. Le brouillard s'était installé sur la cité ; le soleil faisait un halo nébuleux derrière des nappes de gris. À première vue, le quartier de Galata à l'autre extrémité de la Corne d'Or avait son air habituel. Des maisons – moitié pierre, moitié bois – étaient alignées par rangées comme des dents gâtées ; il y avait des églises sans cloches ; des arômes de bougie et d'encens évadés des chapelles ; et une mosaïque de gens – Florentins, Vénitiens, Grecs, Arméniens, juifs et moines franciscains – qui vaquaient à leurs affaires.

Jahan menait son cheval au trot, observait les alentours. À mesure qu'il s'avançait dans les ruelles écartées, la foule diminua. Tout devint calme. Trop calme. Quelque chose n'allait pas. Volets fermés, portes closes, meutes de chiens affamés, carcasses de chats sur les trottoirs, enveloppés d'une puanteur effroyable. Dans la rue de Nikola, il fut pris de frisson comme si une brise âpre le traversait. Il y avait des croix peintes sur certaines des maisons, et des prières en latin et en grec, inachevées, inintelligibles, gribouillées à la hâte.

Sautant à bas de son cheval, il s'approcha d'un autre signe, cette fois sur la porte de Nikola. Dieu sait combien de temps il resta à le fixer, incapable de partir, réticent à entrer. Un voisin, le dos si bossu qu'il semblait courbé, s'approcha de lui. « Qu'est-ce que tu veux ?

— Mon ami habite ici. Kiriz Nikola – tu le connais ?

— Je connais tout le monde. N'entre pas là. Tiens-toi à distance.

— Qu'est-ce que c'est ?

— La malédiction, elle est revenue.

— Tu veux dire... ? » Jahan s'interrompit, sentant le mépris de l'autre pour son ignorance. La peste était de retour. « Comment se fait-il qu'on ne l'ait pas su ?

— Idiot ! Tu n'entends que ce qu'on vous permet d'entendre », dit l'homme avant de s'éloigner. Il n'alla pas très loin. Depuis le seuil de la maison d'en face il montait la garde, les yeux comme des meurtrières.

Jahan dénoua sa ceinture et s'en couvrit la bouche et le nez. Il poussa la porte de Nikola, prêt à renoncer si elle était verrouillée. Mais elle était entrouverte, maintenue par un coin pour l'empêcher de se refermer. Celui qui l'avait mis là comptait revenir et savait qu'il n'y avait personne à l'intérieur pour ouvrir.

Lorsqu'il pénétra dans la maison, une odeur infecte lui sauta au visage comme un coup inattendu. Il se trouvait dans un corridor étroit, moisi et sombre. La première pièce était vide. Dans la suivante, sous la pâle lumière d'une chandelle, un homme était couché sur une natte. Les cheveux sombres dépouillés de leur lustre, la peau drainée de toute couleur, le haut front bombé couvert de sueur – c'était et ce n'était pas Nikola, cet homme à la barbe de plusieurs jours sur son visage toujours rasé de près. À côté de lui, une statuette en bois représentait un homme à la barbe châtain et aux cheveux longs.

Deux bols en argile étaient posés près de lui ; l'un rempli d'eau, l'autre de vinaigre. Ses vêtements étaient inondés de sueur, ses lèvres crevassées. Jahan posa la main sur son front. Il était bouillant. Ce contact fit frémir le malade. Au prix d'un grand effort il tourna la tête, comme aveugle.

« C'est moi, Jahan. »

La respiration de Nikola sortait par saccades, comme le craquement des tisons d'une bûche près de s'éteindre. « De l'eau », croassa Nikola.

Il but avidement. Par sa chemise ouverte, Jahan vit des taches sur sa poitrine, d'un violet presque noir, et un vilain bubon sous son aisselle. Il sentait un besoin pressant de fuir ce lieu de souffrance, mais tandis que son esprit lui soufflait la couardise, son corps restait ancré sur place. Puis il entendit un bruit de loquet. Deux nonnes apparurent, en longues mantes noires, un masque de mousseline blanche sur la bouche.

« Qui es-tu ? demanda la plus âgée. Qu'est-ce que tu veux ?

— Je suis son ami, dit Jahan. Nous travaillions ensemble pour le défunt architecte impérial. »

Un silence surpris flotta dans l'espace entre eux. « Pardon si je t'ai parlé durement, dit-elle. Je t'ai pris pour un voleur. »

Jahan eut un moment de désarroi, redoutant que cette femme aux yeux âgés et calmes comme des pierres ne l'ait percé à jour. Sans se douter de ce qu'il avait en tête, la nonne poursuivit. « Personne n'entre dans ces maisons. Seulement des pillards.

— Des pillards ?

— Oui, ils viennent dépouiller les… »

Elle n'acheva pas sa phrase, et au lieu de cela se dirigea vers Nikola. Elle lui fit boire une gorgée du flacon qu'elle avait apporté et lui épongea le front avec un linge trempé dans le vinaigre, le touchant sans trahir aucun signe de la répugnance qu'éprouvait Jahan. Pendant ce temps l'autre nonne s'occupait de nettoyer les excréments de ses draps.

Jahan aurait aimé leur demander si elles n'avaient pas peur de la mort mais il garda ces pensées pour lui. « Il y en a beaucoup ? chuchota-t-il.

— Non, mais il y en aura. »

Nikola se mit à tousser. Du sang lui sortit de la bouche et du nez. Voyant la mine horrifiée de Jahan, l'aînée des deux nonnes lui dit : « Tu devrais partir. Il n'y a rien que tu puisses faire ici. »

Attristé mais au fond soulagé d'entendre cela, Jahan demanda : « Comment puis-je t'aider ?

— Prie », fut toute sa réponse.

Jahan fit un pas vers la porte, puis s'arrêta. « Ce personnage, là, qui est-ce ?

— Saint Thomas, dit la nonne avec un sourire las. Le saint patron des charpentiers, architectes, arpenteurs et maçons. Il était réputé aussi pour son scepticisme. Il doutait de tout, c'était plus fort que lui. Mais Dieu l'aimait tout autant. »

Deux jours plus tard, Jahan apprit que Nikola était mort. Dans un monde où tout était fluctuant, l'âme la plus stable et la plus fiable après maître Sinan était partie. D'autres suivirent. Par centaines. De Galata le mal gagna Scutari, bondit jusqu'à Istanbul comme jeté par une main furieuse, puis rebondit vers Galata. De nouveau des foules en colère envahirent les rues, en quête de coupables. Le palais n'était pas non plus à l'abri. Les jumeaux chinois qui soignaient les gorilles prirent la voie de toute chair. Les singes se firent agressifs, malheureux dans les cages royales où jadis leurs ancêtres avaient été des hôtes si privilégiés. Taras le Sibérien se dissimula dans son hangar, honteux d'être encore en vie à son âge.

Puis Sangram mourut. Ce serviteur du sérail au cœur tendre et fidèle, qui avait toujours espéré revoir un jour l'Hindoustan, rendit son dernier souffle à des milles de sa terre natale. La prochaine victime fut Siméon le libraire de Pera. Sa femme, dupée par quelques rétameurs et marchands ambulants, accepta de vendre ses livres pour une poignée d'aspres. Empilés sur des charrettes branlantes, ces ouvrages précieux venus du monde entier quittèrent Pera et partirent vers de nouvelles destinations. Nombre d'entre eux se perdirent en route. Siméon qui avait toujours rêvé de se voir confier une magnifique bibliothèque n'avait pas pu léguer ses propres collections à une personne capable de les apprécier.

Jahan, qui apprit tout cela bien plus tard, attendait avec anxiété, se demandant qui serait le prochain. Mais pour une raison qui lui échappait, la maladie l'épargna et poursuivit sa marche vers le sud comme un oiseau de proie, couvrant de ses ailes noires les villages et les villes qu'elle traversait. Dans le cimetière chrétien, non loin de la Vierge de la Source, là où se dressait jadis l'église de l'empereur Justinien, aujourd'hui disparue, mais où la source coulait toujours, l'inscription funéraire de Nikola disait :

L'architecte Nikola est monté au ciel
comme les tours qu'il a construites
Que son âme repose en paix
sous la voûte du paradis
Et que saint Thomas soit son compagnon.

De retour au palais, Jahan trouva Chota seul. À la vue de son ancien cornac, l'animal barrit en piaffant. Jahan lui caressa la trompe, lui offrit les poires et les noix qu'il avait apportées. Autrefois Chota les aurait flairées longtemps avant qu'il n'arrive. Mais depuis quelque temps, tout comme ses forces, son odorat s'affaiblissait.

Perché sur un fût, Jahan lui décrivit les funérailles de Nikola. L'animal buvait ses paroles, plissant les yeux selon son habitude. Quand Jahan fondit en larmes, la trompe de Chota s'enroula autour de sa poitrine et l'étreignit. Une fois de plus, Jahan eut l'impression que l'éléphant blanc comprenait tout ce qu'il lui disait.

Bientôt ils entendirent des pas approcher. Deux silhouettes apparurent à la porte. Le rejeton de Sangram, qui avait pris sa suite, lui ressemblait tellement par l'apparence et les gestes que tous l'appelaient Sangram comme si la même âme était ressuscitée, la mort un simple jeu. Abe, le gardien de Chota, était avec lui.

« Jahan est ici ! dit Sangram fils, heureux de voir l'homme qu'il avait toujours connu et chéri comme un oncle.

— Je suis ici, mais *lui*, où était-il ? grinça Jahan en montrant Abe du doigt. Pourquoi laisses-tu l'éléphant sans soin ? Il a un ongle brisé. Tu sais à quel point ça fait mal ? Il faut le tailler et le laver. C'est infect, par ici. Ça fait combien de temps que tu n'as pas nettoyé ? »

Marmonnant des regrets, Abe saisit une brosse et commença à balayer de toutes ses forces. Dans les rayons de soleil qui pénétraient par les fentes, la poussière virevoltait. Sangram fils s'approcha, le regard préoccupé. « Tu as appris la nouvelle ?

— Quelle nouvelle ?

— Davoud. Il a été promu.

— Qu'est-ce que tu dis ?

— Tout le monde ne parle que de ça. Ton ami est le nouvel architecte impérial.

— Notre Davoud ? bégaya Jahan.

— Eh bien, plus vraiment *notre* Davoud. Il est assis là-haut ! » dit Sangram fils, le doigt pointé vers le plafond où un taon pris dans une toile d'araignée se balançait, mort depuis longtemps.

« Tu veux dire... ils ont ouvert le testament ? »

Sangram fils jeta à Jahan un regard visiblement empreint de pitié. « Oui. Ton maître a voulu que ce soit lui son successeur, à ce qu'il paraît.

— Eh bien... c'est une bonne chose », bafouilla Jahan, pris de vertige comme si un précipice venait de s'ouvrir sous ses pieds, et qu'il tombait, tombait à une vitesse folle.

Quelques jours plus tard, conformément à la coutume, Kayra l'épouse de Sinan libéra plusieurs des esclaves domestiques. La première qui se vit accorder le *berat* fut Sancha.

Jahan avait toujours suspecté que Kayra n'était pas ravie d'avoir cette concubine peu habituelle sous son toit – une femme qui partageait avec son mari des choses qui lui étaient interdites à elle. Si elle avait peu apprécié que Sancha porte des vêtements d'homme et travaille sur les chantiers, elle avait dû garder ses sentiments pour elle-même. Cependant Jahan se doutait que Kayra était au courant de l'amour de Sancha pour le maître et que ça ne lui plaisait pas du tout. Entre elles, les deux femmes avaient creusé un abîme de silence que personne, pas même Sinan, ne pouvait combler. Et maintenant qu'il n'était plus là, Sancha était bien la dernière personne que Kayra souhaitait garder auprès d'elle. Malgré tout, elle ne maltraita pas l'esclave. Elle lui acheta des étoffes de satin et taffetas, des parfums, et lui donna sa bénédiction avant de la laisser partir. C'est ainsi qu'après douze ans de captivité à Istanbul Sancha de Herrera, fille d'un médecin espagnol réputé, se retrouva libre.

Elle envoya une lettre à Jahan. Ses paroles débordaient d'enthousiasme et d'inquiétude. Timidement, elle lui demandait s'il pourrait l'aider à prendre ses dispositions pour partir, car elle n'avait pas la moindre idée de comment procéder, par où commencer. Elle dit qu'elle aurait aimé aussi demander son aide à Davoud, mais il n'était pas au courant de la vérité. Parfois, elle-même n'était pas sûre de savoir encore qui elle était : Youssouf le constructeur ou Nergiz la concubine. Jahan lui répondit sans tarder :

Estimée Sancha,

Ta lettre m'a apporté bonheur et désespoir. Bonheur parce que enfin tu es libre de partir. Désespoir parce que tu t'en vas. Je viendrai t'aider jeudi prochain. Ne t'inquiète pas de savoir si tu es prête. Cela fait très, très longtemps que tu es prête pour ce départ.

Au jour fixé, Jahan se rendit dans la maison de Sinan. Pour la première fois depuis qu'il la connaissait, il vit Sancha en costume féminin – une robe vert émeraude à la jupe évasée qui faisait ressortir la couleur de ses yeux. Sur sa chevelure encore courte elle portait une coiffure assortie, du genre que portent les dames en terre de Frangistan.

« Ne me fixe pas comme ça, dit-elle en rosissant sous son regard. Je me sens laide.

— Comment peux-tu dire cela ? protesta Jahan.

— C'est la vérité. Je suis trop vieille pour porter de jolis vêtements. »

Regardant ses joues prendre une teinte rose encore plus prononcée, il ajouta rapidement, pour la taquiner : « Imagine, si pendant toutes ces années les maçons avaient su qu'il y avait une beauté parmi eux, ils auraient arrêté le travail pour t'écrire des poèmes. Nous n'aurions pas pu construire un seul bâtiment. »

Elle gloussa et baissa les yeux ; ses doigts lissaient les plis de sa robe, sous laquelle elle portait un vertugadin en os de baleine. « Il est tellement serré que je peux à peine respirer. Comment les femmes peuvent-elles supporter ça ?

— Tu vas t'y habituer en un rien de temps.

— Non, il va me falloir des années, je serai morte avant, dit-elle en souriant – un sourire qui s'évanouit aussitôt. J'aurais aimé qu'il me voie comme ça. »

Au-dessus d'eux le ciel brillait d'un bleu intense, immobile comme un miroir. Dehors une charrette passa en cahotant. En regardant par la fenêtre, Jahan vit qu'elle transportait des cages de faucons à la tête encapuchonnée. L'esprit distrait par les oiseaux il ne s'était pas rendu compte que Sancha pleurait à côté de lui. Une fille déguisée en garçon, un muet doté de parole, une concubine faisant métier d'architecte, elle avait mené une vie de mensonges et de strates superposées – pas moins que Jahan.

« Qu'est-ce qui t'inquiète ? demanda Jahan. Je m'attendais à te voir bondir de joie, maintenant que tu es libre.

— Je suis contente, dit-elle, sans grande conviction. Seulement… sa tombe est ici. Tout ce que nous avons bâti ensemble. Il a laissé plus de marques sur cette cité que n'importe quel sultan.

— Le maître est parti, dit Jahan. Tu ne le quittes pas. »

Elle tenta pendant un court moment de ne pas parler de lui, fit un grand effort sur elle-même, combat qu'elle perdit. « Tu penses qu'il m'aimait ? »

Jahan hésita. « Je crois que oui. Sinon pourquoi t'aurait-il permis de travailler avec nous ? Il aurait eu de graves ennuis si quelqu'un l'avait découvert.

— Il s'est mis en danger pour moi, dit Sancha avec une pointe de fierté. Mais il ne m'a jamais aimée. Pas comme moi je l'aimais. »

Cette fois Jahan ne réagit pas. Sancha ne semblait d'ailleurs pas attendre de réponse. « J'ai appris qu'un navire vénitien appareille dans deux semaines », dit-elle.

Jahan approuva de la tête. À plusieurs reprises ces derniers jours il avait aperçu son grand mât au-dessus des toits et des arbres. « Je m'occuperai de ton voyage.

— Je t'en serais reconnaissante. » Une lueur inquiète trembla dans ses yeux. « Viens avec moi. Il n'y a rien qui te retienne ici. »

Jahan fut surpris de l'entendre parler de la sorte. Pourtant, il décida de prendre la chose sur un ton badin. « Ah, on construirait des manoirs pour de grands seigneurs espagnols. »

Elle lui prit la main, le contact de sa peau doux et froid. « Peut-être qu'on pourrait trouver un commanditaire. Je me suis renseignée. Nous prendrions soin l'un de l'autre. »

En observant ses gestes familiers, Jahan éprouva un léger frémissement d'émotion. Il vit ce qu'elle voyait. Unis par la mémoire de leur maître, le cœur engourdi insensible à tout sauf à leur métier, ils pourraient travailler ensemble. L'amour n'était pas nécessaire. C'était mieux sans. L'amour n'apportait que souffrance.

« Si j'étais plus jeune, nous aurions pu avoir des enfants », dit-elle lentement, comme si elle pesait chaque mot.

En dépit de lui-même, le visage de Jahan s'éclaira. « Des filles avec tes yeux et ta vaillance.

— Des garçons avec ton esprit curieux et ta bonté.

— Et Chota ? murmura Jahan.

— Chota est vieux. Il a toujours été heureux au palais. Tout ira bien pour lui. Mais toi et moi nous avons besoin de continuer à construire –

— *La sagesse ne tombe pas du ciel comme la pluie, elle pousse de la terre, du travail acharné*, dit Jahan, répétant les propos de leur maître.

— Le dôme, poursuivit Sancha. Nous élèverions des dômes pour rappeler aux gens qu'il y a un Dieu, et que ce n'est pas un Dieu de vengeance et d'enfer mais de miséricorde et d'amour. »

Jahan reposa la tête sur ses mains et ferma les yeux.

« J'ai peur, dit-elle. Cela fait si longtemps que j'ai été arrachée au pays de mon père que maintenant je suis devenue étrangère à leurs façons.

— Tu t'en sortiras très bien, dit Jahan, pour tenter de la rassurer.

— Oui, si tu viens avec moi. Qu'est-ce que tu en dis ? »

À cet instant, Jahan comprit que la vie est la somme des choix qu'on ne fait pas ; les chemins auxquels on aspire sans jamais les suivre. Il n'avait jamais ressenti autant de compassion pour Sancha qu'en ce moment – le moment où il comprit qu'il allait repousser son offre. Elle la vit sur son visage, cette résistance. Un éclair de chagrin brilla dans ses yeux, mais elle ne pleura pas. Ses larmes, elle les gardait pour le maître, son seul et unique amour.

« Je t'en prie, souviens-toi de moi », dit Jahan.

Seule une infime cassure dans sa voix trahit sa déception quand elle dit : « Je n'oublierai jamais. »

Une semaine plus tard, le navire vénitien, une caraque trois-mâts à la proue arrondie, était prêt à rentrer au pays. Les négociants vénitiens avaient vu leurs privilèges disparaître au profit des marchands français, hollandais et anglais. Le capitaine était drapé dans son malheur comme dans la jaquette qui le serrait étroitement. Cependant le remue-ménage avait de quoi le distraire de ses soucis. Les allées et venues des matelots qui chargeaient les fûts, et des vendeurs qui annonçaient leur marchandise. Un petit groupe de passagers attendait sur le côté : prêtres jésuites, nonnes catholiques, voyageurs, un notable britannique et ses serviteurs qui l'éventaient. Tous les autres étaient de rudes marins.

En s'abritant les yeux du soleil, Jahan regardait à la ronde mais ne voyait Sancha nulle part. Il lui vint à l'esprit qu'elle avait peut-être changé d'avis. Peut-être avait-elle compris au réveil que le pays de son enfance était lointain et hors d'atteinte, un rêve impossible à ressaisir. Mais soudain, alors qu'il se frayait un chemin entre les tonneaux prêts à l'embarquement, il l'aperçut devant lui, son ombre s'étirant loin d'elle comme si l'ombre et elle seule avait décidé de rester.

À sa surprise, elle avait repris ses vêtements d'apprenti et se présentait comme un homme. « Je préfère comme ça. »

Jahan chercha par-dessus son épaule où étaient les porteurs. Il n'y en avait pas. « Où sont tes bagages ? »

Elle montra le sac de toile sur le sol.

« Et tes robes ? Les cadeaux de Kayra ?

— Ne lui dis pas. Je les ai donnés aux pauvres. » Elle ouvrit le sac, lui montra le coffret que Sinan avait sculpté pour elle. À côté il vit une douzaine de rouleaux et un collier d'une certaine valeur. « Ceux-là je les emporte. Le maître me les a légués. »

Ils marchèrent en silence jusqu'à la passerelle qui reliait le navire à la terre.

« Je n'ai pas eu l'occasion de dire adieu à Davoud. Transmets-lui mes respects et mes bons vœux. Je n'arrive pas à croire que c'est lui maintenant l'architecte impérial.

— Je lui dirai », répondit Jahan, pensif. À vrai dire il n'avait pas pu féliciter Davoud non plus, ne s'était pas senti d'humeur à cela. Il respira à pleins poumons. « Fais en sorte que personne ne découvre que tu es une femme. Si tu sens le moindre…

— Je sais prendre soin de moi. » Elle se tenait raide comme un piquet.

« Je sais que tu en es capable. »

Elle leva les yeux vers lui. « J'ai… fait un mauvais rêve cette nuit. Tu étais pris dans un piège. Tu m'appelais mais je n'arrivais pas à te trouver. Tu seras prudent, n'est-ce pas ? »

Quelqu'un hurla un ordre depuis l'étrave du navire. Jahan sentit sa gorge se serrer. Tout changeait, coulait comme du sable entre ses doigts. Mihrimah avait franchi le grand fossé et il avait hâte de la rejoindre quand son heure viendrait ; le maître et Nikola n'étaient plus ; lui et Davoud se verraient rarement ; Chota ne serait plus très longtemps de ce monde ; et maintenant Sancha partait. Il avait tort quand il plaignait Nikola de sa solitude. Il était tout aussi seul. Pendant un moment le désir d'accompagner Sancha, la seule personne qui tenait à lui, fut presque trop fort pour être enduré. Il serait parti s'il n'y avait pas eu l'éléphant.

Cette après-midi-là, sous les cris des mouettes et une ondée de soleil légère comme mousseline, il regarda la proue du navire fendre les eaux avec aisance, emportant à chaque battement de cœur, de plus en plus loin, l'apprenti muet et son histoire.

Incapable de mettre ses pensées sur le papier, Jahan trouva un scribe pour lui rédiger sa lettre à Davoud. Après avoir écouté, l'homme se mit au travail et écrivit sans faire de pause sinon pour tremper sa plume dans l'encrier. Quand il eut terminé, Jahan avait en main une lettre dégoulinante de salutations et de félicitations. Elle lui coûta six aspres.

Jahan ne s'attendait pas à une réponse immédiate – pas de la part d'un homme qui venait de s'élever si haut. Pourtant Davoud répondit : le rouleau était fermé d'un sceau rouge, l'écriture – de la main d'un scribe plus gradé – élégante. Tout s'était passé si vite, expliquait-il. *Notre gracieux Sultan, puisse-t-il vivre cent ans, quand il ouvrit le testament de maître Sinan et prit connaissance de son dernier vœu, a conféré un honneur insigne à son humble sujet. Il a jeté la précieuse robe de notre maître sur mes épaules méprisables.* Comment aurait-il pu la refuser, demandait Davoud, comme s'il avait besoin d'une confirmation. Il conviait Jahan à venir le voir. Ils partageraient leurs souvenirs et parleraient des travaux à venir, comme au bon vieux temps.

Jahan avait beau être tenté de lui rendre visite, il ne pouvait s'y résoudre. Son cœur n'était pas pur. Il craignait que Davoud ne le voie dans ses yeux, que sa jalousie ne suinte par les pores de sa peau. Naguère ils étaient égaux.

Maintenant son ami était un homme favorisé par le destin. Entre individus de même rang, le plus dur à accepter c'était que l'un monte et l'autre pas. Dans les rares moments où il parvenait à dominer son envie, il était rongé de culpabilité. Au lieu de se réjouir pour Davoud et de prier pour son succès, il lui reprochait sa bonne fortune. Si Sinan était vivant, pensa Jahan, il aurait eu honte de son apprenti.

De sorte qu'il attendit. Les jours passaient. Qu'il le veuille ou non, il entendait constamment parler de Davoud – comment, lors d'une cérémonie en son honneur, il s'était vu offrir un burin d'or, des sacs remplis de pièces et le sceau de maître Sinan – un anneau de jade sculpté. Des bribes de nouvelles pleuvaient de partout – il paraît qu'on l'avait vu vêtu d'un caftan si précieux que le port en était interdit à tous, sauf permission du sultan ; qu'il raffolait des concubines circassiennes et en avait rempli son harem ; qu'il avait épousé une deuxième et une troisième femmes, chacune jolie comme une fée ; qu'il avait des paons qui faisaient la roue dans sa cour et un faucon venu de Samarcande. Pour Jahan, la moitié de ces anecdotes étaient sans doute fausses. L'autre moitié suffisait à lui emplir le cœur d'amertume.

Jahan enseignait toujours à l'école du palais, trouvant du réconfort dans l'innocence de ses étudiants. La nuit, seul dans son lit, il dessinait des bâtiments qui ne verraient jamais le jour. Parmi eux, un jardin où les bêtes sauvages vivaient en liberté et où les humains circulaient par un labyrinthe de tunnels équipés de parois de verre qui leur permettaient de regarder les animaux sans se mettre en danger. Chota perdit encore trois ongles. Un mal mystérieux, se dit Jahan, qui cessa d'accuser Abe de négligence. L'éléphant se faisait vieux. Jahan aussi, même s'il l'acceptait difficilement.

Un mois plus tard, il reçut un message l'informant qu'un bâtiment allait être construit sur la quatrième colline – une nouvelle mosquée – et qu'il avait été désigné comme contremaître en chef. Il recevrait un salaire généreux. Cela montrait à quel point Davoud lui faisait confiance. Alors que lui-même se consumait d'envie, son ami avait décidé de l'honorer. Jahan ne pouvait plus éviter de le voir. Dans une lettre – qu'il écrivit seul cette fois – il le remercia de ce privilège et lui demanda la permission de lui rendre visite. Davoud répondit par une invitation dans sa nouvelle demeure d'Eyoub, près de la Corne d'Or.

Elle n'était pas difficile à trouver : les gens du coin en disaient merveille. Une villa dans un jardin aux délicats arômes qui s'étendait à perte de vue. Inutile de frapper à la porte ; il était attendu. Un serviteur accueillit Jahan devant la grille de fer, le guida vers un sentier menant à la maison puis jusqu'à une vaste pièce lumineuse orientée au sud. Une fois seul, Jahan jeta un coup d'œil autour de lui. Peu de mobilier, mais les quelques meubles étaient d'un goût exquis. Un cabinet incrusté de nacre assorti aux tables basses ; un sofa couvert de coussins brodés ; des appliques murales dorées ; un tapis de soie persan si délicat qu'on osait à peine marcher dessus ; et au centre, un brasero de cuivre, assoupi pour l'instant. Quelque part un carillon, agité par la brise, tintait rêveusement. Autrement, tout était baigné de silence. Ni voix de femmes du côté du harem, ni cliquetis de voitures dans la rue. Même les cris des mouettes ne semblaient pas atteindre ce toit. Il se demandait comment l'épouse de Davoud avait réagi au changement – et aux nouvelles femmes. Cela faisait partie des choses de la vie dont il continuerait à s'étonner mais ne découvrirait jamais. Au bout d'un moment, un autre serviteur vint lui annoncer que son maître était prêt à le recevoir. Jahan le suivit à l'étage, une main sur la balustrade comme pour y puiser de la force.

Davoud avait pris du poids. Vêtu d'un caftan azur et d'un haut turban, la barbe courte taillée en rond, il paraissait différent. Il était assis derrière une table en noyer, une plume à la main, en train de signer un document. Quatre apprentis l'assistaient : deux de chaque côté, mains croisées, tête penchée, portant la même livrée.

Quand il vit Jahan entrer sur les talons du domestique, Davoud se leva et lui sourit. « Enfin ! »

Un moment gêné passa entre eux tandis que Jahan se demandait comment il devait saluer cet homme qui était naguère son compagnon, et désormais son maître. Il allait s'incliner quand Davoud lui posa la main sur l'épaule.

« À l'extérieur de cette pièce je suis peut-être l'aîné. À l'intérieur, nous sommes amis. »

Jahan avait beau être soulagé d'entendre cela, sa voix quand elle parvint à sortir était rauque, lourde de culpabilité. Il offrit ses vœux, pria qu'il lui pardonne d'avoir tardé à venir.

« Tu es ici, maintenant », dit Davoud.

Jahan lui apprit que Youssouf avait quitté la cité, sans donner plus de détail. Si Davoud soupçonnait la vérité concernant Sancha il n'en montra aucun signe. Au lieu de cela il murmura : « Deux seulement qui restent.

— Qu'est-ce que tu veux dire ?

— Sur quatre, il ne reste plus que toi et moi. Nous sommes les héritiers de Sinan. Nous devrions nous soutenir mutuellement. »

Un serviteur noir apporta un plateau chargé de boissons qu'il disposa, délicat comme un murmure, sur une table basse. Les novices à l'autre extrémité de la pièce se tenaient rigoureusement immobiles. Comme une rangée de jeunes pousses, se dit Jahan, leurs racines perçant des trous dans le tapis jusqu'au rez-de-jardin.

Le sorbet à la rose était paradisiaque, servi avec des clous de girofle et rafraîchi sur de la glace pilée des montagnes de Bursa – un privilège réservé aux riches. À côté, un plat chargé de trois différentes sortes de baklavas et une jatte de crème épaisse.

À peine avaient-ils consommé leur boisson que Davoud dit : « Il y a tellement de travail, j'arrive tout juste à tenir les délais. Mes épouses se plaignent : tu es l'architecte impérial et tu ne peux même pas réparer la palissade derrière la maison, disent-elles. »

Jahan sourit.

« J'ai besoin d'un homme honnête comme toi à mes côtés. Sois mon bras droit. Nous ferons tout ensemble. Tu seras mon contremaître général. »

Sensible à la qualité de l'offre, Jahan exprima sa gratitude. En même temps, il pensa à ses élèves de l'école du palais, s'avisant avec tristesse qu'il devrait cesser d'enseigner.

Son trouble devait être visible car Davoud lui demanda : « Qu'est-ce qui ne va pas ? Tu trouves difficile de recevoir des ordres de moi ?

— Ce n'est pas vrai, dit Jahan, même s'ils savaient tous deux que si.

— Dans ce cas il n'y a pas lieu de discuter. »

Davoud battit des mains.

« Mange, maintenant ! »

Tandis qu'ils faisaient un sort aux baklavas, Davoud lui parla des changements qu'il souhaitait introduire. Avec les rébellions et les escarmouches qui ravageaient les plaines d'Anatolie il était plus difficile que jamais de faire venir des matériaux de l'intérieur. Il n'y avait plus de commandes pour de grandes mosquées du vendredi. Plus assez d'argent dans les coffres. Ce temps-là était révolu. Sans le butin de la guerre sainte aucun souverain ne pouvait dépenser autant dans le bâtiment. Pour que l'architecture continue à prospérer dans la capitale, il fallait gagner des guerres proches ou lointaines.

« Tu vois, notre maître est mort au bon moment, dit Davoud avec mélancolie. Il aurait eu le cœur brisé s'il vivait aujourd'hui. »

Derrière la fenêtre, le soleil se couchait, peignant la pièce de soyeuses teintes orangées. Ils parlèrent à bâtons rompus des artisans avec lesquels ils préféraient travailler, et ceux qu'ils aimaient mieux éviter, un bavardage en volutes, sans urgence ni conséquences, comme des balles de poussière échevelées.

Bientôt un messager apporta une lettre – importante, à en juger par son aspect. Davoud s'assit à son bureau, encadré de ses apprentis. Le voyant occupé, Jahan se leva.

« Reste, dit Davoud depuis son encrier. Soupons ensemble.

— Je ne veux pas abuser de ton temps.

— J'insiste », dit Davoud.

N'ayant rien à faire pendant qu'il attendait, Jahan se tint un moment près de la fenêtre, observant une barque de pêcheurs glisser dans le courant, de plus en plus loin du sillon où la mer léchait le rivage. Lentement, il se dirigea vers les étagères de livres dans un angle. Respira le parfum de l'encre, du vélin, du papier et du temps, passa le doigt sur les tranches. Là il vit *La Guerre contre les Turcs* de cet étrange moine nommé Luther, et le *Livre du gouverneur* qu'un Anglais du nom d'Elyot avait dédié à son roi. Il découvrit des traités provenant de la bibliothèque du roi Matthias de Hongrie. Et parmi les reliures de cuir, certaines minces, d'autres épaisses, *La Divine Comédie* de Dante. Le don qu'il avait reçu de Siméon le libraire, et qu'après l'avoir lu et relu il avait offert à son maître. Les mains tremblantes, il le sortit du rayon, sentit le poids familier, feuilleta les pages. Aucun doute : c'était son exemplaire. À l'évidence, Davoud avait pris possession des livres de maître Sinan.

Un serviteur s'approcha pour allumer la chandelle de l'applique voisine. L'ombre de Jahan grandit sur le mur, haute et fébrile. Il repéra le *De architectura* de Vitruve, qu'il sortit et garda en main un moment, le volume qui avait voyagé de Buda à Istanbul. C'est en le remettant à sa place qu'il aperçut un rouleau à l'arrière de l'étagère, à demi écrasé. Il l'ouvrit, et reconnut aussitôt le dessin de la mosquée Selimiye, dont la splendeur lui parut plus admirable encore que jadis. Jahan remarqua des traits tracés dans une encre plus pâle par une autre plume – comme si quelqu'un avait retravaillé sur le dessin achevé, changeant diverses sections du chantier. Sûrement le maître, en déduisit-il. Sinan avait dû étudier où et pourquoi les choses s'étaient mal passées. Jahan chercha des yeux une date sur le bord du papier. *17 Safar 981 de l'Hégire*. Il tenta de se rappeler ce qu'ils faisaient ce jour-là. Rien ne lui revint en mémoire. Les murmures à l'arrière-plan montaient en puissance tandis que Davoud, son travail terminé, donnait une pluie de consignes aux serviteurs pour la préparation du repas. Jahan remit vivement le rouleau en place et alla le rejoindre.

On leur servit un potage froid au yoghourt, suivi par de l'agneau au riz, des chapons mijotés dans une sauce à la sauge, des faisans cuits dans un bouillon de bœuf, des böreks au mouton, et sur un immense plat ovale, une viande fumante qu'il ne put identifier.

« Celle-là nous est envoyée du ciel, dit Davoud, bien qu'il fût inconvenant pour un hôte de vanter sa nourriture.

— Qu'est-ce que c'est ? demanda Jahan, bien qu'il fût inconvenant pour un invité de poser des questions sur la nourriture.

— Du gibier ! Chassé sur mes terres. »

L'estomac de Jahan se noua au souvenir du cerf qu'il avait vu dans la forêt en attendant la venue du sultan Soliman. Pour ne pas être impoli, il se força à en avaler un morceau.

« Elle fond comme du sucre. J'ai observé que plus l'animal meurt vite, meilleur est le goût. La crainte gâte la saveur. »

Jahan mâchonna, le cerf faisant une boule dans sa bouche. « Je ne savais pas que tu chassais. »

Davoud, ayant remarqué le malaise de Jahan, éloigna le plat. « Pas moi. Je n'ai pas le temps pour cela. Ni le cœur, je crois. »

Quand ils se séparèrent, Davoud raccompagna son invité jusqu'à la porte. Si près que Jahan saisit une senteur sur les vêtements de son ami – âcre et feuillue et bizarrement familière. Elle se dissipa si vite dans la brise nocturne qu'il n'eut pas le temps de se rappeler où et quand il aurait pu la sentir auparavant.

Chaque fois que Jahan trouvait un moment de répit entre les leçons qu'il donnait encore à l'école du palais et son nouveau chantier avec Davoud, il courait auprès de Chota. Emportant ses croquis avec lui, il dessinait dans l'écurie, assis sur une botte de foin que les autres dompteurs appelaient, taquins, « le trône ». Chota le regardait, captivé, même si Jahan n'était pas sûr qu'il le *voie* vraiment. Sa vision, qui n'avait jamais été très bonne, se dégradait.

Le pauvre Abe faisait de son mieux, non parce qu'il redoutait les foudres de Jahan mais parce qu'il était attaché à l'éléphant blanc. Malgré ses efforts, Chota perdit encore une dent, l'une des trois qui lui restaient. Il ne pouvait plus mâcher ni mordre. Jahan n'avait pas besoin de le faire monter sur ces balances géantes qu'utilisent les marins sur la jetée Karakoy pour savoir qu'il avait beaucoup maigri. Depuis peu, Chota s'endormait debout par moments, perdait l'équilibre, vacillait. Pendant qu'il buvait de l'eau, prenait un bain ou se promenait dans le jardin ses mouvements ralentissaient, sa tête plongeait en avant, et sans s'en rendre compte il dormait profondément, parti en promenade au royaume des rêves. Cela peinait Jahan de le voir si impuissant et désorienté. Parfois il le voyait regarder d'un œil nostalgique le tilleul qu'il aimait tant grignoter.

Ils lui écrasaient sa nourriture – feuillage, noix et pommes – en purée qu'ils allongeaient d'eau, et ils lui versaient cette concoction entre les babines à l'aide d'un entonnoir. Même s'il en répandait beaucoup, une partie arrivait dans son estomac. Chota ne fit pas d'autre tentative d'évasion, devenu de plus en plus sédentaire, refusant même la plus petite excursion jusqu'à l'étang. Abe déblayait ses excréments, nettoyait sa mangeoire, le nourrissait de lait et de sorbet, mais tous avaient conscience que l'animal fondait comme une boule de cire sur le feu.

De retour au dortoir, Jahan avait du mal à s'endormir. Il se tournait et retournait en s'inquiétant de l'état de l'éléphant. C'est par une de ces nuits d'insomnie, entouré du silence habituel, qu'il se mit à penser au testament de son maître. Comment croire que Sinan n'avait fait aucune mention de lui ni de Chota dans ses dernières volontés ? Le maître qu'il avait connu et chéri aurait légué quelque objet, petit ou grand, aux deux créatures qui avaient travaillé si étroitement avec lui si longtemps. Sancha avait emporté avec elle un coffret, un collier et plusieurs dessins, disant que le maître les lui avait donnés. Sinan n'aurait-il pas laissé quelque chose pour eux aussi ? Peut-être qu'il l'avait fait, mais que personne ne s'était soucié de rapporter à Jahan un détail aussi insignifiant. Si le maître avait légué un dernier cadeau à Chota, Jahan voulait le savoir sans délai car à coup sûr l'animal était mourant. Mû par ce motif il se rendit chez le chef des eunuques blancs.

« Je voulais te parler du testament de maître Sinan. Est-ce que tu l'as vu ? »

L'homme plissa un œil bleu bordé de khol. « Pourquoi me demandes-tu cela ?

— Parce que tu as le rang le plus élevé parmi les officiers du palais auxquels je peux m'adresser.

— Eh bien… oui, j'ai vu le testament. »

Le visage de Jahan s'éclaira. « Est-ce qu'il faisait mention de Chota ?

— Maintenant que tu m'en parles, je me souviens qu'il laissait une jolie mante pour l'éléphant. Je vais m'assurer qu'on la lui donne.

— Très obligé, dit Jahan avec un regard sévère à ses pieds comme s'ils le dérangeaient. Et… moi ?

— Toi, ton maître t'a légué ses livres.

— Alors pourquoi maître Davoud ne m'en a-t-il rien dit ? J'ai vu les livres de maître Sinan chez lui. Tu veux dire que ces livres sont à moi ?

— Il doit s'agir d'autres livres, dit Kamil Agha d'un ton impatient. Tu poses trop de questions, l'Indien. Je veillerai à ce qu'on t'envoie la mante et les livres qui te reviennent. Maintenant rentre chez toi. Et cesse de passer ton temps avec cette bête. Tu es un architecte. Conduis-toi comme il convient à ton rang. »

Jahan acquiesça mais il sentait quelque chose qui n'allait pas tout à fait.

Le lendemain après-midi, trois semaines après l'escapade de Chota, Jahan en revenant d'une leçon trouva Abe assis sur un rocher, en larmes.

« La bête », dit Abe, laissant sa phrase en suspens dans l'air.

Jahan entra sans bruit dans l'écurie. Chota était seul, il respirait avec difficulté. Jahan lui massa la trompe, lui offrit de l'eau qu'il refusa. L'éléphant fixait ses yeux bruns rougis sur son dompteur, et dans ces yeux Jahan voyait les traces de chaque route, longue ou brève, qu'ils avaient parcourue ensemble. Il se souvint comment Chota avait débarqué du vaisseau il y a cinquante ans, couvert de crasse et d'excréments, près de s'effondrer.

« Je suis désolé, dit Jahan, le visage inondé de larmes. J'aurais dû prendre meilleur soin de toi. »

Il ne quitta pas le chevet de Chota ce jour-là, et s'endormit le soir auprès de lui en écoutant son souffle régulier. S'il fit des rêves, il n'en garda aucun souvenir. Le lendemain matin il ouvrit les yeux au son du bec d'un pivert sur un tronc voisin, comme un message chiffré. À l'intérieur de l'écurie, tout était silencieux. Jahan ne voulait pas regarder Chota, pourtant il le fit. L'éléphant gisait immobile. Son corps était enflé comme si le vent s'était engouffré dans sa trompe pendant son sommeil et l'avait gonflé comme un ballon.

« Il faut qu'on lui fasse de vraies funérailles », dit Jahan, à personne en particulier, après avoir lavé, embaumé et parfumé l'animal, ce qui l'épuisa tant qu'il dut prendre un peu de repos. Se rappelant comment Nur-Banu avait conservé le corps du sultan Sélim jusqu'à ce que son fils occupe le trône, il trouva des blocs de glace.

Qui ne furent pas d'un grand secours. L'éléphant était trop grand, la quantité de glace trop petite. Mais il était résolu à préserver le corps jusqu'à ce qu'on organise une cérémonie digne de la noblesse de Chota.

Dans l'heure qui suivit, ses propos étaient parvenus aux oreilles de Kamil Agha l'Œillet, qui se rendit à la ménagerie, lui le surveillant général de tout ce qui s'y passait, y compris le chagrin et la folie.

« J'apprends maintenant que tu réclames un rituel.

— Chota était le cadeau d'un grand shah à un grand sultan, dit Jahan.

— C'est une bête, dit le chef des eunuques blancs.

— Une bête royale. »

Plus surpris que contrarié par ce manquement aux usages, le chef des eunuques blancs ordonna : « Assez de sottises. Fais-lui tes adieux. L'émissaire français va le disséquer. »

Jahan eut un spasme de douleur, comme après un coup dans l'estomac. « Tu veux dire lui ouvrir le corps ? Je ne le laisserai jamais faire cela !

— C'est le souhait du sultan.

— Mais est-ce que le... ? » Jahan ne put terminer. *Est-ce que le sultan sait que ce n'est pas un animal ordinaire ?* La question résonnait dans les recoins les plus intimes de son âme. Si seulement maître Sinan était encore en vie ! Il saurait quoi faire, comment parler.

Le jour même le corps de Chota fut couvert de couronnes et de guirlandes de fleurs puis porté sur une charrette tirée par cinq bœufs. Dans cet équipage l'éléphant parada une dernière fois dans les rues d'Istanbul. Les gens tendaient le cou pour le voir. Ils battaient des mains, applaudissaient, criaient. Abandonnant leurs tâches ils suivirent la charrette, souvent moins par pitié que par curiosité. Jahan chevauchait en tête de la procession, le regard plongé dans l'horizon, survolant l'océan des spectateurs, ne voulant voir personne. Malheureux, endeuillé, il se rendit à la résidence de l'ambassade et là il livra le corps de l'éléphant au diplomate comme l'agneau du sacrifice au boucher.

Le lendemain, Jahan fut convoqué chez le chef des eunuques blancs. Sa première pensée fut que celui-ci allait le réprimander d'être resté à la ménagerie la nuit où Chota était mort. Pour finir, Jahan avait défié ses ordres, et refusé de livrer la carcasse à l'émissaire français, sans aucun succès d'ailleurs. Le découpage s'était déroulé comme prévu. Mais il y avait de quoi exaspérer le chef des eunuques blancs pendant des années. Bizarrement, Jahan s'en moquait. Une audace qu'il n'avait jamais connue avant s'était emparée de lui.

Quand on le conduisit devant Kamil Agha, Jahan s'inclina, lentement et de mauvaise grâce, et il attendit, les yeux fixés sur le sol de marbre.

« Redresse la tête ! » L'ordre claqua comme un fouet.

Jahan obéit. Pour la première fois depuis son arrivée au palais, et la gifle inoubliable qu'il avait reçue de lui, il regarda droit dans les yeux du chef des eunuques blancs – le bleu profond d'un chardon.

« Je t'observe depuis des années. Tu as fait une ascension rapide. Aucun autre dompteur n'approche de loin ce que tu as accompli. Mais ce n'est pas à cause de cela que j'ai de l'affection pour toi. Tu veux savoir la raison ? »

Jahan garda le silence. Il ne se doutait pas que Kamil Agha avait de l'affection pour lui.

« Chaque *devchirmé* est composé d'acier fondu. Remodelé. Tu es des nôtres, l'Indien. Bizarrement, personne ne t'a converti. Tu as fait cela tout seul. Mais tu sais où tu as commis une erreur ?

— Je ne saurais dire, *effendi*.

— L'amour. »

Les coins de sa bouche s'abaissèrent comme si le mot lui laissait un goût amer sur la langue. « Il y a une quantité d'apprentis dans notre cité. Des centaines. Ils respectent leur maître. Toi tu *aimais* le tien. Pareil pour l'éléphant. Ton rôle était de prendre soin de lui ; s'assurer qu'il avait le ventre plein. Tu *aimais* cette bête.

— Je ne fais pas cela consciemment. C'est une chose qui arrive, voilà tout.

— Garde-toi d'aimer trop ardemment. » Les lèvres de l'eunuque laissèrent échapper un soupir. « Puisque ton maître n'est plus, je vais prendre la suite et veiller sur toi. Montre-toi loyal envers moi, et tu ne connaîtras pas de défaite.

— Je ne suis pas en guerre, *effendi*. »

L'homme fit mine de ne pas entendre. « Je t'aiderai. Il y a une maison où on vous lave du désespoir. On l'appelle le hammam des chagrins. »

Jahan cligna des yeux, le nom lui revint d'un temps si éloigné qu'il devait s'agir d'une autre vie que la sienne.

« On se rend là-bas et on oublie. Tout. Tu comprends ? »

Bien que perplexe, Jahan dit que oui.

« Bien, prépare-toi. Je t'y conduirai ce soir. »

À la nuit tombée, un serviteur vint chercher Jahan. Un lourdaud aux larges épaules, sourd et muet comme les autres. Jahan suivit sa torche à travers la cour, jusqu'à une porte dérobée. Personne ne leur jeta même un regard. Sans les mouches qui vrombissaient autour de leur tête, fonçant à l'aveuglette dans leurs narines et leur bouche, et sans le bruit que faisaient leurs pas sur les sentiers de gravillon, il aurait pu croire qu'ils étaient invisibles.

Au-dessus de la cité le ciel était une chape de velours – d'un noir si intense qu'il virait au bleu. Une voiture tirée par quatre étalons les attendait. Même dans la faible lumière Jahan put admirer ses poignées dorées, ses panneaux d'ivoire sculpté, ses fenêtres à rideaux qu'aucun regard ne pouvait franchir. Le chef des eunuques blancs était assis à l'intérieur drapé dans une cape bordée d'hermine. Ils partirent au galop.

La voiture filait à une telle allure et faisait tant de bruit que Jahan était certain qu'on devait les observer – les boulangers en train de pétrir leur pâte, les femmes berçant des bébés agités, les voleurs chargés de butin, les ivrognes qui vidaient une dernière bouteille, ou les gens pieux sortis du lit pour une dernière prière. Combien parmi eux connaissaient les excursions nocturnes du chef des eunuques blancs et gardaient les lèvres closes ? Certains secrets dont une ville entière était informée restaient des secrets.

Ils arrivèrent devant une ruelle si étroite et sombre que Jahan hésita à avancer. Le cocher leur montrait le chemin avec une lampe qui éclairait à peine. Des maisons en bois délabrées, recroquevillées comme des vieillards, se profilaient sur leur droite et sur leur gauche. Après ce qui lui parut une éternité, ils atteignirent un portail ouvragé. Le chef des eunuques blancs cogna à la porte trois fois avec son anneau, attendit, puis frappa deux fois dans ses mains nues.

« Jacinthe ? dit-il.

— Jacinthe ! » répéta une voix derrière la porte.

Stupéfait, Jahan eut le souffle coupé un instant par l'affreux soupçon que l'eunuque connaissait le surnom que lui avait donné sa mère quand il était enfant. Bouleversé, il n'avait aucune envie de suivre cet homme à l'intérieur, mais le portail venait de s'ouvrir.

Ils furent accueillis par la femme la plus petite que Jahan eût jamais vue. À part son buste, tout en elle était minuscule, ses mains, ses bras, ses pieds.

Elle éclata de rire. « Jamais vu de naine ? Ou jamais vu de femme ? »

Jahan rougit, ce qui la fit rire encore plus fort. « Où tu l'as trouvé ? demanda-t-elle à Kamil Agha.

— Il s'appelle Jahan. C'est un architecte. Doué mais trop tendre.

— Eh bien, on a le remède ici, dit-elle. Bienvenue dans notre hammam des chagrins. »

Le chef des eunuques blancs, habitué des lieux, se laissa tomber sur de larges coussins colorés et ordonna à Jahan d'en faire autant. Peu après, cinq courtisanes apparurent avec des instruments de musique – luth, tambourins, lyre, et un pipeau. Son regard glissa d'un visage au suivant, jusqu'à ce qu'il se pose sur la dernière femme. Front haut, nez grec, menton pointu, grands yeux noisette – elle ressemblait de façon frappante à Mihrimah. Jahan fut pris de vertige. Comme si elle était consciente de l'effet qu'elle lui faisait, elle pencha la tête dans sa direction et lui adressa un sourire mutin. Elles entonnèrent une mélodie allègre.

Sur un plateau d'argent on servit aux invités de petites boules de pâte couleur safran, de la taille d'une noix. Jahan en choisit une qu'il tint avec précaution dans ses doigts. Kamil Agha en prit trois et les avala l'une après l'autre puis s'allongea sur les coussins, les yeux clos. Enhardi, Jahan jeta la sienne dans sa bouche. Elle avait un goût étrange. Âcre et sucré au début, puis épicé, un mélange de graines broyées et de marjolaine sauvage. Puis le vin arriva – des carafes de vin rouge. Il en but prudemment, au début, ne se fiant à personne.

La dame naine vint s'asseoir à côté de lui. « J'ai appris que tu as perdu un être cher.

— Mon éléphant. »

Jahan attendit le rire qui ne vint pas. Au lieu de cela elle lui dit, après avoir rempli sa coupe : « Je sais ce que tu ressens. J'avais un chien. Quand il est mort, j'étais au désespoir. Personne ne comprenait. *Ce n'est qu'un chien, Zainab.* Qu'est-ce qu'ils en savent ? Mieux vaut se lier d'amitié avec des animaux qu'avec des humains.

— Tu as raison, dit Jahan en avalant une autre gorgée. Les animaux sont plus sincères. »

La musique continuait, à un rythme accéléré. On rapporta le plateau de boules de pâte. Cette fois Jahan en prit une plus grande qu'il fit descendre avec du vin. Il avait beau d'efforcer de ne pas regarder la femme qui ressemblait à Mihrimah, il ne pouvait s'en empêcher. Même son sourire angélique, la très légère ondulation de sa lèvre inférieure, était exactement semblable. Les plis mousseux de son voile encadraient un visage translucide et clair comme la brume matinale. Elle semblait plus à l'aise et assurée que les autres femmes ; peut-être avait-elle moins de raisons de s'inquiéter.

La voix de Zainab tira Jahan de sa contemplation. « Tu veux que je te montre ses vêtements ?

— Quoi ?

— Les vêtements de mon chien. Tu veux les voir ?

— J'aimerais bien. »

Le chef des eunuques blancs, assez éméché maintenant, fronça le sourcil mais ne dit rien. Heureux de disparaître hors de sa vue, Jahan suivit Zainab dans les profondeurs de la maison. Elle le conduisit dans une vaste pièce où tout était petit : lit, table basse, tapis. Il vit dans un angle de la chambre une minuscule commode en bois de rose avec des quantités de tiroirs. Des gilets de cuir, fourrures, châles miniature. Et même un genre de pourpoint. L'animal devait être trapu car tous les vêtements avaient une forme carrée. Avec un léger reniflement, Zainab lui dit que c'était tout juste un chiot quand elle l'avait trouvé. Elle avait cherché la mère partout, et fini par se persuader que comme elle-même, le chien n'avait personne sur qui compter. À partir de là ils étaient devenus inséparables.

Jahan lui tendit son mouchoir, qu'elle accepta avec gratitude, et se moucha vigoureusement. Elle le dévisagea comme si elle le voyait d'un regard neuf. « Porte-moi sur cette chaise. »

Elle ne pesait pas plus qu'un enfant. Les yeux fixés sur lui, elle ajouta : « Je fais ce métier depuis trente ans. J'ai vu l'enfer, le paradis. Rencontré des anges, des démons. J'ai survécu parce que je garde les lèvres closes. Jamais mis mon nez dans les affaires des autres. Mais tu me plais. Tu m'as l'air d'un excellent homme. »

On entendit une vibration dans la pièce voisine. Peut-être une souris coincée entre les lattes du plancher. Elle baissa la voix et chuchota. « L'eunuque. Prends garde à lui.

— Pourquoi dis-tu cela ?

— Sois prudent, c'est tout », dit-elle en sautant à bas de la chaise.

Quand ils retournèrent dans la salle, les chants continuaient, mais le ton était passé de l'allégresse à la mélancolie. Zainab s'assit auprès du chef des eunuques blancs qu'elle se mit à couvrir d'éloges, de nourriture et de vin.

Jahan se laissa aller en arrière, les yeux clos. Il se serait endormi s'il n'avait entendu une voix flotter au-dessus de la musique. « Je peux ? »

C'était elle – la réplique de Mihrimah. Le cœur de Jahan manqua un battement.

Elle s'agenouilla devant lui, ses manches lui balayant les genoux, et lui servit une coupe de vin. Quand il l'eut vidée elle lui retira ses chaussures, lui serra les pieds contre ses seins et commença à les masser doucement. Jahan sentit la panique l'envahir comme un flot de bile noir. Il craignait de la désirer. Il lui prit les mains, pour l'empêcher de le toucher ou pour s'empêcher de la toucher, il n'aurait su dire.

« Mes mains te plaisent ? demanda-t-elle.

— Tu me rappelles quelqu'un.

— Vraiment ? Quelqu'un que tu aimais ? »

Jahan vida de nouveau sa coupe, qu'elle reremplit aussitôt.

« Où est-elle maintenant ?

— Morte.

— Pauvre chéri. » Elle l'embrassa. Ses lèvres avaient un goût de sorbet glacé. Sa langue chercha celle de Jahan puis se retira. Malgré lui, Jahan sentit son désir monter. Elle le serrait étroitement, les paumes pressées sur sa nuque. Soudain Jahan s'aperçut que tous avaient disparu – les musiciennes, Zainab, le chef des eunuques blancs.

« Où sont-ils ? demanda Jahan, la voix inquiète.

— Calme-toi, ils sont chacun dans leur chambre. On est bien, ici. »

Ils s'embrassèrent à nouveau. Elle guida les mains de Jahan, l'encourageant à lui pétrir les seins, les hanches, qu'elle avait larges et rondes. Il releva ses jupes, des couches de taffetas bruissant sous son poids, glissa les doigts entre ses jambes, caressant son antre sombre, humide. Haletant, il se coucha sur elle, se déshabilla, la déshabilla, incapable d'arrêter.

« Mon lion », murmura-t-elle à son oreille.

Il lui mordit la nuque, doucement au début, puis plus fort.

« Appelle-moi Mihrimah », dit-elle pantelante.

Une voix hurla au fond du crâne de Jahan. Il repoussa la fille, vacilla en essayant de se mettre debout. « Comment connais-tu son nom ? »

Elle se crispa. « Tu me l'as dit.

— Non.

— Tu l'as dit. Juste à l'instant, rappelle-toi. »

Était-ce vrai ? Impossible d'en être sûr. Voyant sa perplexité elle insista : « Le vin t'a brouillé l'esprit. Tu me l'as dit, je le jure. »

Il se prit la tête à deux mains, submergé par une nausée. Peut-être disait-elle la vérité. Il l'aurait crue sans ce très léger frémissement de la mâchoire – simple contraction ou signe de nervosité.

« Va-t'en, je te prie, dit-il.

— Ne fais pas l'enfant », riposta-t-elle avec un sourire ironique, en revenant se presser contre lui.

Aspiré dans le moelleux de sa poitrine, il se sentit pris au piège. Lui serrant les deux poignets avec une telle force que ses phalanges blanchirent, il parut un instant sur le point de céder à son charme. Au lieu de quoi il la repoussa, d'un geste trop vif, trop brutal. Elle tomba lourdement. Un spasme lui monta aux lèvres, inachevé. Puis le silence. Jahan tituba en remarquant pour la première fois l'angle métallique de la cheminée sur lequel elle était tombée, se cognant la tête. Avant qu'il pût se ressaisir la porte s'ouvrit et Zainab accourut dans la pièce en hurlant. Elle se pencha sur la femme, écouta si elle respirait. Son visage se décomposa.

« Elle est morte », cria Zainab. Elle tourna vers Jahan des yeux affolés d'horreur. « Tu as tué la maîtresse de l'eunuque. »

Jahan se rua hors de la pièce aussi vite que ses jambes pouvaient le porter, traversa le jardin, l'allée obscure, redoutant qu'une ombre ne se jette sur lui à tout instant. Le temps d'atteindre la rue, son front était baigné de sueur et sa poitrine cognait si fort qu'il était sûr qu'on devait l'entendre jusqu'au hammam des chagrins. À peine avait-il fait un pas qu'une vague de découragement le saisit. Il n'avait nulle part où aller. Impossible de retourner au dortoir du palais, ce serait le premier endroit où le chef des eunuques blancs viendrait le chercher. Il pouvait demander de l'aide aux dompteurs de la ménagerie, mais il ne leur faisait pas confiance à tous, et un seul traître suffirait.

En pleine panique, une idée lui vint : Davoud. Son *konak* était assez vaste pour le cacher quelques jours, voire des semaines. Éminent et fêté, Davoud trouverait peut-être même un moyen de l'abriter de la colère du chef des eunuques blancs. Mais Jahan ne pouvait se rendre à pied jusqu'à Eyoub en pleine nuit. Il lui fallait un cheval. La voiture qui les avait conduits ici attendait dans une écurie voisine. Il partit dans cette direction, priant pour que le cocher soit endormi.

L'homme était éveillé. Très éveillé, à dire vrai, et en joyeuse compagnie. Le serviteur suivait l'exemple du maître. Pendant que le chef des eunuques blanc se gavait de haschich et de vin, il folâtrait de son côté. Jahan avança à pas feutrés mais c'était superflu ; le cocher et la prostituée étaient trop absorbés l'un par l'autre pour prendre garde à lui. Les chevaux, quoique nerveux, se tenaient immobiles et attentifs, l'oreille dressée, l'œil en alerte, sensibles à ce qui se passait.

Jahan s'approcha de l'une des quatre montures qui étaient encore attachées au timon – un étalon plus gris que les pavés de la rue. Lentement, très lentement, il le prit par la bride et le guida jusqu'au portail. Au même instant, le cocher glapit de plaisir : ses coups de reins se firent pressants. Jahan tira sur les rênes de l'animal, plus fort qu'il n'en avait l'intention. Le cheval donna un coup de tête. Heureusement, il s'abstint de hennir. Jahan murmura une prière ; il avait dû choisir le plus docile du lot. N'empêche, il ne pouvait effacer le sentiment qu'un esprit le guidait – celui de Mihrimah ou Nikola ou maître Sinan. Peut-être même celui de Chota, pour ce qu'il en savait. Il avait tellement de fantômes autour de lui !

Peu après il était lancé au grand galop, le vent lui fouettant les cheveux. Il ne craignait plus les djinns qui logent dans les coins obscurs, persuadé maintenant qu'ils étaient moins terrifiants que les humains. Prenant soin de se tenir dans l'ombre, évitant les gardes, il arriva à la villa de Davoud. Les serviteurs, bien que déroutés de voir arriver un invité à cette heure indue, le conduisirent à l'étage auprès de leur maître, qui était déjà au lit. Davoud bondit sur ses pieds, le regard ébahi : « Tout va bien ?

— Je te demande pardon, je n'avais nulle part où aller », dit Jahan.

Il accepta le sorbet qu'apporta un domestique. Ses mains tremblaient si fort qu'il en renversa une partie sur le tapis. Il tenta d'essuyer la tache avec sa manche, ce qui ne fit qu'aggraver les choses. Incapable de la moindre pensée lucide, il fixait le sol, et vit ce qui lui avait échappé lors de sa première visite. Étrange, les détails infimes qui peuvent capter l'attention au milieu d'une scène d'horreur. Il vit que c'était le tapis de maître Sinan.

« J'ai… tué quelqu'un. »

Davoud blêmit. « Qui ? Comment ?

— La maîtresse du chef des eunuques blancs… » Jahan ne savait trop comment poursuivre.

Il résuma les événements de la nuit – la dame naine, les musiciennes, la courtisane qui avait tenté de le séduire et qui, Dieu sait, avait réussi, mais il ne dit rien de sa troublante ressemblance avec Mihrimah.

« Je ne sais pas… » Jahan prit une goulée d'air. « Il se passe des choses bizarres depuis quelque temps. Je ne peux pas me défaire de l'impression qu'elles ont un rapport avec maître Sinan. »

À ces mots, Davoud leva les sourcils. « Le maître, que le paradis soit sa demeure, a dépassé les futilités de ce monde.

— Oui, bénie soit son âme. Mais je défends son héritage. Tu l'as dit l'autre jour, il ne reste plus que nous deux. » Jahan fit une pause, regardant son ami avec une grande intensité. « Peut-être que toi aussi tu es en danger. »

Davoud balaya cette idée d'un revers de la main. « Ne t'inquiète pas. Il ne peut rien m'arriver.

— Je l'ai tuée », répéta Jahan, hébété, balançant le corps comme un enfant en quête de consolation.

« Je me renseignerai demain matin. Il faut que tu prennes un peu de repos. »

Sur les ordres de Davoud, on lui prépara un lit, des jattes de figues et de dattes au miel, avec un pichet de *boza*. Jahan but et mangea un peu, après quoi il sombra dans un sommeil agité.

Il dormit malgré les démons qui lui rongeaient l'âme. À son réveil, il était midi, et des vêtements flambant neufs étaient disposés sur le sofa. Il les enfila avec gratitude, puis descendit voir Davoud qui l'attendait en bas avec ses trois enfants – la plus jeune, une fillette, n'avait pas quatre ans. Les garçons étaient des copies de leur père, que visiblement ils adoraient. Jahan sentit une souffrance l'étreindre. Il n'avait ni femme ni progéniture. Il était arrivé seul dans cette cité d'ombres et d'échos, et maintenant, après tant d'années, voilà qu'il était seul de nouveau.

« J'ai de mauvaises nouvelles, chuchota Davoud, pour ne pas être entendu des enfants. Tu avais raison : elle est morte, paraît-il. »

Jahan eut un haut-le-corps, tenta de retrouver son souffle. Jusqu'à cet instant il avait espéré que ce ne serait qu'une blessure minime.

« Qu'est-ce que tu vas faire maintenant ? demanda affectueusement Davoud.

— Je ne peux pas rester à Istanbul. Il faut que je parte.

— Tu peux demeurer chez nous aussi longtemps que tu veux. »

Le visage de Jahan se détendit en un sourire. Il était touché par la générosité de Davoud. Tout autre notable dans sa position aurait fui un homme en difficulté. C'est vrai, il était venu ici avec l'intention d'y passer un peu de temps.

Mais maintenant, après avoir vu Davoud avec ses petits, il comprit qu'il ne pouvait pas les mettre en danger.

« Je te suis reconnaissant, mais je dois partir. C'est mieux comme cela. »

Davoud réfléchissait. « Il y a un verger sur la route de Thrace qui appartient à mon beau-père. Tu y seras hors de danger en attendant que les choses s'apaisent. Je vais te donner un cheval. Vas-y et attends de mes nouvelles. »

Ils décidèrent qu'il serait plus sûr de partir de nuit. Jahan passa la journée à jouer avec les enfants, tressaillant au moindre bruit de l'extérieur. Après le souper, Davoud lui remit sa monture, une cape pour lui tenir chaud, et une bourse remplie de pièces. Il lui dit : « Garde ton cœur pur. Tu reviendras très vite.

— Comment pourrai-je jamais te remercier ?

— Nous avons grandi ensemble. Tu te rappelles ce que disait le maître ? Pas seulement des frères. Nous sommes témoins mutuellement de nos voyages. »

Jahan acquiesça, la gorge contractée. Il se rappelait aussi la suite de la phrase. « *Vous êtes témoins mutuellement de vos voyages. Vous saurez donc si l'un de vous s'égare en chemin. Prenez pour guides les sages, les éveillés, ceux qui aiment, ceux qui travaillent dur.* »

Ils s'étreignirent, et pendant un moment on aurait cru entendre dans le cercle de leurs bras comme un bruit sourd, un troisième cœur qui battait proche des leurs ; on aurait dit que Sinan était là, lui aussi, à veiller, écouter, prier.

Jahan progressa, lentement et régulièrement, parmi les ombres, dans les ruelles obscures. Il ne l'avait pas dit à Davoud, mais il avait décidé de ne pas quitter Istanbul sans rendre un dernier tribut à Chota. Il arriva à la résidence de l'ambassadeur français. Si inconvenant que ce fût de rendre visite à un diplomate – ou à quiconque – sans y être invité, il espérait qu'on lui pardonnerait.

Le domestique qui le reçut à la porte n'était pas de cet avis. Son maître aimait dormir tranquille, il était hors de question de le déranger. Mais Jahan insista. À eux deux ils firent tant de vacarme que bientôt une voix ensommeillée leur parvint de l'intérieur de la maison. « Que se passe-t-il, Ahmed ?

— Un misérable effronté, maître.

— Donne-lui du pain et chasse-le !

— Il ne veut pas de pain. Il dit qu'il a besoin de te parler à propos de l'éléphant.

— Oh ! » Un bref silence suivit. « Fais-le entrer, Ahmed. »

Sans perruque ni poudre, vêtu d'une robe de chambre qui lui arrivait au genou et dévoilait son ventre énorme, la silhouette que Jahan aperçut dans le hall ne ressemblait guère à l'ambassadeur qu'il connaissait.

« Pardonne-moi d'être venu t'importuner, dit Jahan en s'inclinant très bas.

— Qui es-tu ? demanda l'ambassadeur.

— Je suis le cornac de l'éléphant que tu as découpé, Excellence.

— Je vois », dit M. de Brèves, en se rappelant le dompteur effronté qui lui avait remis le cadavre avec réticence.

Jahan déballa le mensonge qu'il avait préparé en route. « Cette nuit j'ai fait un horrible rêve. Le pauvre éléphant souffrait et me suppliait de lui donner une sépulture.

— Mais c'est déjà fait, dit M. de Brèves. Le cadavre commençait à empester, je le crains. Nous l'avons enseveli. »

Jahan sentit la douleur lui étreindre la poitrine. « Où est sa tombe ? »

Le diplomate l'ignorait. Il avait demandé aux domestiques de se débarrasser de la carcasse, ce qu'ils avaient fait. Voyant la tristesse de Jahan, il lui dit : « Courage, mon ami. Viens, il y a quelque chose que j'aimerais te montrer. »

Ils entrèrent dans une pièce encombrée de livres, carnets de notes et mémoires. Savary de Brèves, à la différence d'autres émissaires qui s'étaient surtout intéressés aux querelles de pouvoir, avait une grande connaissance de l'Empire ottoman, et il parlait impeccablement le turc, l'arabe et le persan. Ayant étudié les ouvrages écrits, il voulait à tout prix créer une imprimerie arabe à Paris pour aider les livres à voyager aussi librement que les ambassadeurs.

Jahan comprenait maintenant pourquoi son apparition incongrue n'avait pas irrité M. de Brèves. À dire vrai, il était heureux de trouver quelqu'un à qui parler de cette dissection. Brûlant de raconter ses exploits, il tendit à Jahan les croquis qu'il avait tracés pendant l'opération. Sans être un grand artiste il avait néanmoins saisi en détail l'anatomie d'un éléphant.

« Un jour, j'écrirai un traité, dit-il. Il faut que les gens soient informés. Ce n'est pas tous les jours qu'ils peuvent voir l'intérieur d'une créature aussi magnifique ! »

Involontairement les yeux de Jahan glissèrent vers une console où trônait une défense d'éléphant, brillante et polie. L'ambassadeur suivit son regard. « Un souvenir de Kostantiniye.

— Je peux la tenir un peu ? » demanda Jahan, et sur un signe d'acquiescement il la prit avec précaution. Une vague de tristesse l'envahit. Ses yeux s'emplirent de larmes.

M. de Brèves l'observait en silence, le visage crispé par le combat qui se livrait en lui. À la fin il soupira. « Je crois que tu devrais emporter la défense.

— Vraiment ?

— Visiblement tu aimais cette bête plus que quiconque, dit l'ambassadeur en agitant la main dans un geste de nonchalance ou de commisération ou les deux. J'ai mes dessins. Ce sera suffisant pour impressionner tout le monde à Paris.

— Tu as toute ma gratitude », dit Jahan, la voix brisée.

Il repartit donc la défense à la main. Comparé à la nuit précédente, il se sentait plus optimiste. L'ivoire rayonnait d'une lueur qui lui réchauffait l'âme. C'était comme si Chota l'accompagnait. Sur l'épaule il portait un sac avec quelques objets que M. de Brèves l'avait autorisé à emporter – une pelle, une chandelle, une écharpe rouge et une cordelette. Jahan avait un plan.

Ayant repris son cheval, il avançait avec résolution. Arrivé devant la mosquée de Mihrimah il sauta à terre et longea les murs extérieurs. Il repéra un arbre de Judée éclatant de pétales roses. À cet emplacement il creusa une fosse profonde rectangulaire. Il aurait aimé conserver la défense, mais ce serait de l'égoïsme. Chota avait droit à une pierre tombale. C'étaient toujours les sultans et les vizirs et les nantis qui gravaient leur nom sur de majestueux monuments. Les pauvres et les démunis n'auraient plus rien, après leur départ, hormis les prières de leurs parents et proches. Chaque être mortel laissait derrière lui une marque, si petite ou éphémère soit-elle, sauf les animaux. Ils servaient, combattaient, risquaient leur vie pour leur maître, et quand ils mouraient c'était presque comme s'ils n'avaient jamais existé. Jahan ne voulait pas que Chota connût la même fin. Il voulait qu'on se souvienne de lui avec estime et amour. Peut-être était-ce du blasphème, mais ça lui était égal. L'idée que Chota ne puisse entrer au paradis le chagrinait. Si les gens priaient pour lui, pensait-il, l'éléphant aurait une meilleure chance de réussir l'ascension.

Il déposa soigneusement la défense à l'intérieur de la tombe. « Adieu. Je te reverrai bientôt au paradis. J'entends dire qu'ils ont de jolis arbres à grignoter là-haut. »

À ce moment-là un calme insolite l'envahit. Pour la première fois il se sentait en paix avec lui-même. Il faisait partie du tout et le tout faisait partie de lui. C'était donc cela, pensa-t-il. Le centre de l'Univers n'était ni à l'est ni à l'ouest. Il était là où on se soumettait à l'amour. Parfois c'était l'endroit où on enterrait un être aimé. Pelletée par pelletée, il recouvrit le trou jusqu'à ce que le sol redevienne lisse. Puis avec les cordelettes, il traça les contours de la fosse. Là où aurait pu reposer la tête de Chota, il enfonça une branche sèche et y noua l'écharpe. À côté il plaça la chandelle. Puis il s'assit devant, les jambes croisées, le dos droit. Il ne lui restait plus qu'à attendre que quelqu'un, n'importe qui, passe par là.

Ce ne fut pas long. Un jeune gardien de chèvre gracile s'approcha. Il contempla la tombe, puis Jahan, puis de nouveau la tombe. « Qu'est-ce que c'est, *effendi* ?

— C'est un tombeau. »

Les lèvres de l'adolescent formèrent une rapide invocation. Quand il termina, il demanda : « Qui est mort ? Un de tes proches ?

— Chut. Montre-toi respectueux. »

Les yeux sombres du chevrier s'écarquillèrent. « C'était qui ?

— Un saint. Très puissant.

— Jamais entendu parler de saint par ici.

— Il ne voulait pas être connu avant cent ans.

— Alors comment toi tu le connais ?

— Il m'a révélé sa tombe dans un rêve pieux. »

S'agenouillant à côté de Jahan, le chevrier inclina la tête de côté comme s'il espérait entrevoir le cadavre sous la terre.

« Il guérit des maladies ?

— Il guérit tout.

— Ma sœur est stérile. Ça fait trois étés qu'elle est mariée, elle attend toujours.

— Amène-la ici. Le saint pourra peut-être l'aider. Amène son mari aussi, au cas où ce serait lui.

— Comment il s'appelait ?

— Chota Baba.

— Chota Baba », répéta le chevrier avec déférence.

Lentement, Jahan se releva. « Il faut que je m'en aille. Garde un œil sur cette tombe. Assure-toi que personne ne lui manque de respect. Tu es le gardien du sanctuaire de Chota Baba. Je peux te faire confiance ? »

Le chevrier hocha la tête avec solennité. « Ne t'inquiète pas, *effendi*. Je tiendrai parole. »

C'est ainsi que la ville des sept collines et des cent sanctuaires, anciens et très anciens, musulmans, chrétiens, juifs et païens s'augmenta d'un nouveau saint à qui rendre visite dans les moments de désespoir, les moments de joie.

Après avoir chevauché toute l'après-midi, Jahan arriva à un croisement : la route à sa droite allait vers le nord à travers des oueds à sec jusqu'en Thrace. C'était celle que Davoud lui avait conseillé de prendre. Le chemin à sa gauche partait en méandres vers l'ouest à travers des plaines et des collines vallonnées ; il était plus beau, verdoyant, aimable, mais moins recommandé car accidenté et sinueux, et plus dangereux aussi à cause des bandits qui rôdaient dans ses bois. Jahan allait tourner à droite comme prévu quand il se dit soudain que Chota aurait choisi l'autre chemin, il le savait. Et sans préméditation ni raison particulière, c'est ce qu'il fit.

Pendant quelque temps il chevaucha au petit galop, buvant le paysage. L'air sentait les pins, la boue et l'humidité. Guidé par un instinct étrange, il se promenait, déviant de l'itinéraire convenu. Bientôt le soleil se coucha et la lune – un mince croissant pâle – se leva à l'est. C'est alors qu'il se rappela l'auberge où lui et Davoud avaient soupé quand ils étaient deux jeunes apprentis fringants, à leur retour de Rome. Si sa mémoire était fiable, c'était dans ces parages.

Le temps qu'il retrouve l'auberge, il faisait nuit noire. Un valet conduisit son cheval à l'écurie tandis qu'il se dirigeait vers l'entrée. Tout était resté identique – les chambres sans air à l'étage, la grande salle bruyante en bas, l'odeur forte de viande rôtie. Le caractère immuable des lieux aurait dû être un réconfort, doux et rassurant dans un monde où tout disparaissait, mais il n'en fut rien. Au contraire il se sentit submergé par un immense désespoir. Les images du hammam des chagrins le hantaient. Les traits de la courtisane, lorsqu'elle se penchait pour l'embrasser, se fondaient dans ceux de Mihrimah. Même sachant que c'était impossible, une partie de lui sentait qu'il avait tué sa bien-aimée et que, secrètement, c'était bien ce qu'il avait voulu.

Il s'assit à une table grossièrement taillée près de l'âtre. Harcelé de pensées fiévreuses, il écoutait les bûches craquer par-dessus le brouhaha des rires et des bavardages. Les serveurs, deux frères, à en juger par leur allure, couraient de droite à gauche. Peu après, un jeune garçon vint prendre sa commande. Étant de nature aimable et gaie, il demanda à Jahan d'où il venait, où il allait. Dans ses yeux, Jahan vit l'étincelle que lui-même avait à cet âge-là – une curiosité hardie du grand monde et l'envie secrète de quitter son village natal avec la conviction que la vraie vie était ailleurs.

Quand le garçon lui apporta son ragoût – une écuelle fumante de bœuf aux légumes dans un épais bouillon épicé – Jahan lui dit : « La dernière fois que je suis venu ici, tu n'étais pas né.

— Vraiment ? dit le garçon intrigué. C'est sûrement mon père qui s'était occupé de toi.

— Où est-il ? demanda Jahan entre deux bouchées.

— Oh, quelque part par là. Un peu sourd de l'oreille droite. Mais la gauche va bien. Je vais lui dire que tu es là. Ces temps-ci, tout ce qu'il fait c'est parler du passé. »

Acquiesçant d'un signe de tête, Jahan retourna à son ragoût. Tandis qu'il sauçait son bol avec un morceau de pain, l'aubergiste apparut. Il avait pris du poids, un ventre de la taille et la forme d'un tonneau. Jahan vit le garçon le montrer du doigt en parlant à l'oreille de son père. Peu après l'homme se posta devant lui.

« Mon fils me dit que tu es architecte et que tu étais venu ici il y a longtemps.

— C'est exact : je suis venu ici avec un ami », dit Jahan, élevant la voix.

L'homme plissa les yeux et se tint raide comme un piquet un instant de trop. Puis il dit lentement : « Je me souviens. »

Jahan ne le crut pas. Comment pouvait-il avoir le moindre souvenir d'eux alors qu'il avait vu défiler des centaines de clients ? Comme s'il sentait son incrédulité, l'aubergiste s'assit en face de lui et dit : « Je t'ai pas oublié à cause de ton compagnon. Drôle d'oiseau, celui-là. Je me suis demandé comme ça : ils sont amis ou ennemis ? »

Jahan le dévisagea, perplexe. « Qu'est-ce que tu veux dire ?

— Il m'a demandé un tranchoir. Qu'est-ce que tu veux en faire, que je lui ai dit ? On voit toutes sortes de fripouilles par ici, je veux pas d'ennuis. Comment je pouvais savoir s'il allait pas s'en servir sur quelqu'un ? Il a promis de le rendre, et il l'a fait, parole. »

Jahan, pris de nausée, repoussa son bol vide. Mais l'expression de l'homme indiquait qu'il n'avait pas fini.

« Je me méfiais. J'ai zieuté depuis la porte. T'étais en bas. Tous les autres aussi.

— Qu'est-ce que tu as vu ?

— Ton *ami*, dit l'aubergiste en prononçant le mot avec ironie, découpait un livre. Avec une reliure en cuir. Il l'a débité comme si c'était un tronc d'arbre.

— Nous avons été dévalisés, dit Jahan. Mes dessins... mon journal. Tout est parti.

— Non, *effendi*. On vole rien dans mon auberge. C'est une maison honnête. Ton "ami" a détruit tes affaires. Je sais pas où il a caché les morceaux.

— Mais... pourquoi il aurait fait ça ?

— Hah ! Si tu trouves la réponse, viens me la dire, parce que je me suis demandé aussi. »

Le vieil homme reparti, Jahan commanda de la bière, qu'on brassait dans la région. Il frissonna, comme si le vent du dehors le pénétrait jusqu'aux os. Quand il eut fini sa boisson, il laissa un généreux pourboire et retourna à l'écurie.

« Mon cheval a eu à boire et à manger ?

— Oui, *effendi*.

— Remets-lui sa selle.

— Tu veux partir ? Il y a un orage qui approche. La forêt est dangereuse la nuit.

— Je ne vais pas dans les bois, dit Jahan. Je retourne en ville. »

À travers des files d'ormes et des ruisseaux débordants, il repartit vers Istanbul, la tempête lui mordant les talons comme un chien de chasse. Son cheval tressaillait aux coups de tonnerre : l'orage était chaque fois plus fort et plus proche. Il réussit à éviter la pluie, semer les nuages de plomb qui le poursuivaient. Il fonça dans le noir des champs – un noir si complet et parfait qu'il absorbait toutes les autres ombres. La mort aurait-elle ce goût-là ? se demanda-t-il. Si oui, cela n'avait rien d'effrayant, c'était seulement profond.

Jahan franchit une vallée bordée d'immenses rochers qui, de loin, ressemblaient à des vieillards serrés les uns contre les autres pour se réchauffer. En les dépassant, il eut le sentiment étrange qu'ils le regardaient avec les yeux mornes de ceux qui, ayant vu trop souvent l'enthousiasme aboutir au désastre, n'en avaient plus en réserve pour eux-mêmes.

Près d'Istanbul, l'orage vira à droite, lui coupant la route, et atteignit la ville avant lui. La foudre frappa au loin, inondant les dômes et les collines d'une intense lueur bleue. Dans cette flambée de lumière qui tombait presque à la verticale, les cieux parurent s'ouvrir et dévoiler la voûte du paradis, ne serait-ce qu'un bref instant. Jahan se dit une fois de plus combien la ville était belle, même si elle avait un cœur de pierre. Bientôt le sol détrempé sous les sabots du cheval céda la place aux routes pavées. Il se dirigea vers la porte de Belgrade – la seule entrée dont il devina qu'elle serait encore ouverte à cette heure.

Il avait vu juste. Une compagnie de janissaires montait la garde avec épées et boucliers, et hauts couvre-chefs ; l'un d'eux somnolait debout. Jahan leur dit qu'il enseignait à l'école du palais et leur montra son sceau. Ils l'interrogèrent avec suspicion mais sans irrespect, au cas où il aurait de hautes relations au sérail. Pour finir, lassés, ils le laissèrent entrer.

Pendant un temps, Jahan chevaucha en regardant la mer au loin, qui était maintenant couleur d'encre. Les rafales de vent, rapides et furieuses, décapitaient les pignons, arrachaient les jeunes pousses, soulevaient les vagues. Tout d'un coup, il plut à seaux. *Le petit jour du Jugement*, c'est ainsi que les gens du coin appelaient ces tornades de pluie battante, le monde s'offrait une répétition avant le déluge final. Jahan avait beau tenter de chevaucher sous les auvents, le temps d'arriver chez Davoud il était trempé jusqu'aux os. Quelque part un chien aboya, un homme hurla dans une langue inconnue. Puis le silence se fit, renforcé plutôt que troublé par le bruit de fond constant.

Lors de sa première visite à la villa il n'avait pas remarqué à quel point elle était protégée – hautes murailles, grilles de fer, haie d'arbustes. Il se rappela les paroles de Davoud : *Mes épouses se plaignent : tu es l'architecte impérial et tu ne peux même pas réparer la palissade derrière la maison, disent-elles.* Il attacha le cheval à un poteau, et se dirigea vers la clôture de la cour arrière, cherchant la partie endommagée. En effet, quelques-uns des pieux avaient penché et plié. Après quelques poussées, deux d'entre eux cédèrent, faisant une ouverture assez grande pour le laisser passer. Le jardin l'accueillit par ses arômes entêtants. Il marcha de long en large en réfléchissant à la meilleure manière de s'introduire dans la maison.

Ce fut plus facile qu'il ne l'escomptait. Jahan savait qu'une demeure bien fortifiée n'avait en général qu'une faille : l'orgueil de son propriétaire. Avec la certitude qu'aucun voleur ne pourrait en franchir les défenses, on n'y fait pas de contrôle régulier. À la longue, la plus haute muraille s'effrite, la pique la plus pointue s'émousse. Grâce à une trappe en bois dont les gonds étaient fortuitement lâches, il se faufila à l'intérieur et se retrouva dans ce qui semblait – ou sentait comme – un cellier. Une fois ses yeux accoutumés à l'obscurité il en fit le tour à lentes enjambées régulières. Entouré de jarres de miel et de mélasse, tonnelets de beurre et fromages de chèvre, guirlandes de fruits et légumes secs, pots de céréales et de noix, il ne put retenir un sourire en pensant à ce que Chota aurait fait au milieu de telles nourritures. Il se remémora la nuit où il s'était introduit le cœur battant dans l'observatoire royal. Tout était différent à l'époque. Son maître était vivant et prospère ; Chota était vivant ; et lui, il était amoureux.

Au bout du couloir, nichée sur une saillie, une lampe luisait faiblement. Jahan la prit et grimpa à tâtons en haut. La pièce où Davoud et lui avaient dîné l'autre jour lui parut plus vaste, comme si elle se dilatait après le crépuscule. Il alla vers les étagères, sans savoir ce qu'il cherchait, mais certain qu'il le reconnaîtrait en le trouvant. Il n'avait pas eu l'occasion d'examiner les rouleaux, et c'est ce qu'il entreprit de faire. Il en déroula un qu'il étudia. Rien d'inhabituel. Il passa moins de temps sur les deux dessins suivants, l'un d'un bazar, l'autre d'un lazaret. Des entrailles de la maison lui parvint un bruissement aussi léger que le battement d'ailes d'une phalène. Son dos se raidit. Il s'immobilisa, l'oreille en alerte. Pas un bruit. Rien que l'obscurité et son calme engourdissant.

Il ouvrit un autre rouleau, reconnut l'écriture de son maître.

Mon fidèle apprenti Jahan,

Je suis venu te voir aujourd'hui, n'ai pas obtenu d'autorisation. C'est la deuxième fois qu'ils m'interdisent le passage. Les ordres du grand vizir, me disent-ils. Je vais tenter de parler à notre sultan pour obtenir une permission spéciale. En attendant je t'envoie cette lettre afin que tu saches que je prie pour ton bien-être, mon fils, et que tant que tu passes tes jours à l'intérieur de ces murailles, je n'ai aucune joie dehors.

Jahan en suffoqua. Il était donc venu, après tout. Son maître était venu lui rendre visite en prison. Il avait tenté de le voir, et échoué. Une autre pensée suivit aussitôt. Pourquoi n'avait-il pas reçu cette lettre ? Pourquoi – ou par qui – avait-elle été empêchée de lui parvenir pendant tout ce temps ?

Ses mains tremblaient quand il examina le rouleau suivant – le plan du système d'aqueducs

Kirkcesme. Le site de leur troisième accident grave ; celui qui avait tué huit ouvriers, parmi lesquels Salahaddin. À nouveau il contempla l'écriture de son maître, le tracé élégant de sa plume à bout d'or. Sur sa calligraphie, d'une encre de teinte légèrement différente, il y avait une seconde empreinte. Semblable aux marques qu'il avait trouvées sur le rouleau de la mosquée Suleymaniye. Il examina les traces, qui se situaient toutes à des points où s'étaient produits les incidents.

Sur le troisième dessin – celui de la mosquée de Findikli – Jahan repéra un détail qui le fit s'étrangler. Jusque-là il s'était concentré sur les zones autour du chafaud. Mais ici il y avait des marques sur le demi-dôme au-dessus du *mirhab*. Un souvenir lui revint en mémoire. Il se revit assis à cet emplacement avec Sancha qui lui racontait l'histoire de sa capture, le visage couleur de cendre, son accent chantant, son ombre étirée sur l'herbe. Il se rappela les hommes – parmi eux le frère de Salahaddin – qui rôdaient à proximité pendant qu'elle parlait et son impression qu'ils avaient quelque chose de louche. À l'époque lui et Sancha les avaient pris pour ces chapardeurs qui dérobent du matériel sur les chantiers. La liste de ce que les gens pouvaient voler était sans fin, souvent par pauvreté, parfois juste pour le plaisir.

Maintenant il comprenait que ces hommes étaient là pour entraver la construction et que cela faisait partie d'un autre stratagème ; ils attendaient que Sancha et lui s'en aillent. Mais comme ils n'avaient pas bougé, sans le savoir, ils avaient empêché les saboteurs d'exécuter leur tâche. Si bien que l'accident s'était produit de l'autre côté de la salle de prière. Quelqu'un avait mis des notes sur le dessin de maître Sinan non pas *après* les incidents, pour chercher ce qui les avait causés, mais *avant*. Dans son désarroi, Jahan lâcha le rouleau, en se maudissant de sa maladresse. Il s'agenouilla pour le ramasser et il était encore courbé quand trois paires de pieds entrèrent dans la pièce.

Davoud, en robe de nuit, flanqué de deux serviteurs, se tenait devant lui. « Regardez ce que la nuit nous a apporté ! Je croyais que c'était un voleur, mais c'est un ami ! »

Lentement, Jahan se redressa. Il n'essaierait même pas de nier.

« Qu'est-ce que tu examinais ?

— La mosquée de Findikli, dit Jahan, la sueur lui perlant au front.

— Pas une de nos meilleures, mais sûrement la plus jolie », dit Davoud avec un sourire qui s'évanouit rapidement. Quand il reprit la parole ce fut d'une voix rauque et dure. « J'aurais dû détruire ces croquis depuis longtemps mais je ne parvenais pas à m'y résoudre. Ils me rappelaient nos jours anciens, notre âge d'or. C'était une erreur, je m'en rends compte maintenant. Tu vois ce que ça me coûte, d'avoir le cœur trop tendre. »

Involontairement, Jahan jeta un coup d'œil aux hommes derrière lui, leurs pupilles luisantes dans la lumière des chandelles qu'ils portaient. Un aiguillon de peur lui perça l'estomac quand il reconnut l'un des deux : le sourd-muet qui l'avait fait monter dans la voiture du chef des eunuques seulement quelques jours avant. Comme dans une autre vie.

« Qu'est-ce qui t'a poussé à revenir ? Je ne t'avais pas fourni un cheval rapide et un abri sûr ? demanda Davoud.

— Oui, en effet. Pour te débarrasser de moi, je suppose, riposta Jahan d'un ton acide.

— Montre-toi reconnaissant. Seul Shaitan manque de gratitude.

— Ce que je ne comprends pas c'est pourquoi tu as voulu me prendre comme contremaître. Pourquoi cette mascarade ?

— Parce que je le souhaitais, Allah m'en est témoin. Au début j'ai cru que nous pourrions travailler ensemble. Tu as tout gâché ; tu posais trop de questions sur le testament du maître. Pourquoi n'acceptes-tu jamais les choses comme elles sont ? » Derrière Jahan, Davoud fixait la fenêtre que la pluie fouettait sans relâche. « Tu as toujours été comme ça, marmonna-t-il, la voix lasse, presque déçue. Trop curieux pour ton bien.

— Le chef des eunuques blancs et toi vous êtes complices.

— *Complices*, lui fit écho Davoud. Le mot est rude.

— Tu appellerais ça comment ? »

Ignorant la question, Davoud poursuivit : « Je lui ai dit que ce n'était pas une bonne idée de t'emmener dans cette maison de péché. Il ne m'a pas écouté. Il croyait pouvoir t'acheter avec des putains et du haschich. » Il regardait Jahan comme en quête de réconfort. « S'il m'avait laissé faire, rien de tout cela ne se serait produit.

— Le maître se plaignait toujours de perdre ses dessins. Mais il ne les perdait pas. C'est toi qui les volais, dit Jahan. Et les accidents… Tu les as préparés. Le frère de Salahaddin. Ce garçon travaillait pour toi. Il n'a jamais compris que c'était toi qui avais tué son frère. Combien d'autres gens as-tu trompés ? Comment as-tu pu faire ça ? »

Il y eut un bref silence, puis Davoud se tourna vers les serviteurs et leur dit : « Sortez, attendez dehors. »

Si ces hommes étaient sourds-muets, et Jahan savait que oui, on avait dû les former à lire sur les lèvres car ils obéirent sur-le-champ. Tout se jouait maintenant entre eux deux. La pièce parut plus froide, et plus sombre aussi, car les serviteurs avaient emporté leurs chandelles. La petite lampe timide que Jahan avait prise en bas était leur seule lumière.

« C'était toi, à chaque fois, dit Jahan, la bouche parcheminée. Quand nous réparions Ayasofya tu as parlé aux gens du quartier et la situation s'est aggravée. Qu'est-ce que tu leur as dit ?

— La vérité, dit Davoud, le mot craché de ses lèvres comme un feu crache des tisons. Je leur ai dit qu'on les chassait de leur maison pour que le sultan et ses pantins se régalent de la vue d'un sanctuaire infidèle. » Davoud fit une pause, comme inondé de souvenirs. « Toi et Nikola vous étiez tellement crédules. J'ai payé ces enfants. Je leur ai dit de vous attirer dans leur masure, vous montrer leur père malade, les chatons… Je savais que ça vous toucherait.

— Tu savais que nous serions en colère contre le maître. Tu l'as trahi. »

Davoud lui lança un regard presque douloureux. « Je n'ai rien fait de tel.

— Tu as tout fait pour lui nuire – ce n'est pas de la traîtrise ?

— Non, dit Davoud calmement. Pas du tout. »

S'efforçant de réprimer le tremblement de sa voix, Jahan dit : « À Rome nous avons vu un tableau. Un disciple devenu traître. Tu ne t'es pas reconnu dans son visage ?

— Je me souviens du tableau. Mais je n'étais pas un disciple, et notre maître n'était pas Jésus.

— Cet homme, Tommaso... Les Italiens... Ils voulaient s'emparer des plans du maître ou c'était juste une ruse de ton cru ?

— Tommaso, oui. Cupide, mais trop petit, insignifiant. Je me suis servi de lui quelque temps. Ensuite ce n'était plus nécessaire. »

Jusque-là, Jahan avait vu un mélange d'émotions sur le visage de Davoud – rage, chagrin, rancune. La seule chose qu'il n'avait pas vue c'était le regret. « Tu n'éprouves pas le moindre remords ?

— Remords de quoi ? Tu veux te persuader que je suis sans honneur. Un suppôt de Shaitan... » La voix de Davoud faiblit, puis s'éleva à nouveau. « C'est vrai, j'ai menti au maître. J'ai raconté que j'avais une famille là-bas au village. Je leur écrivais des lettres, leur envoyais des présents. Tout cela c'était faux.

— Je ne comprends pas. »

Davoud eut un rire sans joie. « Je n'ai pas de parents au village. Ils ont tous été tués. Par ton grand sultan.

— Lequel ?

— Quelle importance ? »

Davoud fit un geste impatient.

« Ils ne sont pas tous pareils ? Soliman ? Sélim ? Mourad ? Le père, le fils, le petit-fils. Est-ce qu'ils ne répètent pas l'ouvrage de leurs ancêtres ?

— Je suis triste de ce qui est arrivé à ta famille, dit Jahan.

— C'était le sultan Soliman. Nous avions eu une mauvaise récolte, une de plus, nous n'avions pas de quoi payer l'impôt. Nous n'étions pas des shiites mais nombre d'entre nous disaient que l'hiver venu nous devrions faire nos bagages et partir chez le shah de Perse. Ce serait mieux là-bas qu'ici. Nos poètes déclamaient, nos femmes chantaient. Ton sultan voulait nous enseigner une leçon. Il l'a fait. J'avais dix ans. »

Dehors la pluie s'était réduite à une bruine sale. Jahan entendit un bateau de pêche clapoter à proximité.

« Ils ont coupé quelques têtes. Les ont laissées sur des piques pendant trois jours. D'autres se sont rebellés. Leurs corps ont dansé dans le vent pendant une semaine. Je les vois encore en rêve. Tous se sont rebellés. Alors ils sont revenus. Cette fois ils ont rasé le village.

— Comment tu as survécu ?

— Ma mère m'a poussé dans le garde-manger et a refermé la porte sur moi. J'ai attendu. J'étais plus affamé que terrifié. Un gosse stupide. Quand je suis ressorti il faisait nuit. J'ai vu la lune briller sur les cadavres. Mes oncles, mes frères, ma mère... »

Il se passa un moment avant que Jahan ne reparle. « Pourquoi n'as-tu rien dit à maître Sinan ? Il t'aurait aidé.

— Vraiment ? » Davoud lui lança un regard dédaigneux. « Le maître pouvait ressusciter les morts ? C'est en cela qu'il ressemble à Jésus ?

— Le maître t'aimait comme un fils.

— Je l'aimais comme un père. Un père dans l'erreur. Un grand architecte. Mais un lâche. Qui n'a jamais protesté contre la cruauté. Ou l'injustice. Même quand tu pourrissais en prison il n'a pas levé le petit doigt !

— Un peu de pitié ! Qu'est-ce qu'il aurait pu faire ? Ce n'était pas en son pouvoir.

— Il aurait pu dire au sultan, libère mon apprenti, Seigneur, ou sinon je ne construis plus rien pour toi.

— Tu as perdu l'esprit ? On l'aurait mis à mort.

— Ça lui aurait fait une fin honnête, fulmina Davoud. Au lieu de ça il t'a écrit des lettres misérables.

— Tu le savais ? » Le visage de Jahan se décomposa quand il comprit. « C'est à toi qu'il a confié les lettres. Tu lui as dit que tu avais trouvé un moyen de me les faire parvenir dans mon cachot, tu ne l'as jamais fait. Tu voulais que je sois fâché après lui. »

Davoud haussa les épaules comme si la remarque était sans pertinence. « Tout ce qu'il voulait c'était construire. Un projet après l'autre.

Mais qui prierait dans ces mosquées ? Seraient-ils malades ou affamés ? Il s'en moquait. Année après année, le travail, toujours le travail. D'où venaient les ressources ? Une nouvelle guerre. Un nouveau massacre. Est-ce que ça le gênait ? Rien d'autre ne comptait pour lui.

« Ce n'est pas vrai !

— Chacune des mosquées colossales que nous avons bâties a été payée par le butin d'une nouvelle conquête. En route vers le champ de bataille l'armée rasait les villages, et tuait un peu plus de gens de mon peuple. Notre maître ne s'est jamais inquiété de ces souffrances. Il refusait de voir que sans effusion de sang ailleurs il n'y aurait pas d'argent, et que sans argent on ne construirait plus dans la capitale.

— Assez ! »

Davoud baissa la voix, prit un ton patient, comme s'il s'adressait à un enfant irascible. « Tu viens d'un autre pays. Tu ne peux pas comprendre. »

Les épaules de Jahan s'affaissèrent. « Tu n'étais pas le seul à inventer des histoires. Je suis orphelin. Je n'ai jamais vu l'Hindoustan. Jamais baisé la main d'un shah. C'était un mensonge. »

Davoud le scruta. « Le maître le savait ?

— Je crois que oui. Il m'a protégé.

— Et l'éléphant ?

— La destinée, dit Jahan. Dieu nous a réunis.

— Alors nous avions une chose en commun. N'empêche que tu n'es pas moi, coupa Davoud. Il y a deux sortes d'hommes, cela je l'ai appris.

Ceux qui désirent le bonheur. Ceux qui recherchent la justice. Tu rêves d'une vie heureuse et moi, j'aspire à l'*adalet*. Nous ne pourrons pas nous entendre. »

Jahan se dirigea vers la porte. Davoud hurla : « Tu penses aller où comme ça ?

— Pas envie de rester auprès de toi.

— Imbécile ! Je ne peux pas te laisser partir. »

Jusque-là, il n'était pas venu à l'idée de Jahan que Davoud pourrait lui faire du mal. Comme pour l'aider à s'en rendre compte, Davoud dit : « Tu en sais trop long, maintenant. »

Jahan ouvrit la porte. Les deux serviteurs se tenaient derrière, lui bloquant le passage. Ils le repoussèrent à l'intérieur de la pièce.

« Dis à tes chiens de me laisser tranquille, glapit Jahan.

— Dommage que ça doive finir comme ça, dit Davoud en quittant la pièce. Adieu, *l'Indien*. »

Jahan était si dérouté qu'il lui fallut un moment pour réagir. Il se mit à hurler à pleine voix. Sûrement il y avait des gens dans la maison qui entendraient et viendraient voir ce qui se passait. Ses enfants, ses épouses, ses concubines.

« À l'aide, quelqu'un ! Au secours ! »

L'un des hommes le bouscula avec une telle force qu'il tomba. Jahan tenta de prier mais les mots ne lui venaient pas. Il prit une profonde respiration, se préparant à la strangulation qui allait sûrement suivre. Mais non. Dehors un oiseau chanta. L'aube se levait.

Ils lui frappèrent l'arrière du crâne avec un objet lourd et dur. Le sol chavira sous ses pieds. Les trilles de l'oiseau furent le dernier son qu'il entendit avant que tout ne devienne ténèbres.

Une mante – raide et lourde comme du brocart – lui enveloppait la tête, lui coupant le souffle et la vue. Il voulut la retirer mais il avait les mains liées, ainsi que les pieds. Par une fente du tissu il eut une vision confuse de ce qui l'entourait, puis s'avisa lentement que rien ne lui couvrait le visage. C'étaient ses yeux qui ne voyaient plus. Le droit était enflé et complètement fermé. Le gauche, à demi ouvert, cligna paniqué de sa solitude en s'efforçant de découvrir où il était.

Jahan se sentit un goût de sang dans la bouche. Il avait dû se mordre la langue pendant la lutte. Car lutte il y avait eu, il s'en souvenait. Son corps s'en souvenait – la courbature des membres, la raideur des phalanges, le choc qui lui vrillait encore le crâne, et pire que tout, la douleur lancinante au pied droit. Sa joue le brûlait, il comprendrait pourquoi plus tard. Il se rappelait que Davoud avait quitté la pièce, le laissant à la merci de ses gardes, ensuite tout s'était arrêté. Puis il s'était réveillé dans une voiture qui roulait à fond de train. Les sourds-muets, un de chaque côté, ne s'attendaient pas à le voir reprendre connaissance aussi vite. Ils se mirent à le frapper. Jahan se débattit. Dans un accès de fureur, il ouvrit la portière et sauta de la voiture alors que les chevaux étaient lancés au grand galop. Il bascula dans un fossé, se tordit le pied. C'est dans cet état que les sourds-muets le retrouvèrent. Et ce fut de nouveau le noir de poix.

Sa poitrine le faisait souffrir à chaque bouffée d'air fétide. Ses doigts effleurèrent la surface dure, confirmant ce qu'il suspectait : il gisait sur un sol de terre battue, ligoté dans une cabane quelque part. Au loin il entendait un chuchotis constant qu'il trouvait étrangement serein, rassurant. Il avait dû perdre conscience, combien de temps, il n'aurait su dire. Quand il se réveilla il faisait si froid que ses dents s'entrechoquaient. Ou bien son autre œil s'était fermé ou bien la nuit était tombée.

La première fois où il souilla son *shalwar* la honte fut pire que la puanteur. Mais bientôt cela n'eut plus d'importance. La faim, il pouvait s'en accommoder quelque temps. La soif était atroce. Elle lui rongeait la chair, morceau par morceau, comme une hache entame une bûche, se tranchant un passage le long des veines. Il ne cessait de claquer des lèvres, comme si on venait de lui servir une friandise. Cela le fit rire. Puis craindre de perdre la raison.

Ce chuintement incessant en fond sonore, il comprit plus tard que c'était la mer – découverte aussi consolante que terrifiante. Consolante parce qu'il avait toujours aimé le large. En outre, il n'était sans doute pas loin d'Istanbul. Terrifiante parce qu'elle lui remettait en mémoire ces histoires de concubines qu'on jetait en nourriture aux poissons. Il cria maintes fois à l'aide. Personne ne vint. Si Chota était là, il aurait pu lui dire combien c'était étrange de mourir seul et inaudible dans une ville aussi grande et bruyante.

Tandis qu'il allait et venait du sommeil à la conscience, le temps se traînait. Entre deux accès de douleur, il s'endormait, se réveillait en sursaut comme si son âme refusait d'admettre la défaite. Une vague de colère le submergea. Lui, l'apprenti du grand Sinan, n'avait pas gravi tous ces échelons pour finir si bas. Même divisés comme ils l'étaient, il ne pouvait croire un instant que Davoud l'abandonnerait à la mort. Et pourtant Davoud ne venait pas. Ni ses hommes de main. Jahan ne parvenait pas à deviner si c'était l'aurore ou le crépuscule. Ni combien de temps s'était écoulé depuis qu'on l'avait traîné ici. Combien de jours un humain peut-il survivre sans eau, se demandait-il. Les éléphants pouvaient tenir quatre jours, il avait lu cela quelque part. Rien ne lui disait s'il pourrait faire mieux.

Il rêva de Mihrimah, qui avait de nouveau treize ans et riait sous un pied de chèvrefeuille. Le corps vierge de tout autre contact que ses propres mains, le visage sans marques de mélancolie, l'âme pure de toute ambition. Telle qu'elle était quand ils s'étaient rencontrés, une jeune fille heureuse, si heureuse.

« Viens », murmura-t-elle en lui tendant la main.

Jahan tenta de se rendre dans le jardin où elle l'attendait. Mais à mi-chemin un bruit de pas vint le distraire. Qui venait de l'autre côté. Mais pas par la porte. Quelqu'un essayait d'entrer par effraction. Il y eut un cliquetis sonore – le bruit d'un outil perçant le bois. La fenêtre avait dû être ouverte car un courant d'air froid et vif entra en tourbillonnant.

« C'est bon, dit une voix. Vas-y ! »

Une masse lourde atterrit sur le sol. Un homme. Suivi par un autre. Les deux intrus avancèrent à pas de loup, sans se douter de la présence de Jahan. Leur lampe n'éclairait qu'un minuscule espace.

« Trouve-moi ce coffre. Il est forcément ici.

— Arrgh, qu'est-ce que c'est que cette odeur ?

— Un rat mort, je dirais.

— Tu es sûr qu'il y a un trésor dans ce trou ?

— Combien de fois il faut te le dire ? Ces deux balourds transportaient quelque chose de grand. Je l'ai vu de mes propres yeux.

— Des yeux sobres ou des yeux d'ivrogne ?

— Je sais ce que je dis, abruti. Il y a un secret ici. »

Des voleurs. Jahan frémit. Ils pouvaient le découper en morceaux. Mais après tout il n'avait rien à perdre. Il était en train de mourir de toute façon. Un râle desséché s'échappa de ses lèvres.

« C'était quoi, ça ? »

Le souffle de Jahan lui racla la gorge.

« Qui va là ? » brailla l'un d'eux, la voix suintante de peur. Si Jahan ne disait rien ils allaient battre en retraite en le prenant pour un *gulyabani* ou quelque autre esprit mauvais.

« À l'... aide », supplia Jahan.

Il ne leur fallut pas longtemps pour le trouver entre les boîtes et les caisses. S'abandonnant au destin, Jahan glissa dans le vide mais il revint à lui, frissonnant. L'un des hommes le tenait par les épaules et le secouait comme une branche de mûrier.

« Qu'est-ce que tu fabriques ? Le pauvre est déjà assez mal en point.

— J'essaie de le réveiller.

— Ouais, bravo. Maintenant il est complètement sonné !

— Eh ben, réveille-le, toi.

— Va chercher de l'eau. »

Ils vidèrent un seau d'eau de mer sur la tête de Jahan. Le sel brûla les crevasses et les écorchures de sa peau, pénétrant jusqu'à l'os. Il gémit de douleur.

À cet instant une autre voix retentit – bourrue et étrangement familière. « Hé qu'est-ce qui se passe ?

— On a trouvé cet homme. On dirait qu'il a été drôlement malmené, chef. »

Les pas se rapprochèrent. « Il meurt de soif, bande de crétins ! On l'a roué de coups comme un vieux tapis sale et vous, vous faites quoi ? Vous lui versez de l'eau de mer sur ses plaies. Reculez ! Bas les pattes, espèces de bouchers ! »

Jahan l'entendit déboucher une flasque. L'homme humecta son mouchoir d'eau douce et le lui pressa sur les lèvres. « Encore, implora Jahan en essayant de sucer le tissu.

— Doucement, mon frère. Pas si vite. »

Ils lui épongèrent le visage, curieux de voir l'âme persécutée par les astres sous sa croûte de sang, de boue et de crasse. Jahan voulait dire quelque chose mais c'était trop épuisant, chaque mot, chaque souffle. Sa tête retomba en arrière.

« Dieu tout-puissant ! Approche-moi cette lampe, beugla la même voix. Que le ciel nous tombe sur la tête, c'est Jahan. Il a vraiment rien dans le cerveau, ce grand flandrin. Un escargot apprendrait plus vite ! Je le trouve qui gèle dans l'eau, je le retrouve dans un cul de basse-fosse, et maintenant sur un tas d'ordures ! Toujours dans de sales draps. »

Jahan bégaya : « Ba… laban ?

— Lui-même, mon frère. »

Jahan éclata de rire – le caquet d'un dément.

« Il a perdu son petit esprit, chef, dit l'un des Gitans.

— Pauvre malheureux », dit l'autre.

À quoi Balaban fit non de la tête et dit tendrement : « Il a la force d'un éléphant, notre frère. Il va se rétablir. »

Ils délivrèrent Jahan de ses liens, l'aidèrent à se mettre debout, même s'il était incapable de marcher. Son pied droit était un bloc de chair violacée, enflé au double de sa taille habituelle. Ils l'empoignèrent, un homme sous chaque bras. Sitôt qu'ils furent dehors le vent lui piqua la peau comme des éclisses de verre. Il s'en moquait. C'était fini. Une fois encore dans sa vie, au moment où il dévalait la pente, prêt à passer de l'autre côté, la main d'un Gitan l'avait tiré en arrière, remis sur pied.

La femme de Balaban prit Jahan sous son aile, appliqua un cataplasme sur ses blessures, et de la fiente de pigeon sur ses entailles. Matin et soir elle le força à avaler un breuvage qui avait la couleur de la rouille et un goût encore pire. La coupure de sa joue, qui saignait chaque fois qu'il bougeait un muscle, devait être recousue, déclara-t-elle. Ce qu'elle fit, sans que ses doigts tremblent, même quand il vociféra en gesticulant de douleur. Le travail terminé, elle l'assura que désormais il aurait des amoureuses à la pelle car les femmes adorent les hommes qui reviennent couturés du champ de bataille.

« Je ne reviens pas d'une bataille, protesta faiblement Jahan.

— Qui c'est qui va le savoir ? Elles vont tomber sur ton passage comme des abricots mûrs, ces mignonnes. Tu peux me croire, dit-elle, crachant dans sa paume et la plaquant sur la paroi. Mais ton pied a mauvaise mine. On a envoyé chercher le Redresseur.

— Qui est-ce ?

— Tu vas voir, dit-elle, mystérieuse. Quand il aura fini, tu seras aussi frais que le Tout-Puissant t'a créé. »

Trapu et décharné comme un roseau, vêtu de guenilles, une cuiller de bois suspendue au cou, l'homme qui se présenta l'après-midi même ne parut en rien remarquable à Jahan. Il avait tort. Un regard rapide au pied, et le rebouteux déclara qu'il n'était pas cassé mais gravement déboîté. Sans laisser le temps à Jahan de demander ce que ça voulait dire, il lui enfonça la cuiller dans la bouche, prit le pied dans le creux de sa main et tourna. Le hurlement de Jahan fut assez fort pour effrayer les pigeons jusque dans la cour de la mosquée Suleymaniye. Plus tard le Redresseur lui montrerait ses marques de dents sur la cuiller. Apparemment, elles n'étaient pas les seules.

« Tous des os brisés ? demanda Jahan quand il put reparler.

— Oui, et des femmes qui enfantent. Elles mordent plus fort.

— Surveille ta pisse », poursuivit le Redresseur. Il lui expliqua que l'urine pouvait prendre six teintes de jaune, quatre de rouge, trois de vert et deux de noir. Un rebouteux ne perdait pas de temps à regarder le patient, il examinait son urine et il voyait tout de suite ce qui n'allait pas. À sa requête, Jahan pissa dans un pot et regarda l'homme agiter, renifler puis boire le liquide.

« Pas de saignement caché dans les organes, dit le Guérisseur. Début d'hydropisie. Tendance à la mélancolie. Autrement tout va bien là-dedans. »

Ainsi recousu, redressé, lavé, nourri et bordé dans son lit, Jahan dormit sans interruption pendant deux jours. L'après-midi du troisième jour, en ouvrant les yeux il découvrit Balaban assis à côté de lui, qui tressait un panier en attendant qu'il se réveille.

« Bienvenue au pays des vivants. Je me demande dans quel coin je te sauverai la peau la prochaine fois. »

Jahan gloussa, malgré les tiraillements de la couture sur son visage.

« Comment va l'éléphant ?

— Chota est mort.

— Désolé, frère. Comme c'est triste. »

Ils restèrent pensifs un moment. Jahan fut le premier à rompre le silence. « Est-ce que les animaux vont au ciel, à ton avis ? Les imams disent que non.

— Qu'est-ce qu'ils y connaissent, aux animaux ? Les fermiers, oui. Les Gitans, oui. Mais les imams, non. »

Balaban fit une pause.

« Te fais pas de bile. Quand j'arriverai au ciel, j'irai en toucher un mot à Dieu. S'il dit qu'y a pas de place pour les bêtes, je Le supplierai d'épargner Chota. »

Les yeux de Jahan s'éclairèrent d'amusement. « Tu voles. Tu bois. Tu joues. Tu soudoies. Et tu crois encore que tu iras au paradis ?

— Eh bien, frère… je regarde tous les petits saints et je me dis, si ces gars-là y vont, sûr que j'irai aussi parce qu'ils valent pas mieux que moi. C'est comme ça que je mesure mes péchés. » Balaban se versa un peu de vin. « Dommage qu'il puisse pas connaître son père.

— Qui donc ?

— Le fils de ton éléphant…

— Chota a un petit ?

— *Tatcho !* Exact ! Tu as cru que tous ces efforts avaient été pour rien ! La pauvre Gulbahar est restée enceinte un temps infini. Tu le savais ?

— Oui, acquiesça Jahan. Elles sont grosses très longtemps.

— Longtemps ? Ça a duré une éternité.

— Comment tu l'as appelé ?

— Rappelle-toi, tu m'as dit que l'Univers reposait sur quatre éléphants. Quand l'un d'eux bouge, il y a des tremblements de terre, tu disais. » Balaban but une gorgée. « Je l'ai baptisé Panj. Ça veut dire cinq. Juste au cas où, tu sais, il en faudrait un au centre. »

Jahan sentit sa gorge se serrer.

« Tu veux le voir ? Ton petit-fils ?

— Bien sûr ! »

Ils mirent Jahan sur une litière tirée par un cheval pour l'emmener jusqu'à la grange. Et le voilà, le fils de Chota, agitant sa trompe, gris comme un nuage orageux. Jahan demanda au cocher de conduire la litière plus près pour qu'il puisse le toucher. Sous l'œil attentif de la mère il caressa la trompe du fils et lui offrit une noix, que l'animal accepta avec joie. Panj le flaira pour en chercher d'autres ; futé, méfiant, alerte. Les yeux de Jahan débordaient de larmes. Pendant un instant il eut l'impression de contempler Chota. Quelque chose de lui continuait dans cette créature qui n'avait jamais vu son père et qui pourtant, à part sa couleur, lui ressemblait déjà si fort.

Ils quittèrent la grange, tirés paresseusement par le cheval. Tandis qu'ils traversaient la cour, Jahan sentit dans la brise une odeur qui envoya un signal à quelque partie obscure de son cerveau. « Arrêtez ! » cria-t-il.

Ils se précipitèrent auprès de lui, craignant qu'il ne se soit blessé.

« D'où vient cette odeur ? interrogea Jahan.

— Y a rien qui pue, ici. Recouche-toi », ordonna sèchement Balaban.

L'un des garçons sourit. « Je sais de quoi il parle. *Daki dey* faisait brûler des herbes.

— Va la chercher », dit Balaban.

Peu après ils revinrent avec une femme à l'allure raide et la moustache noire. « Le chef dit que tu voulais me voir, dit-elle à Jahan.

— Cette plante que tu brûlais, qu'est-ce que c'est ? »

Elle parut contrariée. « Ça s'appelle de la molène. On en jette dans le feu chaque lundi matin. Et à la pleine lune. La fumée garde les mauvais esprits à distance. Si tu as des ennemis, le mieux c'est de la faire bouillir et de te baigner dedans. Tu en veux ?

— Dis-moi… Qui d'autre s'en servirait ? En dehors des Romanis, je veux dire. »

Elle réfléchit un instant. « Ceux qui ont du mal à respirer. Ils en emportent partout.

— Des asthmatiques… », marmonna Jahan, éperdu. Il ferma les yeux, le sol chavirant sous ses pieds.

Ce soir-là tandis qu'ils étaient assis autour d'un feu de tourbe, la femme de Balaban jeta du sel dans les flammes. Les braises craquèrent comme des étincelles d'or. Les yeux fascinés par le spectacle, Jahan dit : « Il faudrait que je reparte, bientôt. »

Balaban acquiesça, il s'y attendait. « Quand ?

— Il me reste une personne à voir. Après cela j'en aurai fini avec cette ville. »

Davoud avait raison quand il disait que Jahan n'était pas un homme de vengeance. Mais il avait tort en partie. Jahan comprit qu'il ne cherchait pas seulement le bonheur dans la vie. Il aspirait aussi à la vérité.

Elle scruta la coupe d'argent. La surface de l'eau ondulait et le fond avait viré au noir. Elle fronça le sourcil, mécontente de ce qu'elle observait. Une sorte de sifflement perçait l'air chaque fois qu'elle respirait. Son état s'était aggravé au fil des années. Elle posa une main ridée et striée de veines sur la tête du chat.

« Tu vois ce qu'il mijote ? Il n'est peut-être pas si sot après tout. »

Elle regarda vers la fenêtre, qui laissait passer un courant d'air. Combien de fois avait-elle demandé à la servante de la tenir fermée ! Mais cette idiote l'ouvrait en grand chaque fois qu'elle en avait l'occasion, en prétendant qu'il faisait chaud et étouffant. Elle faisait cela pour chasser les miasmes, bien sûr. Ce n'étaient pas seulement ses pets et son souffle qui empoisonnaient l'atmosphère, elle le savait. Par en dessous, elle dégageait une odeur comme un vieux livre qui empeste la poussière malgré tous les époussetages. La servante avait peur d'elle, peur de la *sorcière*. Car c'est ainsi que tout le monde l'appelait derrière son dos.

Elle portait un vêtement de soie, trop brillant et trop chamarré pour son âge, diraient certains. Ça lui était égal. Le tissu lisse ne soulageait pas ses articulations douloureuses ni ses épaules voûtées. Son corps était un cimetière de souvenirs. Et chaque jour qui passait, aussi flou qu'une ombre dansant sur un mur. Elle avait cessé de se quereller avec Dieu. Elle ne Lui demandait plus pourquoi Il la laissait vivre alors qu'Il avait pris tous les autres trop tôt, trop vite. Elle portait son âge comme une malédiction dont elle était fière d'être affligée. Cent vingt et un ans. Voilà à quel point elle était vieille. Sa chevelure n'était plus rousse ni ondulée, mais elle restait plus épaisse que la tresse de bien des jeunes filles. Sa voix était forte, ferme. La voix de la femme plus jeune qui résidait encore en elle.

Elle s'écarta de la coupe comme si elle redoutait que l'homme qu'elle voyait au fond ne l'observe, tout comme elle le surveillait depuis toutes ces années. Elle prit le sachet posé sur la table, l'ouvrit, versa les herbes sur sa paume et les renifla. Quand la crécelle dans sa poitrine fut un peu calmée, elle murmura : « Il nous a découverts, cet Indien. Il va venir nous chercher. »

Le Séjour des défavorisées, c'est aïnsi qu'on l'appelait. Un manoir géant à moitié dissimulé par de grands pins et de hautes murailles. C'était là que les concubines qui n'étaient plus dans les grâces du sultan ou n'y avaient jamais été ou n'y seraient jamais finiraient par aboutir le moment venu. Celles qui étaient jalouses et ambitieuses à l'extrême et qui s'étaient engagées dans les pires intrigues risquaient aussi de se retrouver sous ce toit, ayant perdu toute chance d'ascension au palais. Les servantes de harem et les odalisques trop vieilles ou trop malades pour travailler finissaient là aussi. Résultat, ses occupantes étaient un mélange varié de jeunes et vieilles, jolies et ordinaires, vigoureuses et fragiles.

C'était un lieu sans joie – les plafonds résonnaient rarement de rires ; on dansait peu, ou jamais, sur les tapis. L'amertume montait des cheminées comme la vapeur d'un plat bouillant. Les chants qu'on entendait parfois étaient si tristes que pas un mouchoir ne restait sec. Les pensionnaires n'envisageaient pas l'avenir, car il n'y avait pas d'avenir à envisager. Ni de présent. Il n'y avait que le passé. Elles ressassaient les jours anciens et la rancune des erreurs commises, des occasions manquées, des sentiers ignorés, de leur jeunesse gaspillée. Et par les nuits d'hiver, quand il faisait si froid que leurs prières gelaient dans l'air sans jamais atteindre les oreilles de Dieu, nombre d'entre elles sentaient leur cœur se frigorifier à l'unisson avec la terre dehors, malgré toutes les pierres qu'elles ébouillantaient dans l'eau pour chauffer leur lit.

Certaines s'étaient résignées à ce qu'elles étaient devenues, mais la plupart étaient dévorées d'aigreur. Souvent pieuses, elles avaient voué le reste de leur vie au Tout-Puissant. Cependant être pieuses ne voulait pas dire être en paix, et elles l'étaient rarement. Elles avaient beau dire chacune, si on les interrogeait, que tout, bon ou mauvais, était entre Ses mains, elles se vantaient de leurs réussites et accusaient les autres de leurs malheurs. Le contraste entre le harem royal et sa sinistre copie était brutal. Strict et régulier dans ses règlements et ses codes, le harem restait malgré tout un monde versatile, fluide, inconstant. Ses occupantes avaient des souhaits et des aspirations à revendre. La nuit elles rêvaient en abondance. Tandis qu'au Séjour des défavorisées, c'étaient d'abord les rêves qui se fanaient, puis, graduellement, les rêveuses.

C'est ici qu'Hesna Khatun vivait depuis quinze ans, même si elle effrayait tant les autres femmes qu'on l'avait bannie dans une maisonnette de trois pièces à l'autre extrémité du deuxième jardin. Peu lui importait. Si elle le voulait elle pouvait toujours aller dans la villa que lui avait donnée la princesse Mihrimah, mais qui la suffoquait tant elle était vaste et vide. C'était mieux ici, même si c'était modeste. En outre elle n'avait pas besoin de voir quotidiennement la cour avec ses roses et toutes ses fleurs, dont les parfums entêtants lui broyaient la poitrine, la faisant tousser et éternuer. Son asthme avait empiré. Pourtant jamais elle n'appelait à l'aide. On pouvait la haïr, la craindre ou l'éviter, mais jamais elle n'autoriserait quiconque à la plaindre.

« Qu'ils aillent tous en enfer », grommela-t-elle, avant de s'aviser qu'elle avait parlé tout haut. Ça lui arrivait souvent, ces temps-ci. Elle se prenait à dire des choses qu'elle avait dans la tête et qui auraient mieux fait d'y rester.

Avançant à pas de plomb, elle tendit les mains vers la cheminée. Elle avait toujours froid. Printemps ou hiver, cela ne changeait rien ; elle gardait le feu allumé en permanence. Quand elle fut un peu réchauffée, elle prit sa brosse et se tourna vers le chat allongé sur l'appui de la fenêtre. « On va te faire beau, d'accord ? »

Elle le prit et s'assit sur le sofa pour lui brosser le poil. L'animal se tenait immobile, le regard plein d'ennui.

On frappa à la porte. Un esclave, âgé d'à peine sept ans, dit d'une voix qui muait : « Il y a un messager, *nine*. Il t'a apporté une lettre urgente.

— Qui que ce soit, c'est un menteur. Dis-lui qu'il n'y a plus rien d'urgent pour moi. Renvoie-le. »

L'enfant garda les yeux sur ses pieds, trop terrifié pour croiser son regard.

« Qu'est-ce que tu attends, bon à rien ?

— L'homme a dit, si elle refuse de me voir, dis-lui que j'apporte un message de la princesse Mihrimah. »

À l'annonce de ce nom, Hesna Khatun tressaillit, le sang reflua de ses joues. N'étant pas femme à plier sous la menace, elle se ressaisit. « Combien il t'a payé pour cela ? Tu n'as pas honte ? »

La lèvre inférieure du garçon trembla ; il émit un gémissement prêt à tourner aux sanglots si elle le grondait encore.

« À quoi bon crier après toi ? dit-elle. Va me chercher cette canaille. Je vais lui dire son fait moi-même. »

Aucun mâle – à moins d'être un eunuque ou un enfant – n'avait accès au Séjour des défavorisées. Encore moins un étranger. Mais la nourrice établissait ses propres règles. Il y avait quelque avantage, après tout, à être une *zhadi* redoutée.

Peu après Jahan arriva, suivi par le garçon qui, n'osant pas entrer, referma la porte et attendit dehors.

« Alors c'est toi », dit Hesna Khatun, sa voix tout juste un grognement guttural.

Ils se regardèrent avec une aversion que ni l'un ni l'autre ne tenta de dissimuler. Il vit à quel point incroyable elle était devenue maigre et vieille. Chaque pouce de son visage était parcouru de sillons ; elle avait une bosse sur le dos, ses oreilles avaient épaissi. De sous son voile une mèche de cheveux argentés se montrait, les pointes rougies de henné. Elle était méconnaissable, mais elle avait toujours le même regard dur, calculateur.

« Comment oses-tu prononcer son nom ? grinça-t-elle. Je devrais te faire fouetter.

— Je n'avais pas le choix. Sinon tu aurais refusé de me voir, *dada*. »

Elle eut un geste de recul en attendant le nom affectueux que Mihrimah, et Mihrimah seule, lui donnait. Sa bouche s'ouvrit et se referma sur un silence irrité.

Sachant l'effet que ce mot aurait sur elle, Jahan observait son moindre mouvement. Il se tenait droit et raide, sans s'incliner devant elle ni lui baiser la main. Son insolence n'avait pas échappé à la nourrice. « Qu'est-ce qui me vaut ta visite – et tes mauvaises manières ? »

Il s'approcha d'elle d'un pas, et seulement alors remarqua le chat blanc lové sur ses genoux. Avec précaution, il sortit l'épingle à cheveux qu'il lui avait volée bien des années auparavant et la plaça sur une table afin qu'elle la voie. « Je veux te la rendre. Elle t'appartient.

— Comme c'est généreux de ta part. À mon âge on a bien besoin d'épingles à cheveux, dit-elle caustique. C'est pour ça que tu es ici ?

— Je suis venu t'annoncer que je vais partir pour de bon...

— Eh bien adieu, dit Hesna Khatun avec un sourire condescendant.

— Mais avant mon départ nous avons un compte à régler.

— Toi et moi ? Je ne crois pas. »

Piqué à vif par sa moquerie, Jahan ferma les yeux et affronta la noirceur sous ses paupières. « Tu étais plus qu'une nourrice. Tu t'occupais de Mihrimah depuis qu'elle était bébé. Elle t'adorait, te confiait ses secrets.

— Je l'ai élevée. La sultane Roxelane, Dieu pardonne à son âme corrompue, n'avait pas de temps à perdre pour ses enfants. Encore moins pour sa fille. Jusqu'à ce qu'elle soit en âge de se marier. Et là Roxelane a voulu en faire une dupe innocente dans ses jeux. » Hesna Khatun marqua une pause, à court de souffle. « Tu sais que je l'ai nourrie ? Mihrimah a grandi avec mon lait », dit-elle en effleurant sa poitrine plate avec fierté.

Jahan ne dit rien, sentant l'intrusion d'un chagrin qu'il connaissait trop bien.

« Quand Mihrimah brûlait de fièvre, c'est moi, pas sa mère, qui veillais à son chevet. Quand elle tombait, je lui bandais les genoux. J'essuyais ses larmes. Quand elle a eu ses premiers saignements c'est vers moi qu'elle est venue. Elle croyait qu'elle allait mourir, pauvre petite. On gifle les filles quand elles sont dans cet état. Mais on ne peut pas gifler une princesse. Alors je l'ai tenue dans mes bras. Je lui ai dit, tu ne vas pas mourir, Altesse. Tu es une femme, maintenant. »

Étendant sa main décharnée, elle caressa le chat sur ses genoux. « Qu'est-ce que la sultane a fait ? À part se servir de ses enfants pour écrire des lettres au sultan ? *Reviens de la guerre, mon lion, reviens dans mes bras. Ton absence a allumé dans mon cœur un feu qui ne s'apaise pas. Tes enfants sont malheureux. Ta fille Mihrimah est en pleurs*. Toujours à griffonner des âneries.

— Comment sais-tu ce qu'elle disait dans ses lettres ? »

Un ululement de rire jaillit, haut perché et retentissant. « Dans le harem il n'y a pas de secrets, psalmodia Hesna Khatun. La sultane était une épouse rusée mais une mère négligente. Elle raffolait de ses fils. Elle oubliait sa fille. »

Pris en embuscade par le souvenir d'une après-midi, Jahan serra les lèvres. Il se rappelait comment Mihrimah lui avait confié sa solitude, et comment il s'était étonné qu'une femme qui avait tout puisse éprouver pareil sentiment. « Quand elle était enfant la princesse avait les meilleurs précepteurs. Son père voulait qu'elle soit bien éduquée. Tu suivais leurs leçons avec elle. Mihrimah était très attachée à toi ; si tu n'étais pas auprès d'elle, elle refusait d'écouter. Tout ce qu'on lui a enseigné, tu l'as appris aussi.

— Et alors, c'est un péché ?

— Pas du tout, dit Jahan. Roxelane n'a pas remarqué que Mihrimah t'était toute dévouée. Elle était trop préoccupée par le sultan – et par ses intrigues. Elle t'a laissée prendre le contrôle de sa fille. Puis il s'est passé quelque chose. Roxelane n'a plus voulu que tu restes auprès d'elle.

— Comment sais-tu tout ça ?

— Mihrimah me l'a dit mais je n'avais pas assemblé les morceaux. Jusqu'à maintenant. Pourquoi la sultane était-elle si mécontente de toi ?

— La sultane... » Elle se mit à tousser comme si ce nom était un poison dont elle devait purger son corps. Quand elle reprit la parole, sa voix était tendue. « Un jour, Roxelane voulait aller à Brousse avec les enfants. Ma Mihrimah n'avait pas envie de faire le voyage. Elle n'avait que neuf ans. Elle a dit à sa mère, si *dada* vient, je viendrai. C'est comme ça que Roxelane a compris que sa fille m'aimait plus qu'elle ne l'aimait elle.

— Et elle t'a renvoyée ?

— Allah le sait bien. Elle a essayé de se débarrasser de moi. À deux reprises.

— Qu'est-ce qui s'est passé ensuite ? Comment es-tu revenue ?

— Mihrimah a cessé de manger. Elle est tombée si malade qu'ils craignaient pour sa vie. Ils ont été obligés de me faire revenir. Dès que je suis arrivée au palais, j'ai demandé un bol de potage, je l'ai nourrie moi-même.

— C'est à ce moment-là que les gens ont commencé à jaser ? demanda Jahan. Ils te traitaient de sorcière, t'accusaient d'avoir jeté un sort à la princesse.

— La pire *zhadi*, c'était la sultane. Tout le monde le savait. C'est elle qui a répandu ces rumeurs sur moi. Oh, le mal dont cette femme était capable !

— Le combat de deux sorcières », dit Jahan, pétrifié.

Hesna Khatun lui lança un regard méprisant. « Eh bien, elle est morte, et moi je suis toujours sur la terre des vivants. »

Un frisson parcourut Jahan. « Et la seconde fois ? Tu m'as dit que la sultane t'avait renvoyée à deux reprises.

— C'était... quand Mihrimah s'est fiancée à Rustem Pacha. Roxelane ne voulait pas de moi aux alentours. Tu peux croire cela ? Elle m'envoie en pèlerinage au moment où ma fille a le plus besoin de moi. Ils m'ont mise sur un navire. Toutes les larmes que j'ai pleurées, Allah m'en est témoin.

— Au retour ton navire a été attaqué par des corsaires, nous a-t-on dit.

— Oh, c'était une mascarade. » Elle s'interrompit, prise d'une nouvelle quinte de toux, le corps convulsé. « La sultane voulait en finir avec moi. Elle a organisé cette attaque pour me faire tuer ou incarcérer. Une méthode ou l'autre. Ça n'aurait fait aucune différence pour elle.

— Comment t'es-tu échappée ? »

Elle releva la tête, les yeux humides. « Ma fille m'a sauvée. De nouveau, elle a cessé de manger. Elle a tant pleuré que le sultan Soliman a envoyé la flotte ottomane pour me sauver – moi, une nourrice ! Qui a jamais entendu une chose pareille ?

— D'où venait ton pouvoir, *dada* ?

— De la sorcellerie, tu crois ? Il venait de l'amour ! Ma fille m'aimait. »

Jahan se pencha en avant, le regard fixé sur le chat. « Toi aussi tu aimais Mihrimah. Mais il n'y a pas qu'elle que tu adorais... J'ai réfléchi à tout cela. Tu étais follement éprise du sultan – comment ai-je pu ne pas le voir ? »

Elle s'assombrit.

« Tu brûlais pour lui, dit Jahan.

— Il brûlait pour moi, dit-elle avec fierté. C'était moi qu'il voulait, pas Roxelane. Cette fouine se mettait en travers de notre chemin.

— Tu crois cela ? Tu as l'esprit dérangé, dit Jahan, si doucement que c'était presque un murmure. Tu vis dans tes rêves. Et tes désirs. »

Elle n'écoutait pas. « S'il n'y avait pas eu cette diablesse, Mihrimah aurait pu être ma fille. Mais c'est ce qu'elle était, je l'ai toujours su. Notre enfant. À moi et au sultan Soliman. »

Pendant un moment ils se turent – elle avec amertume, lui avec désarroi. Ce fut lui qui parla le premier. « À la mort de la sultane, Mihrimah est devenue la femme la plus puissante de l'Empire. Tu étais à l'arrière-plan. Dans l'ombre. Invisible. Insoupçonnée. » Brusquement Jahan s'interrompit : « Pourquoi ce chat ne bouge pas ?

— Il dort. Ne le dérange pas, dit Hesna Khatun. Qu'est-ce que tu es venu faire ici ?

— Chercher la vérité…

— La vérité est un papillon, elle se pose sur une fleur puis une autre. Tu la poursuis avec un filet. Si tu la captures, tu es content. Mais elle ne vivra pas longtemps. La vérité est une chose délicate. »

Elle respirait laborieusement, le corps perclus de douleur. Il voyait bien qu'elle était lasse, mais n'avait pas l'intention de la libérer. « Quel est le rôle de Davoud dans tout cela ? »

Une ombre passa sur le visage d'Hesna Khatun.

« Il a été ta marionnette pendant des années. C'est vous qui avez saboté les bâtiments de mon maître. Il y a eu des morts. Pourquoi ? »

Hesna Khatun prodigua des caresses plus vigoureuses au chat. Pas un ronronnement. Pas un mouvement de la queue.

« Je ne t'ai jamais soupçonnée, *dada*. Personne ne t'a soupçonnée. Qui se méfierait d'une nourrice ? Tu as été habile, tu n'as laissé aucune trace.

— Il devait bien y en avoir une. Sinon tu ne serais pas ici, dit-elle d'un ton amer.

— Les herbes que tu faisais brûler pour ton asthme. Les cheveux et les vêtements de Mihrimah avaient toujours cette odeur. L'autre jour Davoud en était imprégné aussi. Je m'en suis souvenu après coup.

— Tu as un odorat très développé, l'Indien, dit-elle, en se redressant sur ses coussins.

— Mon éléphant m'y a entraîné. » Jahan fit une pause, caressant sa barbe. « Tu t'es servi de Davoud, mais il a échappé à ton contrôle. Il ne voulait plus t'écouter. »

Serrant le chat contre elle, elle restait immobile comme une pierre.

« Pourquoi as-tu fait cela ? Pour la richesse ? Pour le pouvoir ? Qui t'a soudoyée ? C'étaient les Italiens ? Ils voulaient entraver mon maître ?

— Oh tais-toi… Quelles sornettes, dit Hesna Khatun. Tu veux savoir la vérité ? Écoute-moi jusqu'au bout. Tu crois que j'aurais fait cela sans le consentement de ta princesse ?

— Tu mens. Mihrimah est morte. Elle ne peut pas se défendre, dit Jahan, la voix brisée. Comment peux-tu la blâmer ? Je croyais que tu l'aimais.

— Je l'aimais plus que quiconque. Plus que tout. C'est pourquoi j'ai fait ce qu'elle m'ordonnait sans jamais lui demander le motif.

— Menteuse !

— Nous croyons ce que nous choisissons de croire », dit-elle dans un râle.

L'anxiété s'amoncelait sur le visage de Jahan comme un orage en gestation. « Pourquoi Mihrimah aurait-elle voulu affaiblir mon maître ?

— Elle n'avait rien contre ton maître. Mais beaucoup de griefs contre son propre père.

— Le sultan Soliman ?

— C'était le plus grand des sultans et le plus grand des pécheurs, Dieu lui pardonne. Je ne lui en ai jamais tenu rigueur à lui, je savais qu'il était dévoyé par cette infernale Roxelane. Mais Mihrimah ne voyait pas la chose sous cet angle. Elle ne pouvait pas blâmer sa mère. Alors elle a blâmé la personne qu'elle aimait le plus – son père.

— Je ne comprends pas.

— Le sultan Soliman et Mihrimah étaient très proches. Elle était sa fille unique, sa pierre précieuse. Quand elle était enfant, il l'emmenait partout avec lui. Mais ensuite tout a changé. Il est devenu sévère, timoré. Il voyait des ennemis partout et il s'est mis à négliger sa fille. Mihrimah en était très blessée, même si elle ne s'est jamais plainte. Et puis le sultan a fait exécuter son grand vizir Ibrahim. L'homme que Mihrimah appelait son oncle et qu'elle aimait tant. Il a tué un autre vizir. Ton maître lui a élevé une mosquée. Et après il a mis à mort ses propres fils – les frères de Mihrimah.

« Elle était effondrée. Déchirée entre l'amour et la haine de son père. Combien de fois ma fille si belle a déplacé ses quartiers dans le harem, juste pour s'éloigner de son père. Puis elle revenait... Elle l'exécrait. Elle l'adorait. Ma pauvre enfant égarée.

« Mihrimah était plus riche que le trésor royal. Personne n'était plus fort qu'elle. Mais elle avait le cœur brisé. Ça n'a rien arrangé de la marier à ce Rustem. Quel mariage affreux, ça Dieu le sait. Malheureux jusqu'au bout. Elle n'a jamais voulu de lui. Jamais. »

Pris de vertige, Jahan alla s'asseoir sur un coffre placé dans un angle. De là il pouvait voir le chat dans le giron de la vieille femme. L'animal avait des yeux bizarres – l'un vert comme le jade, l'autre bleu et vitreux.

« Les accidents ont commencé à la mosquée Suleymaniye, marmonna Jahan. Tu essayais de perturber notre travail.

— Mihrimah savait qu'elle ne pourrait jamais l'emporter sur son père, et elle n'en avait aucune intention. Tout ce qu'elle voulait c'était lui rendre la vie plus difficile. La mosquée que bâtissait ton maître allait immortaliser le sultan Soliman et montrer sa grandeur à la postérité. Nous avons décidé de vous ralentir. C'était une petite vengeance.

— Et il vous fallait un apprenti pour en faire votre instrument, dit Jahan.

— Nous avons pris chacun de vous en considération. Nikola était timide. Youssouf inapprochable ; fermé comme une huître, impossible à ouvrir. Toi, nous t'avons mis de côté. Davoud était le meilleur. Plein de colère, ambitieux.

— Mais Davoud ne t'a pas obéi indéfiniment !

— Au début si. Puis il est devenu avide. Nous ne l'avons pas touché. Nous aurions pu. C'était une erreur, maintenant je le sais. À la mort de Soliman, Mihrimah l'a fait venir et lui a dit que c'était fini. En secret il a défié ses ordres. Il avait un différend avec ton maître, je crois. »

Un sentiment de nausée s'empara de Jahan. « J'ai senti l'odeur de tes herbes sur Davoud *après* la mort de mon maître. Pourquoi continuais-tu à le voir ? »

Elle mit un moment à répondre. « Davoud voulait que je l'aide à obtenir la place d'architecte impérial. Il a dit que, si je refusais, il raconterait partout ce que nous avions fait pendant toutes ces années.

— Il t'a fait chanter ! »

La bouche de la vieille femme s'affaissa.

« Et le testament de mon maître ? Il voulait que Davoud lui succède ?

— Non, dit-elle calmement. C'est à toi qu'il pensait. »

Jahan la regarda, désemparé.

« Ton maître l'avait mis par écrit. C'est toi qu'il voulait. C'était son souhait. Il gardait une copie chez lui. L'autre dans les archives des architectes à Vefa.

— C'est pour ça que Davoud a pris toute la bibliothèque ? Il a détruit les testaments.

— Il voulait être sûr qu'il n'y avait pas d'autres copies ailleurs, dit-elle. Maintenant tu sais tout. Pars, je suis fatiguée. »

Elle se tourna vers la fenêtre, montrant qu'il ne l'intéressait plus. Dans la lumière du soleil couchant, son visage semblait taillé dans la pierre. Son attitude piqua Jahan au vif, moins sa froideur que son air de nonchalance. Elle ne regrettait rien, pas même à son âge où elle était si proche de la mort.

Jahan demanda : « Est-ce qu'elle m'a jamais aimé ?

— Pourquoi poses-tu une question aussi stupide ?

— J'ai besoin de savoir si cela aussi, c'était un mensonge. Pendant des années je me suis senti coupable s'il m'arrivait de désirer une autre femme. »

Elle l'observa avec un mélange de mépris et de dégoût. « Pour qui diable te prenais-tu ? Un dompteur d'animaux ? Une souris qui s'attaque à une montagne ! Un serviteur du sultan amoureux de la fille unique du sultan ! Et tu as le front de me demander si elle t'aimait ? Quel simplet ! »

Lorsqu'elle bougea le bras, Jahan put voir le chat en entier. C'était Cardamome, son vieux familier. Empaillé. À la place des yeux, deux pierres précieuses – un saphir, une émeraude.

« Elle t'aimait bien, comme un animal favori, comme une robe. Comme le halva qu'elle grignotait. Mais tu te lasserais si tu en mangeais tous les jours. Non, elle n'a jamais été amoureuse de toi. »

Jahan serra les lèvres, rendu muet.

« Idiot, chuchota-t-elle. *Mon bel idiot*. C'est comme ça qu'elle t'appelait. C'est pour ça qu'elle raffolait autant de toi. Mais tu appellerais ça de l'amour ? »

Jahan se releva en titubant. Il pouvait mettre fin à tout cela. Il pouvait la tuer ici, sur-le-champ. L'étrangler avec son écharpe. La porte était fermée. Personne ne le saurait. Et même s'ils le découvraient, personne n'allait la pleurer. Il fit quelques pas vers elle, vit la terreur dans ses yeux.

« Quel âge as-tu, *dada* ? Sûrement bien plus de cent ans. C'est vrai qu'une malédiction t'a condamnée à la vie éternelle ? »

Hesna Khatun allait rire quand une toux sèche lui coupa la voix. « Je… n'étais pas la seule.

— Qu'est-ce que tu veux dire ? » demanda Jahan, affolé. Au moment même où les mots sortaient, il sut la réponse.

« Réfléchis : quel est l'artisan, l'artiste, l'homme aux grandes ambitions qui ne voudrait pas vivre aussi longtemps que moi ? »

Jahan secoua la tête. « Si tu veux parler de mon maître, c'était un homme exemplaire. Rien à voir avec une sorcière comme toi.

— Il est mort à quel âge ? » Son rire caquetant la fit tousser.

Avant qu'elle ne reprenne son souffle, Jahan saisit l'animal empaillé et le jeta dans le feu. Le pelage de Cardamome s'embrasa, les pierreries scintillèrent dans les flammes.

« Ne fais pas ça ! hurla-t-elle, trop tard, la voix fêlée.

— Laisse les morts reposer en paix, *dada*. »

Tandis qu'elle regardait le chat brûler, le menton d'Hesna Khatun frémissait de rage. « Puisses-tu souffrir à jamais de ma malédiction, architecte. »

Jahan se rua vers la sortie aussi vite qu'il put. Il ouvrit la porte, mais pas avant d'entendre ses dernières paroles.

« Puisses-tu implorer le Dieu tout-puissant, à genoux, de te délivrer car ça suffit… c'en est trop.

Puisse-t-Il t'entendre supplier... puisse-t-Il te voir tordu de souffrance et s'apitoyer sur toi, oh, pauvre apprenti de Sinan, mais pourtant... pourtant, puisse-t-Il refuser de te laisser mourir. »

Chaque matin, Balaban envoyait l'un de ses hommes sur le port. « Va voir si la tempête est passée et si les nuages sont partis. »

Chaque fois le coursier rapportait les mêmes nouvelles : « Les nuages sont là, chef. Ça bouge pas. »

Les sbires de Davoud rôdaient aux alentours, inspectant les passagers, vérifiant le fret qu'on embarquait. Instruit par eux, Jahan savait qu'il eût été plus sage de renoncer à prendre la mer. Il aurait dû se glisser dans une charrette en route vers les portes de la cité. Une fois hors de danger, il pouvait tenter sa chance dans un autre port – peut-être Smyrne ou Salonique. Pourtant, malgré le danger, il était résolu à quitter Istanbul comme il y était arrivé. Et le connaissant, Davoud comprenait très bien cela.

Ensemble, Balaban et Jahan échafaudèrent un plan, décidant qu'il serait plus sûr d'arriver sur le port déguisé.

« Je pourrais passer pour un Rom », suggéra Jahan. S'ils circulaient en bande habillés de la même façon, ils réussiraient peut-être leur coup.

Balaban n'était pas convaincu. Cela pourrait lui rendre la vie plus dure – sur terre comme sur mer. « T'aimerais pas qu'on te traite comme nous, frère. C'est pas le paradis d'être un Rom. »

Ensuite ils envisagèrent de l'habiller en marchand. S'il donnait l'impression d'être fortuné et important, il aurait peut-être moins de mal à embarquer. Mais une fois le navire en haute mer, les matelots s'empresseraient de le dépouiller. Jahan devait paraître respectable sans avoir l'air riche. À la fin, on décida qu'il se ferait passer pour un artiste italien – une sorte de rêveur qui avait parcouru l'Orient en vendant ses talents et qui repartait chez lui, plus âgé et plus sage. Si quelqu'un s'intéressait à ses tableaux, il dirait qu'il les avait expédiés en avance sur un autre navire. Si tout se déroulait comme prévu, il atteindrait Florence en dix jours.

Trouver le costume adéquat ne présentait aucune difficulté pour Balaban et ses hommes, même s'ils eurent plus de mal à trouver la bonne taille. Ils tendirent à Jahan un sac de vêtements – chemise en lin, pourpoint aux manches dépareillées, justaucorps de cuir et culottes nouées au-dessus des genoux. Tous en tissus de belle qualité, et tous trop grands.

Balaban ricana en voyant Jahan. « Signori Jahanioni, tu as rétréci ! »

Ils rirent comme les enfants qu'ils étaient, tout au fond. Les hommes de Balaban avaient dévalisé en plein jour un clerc du doge de Venise – un individu visiblement plus costaud que Jahan. Mais après quelques reprises par la femme de Balaban, tout lui allait à merveille. Elle insista pour teindre ses cheveux et sa barbe au henné. Quand elle eut terminé, l'apprenti de Sinan pouvait à peine se reconnaître dans le miroir. Sa tenue fut complétée par une toque de velours – pourpre sur fond noir. Ses blessures avaient eu le temps de guérir. Il ne restait que la cicatrice sur sa joue, souvenir d'une nuit qu'il eût préféré oublier.

Le jour du départ de Jahan, Balaban et ses hommes grimpèrent sur un chariot tiré par un âne. En son honneur il était enguirlandé de fleurs et de rubans. Ils étaient si nombreux à s'entasser dans le chariot que le malheureux âne pouvait à peine bouger, encore moins trotter. Ils maudirent la loi qui interdisait aux Gitans de monter à cheval, puis se querellèrent entre eux, et tentèrent de se persuader mutuellement de descendre – sans résultat. Tous voulaient escorter Jahan. À la fin ils se répartirent sur trois chariots. Ils allaient à travers les rues en convoi coloré, ignorant les mines ahuries des citadins qui les regardaient bouche bée, mi-sidérés, mi-dédaigneux, comme s'ils descendaient d'un autre Adam et d'une autre Ève.

À mi-chemin, l'oncle de Balaban entonna un chant, sa voix rude et rauque mais chaude portée par la brise. L'un des garçons sortit de sa ceinture un pipeau et reprit la mélodie.

Quand Jahan demanda ce que racontait la chanson, Balaban lui répondit si bas qu'il dut tendre le cou pour l'entendre. « Cet homme se rend à un mariage. Tout le monde est heureux, ils dansent, ils boivent. Alors il danse aussi. Il pleure.

— Pourquoi il pleure ?

— Parce qu'il est amoureux de la fille, crétin. Et elle l'aime. On la marie à un autre gars. »

La poitrine de Jahan pesait lourd quand la musique s'évanouit – d'abord le récit, puis la mélodie. Cette tristesse devait être contagieuse. Un silence embarrassé s'installa. Les chariots firent halte à proximité du port, sur une colline verdoyante.

« On va te lâcher ici, ça vaut mieux », dit Balaban.

Un par un, ils descendirent. Jahan retira la cape qu'il avait mise pour dissimuler son costume italien. Il étreignit chacun d'eux, embrassa les mains des plus âgés, les joues des enfants. Balaban, pendant ce temps, ne bougeait pas, adossé à un chariot, mâchonnant une paille. Quand Jahan eut fait ses adieux à tous, il se dirigea vers Balaban et vit qu'il avait quelque chose à la main, rond et bleu comme un œuf de merle.

« Qu'est-ce que c'est ?

— Une amulette. *Daki dey* te l'a fabriquée – pour te protéger du mauvais œil. Porte-la tête en bas sur la mer ; puis remets-la dans le bon sens quand tu atteindras le rivage. »

Jahan se mordit les lèvres pour refouler un sanglot. « Je te suis reconnaissant.

— Écoute, à propos de la prostituée... On s'est renseignés. Paraît qu'il y avait huit femmes dans ce hammam des chagrins.

— Oui ?

— Eh ben, elles sont toujours huit. Aucune d'arrivée, aucune de partie.

— Qu'est-ce que tu racontes ?

— Je raconte qu'il y a pas eu d'enterrement. Y a du louche là-dessous. Je veux pas que tu souffres toute ta vie. Peut-être que t'as tué personne, frère. C'était de la frime.

— Mais la dame naine..., dit Jahan. Elle était de mon côté. »

Balaban soupira. « Désolé que tu partes. Soulagé que tu partes. Tu es trop confiant pour survivre à Istanbul, frère. »

Gauchement, le chef gitan tira Jahan à lui et mima un coup de poing à l'estomac, une bourrade fraternelle. « À qui je vais sauver la peau, maintenant ?

— Tu pourras sauver le fils de Chota. Tu vas prendre soin de lui ?

— Oh, t'inquiète pas. On va lui dire qu'il avait un papa formidable. »

Tandis que Jahan cherchait des mots qui ne venaient pas, Balaban sauta sur le chariot et saisit les rênes, les yeux baissés. Ses hommes comprirent le signal, serrèrent l'épaule de Jahan. Quand ils furent tous installés, les chariots s'ébranlèrent. Tous le saluèrent de la main – excepté Balaban. Jahan attendait qu'il se retourne et lui jette un dernier regard. Il n'en fit rien. Sa longue chevelure battant au vent, le chef gitan regardait droit devant lui. Au moment où la route faisait une courbe, le chariot s'arrêta et Balaban se retourna. Même s'il était trop loin pour en être sûr Jahan crut voir l'ébauche d'un sourire sur le visage du Gitan. Il leva la main en signe d'adieu. Balaban fit de même. Puis ils disparurent.

Jahan sentit une douleur monter en lui, aiguë comme un coup de couteau en pleine chair. Pensif, il s'assit sur une souche d'arbre. Il ne savait pas ce que lui réservait la providence et une fois de plus il plongeait tête baissée avec toute la témérité des ignorants. Mais peu importe, il n'était plus temps de reculer. Tandis que le soleil commençait son ascension, lui aussi partit de l'avant.

Comme d'habitude le port fourmillait de navigateurs, marins et esclaves. À peine Jahan était-il sur le quai que la vitalité et l'ampleur des lieux l'engloutirent. C'était l'un des meilleurs ports, à ce qu'on disait. Les navires pouvaient y entrer sans avoir besoin de ramer ou prier que les vents gonflent leurs voiles. Les capitaines pouvaient compter sur le courant pour les conduire à quai. Les deux rives opposées du Bosphore, à la différence de la cité, étaient prévisibles, toujours fiables. Ce jour-là, il y avait foule de navires, mais seuls quelques-uns avaient hissé les voiles pour le départ. Dont une caraque trois-mâts, élégante et majestueuse, à destination de Venise. Celle que visait Jahan.

Maintenant qu'il était un artiste italien, il observait fasciné chaque curiosité et ôtait son chapeau devant chaque femme – nonne ou damoiselle. Il vit des pèlerins, jésuites en soutane, moines en froc, dignitaires aux doigts tachés d'encre indélébile. Un scribe était assis derrière un pupitre de fortune, entouré d'une foule de gens qui regardaient sa plume produire de la magie. Jahan noua conversation avec un vendeur ambulant albanais à qui il acheta du sorbet au miel. Quelqu'un tentait de faire gravir la passerelle d'embarquement à un cheval encapuchonné – un étalon pur-sang noir. Où emmenaient-ils ce superbe animal, se demanda Jahan, et survivrait-il à la traversée ?

Alors qu'il suivait cette scène, Jahan remarqua à la périphérie de sa vision les deux sourds-muets de Davoud. Ils se frayaient un chemin parmi la foule, venaient dans sa direction. Jahan retint son souffle tout en sirotant sa boisson. Ils passèrent à proximité sans prendre garde à lui.

Un instant plus tard, un cri perçant déchira l'air. « Arrête, fils de pute ! »

Le magnifique cheval s'était cabré et avait repoussé le page, qu'il expédia droit dans l'eau. Une onde de rires se propagea sur le port, vite étouffée par les cris et injures quand le cheval, toujours encapuchonné, redescendit la passerelle et fonça parmi la foule. Bloqué de tous côtés par les corps et les bagages il ne réussit pas à décamper comme il l'aurait voulu. Mais n'étant pas prêt à s'arrêter, il piétinait tout ce qu'il trouvait sur son passage.

Le page, sauvé des eaux et dégoulinant de fureur, aboyait des ordres et des malédictions. Jahan le rattrapa. « Comment s'appelle le cheval ?

— Qu'est-ce que ça peut te foutre ?

— Son nom ! » dit Jahan, perdant patience.

L'homme haussa les sourcils. « Ébène. »

Jahan se lança à la poursuite du cheval. Son capuchon avait glissé mais de voir ce qui l'entourait ne faisait qu'aggraver sa panique. « Ébène ! » appela Jahan à plusieurs reprises, en gardant sa voix aussi étale que possible. Les chevaux ne reconnaissent pas vraiment leur nom. Mais ils saisissent une note familière quand ils l'entendent, tout comme ils perçoivent l'intention cachée derrière.

Encerclé, l'étalon fit demi-tour, hennissant et remuant la tête nerveusement. Jahan se tint devant lui en lui montrant ses mains vides. Il s'approcha, pas à pas, mot doux sur mot doux. Le cheval ne l'aurait pas laissé s'approcher s'il n'avait pas été épuisé. Mais épuisé, il l'était. Saisissant les rênes, Jahan lui flatta tendrement l'encolure.

Sur une impulsion, Jahan se retourna. À quelques toises de lui, les sourds-muets le regardaient sans cligner des yeux, leur expression impossible à déchiffrer. Étaient-ils soupçonneux ou simplement intrigués ? Après un regard, Jahan n'osa pas recommencer. Un nœud lui étreignit la poitrine. Un filet de sueur roula sur sa nuque. Ses vêtements lui parurent d'un poids ridicule quand il s'avisa qu'ils seraient une gêne s'il devait prendre la fuite. Il avait une bourse sous son pourpoint, l'autre cousue dans l'ourlet de sa chemise – par les soins de l'épouse de Balaban. S'il devait courir pour se sauver, les pièces tinteraient, ajoutant à son inconfort.

Tandis qu'il réfléchissait aux choix qui s'offraient, la foule se divisa, comme fendue par un couteau invisible. L'ambassadeur de France arrivait. L'homme qui avait disséqué le corps de Chota avec une curiosité impassible. Auprès de lui sa femme, vêtue d'un corselet cintré orné de broderies sur une robe de velours vert vif, tenait un mouchoir devant son nez contre la puanteur, les sourcils froncés. Ils passèrent sans reconnaître Jahan vers le navire qu'il s'était choisi. Une armée de serviteurs se pressaient sur leurs talons, portant des boîtes et des cages où sifflaient, roucoulaient et piaillaient des créatures de toute espèce. M. et Mme de Brèves repartaient pour la France en emportant avec eux leur ménagerie privée.

Il y avait là des paons, rossignols et perroquets au plumage éclatant comme le printemps. Un faucon, un épervier et un oiseau exotique au bec énorme – cadeau du sultan. Mais c'étaient les singes que tout le monde se bousculait pour voir – un mâle et une femelle, vêtus comme des notables en miniature. Les deux bestioles, habillées de soie et de velours, regardaient la foule avec des yeux mi-craintifs mi-malicieux. Par moments la femelle se découvrait les dents comme si elle riait des humains à la manière dont eux riaient d'elle.

Profitant de la confusion, Jahan s'éclipsa, d'un pas rapide et régulier. Pas une fois il ne regarda en arrière. Il alla en zigzag entre les caisses, cordages et planches, parmi les matelots, porteurs et mendiants. Une autre caraque était amarrée plus loin. Il n'avait pas idée de sa destination, mais se sentait comme attiré vers elle. Après tout, Davoud avait peut-être deviné son intention de se rendre à Rome, et ordonné à ses gardes de surveiller les navires en partance pour l'Italie. Ce serait sans doute plus sage d'embarquer pour une autre direction. Il pourrait ensuite débarquer dans le premier port et poursuivre son voyage jusqu'au pays de Michel-Ange. Avec cette idée en tête il se dirigea vers la caraque et franchit la passerelle.

« On ne prend pas d'inconnus à bord, dit le capitaine après l'avoir écouté. Comment je peux savoir si tu n'es pas un criminel ?

— Je suis un artiste », dit Jahan, puis, pour éviter qu'il ne lui demande de faire son portrait en guise de preuve, il ajouta : « Je peins des paysages.

— Drôle de métier. On te paie pour ça ?

— Si je trouve un mécène généreux...

— Tiens donc ! fit l'homme d'un ton aigre. Nous autres on se rompt l'échine. Toi tu mènes une vie aisée. Non, tu ne peux pas venir. Tu nous porterais malheur.

— Je porte chance, je peux te l'assurer, dit Jahan. Pour te prouver ma bonne foi, permets-moi de t'offrir ceci. »

Sortant sa bourse, il la vida sur la table. Les yeux du capitaine brillèrent, il prit une pièce et en mordit le coin. « C'est bon, avance. Reste dans la cale. Tu pourras partager la soupe des matelots. Et fais en sorte que je ne te voie plus. »

Jahan fit un petit signe de tête. « Je te le promets. »

Ils attendirent encore un jour avant de lever l'ancre. Jahan le passa à attendre dans une cabine sans air. Ce n'est que lorsqu'ils hissèrent les voiles qu'il rassembla son courage pour monter sur le pont. La cité luisait au loin – bazars, maisons de café, cimetières avec leurs cyprès et leurs pierres tombales coiffées de *turbehs*. L'endroit où il avait appris à aimer et à se défier de l'amour. Il vit les minarets des mosquées Suleymaniye et Shehzade, le père et le fils. Il vit le dôme de Sainte-Sophie, une note de couleur à l'horizon. Et il vit la mosquée de Mihrimah, aussi secrète que la femme dont elle portait le nom.

La main droite posée sur le cœur, Jahan les salua, rendant hommage à la sueur et aux prières et aux espoirs qui avaient participé à leur construction. Il ne saluait pas seulement les hommes mais la pierre, le bois, le marbre et le verre, comme son maître le lui avait enseigné. Les mouettes les suivirent quelque temps avec des cris d'adieu. Quand la houle se fit plus forte, elles repartirent vers la cité. Curieusement, leur départ semblait aussi lugubre que le sien.

La malédiction... Comment pouvait-elle appeler cela ainsi alors que c'était un cadeau, pensa tout d'abord Jahan. Graduellement il reconnaîtrait à quel point la vie s'était jouée de lui. Ce qu'il avait pris pour un cadeau, il apprendrait par la suite que c'était un fléau ; ce qu'il avait reçu comme un poison, il finirait par y voir un bienfait. Mais à l'époque, suivant les propos de *dada*, qui parmi tous les artistes et les architectes du monde, se disait-il, ne souhaiterait pas vivre cent ans ou plus ? Sans jamais craindre que le temps s'arrête au milieu d'un nouvel ouvrage, lequel pourrait, allez savoir, se révéler le meilleur qu'il eût jamais accompli. Ne craignant pas la mort, Jahan échappait aux craintes de l'échec. Libéré d'une telle appréhension, il pouvait dessiner plus, dessiner mieux, peut-être même surpasser son maître. Résolu, enthousiaste, il voyagea d'un port à un autre. Il se rendit à Rome, en France, en Angleterre, à Salamanque où il pensait revoir Sancha, mais il ne trouva d'elle aucune trace.

Le fait qu'il travaillait dur et exigeait peu d'argent, l'étendue de son savoir, lui assuraient une clientèle constante. N'étant membre d'aucune guilde il ne pouvait être employé, mais il pouvait exercer son métier par des voies indirectes, en dessinant pour d'autres architectes, qui le sous-payaient. Cela le préoccupait un peu que le sort jeté, tout en lui octroyant de la force et des années supplémentaires, ne le fasse pas paraître un seul jour plus jeune. Il ne montrait aucun signe de faiblesse ou de sénilité, mais il paraissait visiblement son âge. Les gens, percevant quelque chose d'insolite, d'obscur, l'interrogeaient souvent. Quand Jahan répondait qu'il avait quatre-vingt-seize, quatre-vingt-dix-sept, quatre-vingt-dix-huit ans... ils le dévisageaient, les yeux écarquillés. Une lueur soupçonneuse clignotait dans leur regard tandis qu'ils se demandaient s'il avait conclu un pacte avec le diable – mais il ne l'entendit exprimée à voix haute qu'une seule fois. C'était pareil partout où l'entraînaient ses voyages, du nord au sud : des humains rapprochés par un manque de confiance, voire un manque de compassion, envers tout être qui vit au-delà du nombre d'années régulier.

C'est alors que Jahan commença à se dire que peut-être la sorcière avait raison. Peut-être que son maître avait conclu un accord avec elle. Sinan avait vécu plus longtemps que tout autre artisan éminent de l'Empire. Il avait élevé plus de bâtiments qu'un mortel ordinaire ne pourrait en rêver. À un certain moment, il avait bien dû être marqué par l'odeur d'herbes d'Hesna Khatun, mais Jahan avait beau se creuser la mémoire, il ne s'en souvenait pas. Puis un jour, fatigué de tout, Sinan avait dû demander qu'on mette un terme à tout cela. Et peu avant sa mort, rendre visite à la sorcière. Pour la dernière fois. S'il en était ainsi, il y avait sûrement un moyen de briser le sortilège, mais en quittant Istanbul, Jahan avait perdu cette occasion.

Les années passèrent. À l'approche de la centaine, il s'embarqua pour le Portugal, d'où, avait-il entendu dire, on pouvait naviguer vers le Nouveau Monde. Par une après-midi ensoleillée, sur le pont avant, il remarqua un homme – souple et svelte. Son cœur fit un bond. C'était Balaban, assis entre un rouleau de cordage et un taquet. Sans réfléchir il se précipita vers lui en riant, avant de s'aviser, trop tard, que ce n'était pas lui.

« Pardonne-moi, je t'ai pris pour un autre.

— Un ami, j'espère, dit l'inconnu. Viens t'asseoir, profite du soleil tant qu'il est là. »

Et il déversa le récit de ses vicissitudes, d'une voix tantôt forte tantôt faible. Il estimait avoir commis trop de péchés pour pouvoir les fuir, et retournait dans sa famille, assagi. Las de parler, il demanda : « Quel est ton métier ?

— Constructeur. Je suis architecte.

— Alors tu devrais aller à Agra. Le shah Jahan, ton homonyme, fait construire un palais à la mémoire de sa femme. »

Jahan haussa les épaules, mais il était intrigué. « Que lui est-il arrivé ?

— Elle est morte en enfantant, dit tristement l'étranger. Il était très épris d'elle.

— Ce n'est pas tout à fait sur ma route.

— Change de route alors », dit-il, tout net.

Au cours de l'année 1632 Jahan arriva en Hindoustan, pour voir à quoi ressemblaient vraiment les plans de ce palais dont tout le monde disait merveille.

Il y a des villes où on va parce qu'on le veut ; d'autres, parce qu'*elles* veulent que vous veniez. Dès l'instant où il y posa le pied, Jahan eut le sentiment qu'Agra l'avait attiré, Agra avait tout dirigé. Pendant le trajet il avait entendu tellement parler du shah, et de la cité qu'il voulait glorifier, qu'en arrivant à Agra il aurait pu croire revisiter un lieu qu'il connaissait déjà. Il se promena dans les rues, respira leurs odeurs, généreuses et âcres, la peau caressée par le soleil, sa cicatrice un peu douloureuse.

Jahan se rendit sur le chantier au bord de la Yamouna. Là, avec l'aide d'un voyageur qui parlait un peu le turc, on le présenta à l'un des dessinateurs. Après avoir entendu ses références et vu le sceau de Sinan, l'artisan conduisit Jahan à leur contremaître. Un grand gaillard à nez protubérant, sourcils broussailleux et sourire timide qui plut immédiatement à Jahan. Il se nommait Mir Abdul Karim.

« Ton maître était un grand homme », dit celui-ci, d'une voix burinée par les explications qu'il devait donner à tous, inférieurs et supérieurs.

Il examina avec un soin méticuleux les quelques dessins que Jahan avait apportés. Après avoir déposé sur la table une coupe de lait au miel et une série de plumes, Mir Abdul Karim lui montra plusieurs croquis du projet de construction et lui demanda son avis sur chacun, ce que Jahan fit très sérieusement. Le contremaître ne dit rien, seule une lueur joyeuse dans son œil suggérait que les réponses lui plaisaient. Ensuite il demanda à Jahan de dessiner un plan de masse selon les mesures qu'il lui donna sur-le-champ. Quand Jahan eut terminé, le contremaître parut satisfait. Il prit une inspiration discrète et dit : « Tu n'iras nulle part avant de rencontrer le grand vizir. »

C'est ainsi, après une autre tournée de présentations, que Jahan se trouva convoqué par le shah. Assis en hauteur sur son Trône du Paon, ses yeux aux paupières lourdes luisant de chagrin et de fierté, sa barbe et sa moustache blanchies par la douleur, son habillement dépouillé de toute parure et pierreries – de diverses manières il rappelait à Jahan le sultan Soliman. Le shah pleurait la mort de son épouse bien-aimée, Mumtaz Mahal – « la merveille du palais » – la femme qui lui avait donné quatorze enfants en dix-huit ans. Son corps avait été enterré auprès de la rivière Tapti. Maintenant on le ramenait à Agra où il serait enseveli pour l'éternité.

Il l'avait aimée plus que toute autre femme, et au détriment de ses autres épouses. On racontait que son attachement et sa confiance étaient si grands qu'elle lisait tous ses *firmans* et, si elle les approuvait, y imprimait le sceau royal. Elle n'était pas seulement son épouse, mais tout à la fois sa compagne, sa confidente, son conseiller. Il ne se consolait pas de son absence. La nuit il se rendait encore dans ses appartements privés, comme à la poursuite de son parfum – ou son fantôme, et confronté aux pièces vides, éclatait en sanglots.

Plus jeune, Jahan eût été nerveux à l'idée de rencontrer le shah endeuillé dont il partageait le nom. Il aurait eu le visage en feu, les paumes moites et la voix chevrotante de peur de dire une sottise. Plus maintenant. N'ayant plus ni secrets ni espérances, il pouvait cesser de pester contre lui-même, et n'être qu'un observateur, calme et serein – et libre. D'où que lui vienne ce nouveau tempérament, il regrettait de ne pas l'avoir atteint avant, en présence de chaque sultan, sultane ou vizir qui avait surgi dans sa vie. Cette humeur placide de son maître, qu'il avait critiquée jadis, lui était maintenant précieuse.

Le shah s'enquit des travaux de Sinan, dont il était étonnamment bien informé. À chaque question Jahan répondit brièvement mais sincèrement. À la différence de son ancêtre Babur – dont la langue maternelle était celle de Jahan – le shah ne parlait pas le turc. Ils communiquèrent à l'aide d'un drogman, du persan au turc, du turc au persan, saisissant quelques mots communs aux deux langues, comme des papillons pris au filet entre eux.

L'audience touchant à sa fin, Jahan fut conduit vers la sortie à reculons, quand le shah lui demanda : « Tu ne t'es jamais marié, me dit-on. Pourquoi cela ? »

Jahan s'arrêta, les yeux baissés. Un silence plus épais que le miel couvrit la salle. On aurait dit que la cour tout entière était suspendue en attente de ce qu'il allait dire.

« J'avais voué mon cœur à quelqu'un, Altesse…

— Que s'est-il passé ?

— Rien », dit Jahan. Ceux qui ont été nourris d'histoires d'amour qui se terminaient immanquablement en extases, fêtes, exploits chevaleresques ou calamités ne peuvent imaginer que pour nombre de gens l'amour, au bout du compte, se résume à rien. « Elle était hors de portée et elle ne m'aimait pas. Cela ne devait pas être.

— Il y a des femmes en abondance », dit le shah.

Jahan eût aimé lui faire la même réponse. Pourquoi pleurait-il encore son épouse ? Ce qu'il ne pouvait exprimer en paroles, le shah l'entendit. Un mince sourire lui retroussa la lèvre quand il dit : « Peut-être que non. »

Le lendemain après-midi Jahan reçut une lettre du palais le désignant comme l'un des deux architectes impériaux chargés de construire le tombeau lumineux – *rauza-i-munavvara*. Il serait payé généreusement en roupies et en ashrafis, plus une gratification tous les six mois. Mais une ligne en particulier lui resta en mémoire :

Par cet écrit je te demande, Jahan Khan Rumi, constructeur de souvenirs, descendant du respectable maître Sinan qui n'avait pas son pareil et était admiré dans le monde entier, de contribuer à édifier ce tombeau très glorieux qui suscitera l'admiration des générations successives jusqu'au jour du Jugement où il n'y aura plus pierre sur pierre sous la voûte céleste.

Jahan accepta, en dépit de lui-même. Il rejoignit l'équipe des constructeurs et curieusement, alors qu'il était sur une terre étrangère où il ne connaissait pas une âme, n'avait pas de passé où se réfugier si le présent se montrait trop éprouvant, il avait le sentiment d'être chez lui.

Le projet était massif. Coûteux. Hérissé de difficultés. Des milliers de manœuvres, maçons, tailleurs de pierre, carriers, céramistes, briquetiers et charpentiers travaillaient à plein régime. On pouvait se familiariser avec une foule de langues rien qu'en allant d'un endroit à l'autre. Sculpteurs de Boukhara, marbriers d'Ispahan, carriers de Tabriz, calligraphes du Cachemire, peintres de Samarcande, décorateurs de Florence et joailliers de Venise. On aurait dit que le shah, dans sa hâte de voir le bâtiment terminé, avait convoqué tous les artisans de la terre qui pourraient lui être utiles. Implacable, têtu, il les dirigeait tous et aurait presque exécuté les dessins lui-même. Le fait qu'il avait quelques connaissances en la matière rendait la vie d'autant plus dure à ses architectes. Jahan n'avait jamais rencontré un monarque aussi impliqué dans un chantier. Tous les deux jours, le shah les réunissait en conférence, les bombardait de questions, d'opinions et de nouvelles exigences impossibles, comme ont tendance à le faire les têtes couronnées.

Shah Jahan inscrivait sa colère dans l'acier, son amour dans les diamants, sa douleur dans le marbre. Sous ses auspices, Jahan écrivit à divers maçons d'Istanbul pour les convier à venir. Il fut ravi quand Isa, son élève préféré, accepta l'invitation. Il éprouvait de la compassion et de l'admiration pour cet étudiant et pour ce qu'il pourrait accomplir grâce à son talent et sa jeunesse. Il se demanda si maître Sinan avait eu le même type de sentiments pour lui-même. Si c'était le cas, quel dommage pour Jahan de ne pas l'avoir compris.

Il y avait des éléphants sur le chantier. Sans relâche, ils transportaient les poutres et les blocs de marbre les plus lourds. Parfois l'après-midi, au soleil couchant, Jahan les regardait s'ébattre dans les mares, parcouru d'un frisson de tendresse. Il ne pouvait s'empêcher de penser que si les humains vivaient davantage comme des animaux, sans penser au passé ni au futur, sans se barder de mensonges et de duperies, le monde serait un lieu plus paisible et, peut-être, plus heureux.

Je me suis marié. Le shah, qui n'avait pas oublié notre échange, donna des ordres pour qu'on me trouve une épouse au cœur tendre. Ce qui fut fait. Ma femme, de soixante-six ans plus jeune que moi, était une veuve de tempérament aimable aux discours pleins de sagesse. Elle était grosse de deux mois quand elle perdit sa famille lors d'un déluge. Comme jadis la poétesse Mirabaï elle refusa de suivre son époux sur le bûcher funéraire. Ses yeux étaient plus sombres que tous mes secrets, son sourire toujours prêt à fleurir ; sa chevelure noire lustrée glissait entre mes doigts comme une eau parfumée. Maintes fois, le soir, en admirant son profil dans la lumière des bougies, je lui disais ce qu'elle savait déjà : « Je suis trop vieux pour toi, Amina. Quand je mourrai, il faut que tu épouses un homme jeune.

— Ne jette pas de malédiction sur nous, mon époux, disait-elle chaque fois. Chut, maintenant. »

L'automne suivant le bébé d'Amina vint au monde, un garçon aux joues potelées. Je l'aimai aussitôt comme si c'était le mien. Je le nommai Sinan, puis, me rappelant le premier prénom de mon maître, j'ajoutai Joseph ; et par respect pour la famille de ma femme, Mutamid, comme mon beau-père. Et voilà notre fils, Sinan Joseph Mutamid ; il n'y en a pas un comme lui dans cette vaste étendue d'âmes innombrables et de dieux encore plus nombreux qui prospèrent sous le ciel d'Agra, chaque jour plus grand, plus fort ; un jeune Ottoman en Inde, alors que j'étais un faux Indien en terre ottomane.

Il a le teint radieux et les yeux noirs d'Amina. Les plis qui se froncent sur la largeur de son front trahissent son impatience et sa curiosité devant le mécanisme intérieur de chaque objet qu'il observe. Quand il a sorti ses premières dents, sa mère et ses nombreuses tantes ont placé divers objets devant lui pour deviner le chemin qu'il suivrait dans la vie – un miroir argenté, une plume, un bracelet d'or, et de la cire à cacheter. S'il choisissait le miroir il s'attacherait à la beauté, peintre ou poète. La plume : il serait scribe. Le bracelet : marchand. La cire : haut dignitaire.

Sinan Joseph Mutamid est resté sans bouger un moment, sourcils froncés, à regarder les objets éparpillés à ses pieds comme s'ils représentaient une énigme à résoudre, sans s'occuper des femmes qui ne cessaient de roucouler et de l'appeler pour qu'il choisisse ce qu'elles avaient en tête pour lui. Puis d'un geste vif du poignet, il a saisi l'amulette que je porte autour du cou, la protection de daki dey *contre le mauvais œil.*

« Qu'est-ce que ça veut dire ? » demanda Amina, l'air inquiet.

Je gloussai et l'attirai contre moi sans me soucier de ce qu'en penseraient ses sœurs. « Rien de mauvais, crois-moi. » Cela voulait simplement dire qu'il prendrait ses propres décisions, peu importe ce qu'on disposerait devant lui.

Quand nous sortons, tous les trois, toute la ville nous dévisage. Parfois je croise des hommes qui, avec leurs plaisanteries salaces et leurs rires narquois, insinuent qu'un vieux gredin comme moi a bien de la chance d'avoir une femme pareille ; ou bien ils demandent comment je m'y prends pour la satisfaire à mon âge. Alors nous adoptons un autre mode de promenade dans les rues. Ma femme, son fils dans les bras, flâne devant moi. Je me laisse glisser derrière, le pas lent, et je les contemple – sa tendresse quand elle lui caresse la tête ; le sourire confiant, charmant, du petit ; leur gazouillis comme le bruissement des vagues d'une cité aujourd'hui si lointaine. J'absorbe tout cela, et je conjure une autre époque dans le temps, sachant qu'après mon départ ils continueront leur promenade ; rien ne changera. Et de le savoir, loin de me chagriner, m'emplit d'espoir, oui, d'un immense espoir.

Il n'y a rien chez ma femme qui me rappelle Mihrimah. Ni sa voix, ni son allure, ni son tempérament. Par les nuits étoilées quand elle s'allonge sur moi, sa chaleur me couvrant la peau comme une mante, quand j'ai honte de mon âge et que sa douceur m'excite, elle glisse sur moi comme un fourreau sur une épée, sa beauté avalant ma laideur, me murmurant à l'oreille : « Dieu t'a envoyé à moi. » Je sais que jamais je n'aurais entendu de tels mots dans la bouche de Mihrimah, même si le destin nous avait réunis. Non, ma femme ne pourrait pas être plus différente d'elle. Et je ne pourrais pas éprouver plus de contentement. Pourtant... il ne se passe pas un jour depuis mon départ d'Istanbul sans que Mihrimah me traverse l'esprit. Je me souviens encore d'elle. Je souffre encore. Une douleur voyageuse qui se déplace si vite d'un membre à l'autre que je ne saurais dire si elle existe. Elle est l'ombre qui me suit partout, qui s'étend au-dessus de moi quand je me sens abattu, qui aspire la lumière de mon âme.

Un an après avoir commencé à travailler pour le grand shah, j'ai été promu à la charge de dessiner le dôme du tombeau lumineux, que désormais on appelle Taj Mahal. Moi aussi j'ai changé de nom. Bien qu'on m'appelle toujours Jahan Khan Rumi, chacun, même les petits enfants, m'appelle le Bâtisseur de Dôme.

J'inspecte le chantier chaque matin. C'est une longue marche qui prend du temps. L'autre jour un novice est arrivé avec un éléphant en laisse. « Pourquoi ne pas laisser l'animal te porter, maître ? »

Ils m'ont aidé à monter. Assis dans le howdah, *j'ai regardé les ouvriers travailler sans repos, à construire pour Dieu, pour le souverain, pour leurs ancêtres, construire pour une noble cause, construire sans savoir pourquoi, et je me suis senti heureux d'être seul ici en haut et non en bas parmi eux parce que je ne pouvais retenir les larmes qui coulaient sur mon visage et que j'ai sangloté comme le vieil homme fragile que je suis devenu.*

J'ai bien conscience que je ne serai plus là pour voir l'achèvement du Taj Mahal. Si je ne meurs pas bientôt, cela voudra dire que la malédiction de dada persiste. Que je devrai abandonner cette terre tout seul. J'ai laissé des instructions à Isa et à mes élèves, au cas où ils souhaiteraient suivre mon avis – après tout, avec des apprentis, tu ne sais jamais qui défendra ton héritage, qui te trahira. Peu importe. Avec ou sans moi, le bâtiment sera érigé. Ce qu'avait fait notre maître sous le dôme de la mosquée Shehzade, notre premier grand édifice, où il n'y avait eu ni accidents, ni trahisons, et où nous ne faisions qu'un, je le ferai sous le dôme du Taj Mahal. Je cacherai quelque part un détail pour Mihrimah, que seul l'œil averti saura reconnaître. Une lune et un soleil enlacés dans une étreinte fatale – telle est la signification de son nom.

Nous avons reçu l'ordre d'inscrire sur le marbre pur : En ce monde cet édifice fut construit / Pour manifester la gloire du Créateur. J'aurais aimé ajouter dessous : Et l'amour d'un autre être humain…

Les quatre faces du Taj Mahal sont dessinées à l'identique, comme s'il y avait un miroir situé sur un côté, sans qu'on puisse jamais dire lequel. La pierre réfléchie dans l'eau. Dieu réfléchi dans les êtres humains. L'amour réfléchi dans le cœur brisé. La vérité réfléchie dans les contes. Nous vivons, travaillons, mourons sous le même dôme invisible. Riches et pauvres, mahométans et baptisés, libres et esclaves, hommes et femmes, sultan et cornac, maître et apprenti... J'en suis venu à croire que s'il existe une forme qui parle à chacun de nous, c'est le dôme. Là toutes les distinctions sont abolies et chaque son, de joie comme de chagrin, se fond dans le vaste silence d'un amour qui embrasse tout. Quand je me représente notre monde sous ces traits, je me sens étourdi et désorienté, ne sachant plus dire où commence le futur ; où se couche l'Occident et où se lève l'Orient.

Glossaire

adalet justice
agha commandant d'une branche des forces militaires
Aïd fête religieuse. *Aïd al-Fitr*, fin du ramadan, *Aïd al-Kebir*, fin du pèlerinage de La Mecque
akçe petite pièce d'argent, monnaie principale de l'Empire ottoman
Alhamdulillah « Gloire à Dieu »
alim théologien
Al-insan al-Kamil « celui qui a atteint la perfection »
Amin invocation dite à la fin d'une prière, en particulier la première sourate du Coran
ashrafi pièce d'or créée au début du règne de Soliman
aspre nom français de l'*akçe*
atlas satin de soie

baba père, chef religieux
bailo ambassadeur vénitien à la Sublime Porte
bakchich don charitable, gratification, ou pot-de-vin
baklava pâte feuilletée garnie de fruits secs

bar mitzvah « soumis à la loi », rite initiatique juif marquant la majorité d'un garçon
bedestan marché couvert
beg seigneur
berat certificat d'affranchissement d'un esclave
bismi Allah al-Rahman al-Rahim « Au nom de Dieu clément et miséricordieux », début des sourates du Coran
börek pâtisserie salée fourrée de viande, fromage ou légumes
bostan potager
boza breuvage de grain peu alcoolisé

cadi juge de paix
caftan ample tunique longue à manches décorée selon le rang du porteur
canbaz danseur de corde
cantar unité de poids, environ 45 kg
cemberbaz acrobate qui franchit des cerceaux bordés de poignards
Cevsen longue prière dont le nom évoque une armure de protection
charia « le chemin qui conduit à l'abreuvoir » et, par extension, le chemin qu'il faut suivre, loi canonique islamique
cheik titre donné à un sage religieux
cheikh al-islam la plus haute fonction dans la hiérarchie des oulémas, rang de ministre
chelebi titre honorifique signifiant gentilhomme
cheshnici goûteur
chota « petit » en hindi
converso juif ou musulman converti au christianisme

dabat al-ard la bête de la terre de l'Apocalypse (Coran, 27:82)

dada nounou
daki dey grand-mère maternelle, littéralement « la mère de ma mère », en romani
dargah sanctuaire soufi construit sur la tombe d'un homme réputé pour sa piété
darussaade « la maison du bonheur », le sérail
delibash équivalent turc d'un hussard, littéralement « tête brûlée »
devchirmé « la récolte », système de recrutement forcé d'enfants chrétiens
dhat al-halaq sphère armillaire à six anneaux permettant de déterminer la position des étoiles
diwan Conseil des ministres
djinn, djinni être invisible, masculin ou féminin, doté de pouvoirs surnaturels
dounam unité de mesure de surface, quantité de terrain labourable en un jour
drogman de l'arabe *tourjdouman*, truchement, interprète

effendi titre de politesse, seigneur, maître

fatwa consultation juridique donnée par une autorité religieuse, et décret qui en résulte
firman décret royal

gassal laveur de cadavres
gavur infidèle
gulyabani esprit mauvais, goule

hadiths ensemble des traditions rapportant les paroles de Mahomet et ses compagnons
halal licite
halva confiserie à base de pistaches et amandes
halveti ordre religieux mystique remontant à la fondation de l'islam

hammam bain de vapeur humide, suite de chambres à température variable
haram interdit
harem gynécée, et l'ensemble des épouses et concubines qui l'habitent
haremlik appartements privés
haseki garde d'élite, janissaire
hodja prédicateur
hoshaf compote de fruits secs
houris vierges du paradis d'une beauté incomparable, promises en récompense aux élus
howdah palanquin
hunsa hermaphrodite

ifrit ou *éfrit* génie de la catégorie des djinns infernaux
ilm savoir, science religieuse
imam guide spirituel qui dirige la prière en commun
inch'Allah « Si Dieu le veut »

kahya servante
kaymak crème, d'où blanc, blancheur
kebab viande grillée à la broche
khalasi débardeurs, employés portuaires
khush amdeed « bienvenue » en ourdou
kilerci majordome
kilim tapis tissé et brodé de motifs symboliques
kismet destin
kiyamet apocalypse
konak résidence, villa

libna quadrant mural ou quart-de-cercle pour mesurer l'altitude d'un astre
lodos brise marine

ma'rifa sagesse mystique
madrasa école en général, ou université de théologie musulmane
mahout cornac
majnun fou
masjid mosquée
maslak zamal, cannabis
meddah conteur public
mihrab sanctuaire, niche dans le mur d'une mosquée indiquant la direction de La Mecque
minbar chaire d'où l'imam prononce son sermon lors de la prière du vendredi
muezzin religieux qui lance les appels à la prière du haut du minaret de sa mosquée
mufti religieux qui a un pouvoir juridique et interprète la loi musulmane. Grand mufti, la plus haute autorité religieuse du pays
muwaqqit astronome chargé du réglage et de l'entretien des horloges, et du calcul des heures de prière, qu'il communique au muezzin

nakkash peintre, graveur
ney flûte oblique
nine mère-grand, aïeule
nisanci chancelier

okka mesure de poids d'environ 1,3 kg
oulémas docteurs de la loi (pluriel de *alim*) exerçant l'autorité religieuse et judiciaire

pacha titre donné aux gouverneurs de province et aux généraux
padicha titre du sultan de l'Empire ottoman
panj le chiffre cinq en romani

payitaht siège du trône, la capitale
pekmez sirop de raisin concentré
peskir essuie-main
pestemal drap de bain
pide pain turc garni de viande, fromage ou légumes
poori galette de pain frit indien
Porphyrogénète « né dans la pourpre » en grec, surnom des empereurs byzantins fils d'empereurs

raki eau-de-vie aromatisée à l'anis
Ramadan jeûne purificatoire pendant tout le neuvième mois du calendrier musulman, conclu par la fête d'Aïd al-Fitr
rauza-i-munavvara « tombeau de lumière », « sanctuaire illustre dans un jardin », nom donné au Taj Mahal dans l'histoire officielle du règne de Shah Jahan
roupie du sanskrit *rupya*, monnaie d'argent mise en circulation par Sher Khan

sahur repas pris après le coucher du soleil pendant le ramadan
salaam aleikum « la paix soit sur vous »
scudo, scudi monnaie italienne, équivalent de l'écu
shalwar pantalon ample resserré aux chevilles
shirk péché d'idolâtrie
shishebaz jongleur
shurub sirop
sokol faucon en langues slaves
soufisme une dimension ésotérique de l'islam qui recherche l'union avec le divin par l'intériorité, l'ascèse et la purification

Stamboul nom de la vieille ville des palais et des mosquées jusqu'à la réforme de la langue et de l'écriture turques imposée par Ataturk
subashi chef de la police
sutlach riz cuit dans du lait sucré

tahtirevan litière
tatcho vrai, réel, en romani
tellak masseur
thuluth un des styles canoniques de la calligraphie arabe
torrone touron italien
turbeh tombeau, monument funéraire

valide sultan équivalent de reine-mère
vizir fonctionnaire de haut rang, conseiller ou ministre

yashmak voile couvrant la tête et le visage
yeshiva école judaïque où sont étudiés la Thora et le Talmud
yumrucuk bubon

Zatik Pâque arménienne
zebani gargouille, gardien de l'enfer
zemberekcibasi commandant du bataillon de janissaires chargé des catapultes
zerde riz parfumé au safran et au miel
zhadi sorcière
zij ensemble de tables astronomiques donnant les positions successives des astres
zuluflu baltacılar hallebardiers employés au harem, à qui leur col très haut et leurs longues tresses servaient d'œillères contre toute tentation

Note de l'auteur

Je me demande si les auteurs choisissent leurs sujets ou si ce sont leurs sujets qui viennent les chercher. Pour moi, en tout cas, il me semble que c'est *L'architecte du sultan* qui m'a trouvée. L'idée de ce roman m'est venue pour la première fois une après-midi d'été ensoleillée à Istanbul, dans un taxi immobilisé par les embouteillages. Je regardais par la vitre avec impatience, déjà en retard pour mon rendez-vous, quand mon regard s'est fixé de l'autre côté de la route sur une mosquée au bord de l'eau. C'était la mosquée de Findikli, l'un des chefs-d'œuvre les moins connus de Sinan. Un petit Gitan assis sur le muret voisin tambourinait sur un bidon renversé. Je me suis dit que si la circulation ne repartait pas rapidement, je n'aurais plus qu'à inventer une histoire où il y aurait à la fois l'architecte Sinan et des Gitans. Puis le taxi a redémarré et j'ai complètement oublié cette idée, jusqu'à ce qu'un livre m'arrive par la poste une semaine plus tard. C'était *The Age of Sinan : Architectural Culture in the Ottoman Empire* de Gulru Necipoglu, que m'envoyait une amie chère. Une illustration du livre en particulier m'accrocha l'œil : un portrait de Soliman, grand et élégant dans son caftan. Mais c'étaient surtout les silhouettes à l'arrière-plan qui m'intriguaient. Il y avait un éléphant et son cornac devant la mosquée Suleymaniye ; ils se tenaient sur le bord de l'image, comme s'ils étaient prêts à s'enfuir, ne sachant trop ce qu'ils faisaient dans le même cadre que le sultan et la mosquée à lui dédiée. Je ne pouvais détacher les yeux de cette image. Mon histoire m'avait trouvée.

Tout en écrivant ce livre, je voulais comprendre non seulement le monde de Sinan mais aussi celui des principaux apprentis, des ouvriers, des esclaves et des animaux qui l'entouraient. Toutefois, quand on parle d'un écrivain qui a vécu dans un passé aussi lointain et produit autant que Sinan, la tâche la plus complexe, c'est de recomposer le temps. Il fallait sept à neuf ans pour achever une mosquée, et Sinan a construit plus de trois cent soixante-cinq bâtiments de toutes dimensions. Aussi, dans l'intérêt du rythme narratif, j'ai décidé de sacrifier l'ordre chronologique strict et de créer mon propre calendrier, en insérant des faits historiques réels dans ce nouveau schéma temporel. Ainsi, en réalité, Mihrimah s'est mariée à l'âge de dix-sept ans, mais j'ai choisi de la marier plus tard, pour donner plus de temps ensemble à Jahan et elle. Son mari Rustem Pacha est mort en 1561, mais pour les besoins de mon histoire, je l'ai maintenu en vie plus longtemps.

Le capitaine Gareth est un personnage fictif, mais il s'inspire à la fois de marins européens qui se sont engagés dans la flotte ottomane, et de marins ottomans qui ont changé de camp, dont on n'a pas encore raconté les faits et gestes.

J'ai sciemment avancé l'entrée historique de Taqi al-Din dans mon récit. En fait, il est devenu astronome officiel de l'Empire sous le règne du sultan Mourad. Mais la destinée de l'observatoire jouait un rôle important pour moi, j'ai donc déplacé la date où est mort le grand vizir Sokollu. Comme le peintre Melchior Lorck et l'ambassadeur Busbecq, deux personnages historiques, sont arrivés à Istanbul autour de 1555, j'ai inventé l'époque de leur arrivée et de leur départ. On signale dans plusieurs livres la présence d'un groupe d'architectes ottomans à Rome, mais la raison en reste mystérieuse. J'ai imaginé qu'il s'agissait des apprentis de Sinan, Jahan et Davoud. Et il y avait réellement à Vienne un éléphant nommé Soliman, dont l'aventure a été magnifiquement contée par José Saramago dans *Le Voyage de l'éléphant*.

Bref, ce roman est une œuvre d'imagination. Pourtant des faits historiques et des êtres réels m'ont guidée et inspirée. Je dois beaucoup à un grand nombre de sources anglaises et turques, des *Lettres turques* d'Augier Ghislain de Busbecq au livre de Metin And, *Istanbul in the Sixteenth Century : The City, the Palace, Daily Life*.

« Puisse le monde couler comme de l'eau », disait souvent Sinan. J'espère simplement que cette histoire coulera elle aussi jusqu'au cœur de ses lecteurs.

Elif Shafak
www.elifshafak.com
twitter.com/Elif_Safak

Remerciements

Je remercie chaleureusement les belles personnes dont les noms suivent : Lorna Owen, pour sa lecture d'un premier jet du roman et ses commentaires avisés ; Donna Poppy, pour ses suggestions perspicaces et son aide précieuse ; Keith Taylor, pour sa sagesse et sa patience ; Anna Ridley, pour son soutien et son sourire ; Hermione Thompson, pour sa générosité ; ainsi que la merveilleuse équipe de Penguin UK.

J'ai une reconnaissance particulière pour mes deux principaux relecteurs de part et d'autre de l'Atlantique : Venetia Butterfield et Paul Slovak. Travailler avec vous, sentir que nous étions proches par l'esprit et la sensibilité, partager la même passion pour les histoires et l'art du récit, tout cela fut pour moi un plaisir, un privilège, un enrichissement. Un bon relecteur, c'est pour un romancier une véritable bénédiction, et je suis bénie d'être accompagnée par deux excellents relecteurs.

Mon agent littéraire, Jonny Geller, incarne sûrement le rêve de tout auteur. Il écoute, il comprend, il encourage, il sait. Daisy Meyrick,

Kirsten Foster et l'équipe des droits internationaux de l'agence Curtis Brown ont été admirables. Je tiens aussi à remercier Pankaj Moshra et Tim Stanleu pour leurs commentaires et les échanges que nous avons eus aux premiers stades du roman, et Kamila Shamsie qui m'a aidée à trouver le nom de l'éléphant blanc. Toute ma gratitude à Gulru Necipoglu qui m'a été d'un grand secours à la fois par sa mise en perspective historique et son splendide ouvrage sur l'architecture de Sinan. Un merci chaleureux à Ugur Canbilen (également connu sous le nom d'Igor) et à Meric Mekik, qui est unique en son genre !

Il m'est difficile d'exprimer toute ma reconnaissance envers Eyup, qui sait bien que je suis une épouse exécrable et ne garde probablement aucun espoir que je m'améliore, et pour des raisons qui m'échappent reste encore à mes côtés. Méga-remerciements, bien sûr, à Zelda et Zahir.

Ce livre est paru pour la première fois en Turquie, bien que je l'aie d'abord écrit en anglais. Je dois un immense merci aux lecteurs de tous bords qui ont commenté l'intrigue et les personnages et qui, à ma grande surprise, ont accueilli Chota comme un cher disparu ressurgi du lointain passé.

Elif SHAFAK,
novembre 2014

11373

Composition
NORD COMPO

Achevé d'imprimer en Espagne
par BLACKPRINT CPI
le 2 février 2017.

Dépôt légal février 2017.
EAN 9782290127704
OTP L21EPLN001897N001

ÉDITIONS J'AI LU
87, quai Panhard-et-Levassor, 75013 Paris

Diffusion France et étranger : Flammarion